Laila Winter

y los Señores de los Vientos

Bárbara G. Rivero

Laila Winter

y los Señores de los Vientos

TOROMÍTICO

Primera edición: octubre de 2009

Ediciones Toromítico
Juvenil Bestsellers
Edición de Óscar Córdoba

Diseño de cubierta: Antonio E. Cuesta López
Imprime: Gráficas La Paz

I.S.B.N. 978-84-96947-70-2
Depósito Legal: CO-1112-09

Hecho e impreso en España - *Made and printed in Spain*

Índice

¡A-108-λ es trampa!

La mano de Zërh tembló un segundo cuando tomó, con infinita delicadeza, la pequeña talla de la reina Nemaïn. Era el momento cumbre, la figura estelar de toda su obra, y antes de mojar el minúsculo pincel en el recipiente de pintura, se reajustó las gafas redondas sobre la nariz y observó por enésima vez la maqueta del campo de batalla.

Era impresionante, gloriosa... Zërh no cabía en sí de orgullo.

Años... No, años no. ¡Siglos de investigaciones para poder realizar aquella obra maestra! La representación más fidedigna de las Guerras Faéricas que se había logrado nunca.

Contempló las pequeñas montañas que él mismo había cubierto de musgo verde allá, en el límite neblinoso del reino de los ithirïes, los paisajes cuidados hasta el extremo, los riachuelos que fluían de verdad hacia la explanada de la ciudad maldita, las viejas pirámides de piedra, hechas por él una a una siguiendo los testimonios de antiguos manuscritos casi destruidos...

Las velas del timón que colgaba del techo brillaron con luces fantasmagóricas, iluminando al pequeño sol que brillaba por encima de aquellas montañas en su camino hacia el ocaso.

«El último día para aquellos desdichados» —pensó, con la mirada vagando entre las colinas llenas de altos árboles y las extensas planicies calcinadas de la maqueta de Firïe.

De nuevo volvió a la figura de madera de la reina en sus manos y la observó con aprensión. Le pintaría los ojos rojos, por supuesto, pero le daría un discreto tinte malvado. Aquello le hizo sonreír y la mano que sostenía el pincel dejó de temblar.

En ese momento la cubierta del barco crujió, y las viejas maderas protestaron cuando el viento embistió de nuevo contra la mole flotante del Reina Katrina. Zërh no prestó atención. Estaba acostumbrado al vaivén y aunque su subconsciente había registrado que ya no estaba solo en el barco, su mente consciente lo ignoró. El fino pincel de marta cibelina, hecho tan solo de dos pelos, se aproximó a la pupila de la reina. Un solo fallo y todo estaría perdido.

Cuando terminó el ojo izquierdo notó una molesta perla de sudor bajando por su frente. Ahora el ojo derecho... Volvió a cargar el pincel con una minúscula gota roja y entonces, de golpe, la puerta del camarote se abrió y el olor inundó sus fosas nasales como una marea de peces y salitre. El resultado fue catastrófico. Dio un respingo sobre su taburete y la mano se le disparó sin control. El maravilloso pincel se ensañó con la cara de la reina Nemaïn, cruzándola con surcos sanguinolentos.

Se dio media vuelta con el corazón palpitándole de furia, y el color de su cara no tuvo nada que envidiar al de la reina. Rojo de ira se levantó y contempló al recién llegado, dudando si fulminarlo con una ristra de rayos o simplemente congelarlo y luego partirlo con un hacha.

—Saludos, alteza —dijo la misteriosa figura enfundada en dos o tres abrigos de piel de oso blanco, con una voz alegre y alcoholizada, que no parecía haberse dado cuenta de que su vida corría peligro extremo en aquel momento.

—Tiene que ser algo muy importante lo que te ha traído aquí, Äüstru —contestó su alteza temblando de rabia—. De lo contrario tu señor perderá hoy a un mal lugarteniente, y yo me resarciré vendiendo esos abrigos blancos a los pobres de Solandis, aunque estén manchados con tu sangre.

Äüstru le miró socarrón. Cruzó la estancia y se sentó con pesadez al lado de la maravillosa maqueta de la guerra. Zërh tembló de nuevo al ver la inmensa mole cubierta de pieles de oso cerca de las delicadas figuras.

Con un gran suspiro arrojó la maltrecha figura de la reina Nemaïn a un cubo de desperdicios, y se dirigió a una alacena de donde sacó una botella con un líquido ambarino y dos copas de cristal tallado. No debía olvidar sus deberes como anfitrión ante cualquier visitante. Aunque ese visitante fuera un pirata apestoso. Äüstru chasqueó la lengua con satisfacción.

Después de escanciar las copas, ambos bebieron en silencio. Zërh apenas mojó los labios pero el recién llegado se tragó de golpe todo el líquido y tosió al paladear el fuego del alcohol.

—¡Por el Gran Barbacoa, muy bueno! —exclamó con ojos chispeantes.

Luego tendió su copa hacia Zërh esperando una nueva ronda, sin embargo el otro sonrió malévolamente, y guardó la botella en la alacena saboreando su pequeña venganza. Äüstru compuso una mueca de tristeza tras las pieles de oso.

—Estoy esperando —dijo Zërh con impaciencia. El olor de Äüstru le molestaba, y su «perfume» tardaría días en desaparecer aunque abriese todas las escotillas del barco. ¡Maldita Casa del Norte!

El aludido no contestó. Con lenta parsimonia comenzó a rebuscar por entre los recovecos de todos sus abrigos y hasta se desembarazó de uno de ellos y de su sombrero de pieles, dejando al descubierto largos cabellos de color violeta y barbas trenzadas con pequeños anillos de jade.

Por fin encontró lo que buscaba y sacó una cajita negra. Luego la abrió dejando al descubierto un topacio de Solarïe pulido de forma redonda. Los ojos de Zërh se abrieron enormes y alargó la mano. Äüstru cerró la caja pillándole los dedos.

—¡Eh, eh, eh! Se mira pero no se toca —le dijo negando con la cabeza. Luego guardó de nuevo la cajita en cualquier bolsillo de sus múltiples abrigos.

Su alteza se llevó los dedos doloridos a los labios y miró al pirata con odio.

—¿Qué es lo que quieres por esa bagatela? —preguntó por fin con una nota de desprecio en la voz.

Äüstru sonrió dejando ver sus dientes separados. El desinterés fingido de Zërh no le engañaba.

—Por esta... digamos bagatela, mi señor desea información privilegiada, desde luego.

—Eso es pedir demasiado —negó su alteza, tajante—. Ni por la mismísima aguamarina de Acuarïe volveré a compartir mis secretos con ninguna de las cuatro Casas. Apañaos como podáis.

Y cruzó los brazos de una forma que no dejaba lugar a dudas.

Durante unos momentos ninguno de los dos habló y el silencio fue denso y cortante. El pirata se puso en pie y le miró con pena y desaprobación. Luego se dirigió hacia la salida, pero anduvo con lentitud deliberada, deteniéndose a la altura de la alacena de licores. Su mano llegó a rozar el picaporte de la puerta.

Zërh quiso pensar que no actuaba con coherencia. Quizás fuese la emoción del alcohol, o quizás el terrible olor del Norte que le enturbiaba el cerebro, pero se sobresaltó a sí mismo cuando dejó de lamerse los dedos y gritó:

—¡Espera!

Äüstru se volvió de inmediato, con una amplia sonrisa pintada en la cara.

—Quizás podríamos llegar a un acuerdo —siguió Zërh, presa de un secreto anhelo, secándose el sudor de la cara con un pañuelo.

—Quizás —corroboró el otro, con la mirada puesta en la alacena.

Su alteza no se hizo de rogar. Volvió a sacar la botella y muchas otras, y ambos bebieron y al final brindaron con voces turbias por el éxito de la Casa del Norte. Aunque Äüstru estaba muy acostumbrado a beber, tras varias botellas vaciadas con rapidez, la lengua se le soltó.

—El Pimpollo está ya frente a los Arrecifes de Cristal —reveló en voz baja, con un aliento que para nada envidiaba a su propio olor a pescado. Zërh pensó que vomitaría allí mismo.

De inmediato se imaginó al «Pimpollo», el Barón de Tramontana, al timón de su fragante barco y por un momento no supo si la Casa del Norte y la de Este se destrozarían en batallas navales o a golpe de olores. De todas formas, en el fondo a él qué le importaba. Y al alcance de su mano tenía nada menos que un topacio de Solarïe...

Mientras Äüstru seguía hablando sin parar, se levantó con gran esfuerzo y, trastabillando a causa del alcohol y del olor, se acercó a un pequeño escritorio de roble. Sacó un pedazo de pergamino y después de muchas dudas escribió algo. Esas cifras eran importantes, pero no sabía por qué ni dónde las había visto. Por un momento sintió escrúpulos y estuvo a punto de romper el papiro, pero quería ese topacio con toda su alma. Y sobre todo quería que Äüstru, sus abrigos de oso y su intenso aroma desaparecieran de allí cuanto antes, y el pirata estaba ya tan borracho que amenazaba con quedarse dormido sobre el sillón, lo cual, solo de pensarlo le ponía la carne de gallina.

Enrolló el pergamino y se lo tendió a su visitante. Äüstru sonrió feliz. Luego el pirata sacó el estuche de su escondite entre las pieles con una habilidad sospechosamente certera, y se encaminó a la salida sin dar un paso en falso, a pesar de todo el alcohol y el movimiento mareante del barco bajo los vientos.

—Hasta la próxima, alteza —rió burlón haciendo una reverencia antes de desaparecer.

Zërh escuchó sus pasos que se alejaban por el pasillo y el olor dejó de ser tan intenso. Sin embargo abrió todas las escotillas dejando entrar un viento frío que aliviase aquel ambiente nefasto. Cuando tuvo la absoluta certeza de estar a solas contempló el estuche negro y lo abrió con cuidado.

Un topacio de Solarïe.

Lo rozó con devoción sintiendo un cosquilleo y de inmediato se dirigió a la cabina del que hubiese sido el capitán nemhirie de aquel trasatlántico. Allí estaba su colección personal de objetos raros y misteriosos. Una colección de siglos de trabajo, esfuerzo y traiciones. Se acercó, pasando con cuidado por entre las vitrinas que los exponían, hasta la pequeña estantería sobre el camastro nemhirie. Allí había varios libros. Cogió uno de ellos, con los lomos de cuero y una única piedra incrustada.

Era un libro de Hirïa. «Probablemente el último de todos» —pensó con orgullo—. La piedra en la cubierta era una amatista de Airïe, y ahora tenía un topacio de Solarïe. Acercó la piedra al libro y de repente el topacio pareció saltar de su mano con vida propia y se incrustó en la piel de cuero, justo en diagonal con la amatista.

Zërh sonrió con enorme satisfacción. Ahora le quedaban cinco piedras más para completar la cubierta, solo que de ellas, el rubí y la esmeralda eran imposibles. Y la piedra negra del centro estaba fuera del alcance de todos. Nadie en Ïalanthilïan o en el mundo nemhirie la podría conseguir. Tuvo un escalofrío y su alegría inicial se convirtió en tristeza. Dejó el libro en la estantería y su mano cogió otro tomo. Otro libro secreto.

Lo observó detenidamente, recordando que aquella misma mañana se había sentido muy intranquilo cuando salió a cubierta a respirar las primeras brisas del amanecer.

Le había llegado un olor extraño, muy tenue. Tan débil que creyó haberlo imaginado. El olor de vientos alisios. Vientos perdidos junto con los ithirïes y que quizás… Zërh desechó el pensamiento con un gesto de la cabeza. Luego miró el libro en sus manos temblorosas.

Estaba deshilachado, ajado por el paso de los siglos, y sus capítulos se amontonaban sujetos tan solo por unas hebras ennegrecidas. La cubierta estaba destrozada por el tiempo. Además parecía haber sufrido los efectos de algún tipo de hechizo destinado a destruirlo. Bordes chamuscados y páginas a punto de hacerse pedazos. Había varios grabados casi ininteligibles que siempre había pasado por alto, pero que en esta ocasión aumentaron su curiosidad. Pasó la cubierta y leyó el título en voz alta sin darse cuenta:

ISTH ILHEMÏA

Tradujo sin esfuerzo, alegrándose por los años de estudios en la biblioteca del Reino Blanco:

«El viaje al perdón»

Se saltó varios capítulos que ya conocía. Pasó páginas que casi se deshacían bajo sus dedos hasta sus párrafos favoritos. El libro era el diario de un viaje emprendido por un grupo de elegidos hacia el reino de Firïe, y la autora, una ithirïe, narraba de forma aburrida todas las peripecias que acontecían y sus sentimientos personales con un estilo bucólico, cursi y tedioso.

Las jornadas de aquel viaje pasaban lentamente a través de los páramos calcinados de Firïe, y Zërh casi se conocía de memoria a todos los personajes. El último capítulo, que estaba a medias, siempre disparaba su imaginación.

«Vigésimo tercera jornada»

«Por fin hemos llegado. En el horizonte vemos ya las cinco columnas de fuego de Tir-Nan-Og, y la alegría por el cercano final del viaje se siente en todo el grupo.

Aunque el paisaje que nos rodea todavía es una pesadilla deso-

lada de fuego y cenizas, esta noche habrá un gran banquete para festejar la misión cumplida.

Incluso Fahon está contento. Al menos ha servido para que deje de asustarnos con esos misteriosos perseguidores que ve en cada recodo del camino. Dice que va a preparar sus arcos para cazar geenus. Me parece un irresponsable. Siendo uno de los Portadores, debería tener más cuidado. Cuentan que está enamorado de una dama de Lunarïe, pobrecillo. Quizás por eso se ha vuelto insufrible. Estoy tentada de darle un buen susto cuando anochezca y luego reírme en su cara...»

Algunos fragmentos eran ilegibles. Zërh pasó otra página con cuidado exquisito.

«...Vamos a levantar el campamento. Nuestra alegría inicial ha desaparecido y Fahon ha vuelto a sobresaltarnos con sus historias de fantasmas. A veces es demasiado pomposo y severo con los demás. Demasiadas condecoraciones, creo yo. Pero ahora ya no sé qué pensar. Yo misma he creído escuchar susurros entre los árboles y ante todo debemos proteger las Piedras aún a riesgo de nuestra vida. Voy a consultar las runas, no me gusta nada todo esto.

Una solarïe se ha puesto a llorar y los nervios están invadiendo nuestro ánimo. Las acuarïes se han vuelto insoportables. Con tanto calor, necesitan más agua que los demás y las reservas están casi agotadas.

En definitiva, parece que la camaradería con la que empezamos esta misión se está deshaciendo a grandes pasos. Y lo peor es que el mensaje de las runas es muy extraño. No soy capaz de descifrarlo.

Las columnas están ya ahí, un poco más allá de la meseta de Nan-Og. Pronto llegarán las mantícoras para escoltarnos ante la reina Nemaïn y el viaje habrá concluido. Estoy deseando volver a la paz y el frescor de los bosques de Eirdain.

Vamos a cabalgar de noche. Avanzaremos rápido y las lunarïes aseguran que son capaces de guiarnos sin peligro. Además las columnas de fuego refulgen en la oscuridad, más brillantes que los dos soles de Solarïe. Aunque jamás diré eso en voz alta, claro.»

En este punto comenzaba el gran misterio sin solución. Aquello que había sido el desencadenante de la hecatombe y el comienzo de las Guerras Faéricas. Zërh volvió a leer el último párrafo emborronado, tratando de descubrir inútilmente una pista que aclarase por fin la causa de la catástrofe.

«Nos persiguen. Sin duda quieren las Piedras pero lucharemos hasta el final. Muchos de nosotros caeremos cuando intentemos cruzar la gran meseta de Nan-Og. Se acerca una tormenta. Voy a dejar de escribir y terminaré el diario cuando alcancemos la capital de Firïe y todo esto no haya sido más que un mal sueño. Además los dioses nos bendicen. El ambiente se ha vuelto más fresco y agradable y…»

Todo lo demás estaba completamente emborronado y quemado. Zërh suspiró con desilusión cerrando el libro con cuidado. Sus pensamientos volaron hacia un pasado imaginario pero entonces sintió de nuevo un olor.

«Los alisios» —pensó estremeciéndose, con los vellos de punta.

Luego se corrigió con una mueca de enfado. Los alisios no olían a violetas. La puerta del camarote del capitán se abrió de golpe y la madera chocó contra la pared creando un pequeño tumulto.

—¡Alteza, debéis ayudarnos! —exclamó el recién llegado con voz lastimosa—. ¡Lord Vardarac está a las puertas de los Arrecifes de Cristal…!

1. Las dos arpías

La noche se agolpaba pesadamente contra las cristaleras del colegio de Lomondcastle. Apenas había estrellas en el cielo y algunas nubes cruzaban la pálida luna, escondiendo su fantasmal reflejo sobre el lago.

El viento frío de otoño, que había estado ensañándose con los viejos muros, silbaba ahora por entre los árboles haciendo crujir sus ramas secas, y arrastraba la hojarasca sobre la hierba de los cuidados jardines. La cancela de la entrada chirrió y golpeó de nuevo contra su quicio.

Muy pocas luces estaban encendidas en el castillo georgiano. Apenas tres o cuatro estudiantes seguían despiertas, repasando libros y apuntes incluso a esas horas.

Laila se despertó sobresaltada, incorporándose en la cama de un brinco. Sus ojos, aún llenos de lágrimas, miraron en todas direcciones. Había gritado en sueños y su propia voz la había sacado de la pesadilla. El corazón le latía tan fuerte que le dolía, y tenía la boca seca y la frente bañada en sudor.

Aunque su habitación era una de las pocas que estaba iluminada de todo el colegio, Laila encendió también la lamparita de la mesilla de noche. Las escasas sombras huyeron por el suelo y poco a poco su corazón fue acompasándose cuando acostumbró sus ojos a la realidad de su dormitorio.

Se sentó al borde de la cama y puso los pies en el suelo de piedra fría.

«Nada que temer. Ni rastro de agua» —pensó.

La pesadilla quería perderse en la memoria, escaparse a gran velocidad, pero Laila se lo impidió. Los detalles todavía estaban allí, y tirando de ellos, la chica recordaba esa sensación de haber sido otra persona, otra vida, y todas aquellas nuevas escenas...

Su mente volvió lentamente atrás, paso tras paso, dejando que el frío del suelo le entumeciese los pies para recordarle que estaba en el mundo real, y así llegó hasta el principio, donde el sueño comenzaba igual que de costumbre.

Estudiando por la noche, en algún momento indeterminado el sopor la vencía, y el libro de Química se le resbalaba de las manos cayendo al suelo. Entonces, en lugar de un golpe seco contra la piedra, se escuchaba un chapoteo, y el agua salpicaba en todas direcciones.

Laila lo veía flotar un palmo por encima del suelo con absoluta indiferencia, como si fuese un barco de papel a la deriva. Cataratas de agua bajaban resbalando por las paredes desde el techo, y aunque en un principio pedía socorro, no estaba excesivamente asustada. El nivel subía deprisa pero no importaba. Ella tenía su máscara de Acuarïe a mano.

La habitación se inundó por completo y Laila permaneció suspendida en medio de todo, con los cabellos verdosos flotando en medio del silencio azul. Su lámpara de noche subía hacia arriba, con el cable tirante que la mantenía anclada a la pared, y las sábanas de la cama ondulaban y se elevaban moviéndose como un pez manta.

Buceó hacia la puerta de la habitación y la abrió. Delante de ella no había ningún pasillo de piedra ni restos de muros del colegio. Todo era distante, silencioso e inmenso. Estaba de nuevo en Acuarïe.

Acuarïe...

Rodeada por un océano oscuro y agobiante, Laila buceaba tranquilamente a través del solitario espacio azul, vacío de sonidos, terriblemente sola.

Ni Aurige ni Cyinder ni Nimphia la acompañaban y eso la hacía sentirse mucho peor, además, por un misterioso motivo, ahora tenía que darse mucha prisa.

Delante de ella, en medio de toda aquella distante inmensidad, había aparecido una torre blanca de mármol con una pequeña puerta de oro, y Laila se deslizó hacia ella impulsada por una corriente cálida.

Tras ella, bancos de pirañas acudían rápido al olor de la sangre de sirenas, claro que, ¿de dónde demonios había salido aquel olor? Aquellas devoradoras casi alcanzaban ya sus pies, pero aquello no le asustaba: cuando la tocaban se convertían en arena.

Llegó a la puertecita de oro, ahora absurdamente pequeña. En ella, cinco huecos con la forma de una mano le decían que posando los dedos la puerta se abriría, y sobre el marco, un grabado escrito en la piedra, gastado por los años y las corrientes marinas: «NÏHALÏAE ITHIRÏE», decía.

Laila empujó la puerta. De dentro salía una corriente helada y un resplandor verdoso enfermizo, tan intenso que tuvo que cerrar los ojos por el brillo. Luego desapareció y volvió la oscuridad.

Avanzó por entre las retorcidas columnas de la torre del tesoro de Acuarïe, temblando por el agua fría, con el fino camisón flotando a su alrededor y la máscara pegada a la cara, dándole el aspecto de un fantasma pálido y despiadado.

A sus pies, montañas de tesoros acumulados por las acuarïes a lo largo de los siglos, objetos misteriosos, cofres llenos de oro, cúmulos de monedas y piedras preciosas que casi ocultaban a las estatuas talladas en las columnas, vestidas con túnicas y joyas de belleza sobrenatural.

Se detuvo un momento para contemplar la efigie de un hada que tenía las alas esculpidas con miles de cristales. En sus manos portaba una gran caracola blanca, de la que manaba un fluido denso y azulado que se dispersaba en la inmensidad.

Nadó por entre los pasillos de columnatas y de nuevo se sintió atraída por las montañas de joyas, perlas y diamantes que parecían inundarlo todo.

Y entonces la sensación de ser vigilada le puso la carne de gallina.

Buceó deprisa, ahora con angustia, en dirección a la estatua de una sirena realizada con tal perfección que se diría que estaba viva. Los ojos eran dos aguamarinas perfectas y el cuerpo estaba recubierto por ristras de perlas. En una de sus manos portaba un cetro de oro, y en la otra, un grano de arena brillante, solo que Laila no prestó interés a ninguna de las dos cosas.

Lo que llamaba su atención era la corona de la estatua: una joya vieja y ennegrecida, con las piedras desgastadas por la fuerza del agua, apagadas y rotas.

La muchacha alzó la mano para coger la corona y en ese momento los ojos de la estatua brillaron llenos de maldad.

Laila se quedó allí flotando, petrificada por el miedo, y entonces el örgothil abrió la boca en una sonrisa cruel, dejando ver varias ristras de dientes, afilados como cuchillas.

Los ojos se convirtieron en simas negras y Laila huyó a trompicones, nadando en el agua con prisa frenética, con la sensación de miles de agujas pinchándole la piel y el terror arañándole el estómago.

Aquello que fuera el örgothil, o en lo que se había convertido, la persiguió haciendo resonar los collares de perlas, por entre los que ya asomaban mechones de vello áspero y negro.

Las columnas le cerraban el paso y Laila siguió buceando al borde del agotamiento, huyendo de su peor pesadilla con el corazón desbocado. Torció por otro pasillo flanqueado por rostros de sirenas tallados en piedra que parecían reírse de ella y al frente divisó la puerta de oro. Solo que no podía alcanzarla, luchando contra el avance lento y agobiante de los sueños.

Volvió la cabeza para descubrir que el monstruo hiena, con la corona ridículamente pegada a la cabeza, le estaba ganando terreno a gran velocidad. Además le sonreía siniestramente y extendió hacia ella una garra llena de uñas negras.

Volvió a bracear, tratando de huir de la muerte para salir a los espacios abiertos y así esconderse en la oscuridad azul de Acuarïe.

Y entonces era cuando el sueño había cambiado por primera vez.

En su pesadilla, cuando se volvía para escapar, la puerta de oro siempre estaba cerrada. Pero ahora no. En esta ocasión, Laila atravesaba la salida y de repente toda el agua desaparecía, el paisaje cambiaba por completo y entonces ocurría algo asombroso…

Un sonido de rascado la sacó de su ensoñación. Los vellos de la piel se le pusieron de punta y se agarró firmemente al medallón de los ithirïes que ya siempre llevaba al cuello. El contacto con el frío metal la apaciguó. Se había metido tanto en el recuerdo del sueño que estaba muerta de miedo.

Miró por todos lados y se levantó despacio para abrir la puerta del armario con manos temblorosas, imaginando que podía haber algo escondido. Nada. Sólo camisas, faldas de uniforme y zapatos. Suspiró aliviada, aunque las sombras de la habitación parecieron alargarse y el silencio fue tan denso que revolvía el estómago.

Aguzó el oído. De nuevo ese sonido inquietante en alguna parte. Volvió a escudriñar en las sombras afiladas de las esquinas, e incluso iba a atreverse a echar un vistazo debajo de la cama cuando se dio cuenta de que en realidad alguien estaba golpeando la puerta suavemente, intentando no llamar la atención.

Volvió a sentir aquel terror inexplicable, pero la llamada se hizo más insistente. Cruzó la habitación caminando descalza hasta la puerta.

—¿Quién es? —cuchicheó en un susurro nervioso.

Esperó un momento pero no le llegó ninguna respuesta.

Abrió una rendija y miró a hurtadillas con el corazón encogido. Unos segundos y la hiena se abalanzaría sobre ella y todo se volvería negro. Sin embargo no había nadie en el pasillo. Se arriesgó un poco más y salió de la habitación pensando que vivía la misma situación estúpida de las películas de terror cuando, absurdamente, la protagonista bajaba las escaleras del sótano para echar un vistazo porque había escuchado un ruido siniestro.

La alfombra que tapizaba el suelo del corredor se perdía en la distancia y la oscuridad reinaba en toda el ala. Su imaginación le hizo escuchar pasos y susurros y volvió al dormitorio inquieta, cerrando la puerta con cuidado.

—¡Laila!

El corazón se le salió por la boca y los pelos se le pusieron de punta dejando escapar un alarido histérico. Ante sus narices apareció de repente su amiga de Airïe.

—¡Nimphia! —consiguió exclamar al borde del colapso. De nuevo aferró con fuerza su medallón intentando tranquilizarse—. ¡Casi me matas!

—Perdona, creí que me habías oído —respondió la otra moviendo sus cabellos de color violeta. Una brisa ligera onduló su camisón—. Llevo un buen rato ahí fuera, llamándote. Tuve que hacerme invisible por si las moscas. ¿Por qué no me abrías?

Laila la miró echando chispas.

—Bueno, son las tres de la mañana —la regañó recuperando el aliento—. Lo lógico para los nemhiries es dormir a estas horas.

Nimphia levantó una ceja.

—Así que estamos de mal humor, ¿eh? —luego echó un vistazo a su alrededor con una sonrisita—. Entonces los... «nemhiries» —recalcó con intención—, ¿acostumbran a dormir con la luz encendida? Se veía luz por debajo de la puerta cuando llegué.

Laila sintió que se sonrojaba.

—Es que he vuelto a tener la pesadilla —se disculpó tras unos segundos en silencio.

—¿En serio?

La muchacha afirmó.

—Sí, pero esta vez ha sido distinta —contó con una extraña excitación—. La torre del örgothil y el monstruo hiena persiguiéndome...

—Estás empezando a obsesionarte —la interrumpió su amiga—. Eso no es bueno.

—¿Y cómo hago para evitarlo? —preguntó ella con acidez.

—Piensa en otras cosas —sugirió Nimphia, radiante—. Piensa que dentro de poco iremos a la Universidad Blanca y que volveremos a vivir aventuras, probablemente en Solarïe o en Airïe...

—Siempre Faerie —gruñó Laila frunciendo el ceño. Luego se apartó de un manotazo un mechón de pelo verdoso de la frente.

—Bueno, pues piensa en tu padre...

—¡Peor! Solo con acordarme de él y de la asquerosa esa de Monique...

—¡Eso es! —gritó Nimphia de golpe haciéndola callar—. Venía a avisarte. Monique está a punto de nacer.

—¿Monique? —se asombró Laila.

De inmediato recordó que Nimphia no se estaba refiriendo a la novia de su padre, —aquella mujer misteriosa que tenía un parecido tan enorme con Jack Crow, el hombre de negro—, sino al huevo que habían robado en el Caldero de las Arpías durante el verano. Por un momento la confusión había marcado su rostro y Nimphia se rió.

—No es la ailorïa —confirmó con risa cantarina—, sino la arpía.

—La otra también es una arpía —contestó Laila en tono lúgubre.

—Venga, arriba ese ánimo —sonrió la de Airïe caminando hacia el pasillo—. Deja de darle vueltas a la cabeza.

Pero aunque Laila sonrió, de nuevo otra preocupación se añadió al sueño que acababa de tener. Se había acordado de la carta que había recibido de su padre unas semanas atrás. En ella, con un tono cariñoso aunque sin querer parecer protector —la discusión del final del verano aún hacía mella en los dos—, Sean Winter le anunciaba a Laila la intención definitiva de vivir con Monique.

Todavía no sabía si vivirían ambos en Winter Manor, o si vendería la mansión y se trasladaría a París para que ella no abandonase su trabajo en el hospital. Cuando leyó aquello, Laila sintió que iba a echarse a llorar. ¿Pero cómo podía su padre pensar siquiera en vender su casa de toda la vida o irse a vivir con aquella pérfida lianta? Ambas posibilidades le habían revuelto el estómago y durante un tiempo su humor fue tan terrible como el de la propia Aurige cuando estaba enfadada.

Y luego ocurrió algo totalmente inesperado que acabó por hundir sus últimas esperanzas: Sir Richard Armand Brown había ido a visitarla para hablarle de su padre y de Monique.

Con gran esfuerzo por querer parecer animada, Laila cerró la puerta del dormitorio dejando a un lado todos aquellos pensamientos dolorosos, y anduvo tras Nimphia por el pasillo a oscuras.

El hada del aire caminaba rápidamente, se diría que tenía ganas de volar para no perderse ni un solo segundo del acontecimiento, pero Laila no tenía el menor interés. De aquel asunto solo le preocupaba lo que pudiese ocurrir en el futuro si la arpía se escapaba y la veían en el colegio. Un auténtico desastre.

Llegaron a las habitaciones que compartían Aurige, Nimphia, y ahora Cyinder, tras su tardía incorporación a Lomondcastle. Con la llegada de la solarïe otro muro de la habitación había desaparecido y el dormitorio triple era enorme.

Cyinder y Aurige estaban sentadas alrededor de una mesa de cristal en la zona de Lunarïe. En la eterna penumbra provocada por una noche perpetua y los velos de color malva que caían desde el techo, sus caras parecían sombras.

Miraban atentamente al huevo de arpía colocado sobre un cojín violeta que Nimphia había ideado, con una temperatura ideal similar a la de los nidos del Caldero de las Arpías. Incluso apestaba a azufre. Seguro que era otra idea de la de Airïe para que la mascota se sintiese más a gusto.

El huevo seguía siendo negro y lleno de costras, un objeto feo que pertenecía a las cuatro, pero Aurige ya había advertido que si nacía una arpía, la criatura sería de Laila. Ella no quería responsabilidades.

—¿Cómo sabéis que va a nacer ahora? —preguntó Laila en voz alta, muy intrigada a su pesar.

—¡Shhh! —exclamaron a la vez Cyinder y Aurige, llevándose un dedo a los labios.

El huevo pareció vibrar un instante y luego volvió a quedarse quieto.

—Hay algunas grietas en la superficie —le aclaró Cyinder entre susurros. Sus ojos dorados parecían dos faros en medio de la penumbra.

Laila se fijó con más atención. Ahora que lo miraba de cerca, efectivamente pequeñas fisuras lo cruzaban de arriba abajo. Sin saber por qué, el corazón se le aceleró. Ver nacer una arpía no era algo que estuviese al alcance de muchos. Se sentó en un sillón cerca de la mesa y contempló la escena.

Por supuesto, habían elegido el escenario de Lunarïe porque así se le daba un toque misterioso, y porque Laila sabía que Aurige no permitiría que la arpía naciera bajo los pequeños remolinos de viento que surcaban los aposentos de Nimphia, ni bajo la luz extrema que Cyinder había creado en su propio dormitorio.

Aquello también había sido fuente de discusión. Cuando Cyinder llegó, de inmediato creó cinco pequeños soles que flotaban cerca de las vigas del techo, y que relumbraban aún más porque la solarïe había transformado las paredes de su habitación en oro puro. La claridad era tan abrumadora que casi atravesaba todo el recinto de Airïe, en perpetuo movimiento de cortinas y papeles volando, y después de un gran enfado de Aurige, la cosa acabó con la aparición de gruesos cortinajes de color oscuro que separaban sus aposentos de los de Cyinder y Nimphia.

Sin embargo, a Laila era la parte que más le gustaba. En el pequeño Lunarïe se respiraba un suave olor a madreselvas, y podían contemplar tranquilamente las constelaciones que giraban en el techo, recreando el verdadero cielo del reino de la luna. En los aposentos de Nimphia, los vientos cambiantes iban y venían a sus anchas, y aunque la brisa y el aroma a primavera eran muy agradables, llegaba siempre un momento en el que Laila creía que iba a volverse loca allí.

Y la parte privada de Cyinder era excesivamente luminosa. Laila estaba acostumbrada a Solarïe y a su claridad, y se había sentido bien incluso durmiendo a la puesta de Qentris y despertando al amanecer de Solandis aunque la noche nunca llegase. Pero allí, entre cuatro paredes, esa misma claridad podía dejarla ciega en cualquier momento.

—¿Cuánto tiempo tardará? —cuchicheó Laila sin apartar la vista del huevo costroso.

Nimphia levantó los hombros impotente y Aurige ahogó un bostezo mal controlado.

—Ya son casi las tres y media de la madrugada —insistió la chica mirando su reloj—. Dormiremos poco y lo vamos a pasar mal en clase.

—Será mejor que hagamos algo que nos mantenga despiertas —susurró Cyinder rápidamente.

Al momento chasqueó sus dedos y varios pasteles de diversos tamaños y colores surgieron de la nada. Laila tomó uno de sus favoritos: un volcán de frambuesa con lentejuelas, y asintió con aprobación.

Después de un rato, todos los dulces habían desaparecido, y el mutismo y el cansancio volvieron a hacer mella en el ambiente. Laila miraba el huevo sucio y sus pensamientos le devolvieron al día de la visita de Sir Richard. Cerró los ojos con pesar y se dejó arrastrar por los recuerdos.

La muchacha se había lanzado en sus brazos en cuanto supo que el anciano caballero había ido expresamente a verla al colegio. Aquella sorpresa era maravillosa. Le condujo al salón de las visitas y ambos se sentaron en los mullidos sillones con el sol frío de otoño entrando a raudales por los grandes ventanales.

Sir Richard parecía haber envejecido desde el verano. Laila lo notó más cansado y su mirada, siempre brillante, era ahora huidiza. Sin embargo le estuvo hablando de su última estancia en Praga, y de las visitas que había realizado a los numerosos escenarios protagonizados por espías durante la guerra fría. Laila le escuchaba completamente absorta. Después el anciano guardó silencio, observándola detenidamente.

—¿Y qué estás haciendo en Escocia, tío Richi? —preguntó ella con una sonrisa enorme, aún anonadada ante su presencia tan repentina.

—Bueno he tenido asuntos que resolver —Sir Richard carraspeó—. Las cosas no están yendo bien en el consulado estos días. Además estuve hablando con tu padre hace poco…

Laila dio un respingo y la sonrisa desapareció.

—No te enfades, princesa —siguió él al notar su inquietud—. Tu padre sólo quiere saber si te encuentras bien.

—¡Eso es mentira! —exclamó ella enojada, aflorando de golpe todo su mal genio acumulado—. ¡Si quisiera verme podría haber venido igual que has hecho tú! Nunca ha aparecido por el colegio y mucho menos ahora.

Sir Richard levantó una ceja y la miró con desaprobación.

—Laila, tu padre está muy preocupado por ti. Aunque no me ha dicho el motivo, sé que estás enfadada con él, y puedo imaginarme el por qué.

—¿En serio? —preguntó ella, asombrada.

—Sí —contestó él sin vacilar—. Y vengo precisamente a hablarte de eso.

Laila miró a Sir Richard y su mano se aferró de manera inconsciente al medallón de los ithirïes. ¿Sir Richard sabía la historia de su madre? ¿Lo de las alas cortadas? Guardó silencio, expectante.

—Tu padre me ha contado que quizás, pero sólo es una remota posibilidad, venda Winter Manor. Sé que odias a la señorita Soirett y la haces responsable de todo esto —siguió sin darse cuenta del suspiro de alivio de ella—, pero ya lo hemos hablado como adultos, princesa. Monique es una mujer encantadora y está enamorada de tu padre…

—Es una arpía —interrumpió ella, que recordaba en ese momento el huevo robado.

El anciano pareció apenarse.

—Laila, he venido a verte para esto. Para que no lo veas todo negro, para que entiendas las cosas como una mujer adulta, y para que des una oportunidad a la felicidad de tu padre con la señorita Soirett.

—¡Y cómo no lo voy a ver negro si va a vender mi casa! —le increpó ella—. Y por mucho que me lo pintes de rosa, Monique es la responsable. ¡Si ella no existiera, mi padre nunca abandonaría Winter Manor y los recuerdos de mi…!

Se detuvo al momento. La conversación le resultaba cada vez más dolorosa. Y se sentía horrible al tratar así a Sir Richard, el único que parecía comprenderla y animarla.

El caballero suspiró. Sus ojos divagaron por la figura de la muchacha y de repente se fijaron en el medallón de metal.

—¿Me dejas ver eso, querida? —preguntó de inmediato, alargando la mano con ojos centelleantes.

Laila siguió la trayectoria de su dedo y al darse cuenta se llevó la mano al colgante. De repente sintió la necesidad inexplicable de negarse y se le cortó la respiración sin saber qué hacer. Iba a abrocharse un botón más de la camisa pero al final sus dedos obedecieron a su mente racional y se quitó el medallón, alargándoselo.

El anciano lo cogió con avidez. Pareció que su cansancio y la fatiga desaparecían. Sus manos lo acariciaron con suavidad y tocaron los bordes y las medias esferas, observando con mucha atención los relieves y filigranas de la serpiente de dos cabezas.

—¿Sabes qué significa? —preguntó ella con un deje de intranquilidad.

—No —negó el anciano, absorto en el metal. Luego la miró a los ojos—. No, no lo sé, princesa… ¿de dónde lo has sacado?

Laila se puso colorada.

—Me lo encontré en casa, en el desván —balbuceó mintiendo descaradamente.

Sin embargo aquello pareció convencer a Sir Richard, que asintió sin darse cuenta. Entonces la observó como sopesando posibilidades.

—Con tu permiso, voy a llevármelo para estudiarlo —dijo de repente.

—¡No! —se horrorizó la muchacha con una mueca de espanto.

De golpe le arrebató el medallón de las manos y se lo colgó al cuello.

La situación se volvió tensa y Laila se dio cuenta de la tremenda grosería que acababa de cometer. Bajó la mirada incapaz de decir una palabra. Su conciencia le decía que le diese el colgante a Sir Richard como disculpa pero algo más profundo se lo impedía rotundamente.

Sir Richard carraspeó y se levantó, visiblemente turbado.

—Bueno, princesa —dijo con seriedad—. Me tengo que marchar. Aún me queda un largo camino hasta Wiltshire. Tengo una reunión muy importante allí…

Laila se abrazó a él, sin saber cómo disculparse.

—Lo siento, lo siento mucho, tío Richi. Toma el colgante, por favor —le ofreció quitándoselo con un gran esfuerzo.

El anciano la miró a los ojos y luego al medallón. Su mano rozó la cadena un segundo, pero luego pasó de largo hasta acariciar los verdosos cabellos de la chica.

—No pasa nada, picarona —le dijo suspirando. Luego le guiñó un ojo—. Pero no mientas a tu tío Richi nunca más. Esto no lo has sacado de ningún desván. Te lo ha regalado tu novio.

Laila se quedó muda un segundo y estuvo a punto de protestar, pero consiguió fingir una sonrisa de boba.

—A cambio de este secretillo —siguió el anciano, con la misma sonrisa encantadora—, vas a pensar en lo que hemos hablado, y si ocurre algo, digamos… una invitación de boda —miró a Laila con intensidad—, me vas a prometer que serás buena chica y contarás hasta cien antes de enfadarte, y que pensarás en el bienestar de tu padre por encima de todo.

Por un momento se quedó anonadada. El anciano caballero le dio dos besos y miró el colgante de soslayo por última vez. Luego ella le acompañó hasta el recibidor sin apenas pronunciar palabra. Mientras le veía marchar en el taxi la cabeza le daba vueltas: ¡una invitación de boda! Su padre no se atrevería a darle aquella sorpresa sin previo aviso.

Solo que entonces, lo peor estaba aún por venir. Con el paso de los días las dudas crecieron y Laila llegó a convencerse de que en cualquier momento recibiría la maldita carta de invitación. Sin lugar a dudas, Noviembre estaba siendo verdaderamente horrible.

Sus ojos se enfocaron de nuevo sobre la mesa de cristal y el cojín malva. El huevo vibró durante unos segundos y un trocito de cáscara saltó sobre la mesa.

—¡Ya falta poco! —chilló Nimphia, presa de la excitación, y una nueva salva de siseos la hicieron callar.

El huevo se detuvo otra vez. Parecía hacerse de rogar, y la mente de Laila volvió a divagar entre la arpía, la novia de su padre, Sir Richard y el sueño de Acuarïe.

Al cabo de unos minutos en silencio decidió retomar la conversación que había iniciado con Nimphia.

—De nuevo tuve la pesadilla del örgothil —susurró.

Las otras la miraron en silencio.

—Solo que esta vez es distinta —siguió con voz tenebrosa.

—¿El monstruo te alcanza? —quiso saber Aurige y Laila le devolvió una mirada malévola.

La lunarïe se rió bajito.

Comenzó a hablar de cuando, igual que siempre, escapaba nadando por entre las columnas de la torre de Acuarïe, sabiendo que al final la puertecita de oro estaría cerrada. Y entonces, mientras hablaba en voz baja, el resto del sueño llegó nítido y lleno de detalles, terriblemente real.

La puerta estaba abierta y Laila la alcanzaba sin problemas. Ponía un pie en el suelo y la hierba le llegaba casi a la altura de los tobillos. Incluso había notado el frescor del rocío en los pies.

El agua había desaparecido por completo y todo el paisaje cambiaba de golpe. Ahora había cielo y tierra y la noche llegaba a su fin. En el horizonte el sol tardaba en aparecer, pero los colores violáceos del alba eran cada vez más claros y la luna llena apenas era ya un pálido reflejo por entre las últimas nubes.

Enormes campos verdes se desplegaban ante su vista, hasta la línea de las lejanas montañas, y abajo, en medio de un suave valle de colinas, toda una ciudad de piedra protegida por árboles gigantescos, tan altos que parecían llegar hasta las nubes.

La ciudad estaba llena de construcciones que le recordaban a las pirámides egipcias, solo que escalonadas como las aztecas y mayas: enormes bloques cubiertos de exuberante vegetación en torno a otra pirámide mayor, de ángulos prácticamente perfectos, que dominaba a las demás en altura y grandiosidad.

Parecía una ciudad desierta y fue entonces cuando su piel notó que agarraba con fuerza la mano de alguien.

Alzó la vista y se descubrió al lado de un hada de largos cabellos verdes, llenos de pequeñas trenzas que le caían hasta la cintura, vestida con una túnica verdosa y gris, y los brazos cubiertos por brazaletes de cobre y cuero.

Al igual que ella, miraba hacia la lejana ciudad, solo que sus ojos estaban llenos de lágrimas y Laila sintió una profunda tristeza. Le apretó la mano y el hada le sonrió.

Se dio cuenta de que a su alrededor, cientos de hadas de igual aspecto se reunían para contemplar aquella urbe de piedra, cobijados bajo la frondosidad de un bosque que los ocultaba. Entonces Laila supo que todo el grupo trataba de permanecer escondido.

Por el rabillo del ojo percibió un movimiento allá, en la plaza de piedra frente a la gran pirámide. Un número importante de hadas se había congregado, pero ella apenas los distinguía mas que como pequeñas hormigas. Portaban estandartes de color verde y, al igual que los que estaban refugiados en el bosque, miraban hacia el horizonte.

—¿Eras tú la que agarraba la mano de la otra mujer? —quiso saber Nimphia, interrumpiéndola—. ¿Tú misma? ¿Laila?

—No —negó Laila con pesar—. Tenía alas transparentes en mi espalda, así que no podía ser yo.

Nimphia asintió en silencio, sabiendo cuánto le dolía a su amiga el tema de sus alas, cortadas por su padre poco después de nacer.

—Entonces ocurrió algo —siguió narrando ella, con los ojos fijos en el huevo de arpía, sin verlo.

Por fin había empezado a amanecer. Sin embargo la tensión creció a su alrededor y los ojos de las hadas, fijos en la ciudad, se agrandaban de miedo y de ansiedad. En aquel instante, el sonido sordo de un cuerno tronó rasgando el aire y al momento otros muchos se le unieron. Se escucharon exclamaciones y lamentos por todos lados pero ella no abrió la boca. El hada que estaba a su lado le volvía a apretar la mano con fuerza, como si tratase de infundirle valor, y ella volvió a mirarla un segundo.

Pero amanecía, y era el amanecer más bonito que había visto nunca. No sólo salía el sol por detrás de las montañas del horizonte. Amanecía por todos lados a la vez, y aún brillaban estrellas en el cielo. Entonces un destello surgió muy a lo lejos.

«El sol» —había pensado ella.

Y luego otro sol, y otro, y muchos más, miles de soles saliendo de detrás de las montañas. Una riada de luz apareció en la distancia surcando el cielo, y aquellos soles volaron hacia la ciudad de piedra, iluminándolo todo a su paso. Entonces ella descubrió qué era lo que estaba ocurriendo en verdad.

Gigantescas aves de fuego llegaban por todos lados. Alzaban sus alas, tan enormes como cortinas de llamas y se acercaban a las pirámides en un lento vuelo de muerte.

Las hadas a su alrededor se agitaban y lloraban, y muchas

corrieron a refugiarse al interior de los bosques. El miedo se podía sentir por todos lados.

Entonces el hada que le agarraba la mano se soltó y se dirigió a otra que se cubría el cuerpo y la cara con una coraza de cuero. Le dijo algo que ella no pudo entender pero al momento surgieron gritos de protesta y ojos aterrorizados.

La dama de cabellos trenzados permaneció inamovible en su decisión. Acercaron un caballo y el hada montó en él con gran elegancia. Laila, o el hada que era Laila, gritaba y lloraba, pero otros brazos la arrastraban hacia el interior de la espesura.

Por entre las ramas de los árboles el cielo era ya de color rojo como la sangre y la dama del caballo se giró un instante para mirarla a los ojos. Entonces azuzó a su montura y partió al galope hacia la ciudad.

Luego todo era confuso. Gritos, carreras y oscuridad cambiante, árboles que pasaban deprisa y ramas que le herían los brazos. Grupos de hadas en movimiento, dispersándose hacia las sombras más profundas. Detrás de ella el fuego se levantaba en una muralla que devoraba el valle donde estaba la ciudad de piedra con sus pirámides y sus maravillosos árboles.

Los cuernos seguían tronando, crispando el aire con su retumbo sordo que martilleaba sus oídos sin parar, y las lágrimas le nublaban la vista. Todo estaba lleno de voces confusas y dolor, y entonces un grito sonó por encima de todos los demás. Laila lo comprendió perfectamente:

¡Emboscada!

—Entonces grité en sueños y me desperté —terminó Laila su relato. Estaba temblorosa y el corazón se le había acelerado recordando tan claramente todos aquellos detalles.

Durante unos segundos nadie habló. Luego Cyinder tomó la palabra.

—Parecía que hubieses tenido una visión en vez de un sueño.

—Estás obsesionándote con los ithirïes —terció Aurige.

—¿Me estoy obsesionando? —protestó Laila—. ¿Acaso no es un asunto importante y prometimos que los buscaríamos?

—Claro que sí —contestó Cyinder—. Y te recuerdo que el resto de las Arenas de Solarïe también fueron robadas, y también prometimos encontrarlas.

—¿Y ahora quién está más obsesionada? —gruñó Laila, sabiendo que no tenía ningún derecho a increpar a su amiga.

Se levantó y caminó nerviosa, dando vueltas por la habitación.

—¿Os tengo que recordar a todas que el verdadero objetivo de nuestra estúpida vida en este colegio nemhirie es buscar las Piedras de Firïe? —volvió Aurige a la carga—. Hoy hemos tenido que aprender que un tal Arquímedes se metió en una bañera y descubrió algo. ¿Podéis decirme qué importancia tiene que un nemhirie se bañe o se lave? Dentro de un mes se expone una colección de gemas nunca vistas en el museo francés ese tan importante, las piedras podrían estar allí...

—Desde luego que yo no voy a dedicarme a asaltar museos —contestó Laila con cara agria, sin parar de caminar.

—Estamos de un humor de perros —dijo Nimphia—. Y tú, Laila, llevas semanas enfadada. No lo pagues con nosotras.

Ella se detuvo. Sintió que los colores le inundaban la cara.

—Será el aire nemhirie —intentó chincharla Aurige por última vez—. Si no vamos a visitar el museo, entonces está claro que necesitamos salir de aquí cuanto antes y volver a Ïalanthilïan...

—Ya basta, lunarïe —la amonestó Cyinder.

—No, si tiene razón —dijo Laila avergonzada—. Es que todo me da vueltas. Si pienso en los ithirïes, eso me conduce a mi madre y me pongo furiosa. Si pienso en mi padre, entonces es horrible, porque va a casarse con la arpía esa...

Y justo en ese momento la otra arpía, la de verdad, rompió el huevo en multitud de fragmentos y se removió liberándose del légamo grisáceo que la cubría.

Nimphia corrió hacia ella, emocionada, para limpiarle los restos de cáscaras, pero la arpía la miró con unos ojos extrañamente humanos sobre el pico afilado y lanzó un gritito agudo que les puso a todas los vellos de punta.

2. Una lección silenciosa

—*¡Esto* es horrible! —se quejó Aurige otra vez.

Al menos era la cuarta protesta en media hora y ninguna le hizo caso. Estaban cansadas, y más aún de que la lunarïe no dejase de lanzar maldiciones constantemente, como si las otras hubiesen tenido la culpa.

Y en realidad así era, solo que la culpa había sido de las cuatro. Por guardar el huevo y haberlo conservado caliente todo el tiempo. Ahora la situación era insostenible.

En un principio la arpía, aunque nauseabunda y fea como un demonio, había sido encantadora. Pero aquello sólo duró los dos primeros escasos minutos desde que rompió el huevo lleno de costras.

Lanzó gorgoritos y píos sobre la mesa, esparciendo los restos de cáscara negra a la vez que intentaba enderezarse sobre sus pequeñas garras. Tras el susto inicial, todas suspiraron emocionadas con un instinto maternal desconocido, y aunque estaban horrorizadas ante la visión de aquella carita de niña con un pico curvo, las cuatro se pusieron de inmediato a buscarle algo que comer.

Aurige trajo un par de pequeñas arañas y Cyinder acarició sus pequeños plumones grises, dispuesta a peinarle los ásperos cabellos negros. Al momento la arpía le pegó un picotazo en el dedo y Cyinder aulló por el dolor y la sorpresa dando un paso atrás.

—¡Me ha mordido! —chilló indignada, llevándose el dedo herido a los labios.

Luego se apartó de la criatura y la miró con cara de pocos amigos.

—Es que la has asustado con esa manía tuya de adornar a la gente —dijo Aurige.

Sin embargo se acercó a ella con recelo y puso las arañas en la mesa al tiempo que retiraba la mano a toda prisa. La arpía se abalanzó sobre una de ellas y la destrozó al momento.

Las cuatro no salían de su asombro. Monique apenas contaba con escasos minutos de vida y ya era una bestia asesina en potencia.

—Podríamos alimentarla con zapatos —bromeó Laila aterrada, sin dejar de mirarla.

Cogió el cordón de uno de sus botines y lo balanceó cerca del pico de la criatura para toquetearle la cabeza. La pequeña arpía no se lo pensó dos veces. Con un movimiento muy rápido para un bebé, pescó el extremo del cordón y lo engulló a una velocidad vertiginosa. Después observó a Laila con sus extraños ojos vidriosos y chilló pidiendo más. La muchacha había dado un brinco hacia atrás cuando la arpía atacó el cordón de la bota, y miró a sus amigas con cara de preocupación.

—Efectivamente —leyó Aurige su pensamiento—. Tenemos un problema.

Una semana después la situación era desesperada.

Cada día, alguna de ellas tenía que faltar a clases, porque dejar sola a la arpía era un peligro. Y aunque Aurige siempre se proponía a ella misma, las otras exigían que el día sin clases fuese por turnos.

El primer día la habían dejado allí sola, completamente convencidas de que cualquier rata o insecto que la importunara tenía los días contados. Además, Nimphia le había fabricado un comedero y lo había llenado de pequeñas semillas y larvas.

Cuando regresaron, el dormitorio estaba patas arriba y varios preciosos cojines de Aurige se hallaban destrozados con las plumas dispersas por toda la habitación. Los velos de color malva estaban arañados y raídos, y la arpía se estaba ensañando con la puerta para tratar de escapar de allí.

La lunarïe tuvo que salir de la habitación hecha una furia, antes de que en sus manos se invocase un hechizo de luz negra o cogiese a la arpía y la revolease contra los pequeños huracanes del dormitorio de Nimphia.

Y encima apenas podían pegar ojo. La criatura se pasaba horas chillando, y aunque a veces descansaba sobre el cojín de Nimphia, en otras ocasiones se movía y aleteaba silenciosamente por todas partes. Una noche Cyinder se despertó y lanzó un chillido histérico al descubrir de golpe a la arpía allí, sobre su cama, en su misma almohada. La miraba torvamente con su carita infantil tan rara y aquel pico curvo afilado.

—La podríamos soltar —propuso Nimphia, cansada de las imprecaciones de Aurige—. Así no tendríamos de qué preocuparnos. Cazará ratones y cucarachas y se esconderá en los torreones oscuros del colegio. Nadie se dará cuenta.

—¡Claro que sí! —repuso Laila con ironía—. Y cuando crezca ocurrirán cosas inexplicables y empezarían a contar historias de fantasmas. Bastante tenemos ya con lo que cotillean sobre nosotras Lizzel Sinclair y Sandy Madison —respiró dolorosamente—. ¿Acaso no os habéis dado cuenta de que nadie nos dirige la palabra en todo el colegio?

—Nos tienen miedo —replicó Aurige con orgullo.

—Pues a mí no me hace gracia —contestó la chica—. Apartan las miradas y se escabullen cuando voy al comedor. Creo que ahora estoy más sola que antes —rezongó de mal humor—. Ni siquiera Mrs. Peabody me dirige la palabra para castigarme.

—En serio, nemhirie, no hay quien te entienda —dijo Aurige—. Antes te quejabas porque te insultaban y ahora te quejas porque no te dirigen la palabra.

Nimphia vio venir la tormenta en los ojos de Laila. Su amiga estaba más triste y enfadada que antes, pero estaba claro el motivo: el asunto de su padre y las pesadillas estaban dejando una huella muy penosa en su carácter. Cyinder, que también veía cómo Aurige trataba de picarla, propuso otra idea.

—Podríamos devolverla al Caldero de las Arpías.

—Claro. Cualquier excusa es buena para visitar Solarïe —replicó Aurige de inmediato.

Cyinder parpadeó y le sacó la lengua.

—Desde luego. Tengo ganas de ver a mi madre. Los trabajos de reconstrucción de Solandis están siendo muy duros. Nadie en todo Solarïe sabía restaurar paredes o tejados y muchos están quejándose todo el día, y sobre todo porque aún no hay tiendas abiertas y la moda de la próxima primavera está ya a las puertas...

—¡La moda de primavera! —bufó Aurige—. Tenemos un problema muy gordo con el bicho este —dijo señalando a la arpía, que dormía tan tranquila—, ¿y lo que te preocupa es no llegar a tiempo para comprar vestidos? Creía que ibas a cambiar las cosas cuando el destino de Solarïe estuviese en tus manos.

—Y así es —se sonrojó la rubia—. Pero por ahora es mi madre la que se está haciendo cargo de todo, y muy bien, por cierto —añadió con orgullo mientras sus amigas intercambiaban miradas—. Sin embargo siento que debería estar allí para ayudar. Quizás debería pasarme un momento y ver qué tal va todo.

—En fin, vamos a tomar un poco el aire —resolvió Laila poniéndose en pie—. Me aburro de estar aquí siempre encerrada.

—¿Y qué hacemos con la arpía? —preguntó Nimphia con un tinte de desesperación.

—Déjala aquí —respondió Laila de mal talante—. ¿O es que

la podemos sacar de paseo? Deja que destroce lo que quiera, total, luego podéis arreglarlo todo chasqueando los dedos...

—¡Oye! —se quejó la de Airïe, dolida—. Tú también podrías hacerlo, si quisieras.

—Vamos a hacer algo mejor —sonrió Aurige con cinismo—. Ya que nos confundes con shilayas a todas horas, dejemos a Monique en tu cuarto. Así, cuando tengas problemas de mobiliario, practicas un poco de magia, que te estás volviendo demasiado nemhirie.

—Por mí, encantada —gruñó Laila con cara de pocos amigos.

—Vámonos ya —cortó Nimphia antes de que se formase una tempestad—. Dejemos a la arpía aquí y ya veremos qué ocurre. Además hoy sopla el noreste y ese viento me encanta.

Todas abandonaron la habitación cabizbajas. El humor de Laila era espantoso y Aurige no ayudaba en nada. Cruzaron la galería acristalada que comunicaba con el edificio principal y bajaron hasta el recibidor del castillo. Algunas alumnas les volvieron la cara y otras pasaban junto a ellas mirando al suelo o a las paredes tratando de no saludarlas.

Laila apretó el paso. Más que nunca tenía ganas de estar sola. De que alguien distinto a unas hadas hablase con ella y así no sentirse un bicho raro. Quería a sus amigas más que a nada, pero eran dos mundos completamente distintos y la aceptación de uno supondría la aniquilación del otro. A veces se sentía al borde de un precipicio.

Como si le hubiesen leído el pensamiento, Aurige, Cyinder y Nimphia se fueron quedando atrás, caminando lentamente, y Laila llegó en solitario a los campos de deportes. Los chicos de Lomondfield estaban allí practicando polo, otro de los motivos secretos que Laila tenía para haber abandonado su dormitorio.

Buscó entre los jinetes con el corazón palpitándole con fuerza, pero todo era una marabunta de cabezas, palos y algarabía. Después se fijó en que Daniel Kerry se hallaba sentado bajo un pequeño toldo improvisado. Al parecer estaba en la reserva y esperaba su oportunidad para saltar al campo.

Laila no era una chica que pasase desapercibida y al momento Daniel levantó una mano saludándola. Ella le devolvió el saludo con nerviosismo. Miró hacia atrás pero no había rastro de sus amigas. Se sintió rara sin ellas, pero era su oportunidad para refrescar viejas amistades.

—Hola —dijo con una sonrisa tonta al llegar junto a él—. ¿Qué tal va el partido?

—Vamos ganando, pero durará poco —le devolvió él la sonrisa—. Hacía tiempo que no te veía. ¿Dónde has estado?

—Oh, por ahí —divagó ella.

Daniel se levantó de golpe y protestó en voz alta por una jugada sucia que el árbitro, al parecer, no había visto. Volvió a sentarse y la miró. Entonces pareció ruborizarse.

—Esto... eh... ¿recibiste la carta que te mandé en verano? —logró decir por fin.

Laila se puso colorada. Tragó saliva sintiendo el corazón en la garganta.

—Sí, y siento muchísimo no haberte contestado, Daniel, pero... pero... mi padre la guardó sin enseñármela hasta que volví al colegio —inventó sobre la marcha una mentira horrible.

Daniel parpadeó asombrado. Pero claro, había padres así. No era tan raro.

—Estoy enfadada con él desde entonces —siguió ella con el rubor encendido, alternando verdades y mentiras.

—Bah, no te preocupes —resolvió él haciendo un gesto vago con la mano—. Olvídalo.

—De todas formas, muchas gracias. Fue muy agradable por tu parte.

Daniel la miró con intensidad y ella bajó la vista al suelo. A su alrededor algunos jugadores habían lanzado la pelota cerca de ellos y se acercaban fingiendo indiferencia.

El viento soplaba acariciando la hierba del campo y el frío le hacía tiritar, sin embargo las manos le sudaban y las crispó sobre la falda del uniforme. El tiempo parecía pasar muy despacio.

—Oye, ¿te apetecería venir luego un rato a nuestro club? —dijo Daniel entonces—. Es un club secreto...

—¿Un club secreto? —preguntó ella sintiendo interés.

—Bueno —continuó él, socarrón—. Sólo es un poco secreto. Nos reunimos en ocasiones para leer poesía picante, ya sabes. Bebemos cerveza, cotilleamos...

Laila le miró, un poco asustada.

—¡Sería genial! —contestó, escandalizada por su atrevimiento.

—¡Señor Kerry! —les interrumpió el entrenador gritando desde lejos—. ¡En dos minutos sustituyes a McRoy, ve calentando!

—Tengo que irme —se disculpó él con una sonrisa—. ¿En el pabellón de las piscinas a las cinco?

—Allí estaré —contestó ella cuando Daniel se alejaba ya hacia su caballo.

Vio cómo se subía en la montura y echó a andar terriblemente emocionada. Daniel acababa de proponerle una cita, y aunque aquel club secreto tenía pintas de algo muy infantil, al menos podría estar con él y hablar de cosas nemhiries.

«De cosas normales» —se corrigió.

Sus amigas no aparecían por ningún sitio y Laila se sintió inquieta. ¿Dónde estarían? ¿Habrían vuelto a la habitación con la arpía? Ahora su enfado le parecía lejano y estúpido y no veía el momento de volver a las viejas risas y a la camaradería. Aunque claro, no tenía por qué hablarles de su cita ni del club misterioso. El mundo nemhirie le pertenecía. Más tarde se excusaría con ellas alegando que tenía mucho que estudiar.

Se las encontró en el recibidor del colegio. Nimphia parecía encantada. Al momento le contó que el viento de otoño había estado cotilleándole cosas sobre otros vientos, pero Aurige no le dirigió la palabra, y la sonrisa de Cyinder se borró cuando ella les dijo que por la tarde no podría visitarlas.

Se sentía terriblemente mal por apartarlas así de su lado, pero su conciencia buscó mil justificaciones, pensando que en el fondo sus amigas no la comprendían. Ninguna sabía lo que significaba ser rechazada, vivir sola toda la vida y estar siempre a la defensiva si alguien se acercaba demasiado a su interior. Así que, qué importaba si se enfadaban un poquito. Y además, ella tenía derecho a tener más amigos que ellas tres únicamente. A veces pensaba que las hadas la absorbían demasiado.

Porque, aunque no podía describir sus sentimientos ni darles forma lógica, cuando Lizzel y Sandy la molestaban o se reían de ella, al menos Laila era su centro de atención. Ahora la ignoraban descaradamente, y junto a ellas, el colegio entero. Y aquello era más doloroso que cualquier insulto.

Después de comer volvió a su habitación para preparar su plan. El tiempo pasaba muy despacio pero Laila se dedicó a practicar invisibilidad. No es que la tuviera olvidada, pero algunas partes de su cuerpo no terminaban de desaparecer. Dos horas después lo había logrado por completo y se sintió muy satisfecha. Volvió a reaparecer y se arregló frente al espejo de su pequeño aseo privado.

El medallón de los ithirïes brillaba bajo la lámpara y por un momento tuvo la intención de quitárselo. Luego se lo pensó mejor. Iba a un club secreto y aquel medallón era un misterio sin resolver. A lo mejor, si el ambiente era propicio, podría contarle a Daniel ciertas cosas…

Se ordenó los cabellos, que le parecieron más verdes y desagradables que de costumbre, pero al final sonrió con una mueca de aprobación.

Se concentró unos segundos y desapareció por completo. Luego abrió sigilosamente la puerta del dormitorio y salió sin hacer ningún ruido. Por un segundo miró hacia el corredor que conducía al dormitorio de sus amigas, con un sentimiento de culpa que desechó enseguida. Anduvo casi de puntillas por las galerías y pasillos del colegio cruzándose con otras chicas, y aunque le hubiese encantado asustarlas tirándoles los libros al suelo, prefirió pasar desapercibida.

Atravesó el vestíbulo casi desierto y salió al gran porche. El frío le azotó la cara pero apenas se dio cuenta. Estaba demasiado emocionada para echarse atrás por el mal tiempo.

Nubes grises y negras se acumulaban en el cielo y las aves volaban a ras de suelo. Antes de que anocheciera caería una gran tormenta sobre el colegio. Al menos esa era una de las cosas que había aprendido de Nimphia.

Parpadeó desechando aquellas enseñanzas de hadas y caminó por entre los autobuses escolares que recogían a algunas chicas de pueblos cercanos, hasta la vereda que daba la vuelta al castillo. Cuando se aseguró de estar completamente sola volvió a reaparecer y se dirigió con pasos apresurados por el camino que conducía a las piscinas. Bordeó la más grande observando el agua de la lluvia acumulada en la parte más profunda, cubierta de hojas que le daban un aspecto triste y melancólico.

Llegó por fin al pabellón que el colegio compartía con Lomondfield. Era un edificio acristalado donde se guardaban los botes para las regatas que se celebraban todos los veranos en el lago Lomond. Laila nunca había asistido a ninguna, pues en cuanto terminaban las clases, escapaba a Winter Manor. Ahora no tenía muy claro hacia dónde escapar.

Giró el pomo de la puerta esperando encontrarla cerrada y confirmar sus temores de que todo había sido una broma pesada, pero para su sorpresa, ésta se abrió silenciosamente. Al punto sintió la necesidad de echarse atrás pero sin embargo cruzó el recibidor de madera y atravesó el recinto donde se apilaban las embarcaciones, bien protegidas y atadas con plásticos y mantas para que la humedad y el frío no destrozasen los cascos.

Caminó con el corazón acelerado y una sensación de hormigueo en el estómago. Al fondo en los vestuarios había luz y se escuchaban voces y susurros. Se acercó despacio. De repente le parecía muy ridículo estar allí y notó el deseo de echar a correr. Se estaba arrepintiendo a gran velocidad pero sus piernas no le obedecieron. Al contrario, se dirigieron directamente a la puerta de los vestuarios.

Daniel Kerry y otros chicos estaban allí, con cara de diversión, sentados en los bancos de madera junto a las taquillas. Reían con voces roncas tras haber contado algún chiste nauseabundo —pensó ella—, y en el suelo había latas, botellines de cerveza vacías, y varios envoltorios de patatas fritas.

Reconoció a Norbert Strasser, el mejor amigo de Daniel, un chico alemán que también jugaba al polo, pero de los otros dos, solo le sonaban las caras. Uno de ellos se llevó una lata de cerveza a los labios y entonces la vio. La habitación enmudeció de golpe y el chico se atragantó y bufó, escupiendo espuma por la boca al reírse.

Laila se sintió horriblemente avergonzada e hizo ademán de escaparse.

—¡Laila, espera! —gritó Daniel levantándose, y le dio un golpe en la cabeza al que se había reído—. Espera, no te vayas.

Pero Laila caminaba a toda prisa cruzando la sala de las embarcaciones, odiándose a sí misma por ser tan estúpida, y cuando él la alcanzó, la muchacha llegaba ya al vestíbulo.

—Ven —insistió Daniel—. No les hagas caso. Son un poco tontos, pero son buenos amigos.

—No quiero molestar, en serio —balbuceó ella, roja como un tomate.

—No molestas en absoluto. Además ya sabían que ibas a venir, así que no te preocupes.

—Pero es que no me gusta que se rían de mí…

Daniel la miró fijamente y le cogió de la mano para tirar de ella. El contacto fue como un calambrazo.

—No era de ti de quién se estaban riendo.

Laila se sintió turbada ante sus palabras y no supo qué pensar. Estaba asustada y notaba las mejillas ardiendo. El chico la obligó a volver sobre sus pasos y le soltó la mano justo antes de atravesar la puerta. Los otros seguían con las bromas y se pusieron serios al verlos aparecer.

—Señores —anunció Daniel con voz de barítono—. Les presento a la señorita Laila Winter, del estimado colegio de Lomondcastle —algunos rieron con sus palabras rimbombantes—. Señorita Winter, estos son Norbert Strasser...

El aludido levantó una mano con vagancia.

—...Philip Saint-York...

—Hola —saludó el tal Philip un poco cohibido.

—Y Mathew *Babosa* Anderson —terminó Daniel las presentaciones.

—Qué tal —contestó el que se había reído al principio, levantando una mano al tiempo que se llevaba la cerveza a la boca otra vez. Luego pareció pensárselo mejor—. Puedes llamarme Matt —concedió—. Si se te ocurre decirme Babosa, te llamaré Pelomoco. La confianza da asco.

Y terminó su trago sin la menor vacilación.

Laila se sonrojó por la alusión directa a sus cabellos, pero la boca se le abrió antes de poder morderse la lengua.

—Me ha quedado claro, Babosa —le respondió con descaro.

Todos se quedaron sorprendidos y entonces una salva de risotadas arreció, llenando la habitación.

—¡Bien dicho! Ven, siéntate aquí conmigo —rió Philip Saint-York haciéndole sitio en el banco de madera.

—Ten cuidado —intervino Daniel pasándole una lata de cerveza—. Se las da de poeta pero antes de que te des cuenta intentará tirarte los tejos...

De nuevo más risotadas y Philip se estiró queriendo parecer ofendido.

Laila tomó la lata de cerveza sin saber si abrirla. Iba a rechazarla pero claro, si no hacía lo mismo que ellos, aquella frágil aceptación desaparecería y el momento mágico se esfumaría para siempre. La abrió y le dio un sorbo. El sabor amargo le hizo poner una mueca de disgusto. En nada se parecía a los deliciosos batidos de bayas azules.

Su mente viajó de pronto al castillo de Oberón y recordó con nostalgia cuando ganó el concurso de Ahamadirion Nemhirie. La voz de Norbert Strasser enseguida la devolvió a la realidad.

—¡Haznos un poema! —bramó con voz ronca, dirigiéndose al supuesto poeta.

—¡Sí! Demuestra tu talento ante nuestra invitada —coreó Mathew *Babosa*.

—Calma, calma —pidió Philip levantando las manos en actitud apaciguadora—. Sólo si la señorita Winter, miembro del estimado y sobreestimado colegio vecino lo desea, mi boca entonará versos al ritmo de mi corazón desdichado…

Se escucharon bufidos y burlas, pero Laila aplaudió aquella retórica galantería. Sin embargo, echaba mucho de menos a sus amigas. Sin duda ellas también se hubiesen divertido en aquel grupo.

Philip se puso en pie con gestos teatrales. Sacó un monóculo que llevaba guardado en un bolsillo y tosió y carraspeó pidiendo silencio. Compuso unos ojos lánguidos y levantó la mano hacia un ente invisible.

—«Poesía Anacreóntica, primera parte», por P. Saint-York —declamó.

Hizo una pausa impresionante para intrigar a su auditorio y en ese momento se escucharon pasos y risitas que venían a lo lejos, desde el vestíbulo. Todos se giraron y Philip abandonó su pose frunciendo el gesto. Laila tragó saliva y su corazón se le congeló mirando hacia la entrada de los vestuarios. Las risotadas eran inconfundibles. Había olvidado que Daniel y «ellas» eran amigos.

En la puerta, llegando a la carrera, aparecieron Sandy Madison y sus horribles primos, Tony y Lizzel Sinclair.

—¡Hola a to...! —gritó Sandy y la frase murió en sus labios al ver a Laila. La cara se le agrió—. ¿Qué hace esta aquí? —siguió en el tono más desagradable que pudo encontrar.

—Creíamos que era una reunión de intelectuales, Daniel, no una fiesta de disfraces —añadió Lizzel, mirando a Laila descaradamente.

—¡Shhh! ¡Calla! —le reprendió su hermano con voz desagradable—. ¿No dices que es una bruja? Ten cuidado no vaya a ser que te convierta en rana.

Laila se sentía palidecer. Quiso salir corriendo de allí pero Tony se había apostado junto al quicio de la puerta a propósito, evitando cualquier intento de fuga.

—Vamos, dejadla en paz —dijo Daniel muy serio—. Hemos venido a divertirnos y hasta que habéis llegado, todo iba muy bien.

Sandy le miró con rencor.

—No puedo creer que os lo paséis bien si el ambiente huele a mocos —siguió ensañándose.

—Puedes irte si quieres —resolvió Daniel con cara de poker.

La chica apretó los labios pero no se movió. Philip se levantó de su sitio con un gesto caballeroso para que las recién llegadas se pudiesen sentar.

—No, gracias —replicó Sandy, altanera, arrugando la nariz—. Me da asco sentarme ahí. Prefiero sentarme en tus rodillas, Daniel, como siempre —añadió con maldad.

Se acercó coqueteando, dispuesta a cumplir sus palabras, pero Daniel se levantó del banco y se sentó junto a Laila dejándole su sitio libre. Se encontraba muy azorado y era incapaz de mirar a la chica a los ojos.

Sandy torció el gesto pero al momento compuso una sonrisa encantadora que hizo brillar sus labios cuidadosamente maquillados. Durante unos segundos todos permanecieron en un silencio embarazoso, mirando a Laila y a las otras por turnos, como si fuesen a asistir a un combate de boxeo.

—Mi madre me ha comprado un bolso de Gucci —comentó Lizzel en voz alta, subiéndose la falda al sentarse.

Laila no la escuchaba. No oía a nadie. En una ceguera teñida de rojo sólo podía imaginar a Sandy sentada en las rodillas de Daniel «como siempre». Quería desaparecer de allí, se encontraba fea y harapienta, sin rastro de maquillaje en su rostro ni los cabellos cuidados. Desaparecería, se haría invisible como en la Torre de Cálime. Su mente volvió a viajar, alejándose de todos.

—¡No, por favor, cosas de chicas no! —bufaba Philip en ese momento—. Voy a terminar de recitar la poesía que…

—¡Por Dios! —interrumpió Sandy cogiendo una lata de cerveza—. ¡Vaya rollo! Mejor juguemos a algo…

—¿A qué? —preguntó Norbert Strasser de inmediato con los ojos brillantes. Con chicas de por medio, cualquier juego prometía ser interesante.

—¡Juguemos a «Verdad o Prenda»! —dijo Lizzel con un gritito que ella pensaba que era encantador y los demás lo consideraban como un desagradable tono de rata.

—¡De acuerdo! —se animó Philip al momento, olvidando su despreciada poesía—. Yo haré las preguntas. Todos sabéis que soy el más inteligente, así que no quiero discusiones. Venga, sentémonos en círculo.

Los demás rieron pero Laila no se movió. Parecía una estatua de piedra. Sin embargo, sentada en el banco junto a Daniel, formaba parte del círculo recién creado, con lo que Mathew *Babosa* colocó un botellín de cerveza en el suelo y lo hizo girar con fuerza.

—¡Nada de preguntas guarras! —exclamó Sandy viendo girar la botella, con la voz de alguien que está deseando exactamente ese tipo de preguntas.

El botellín fue girando cada vez más lentamente hasta detenerse frente a Lizzel.

—Uuuhh, hermanita —rió Tony—. No cuentes todos tus secretos de golpe o se escandalizarán.

—Veamos, Lizzel —dijo Philip con voz de maestro de ceremonias. Miró a la chica con picardía e hizo una pausa para aumentar la intriga—. ¿A cuántos chicos has besado?

—¡No puedo decirlo! —rió ella deseando que le insistieran.

—La lista es enorme —añadió Sandy y su primo Tony frunció el ceño.

—Si no lo dices tendrás que pagar una prenda, son las normas —añadió Babosa levantando las cejas con vivacidad.

Ella rió agitando sus bucles dorados. Miró a su hermano y al ver su expresión se puso seria.

—Bueno —dudó con voz temblorosa—, menos de cinco.

—¡Baaaahhh! —exclamaron a coro Philip y Norbert.

Laila deseaba marcharse de allí con urgencia. Veía venir las bromas de mal gusto y sabía que al final acabaría perdiendo. Daniel por su parte seguía extrañamente silencioso.

Norbert Strasser encendió un cigarrillo y después de una calada, se lo pasó a Matt *Babosa*. Sandy pidió uno y lo encendió con soberbia elegancia mirando a Laila desafiante. Para entonces la botella giraba de nuevo y después de varias vueltas se detuvo en seco frente a Laila, la cual seguía perdida en sus pensamientos.

—¡Una pregunta para Pelomoco! —palmoteó Sandy—. ¡Yo quiero hacerla!

—Lo siento, querida —contestó Philip—. Yo soy el maestro de ceremonias.

—Por favor, por favor —suplicó ella con una sonrisa encantadora—. Te adoraré un mes entero si quieres, pero déjame hacerla.

—Bueno, de acuerdo, pero sólo por esta vez —cedió él con cara de tonto.

La chica rió y miró a Laila unos segundos.

—Di, Pelomoco —preguntó con una sonrisa de lobo—, ¿cuántos novios has tenido en tu vida?

Laila dio un respingo al darse cuenta de repente que le hablaban a ella. Se puso terriblemente colorada y Sandy se rió histérica.

—¡Ninguno! —contestó Lizzel de inmediato—. Todos saben que las brujas no pueden tener novios.

Los chicos la miraban un poco azorados. Sabían que las primas se estaban ensañando con ella, y habían escuchado aquellos absurdos rumores propagados por Lizzel y Sandy pero ninguno se atrevía a salir en su defensa. Laila volvió a mirar al suelo. Tenía las manos crispadas y una neblina de odio y de vergüenza le empañaba la mente.

—Ya basta —dijo Daniel de pronto.

—Oh, Daniel, querido —susurró Lizzel con un guiño—. Sólo era una broma.

—Claro que sí —añadió Sandy de mal talante, que no podía soportar que el muchacho defendiese a aquella asquerosa—. Nosotras nos llevamos muy bien con Pelom... con Laila. No queremos que se nos coman las arañas.

Y rió de una forma horrible.

Todos guardaron silencio y Philip pasó una nueva ronda de cervezas con tal de calmar los ánimos. Alargó el brazo y puso de nuevo la botella en movimiento. De nuevo se paró en seco frente a Laila. La chica, que volvía a mirar a las baldosas del suelo con los cabellos verdes cayendo alrededor de su cara, no le prestó atención. Lizzel lanzó una risita nerviosa y miró a su prima levantando las cejas.

—Bueno, Laila —rió Philip—, hoy es tu día de suerte. Esta vez haré yo la pregunta... mmm.... Tienes que decirnos si hay alguien de Lomondfield que te guste...

—Bah, eso lo sabe todo el mundo —interrumpió Lizzel al momento. Luego miró a su prima por si estaba metiendo la pata, pero Sandy sonrió con maldad.

—¿Ah, si? —preguntó Babosa con ojos brillantes.

La cara de Laila era la de un fantasma y el corazón le latió como si quisiera salir disparado por la boca.

—Sí, oh, sí —confirmó Lizzel con voz melosa—, ¡y además se encuentra en esta misma habitación! —Luego miró a Daniel fingiendo estar a punto de echarse a llorar—. ¡Pobre, pobre querido Daniel! ¿Tendrás pañuelos suficientes para limpiarte la cara si Laila quiere darte un beso?

Daniel Kerry tenía el rostro como un tomate pero miró a Laila a hurtadillas, solo que ella no podía levantar la vista del suelo. Los ojos le ardían tratando de no verter ni una lágrima.

—La pobrecita va a llorar —rió Sandy—. ¿Por qué no nos haces unas arañas ahora, Pelomoco? Para que todos vean lo bruja que eres…

Y en ese momento Sandy pareció perder el equilibrio y salió despedida cayendo contra las taquillas de la pared. Abrió los ojos asustada y lanzó un chillido de terror. Lizzel se puso en pie como un resorte.

—¡Bruja! —chilló a Laila.

Los otros la miraron divertidos pero Lizzel se revolvió contra ellos.

—¡Ha sido ella, la ha tirado al suelo! ¿Acaso no la habéis visto?

—Oh, vamos, querida —repuso Philip con lentitud—. Mejor digamos que ha sido la cerveza…

—¡Bruja! ¡Demonio! —chilló Sandy tratando de incorporarse, presa del odio y de la histeria—. ¡Vete con tus amigas espantapájaros!

Laila no se hizo esperar. Se puso en pie volcando varias latas de cerveza que había en el suelo. Tony se apartó de la puerta inmediatamente y la chica salió de allí corriendo, sin mirar a nadie a la cara. Le dolía la cabeza, sentía fiebre y estaba a punto de vomitar. Corrió por entre las embarcaciones apiladas en sus plásticos fantasmales y llegó al vestíbulo. Abrió la puerta con manos temblorosas y tuvo que detenerse en su precipitada huida.

Fuera llovía torrencialmente y el viento frío le cortó la cara. El cielo estaba muy oscuro y algunos relámpagos relumbraron por entre los cúmulos de nubes. Dio unos pasos al exterior y el aguacero cayó sobre ella.

—Laila —la sobresaltó una voz amable a sus espaldas.

Ella se giró. Daniel estaba allí.

—¿Qué quieres? —le gritó agriamente, sin poder contener el dolor, por encima del ruido de la tormenta—. ¿Vienes a reírte de la bruja? ¿Eso quieres? Pues vete con tus amigos y pásalo bien.

—Calla. Te estás empapando y diciendo tonterías.

Ella permaneció bajo la lluvia, mirándolo fijamente. El agua le resbalaba por la cara y los cabellos brillaban extrañamente verdosos bajo la luz de los relámpagos.

—¿Tonterías? —repitió con amargura, llorando—. ¿Y si fuese cierto? ¿Qué pasaría si fuera verdad, eh?

La lluvia arreciaba, salpicando sus hombros, creando chispas a su alrededor.

—Toma mi chaqueta —le dijo él, mirándola embobado—. Ya me la devolverás, tengo más.

Se acercó a ella exponiéndose a la tormenta con la prenda en las manos y al ayudarla a ponérsela sus rostros quedaron a pocos centímetros. Los ojos de Daniel brillaban azules bajo la lluvia y el corazón de Laila latió hasta hacerse doloroso.

—Si eres una bruja —le susurró él, acercándose aún más—, entonces me has hechizado...

Laila tragó saliva y en ese momento un trueno rompió el aire y todo el cielo parpadeó. Abrió la boca para decir algo pero entonces dio un paso atrás y salió corriendo a trompicones, sin volver la vista. No quiso mirarle ni descubrir todo lo que él iba a decirle. Sus emociones eran muy intensas, pero todavía resonaban las palabras de Sandy en sus oídos, más dolorosas que los insultos: «Me sentaré en tus rodillas, como siempre».

Llegó al colegio bajo la tormenta, que parecía ensañarse con ella, y corrió a su habitación aún con el corazón temblando. Todavía le dolía la cabeza, pero el recuerdo de Daniel junto a ella, bajo los relámpagos, le había encantado. Y aquellas palabras...

Dio vueltas por la habitación y se acercó a la ventana esperando tontamente ver su figura bajo la lluvia. Se tumbó en la cama y volvió a levantarse llena de nervios. No quería quitarse aún la chaqueta empapada, pero estaba temblando de frío. Al final la colgó de una percha acariciando el paño de lana. Entonces se fijó en unas botas de tacón con alas que descansaban junto al resto de zapatos. Eran el regalo de Arissa y Silfila después de haber salvado Solarïe. La chaqueta nemhirie y las botas de Faerie: sus dos mundos opuestos. Volvió a observar la prenda de Daniel y cerró el armario. Decidió darse una ducha caliente y se secó los cabellos sin dejar de recordar sus ojos ni un solo instante.

Estaba tremendamente emocionada y era incapaz de pensar en nada, y mucho menos en estudiar. Tenía que ver a sus amigas ahora mismo. Aunque nunca les contaría aquella vergonzosa reunión, tenía unas ganas terribles de estar con ellas.

Terminó de tranquilizarse y se dirigió a la habitación de Aurige. Ahora les diría que ya estaba harta de estudiar y escucharía los nuevos problemas causados por la arpía.

Sin embargo, antes de llegar, la puerta se abrió y Nimphia se abalanzó sobre ella, abrazándola.

—¡Ha sido maravilloso, Laila! Creo que hasta he llorado, pero al final no le has dado un beso ni nada...

Laila se quedó helada. El tiempo se detuvo y durante unos segundos fue incapaz de articular palabra mirando a Nimphia, cuyo cabello chorreaba, completamente alelada. Cuando la puerta se cerró tras ella, estalló.

—¡Me habéis espiado! —escupió, roja de ira, incapaz de asimilar aquello.

—No... —empezó Cyinder, que se estaba secando el pelo dorado con una toalla.

—¡Sí! —dijo a la vez Aurige, cuya sinceridad era siempre brutal.

Los gritos asustaron a la arpía, que se puso inmediatamente a chillar. Aquello sacó a Laila aún más de sus casillas.

—¿Pero qué os habéis creído? —les increpó hecha una furia—. ¿Quiénes sois vosotras para seguirme y controlar mi vida? ¿Y decís que sois mis amigas? Sois peores que Lizzel y Sandy —hizo una pausa para tomar aliento y mirarlas una a una—. Me marcho, y os advierto que aunque hechicéis la puerta, la tiraré a patadas...

—¡Tira la puerta si quieres! —le gritó Cyinder perdiendo su carácter alegre, arrojando la toalla al suelo—. ¡Y sigue intentando no aceptarte a ti misma! Corre junto esas nemhiries que te odian porque saben que eres mejor que ellas. Empápate de sus envidias y celos y vuélvete idiota. ¡Te escudas en tu pelo de ithirïe y te das lástima de ti misma, pero la única verdad es que te da miedo enfrentarte a la realidad!

Laila permaneció de espaldas, en silencio junto a la puerta, con la mano congelada en el pomo. Las palabras de Cyinder, que muy pocas veces había estado tan enfadada, se le clavaban en lo más profundo. Dolían de una forma horrible pero increíblemente le aliviaban, como un cuchillo que hurga en una herida para sanear los tejidos, porque la solarïe, con su enfado, estaba dando palabras y formas a sus sentimientos más escondidos.

Aurige y Nimphia permanecían mudas, quizás por el asombro, o quizás porque estaban completamente de acuerdo. Laila sintió que los ojos le escocían.

—Somos nosotras las que hemos estado a tu lado cuando

las cosas se te han puesto difíciles —seguía Cyinder con voz temblorosa—. Las que iríamos contigo a donde sea, a buscar a los ithirïes o a enfrentarnos con mil monstruos hienas si es necesario, pero tú prefieres dejarte insultar por esas estúpidas para ver si algún día te aceptan en su grupo…

Laila se dio media vuelta. Se encontraba terriblemente mal.

—Yo no sabía que iban a estar allí. No quiero ser amiga de ellas ni las he buscado…

—No —añadió Aurige—, pero te has dejado maltratar por ellas. Detuve dos veces la botella delante de ti para ver si algo te hacía reaccionar. He tenido que lanzar a esa nemhirie apestosa contra la pared porque seguían insultándote y tú no hacías nada por evitarlo.

Laila la miró incrédula y de repente se asombró al descubrir que sentía deseos de reír al saber aquello, acordándose de la cara de Sandy en el suelo, con el pelo revuelto y el uniforme hecho un amasijo. Sacando fuerzas de flaqueza intentó permanecer seria.

—¿Y qué querías que hiciera? ¿Que demostrase ante todos que soy una bruja?

—Es que no eres una bruja —contestó Cyinder con los ojos relampagueantes—. Y aunque rechaces tu mitad ithirïe, la otra mitad tendría que tener orgullo suficiente para no dejarse pisotear por nadie.

Laila la miró. Algo en su interior se removía con aquellas palabras.

—Yo no rechazo mi mitad ithirïe —dijo en voz baja—. Es sólo que es muy difícil convivir con las dos partes.

—Todas tenemos algún problema con el que convivir —repuso la solarïe—, pero para eso estamos juntas, para tratar de superarlos entre todas y…

—Tu discurso empezó muy bien, pero ya me está dando nauseas —interrumpió Aurige, bostezando. Luego miró a Laila a la cara—. No vamos a vigilarte ni a permanecer invisibles a tu alrededor para facilitarte la vida, no somos tus shilayas. Sal por esa puerta si quieres y busca a las otras. No volveremos a interferir.

Todas permanecieron en silencio y Laila se miró los zapatos. Aunque terriblemente dolida, se sentía muy bien. La herida estaba limpia.

—De acuerdo, no quiero que volváis a interferir —dijo por fin a punto de estallar de risa—. La próxima vez seré yo quien lance a Sandy contra la pared.

Tras un segundo de sorpresa Cyinder empezó a reír y Nimphia la abrazó con fuerza. De pronto la habitación en penumbras de Lunarïe pareció iluminarse y la solarïe comenzó a conjurar pasteles a lo grande. La arpía, que había permanecido extrañamente silenciosa, empezó a gritar y a devorar todas las golosinas que caían a su alcance.

—¡Nadie ha dicho nada de mis fantásticos relámpagos! —gritó Nimphia saboreando un pastel con alitas—. ¡Con lo que me costó hacerlos!

Laila se sintió sonrojar de nuevo, recordando la proximidad de Daniel bajo la tormenta. De repente se puso seria.

—¿No lo habréis hechizado vosotras, verdad?

—A quién, ¿al nemhirie? —preguntó Aurige.

—Sí, para que fuese a buscarme y... —el resto le daba mucha vergüenza.

—En absoluto —rió Cyinder—. Esa parte ha sido puramente suya.

—Y ha sido precioso —volvió a suspirar Nimphia con ojos soñadores.

Laila se sintió completamente feliz. De repente se dio cuenta de que ya no podía ni quería estar sin sus amigas, y aquel sentimiento cálido no la abandonaría nunca.

—De todas formas —dijo Aurige mordiendo con delicadeza

una trufa de chocolate—, no sé qué veis en el amor. No es más que una esclavitud sin sentido. Yo nunca me casaré.

Y antes de que las otras pudieran protestar, se escuchó una risita traviesa que provenía de alguna parte de la habitación de la lunarïe.

Las cuatro se quedaron paralizadas de golpe. Observaron a la arpía con inquietud pero la criatura seguía en medio de ellas, devorando pasteles tan tranquila.

Cyinder y Nimphia se miraron entre ellas con temor, pero Aurige, cuyo rostro se había convertido en una máscara de furia, se acercó de puntillas a su cama y se agachó metiendo la mano por entre las patas.

—¡Ay! —se quejó una voz aguda al tiempo que la lunarïe arrastraba algo sacándolo de su escondite, tirando de una maraña de pelos—. ¡Ay!... ¡Aurige, suéltame!... ¡Ay!

—¡Puck! —exclamó ella con rabia mientras el duendecillo se deshacía de las manos que le aprisionaban el cabello—. ¡Pero de dónde diablos has salido! ¿Y cómo has entrado aquí?

El duende se arregló la cabellera ante la mirada atónita de las cuatro chicas. Luego hizo una graciosa pirueta y saltó sobre la cama de Aurige, poniéndose fuera de su alcance.

—¡Ven aquí inmediatamente, miserable! —la lunarïe estaba fuera de sí.

Puck dio otro salto y se escabulló por entre los cortinajes hacia la habitación de Nimphia. Al momento volvió, despedido por la fuerza de uno de los remolinos.

Laila se rió y el duende corrió hacia ella, pensando que había encontrado una aliada.

—¡Sálvame, dama Laila, sálvame! —chillaba haciendo muecas y piruetas.

—Deja de perseguirle, Aurige —dijo Cyinder entre risas—. Si no, nunca vamos a saber qué hace aquí.

—¡Sí, sí! Deja de perseguirme —chilló Puck resguardándose tras el sillón.

La lunarïe pareció querer agarrarlo del cuello pero al final abandonó y se sentó pesadamente sobre el colchón.

—Está bien —murmuró cansada—, ¿pero cómo has entrado aquí, gusano?

El duende danzó unos pasos, cogió un pastel y lo engulló de un bocado. Luego sonrió enseñando la boca llena de chocolate.

—He robado cientos de niños nemhiries —rió guiñando un ojo—. No hay cerradura que se me resista.

—Te voy a meter en aceite hirviendo —suspiró la lunarïe—, y te voy a devolver a Oberón igual que un conejo frito.

—Oh, sí —dijo él sin dejar de saltar ni moverse. Luego sacó una pequeña flauta y pareció que iba a tocarla. Entonces volvió a guardarla en un bolsillo—. Eres muy divertida, Aurige. Me muero de risa con eso de que nunca te casarás.

Todas le miraron boquiabiertas, todavía sorprendidas por su aparición, pero más aún por aquellas palabras. De un salto el duende se subió a la mesa pisoteando algunos pasteles y la arpía le gritó enfurecida. Puck hizo una gran reverencia y varios cascabeles sonaron escondidos entre sus ropajes.

—En nombre de mi señora, su majestad la bella reina Titania, te informo a ti, Aurige, ex—solterona de Nictis, que has sido invitada al anuncio formal y definitivo de tu matrimonio con mi señor, el príncipe Árchero de Blackowls.

3. Juego sucio

Los setos del laberinto pasaban a velocidad suicida.

Laila, Cyinder y Nimphia habían gritado y protestado mil veces, pero todo fue en vano. Aurige no escuchaba a nadie. No veía nada. Daba igual que algunas pixis azules se golpeasen contra el parabrisas. Daba igual que los neumáticos pudiesen reventar si alguna piedra del camino estuviera demasiado afilada. Ella sólo apretaba el acelerador del Mustang, con las manos crispadas de rabia sobre el volante.

Tras la increíble noticia de Puck, las tres habían mirado a Aurige automáticamente para ver su reacción. El pálido rostro de la lunarïe era una máscara de hielo a punto de resquebrajarse en mil pedazos.

De inmediato chasqueó los dedos y Puck cayó desplomado al suelo. Lo cogió de una pierna y acto seguido salió de la habitación sin mirar atrás.

—¿Qué estás haciendo? —le gritó Nimphia corriendo tras ella.

Laila y Cyinder las siguieron tratando de mantener sus pasos a duras penas. El pasillo estaba desierto y Laila se alegró por ello, pero pronto la situación cambiaría, y la presencia de un duende —peor aún, un chico—, en el colegio de Lomondcastle acarrearía tremendos problemas, de eso estaba segura.

—¿De verdad esperas conseguir algo enfrentándote a tu madre? —inquirió Cyinder jadeando por la carrera, que sabía perfectamente lo que la lunarïe pretendía hacer.

—¡Por supuesto! —se volvió ella soltando al duende y poniendo los brazos en jarras, presa de la indignación.

Su rostro, habitualmente pálido, estaba ruborizado de rabia. La pierna del duende hizo un sonido sordo al chocar contra el suelo y Laila miró su carita aniñada, sucia como un demonio, durmiendo feliz.

—Espera, reflexiona —sugirió Nimphia, susurrando—. Todo esto tiene que ser un tremendo error. Tu madre sabe perfectamente que no vas a casarte con Árchero, y además no puede obligarte.

—¡Claro que puede obligarme! —gritó ella al borde del colapso—. No conoces su poder. De hecho, este anuncio es tan sólo una muestra de buena voluntad. Si ella quisiera, con chasquear los dedos yo ya estaría casada, contando los días para la Ceremonia de las Flores.

Cyinder y Nimphia se llevaron las manos a la boca para frenar una carcajada, pero Laila la miró sin comprender.

—¡Es lo mismo! —exclamó Aurige en respuesta a su mirada interrogante.

Luego echó a andar arrastrando de nuevo al duende por encima de la alfombra del corredor.

—Entonces, ¿por qué estamos yendo? —volvió a preguntar Nimphia, caminando junto a ella.

—Porque no se lo voy a poner tan fácil —contestó Aurige con los ojos llenos de estrellas oscuras.

Las demás se miraron entre sí. Cyinder levantó los hombros con impotencia y la siguió. A Laila todo aquello le resultaba desquiciado y repentino. Era demasiado pronto para regresar a Faerie. Miró atrás, hacia el corredor en penumbras, y a la puerta de su dormitorio donde se escondía su preciado libro de las gemas, ahora mutilado sin la piedra de Acuarïe. De todas formas trató de liberarse de su temor. Conociendo a Aurige en menos de dos horas estarían de vuelta.

Bajaron las escaleras y el desastre se hizo inevitable. Varias chicas que cotilleaban los tablones de anuncios se volvieron hacia ellas. La sorpresa y el deleite se pintaron de inmediato en sus caras, ya que cualquier acción de las cuatro era inmediatamente víctima de cuchicheos y críticas.

Aurige Smith, seguida por Laila Winter y las otras, arrastraban a un chico por los salones de Lomondcastle. ¡Un chico! Sucio, harapiento y borracho, pero que sin duda venía de sus dormitorios. Algunas se rieron. Si aquello llegaba a oídos de Mrs. Peabody, sería el fin de Laila Winter y sus amigas espantapájaros.

Aurige las ignoró. La cabeza del duende daba pequeños golpes contra las baldosas de piedra, y algunas plumas se habían desperdigado en el suelo.

Salieron a las puertas del recibidor. Aún llovía torrencialmente y para cuando llegaron junto al Mustang, estaban empapadas y Puck cubierto de barro. Aurige lanzó al duende sobre los asientos traseros y Cyinder y Laila tuvieron que arreglárselas para acomodarse en ellos sin protestar demasiado.

El motor rugió y la lunarïe se lanzó en picado hacia la salida del colegio. Antes de que Laila pudiese girarse para mirar las torres del castillo, el paisaje que les rodeaba comenzó a cambiar.

—Yo no quiero ver a Titania —le cuchicheaba Cyinder en ese momento, con un susurro apenas audible—. Todavía recuerdo sus palabras en el Concilio de las Reinas.

Laila la miró apenada. Aquello había sido muy duro para Cyinder. Entendía que Titania fuese una de las personas que más odiase en aquel momento. Sin embargo, las veces que habían vuelto a hablar sobre aquella reunión y la actitud de la Reina Maeve tras el concilio, la solarïe se encerraba en un hosco mutismo sin decir una palabra, ya fuese para bien o para mal.

El camino se difuminaba. El color de los árboles se mezcló como una acuarela que se deshace bajo el exceso de agua, y el cielo se volvió negro de suave terciopelo. El firmamento se llenó de estrellas frías y distantes cuando las nubes desaparecieron.

De manera instintiva Laila se agarró a los bordes del asiento con los ojos muy abiertos, temiendo una caída en picado hacia el suelo. Recordaba perfectamente que Lunarïe estaba a distinto nivel que Solarïe y durante el verano, sólo el hechizo de Nimphia las había salvado de una muerte segura.

Sin embargo nada cambió, el Mustang recorría un camino pedregoso lleno de baches y recodos a gran velocidad, y Aurige siguió acelerando sin soltar una palabra.

Laila miró a sus compañeras. Cyinder seguía seria, perdida en sus pensamientos del pasado, quizás recordando aquel funesto día cuando su madre se arrodilló ante todas las reinas, suplicando por su vida. La vieja Mab se había hecho cargo de Solarïe a partir de entonces, y aunque sus intenciones aún eran oscuras, Cyinder se negaba a criticarla. Y Laila sabía que Maeve era capaz de cambiar la conducta de la gente contra su voluntad. ¿Habría ocurrido algo desde que abandonaron Faerie hasta que Cyinder regresó junto a ellas a Lomondcastle casi dos semanas después? Laila no podía saberlo.

Delante Nimphia también permanecía silenciosa. Miraba el paisaje oscuro de Lunarïe, los engañosos setos que las cercaban y la enorme luna blanca que dominaba por completo sobre toda la penumbra.

Por fin el laberinto quedó atrás. De nuevo la muchacha se maravilló ante la aparición del palacio de Nictis, negro y afilado, suspendido en medio de un jardín de falsas estrellas que se confundía con el cielo. Aunque estaba asustada por volver a Lunarïe, Laila se sentía sobrecogida de admiración. Largas y esbeltas torres recortadas contra la luna, y en el suelo, miles de gotas de rocío congeladas, brillando como diamantes.

En ese momento Aurige tocó el claxon del Mustang y todas dieron un respingo.

—¿Pero qué haces? —exclamó Cyinder, asustada.

—¡Cabrearla, si puedo! —rió Aurige derrapando a la entrada del castillo.

Frenó con exquisita puntería pisoteando la maravillosa hierba, haciendo añicos varios parterres de estrellas, y siguió haciendo sonar la bocina de una forma tan molesta que Laila estuvo a punto de gritarle una barbaridad.

El horrible sonido sobrecargaba el ambiente y Cyinder y Nimphia se taparon los oídos con muecas de disgusto. Sin embargo surtió el efecto deseado, pues al momento se abrieron las puertas del palacio, más rápido que nunca.

Varias hadas vestidas de negro azabache salían a toda prisa, sin ceremonias lentas y exasperantes y Laila estuvo a punto de echarse a reír al ver que todo el protocolo palaciego se iba al infierno.

—¡Basta, por favor! —suplicaba en ese momento un hada que Laila ya conocía, llegando junto al Mustang a punto de caer por las escaleras.

Las alas de color malva se movían frenéticas, y su etérea parsimonia había desaparecido por completo. Laila observó un rostro severo y elegante, no exento de cierta crueldad. Los cabellos grises estaban recogidos en un tocado lleno de rodetes, y sus labios finos se cerraban en una mueca de completa desaprobación.

—Ah, condesa Bernicatte —fingió Aurige una falsa cortesía—. Gracias por acudir tan rápido a recibirnos.

La aludida titubeó mirándolas a las cuatro y por fin se inclinó en una reverencia. Laila vio que más que por respeto, era para ocultar una mirada cargada de odio. Las otras damas de compañía habían llegado también junto a ellas y tras inclinarse ante Aurige, esperaron, indecisas, las órdenes de la condesa.

Sin embargo no podían ocultar su curiosidad por la humana que había salvado Solarïe, que se rumoreaba era una ithirïe, una raza desaparecida, apenas conocida más que por los antiguos. Una raza que también se rumoreaba que habían sido unos traidores causantes del Nuïtenirïan. Al saberse observada, Laila bajó los ojos con vergüenza.

Aurige abrió la portezuela del coche y tiró de las piernas de Puck, el cual se deslizó hasta el suelo, todavía roncando en sueños. Las damas de compañía dieron un respingo.

—¡Un duende! —exclamó Bernicatte señalándolo con el dedo y una mueca de asco.

—Por favor, condesa —siguió Aurige con una sonrisa encantadora—, encárgate de llevarle ante la presencia de la reina.

El hada tuvo un escalofrío. Luego miró a Aurige con dureza. El rostro parecía esculpido en mármol.

—Su majestad se encuentra indispuesta en estos momentos. No recibirá visitas.

Aurige parpadeó sin perder la sonrisa.

—¿Acaso sugieres que no puedo ver a mi madre, condesa Bernicatte?

La dama de compañía tragó saliva.

—Debo insistir, dama Aurige —repitió colocándose como un escudo delante de ellas y las escaleras del palacio.

—Mi madre no está indispuesta —replicó Aurige con una sonrisa feroz—. Pero lo va a estar en menos de diez minutos, te lo aseguro.

Luego comenzó a subir las escaleras, imperturbable, con la intención de entrar aunque tuviese que derribar los muros. Laila, Cyinder y Nimphia la siguieron de inmediato. Daba pánico permanecer a solas en cualquier rincón de Lunarïe, aunque fuese un segundo.

—¡Ah! Se me olvidaba —se giró Aurige en lo alto de la escalinata—. Creo que el duende lleva objetos de hierro escondidos en sus ropas. Tus poderes no van a funcionar si quieres moverlo flotando. Vas a tener que llevarlo en tus propios brazos.

Algunas vestales se apartaron con terror y Puck se agitó en sueños, haciendo sonar varios cascabeles. Bernicatte dio un respingo y sus dedos se curvaron conjurando alguna protección. Las otras damas recogieron el cuerpecillo del suelo, con mil precauciones, y la condesa arrugó la nariz cuando el duende inconsciente pasó junto a ella.

—Es tonta de remate —susurró Aurige con desprecio, entrando en el palacio—. No se da cuenta de que si el duende llevase hierro encima, yo no podría haberle dormido y...

De pronto se quedó callada. Laila cruzó el umbral y la grandiosidad de Nictis volvió a invadirla. Las altas columnas torcidas elevándose en espirales hacia el cielo nocturno, los suaves velos cayendo como cascadas, las cristaleras ovaladas, el frío y la oscuridad impregnados del suave olor a dama de noche y a madreselva.

De alguna parte llegaba una música lánguida, llena de nostalgia y tristeza, y Aurige se dirigió hacia allí. Las puertas de un salón estaban abiertas, y por ellas salieron flotando unas pequeñas burbujas luminosas de color violeta, que se fueron deshaciendo en el aire sobre sus cabezas cuando las notas musicales cambiaban.

Laila las contempló maravillada, y entonces, con un ritmo más rápido y alegre, un puñado de fuegos fatuos apareció entre las burbujas, saltando entre ellas hasta extinguirse. De nuevo la música languideció, haciéndose suave y nostálgica, y nuevas pequeñas burbujas se agruparon formando la corriente de un río lento al final de su camino.

Llegaron a las puertas del salón siguiendo la estela luminosa de esferas y fuegos fatuos y Laila estuvo a punto de pedir a su amiga que no perturbara aquella escena.

En medio de la estancia, alumbrada tan solo por la luz de la luna que se filtraba a través de las grandes cristaleras, Titania y sus damas descansaban alrededor de una doncella vestida con una sencilla túnica de color malva que tocaba un arpa. Las alas de la vestal se movían con la cadencia de la música y cuando sus dedos acariciaban una cuerda, ésta vibraba y un destello brillaba en la penumbra, cambiando de color según el tono, hasta desaparecer.

Todo el aire estaba lleno de burbujas, fuegos fatuos y notas lánguidas que jugaban entre sí en una música dulce y cambiante. Entonces la doncella se percató de la presencia de las desconocidas y dejó de tocar. Las notas fueron hundiéndose en el aire y Titania siguió la mirada de la vestal para descubrir a Aurige apostada en la puerta. Se puso de pie sin darse cuenta y al momento todas sus damas se inclinaron.

Por un momento el silencio fue abrumador. La reina Titania y su hija se miraron y Laila pensó que saltarían chispas de electricidad estática.

—Casi había olvidado lo desagradable que puedes llegar a ser, Aurige —comentó la reina, con la voz tan fría como el hielo.

—He practicado todas tus enseñanzas —le contestó ella sin inmutarse.

Al momento todas las damas de compañía comenzaron a retirarse tras realizar profundas reverencias, y salieron de allí a toda prisa. Laila notó la mirada intensa de una de ellas al pasar a su lado y se agarró al medallón con instinto protector. La duquesa Geminia le sonrió de una manera horrible y siguió su camino junto a las otras.

Cuando todas hubieron desaparecido y el susurro de los velos y las gasas quedó atrás, Titania volvió a sentarse en su sillón, hermosa y fría como un diamante. Cyinder y Nimphia hicieron una reverencia y Laila las imitó con torpeza.

—Bien, Aurige —volvió a hablar, dedicando una mirada al grupo completo—. Ya ha quedado claro que eras tú la causante de ese sonido horrible que ha alterado nuestra tranquilidad hace unos momentos.

—Vine todo lo deprisa que pude en cuanto me enteré de la noticia, mamá.

Aurige sonreía, pero la palabra «mamá» sonó más cínica que nunca.

—¿La noticia? —se sorprendió ella.

—Sí. Que estabas indispuesta.

En ese instante llegó la pequeña comitiva de vestales al frente de la dama Bernicatte, portando el cuerpo inconsciente del duende. La sorpresa se dibujó en el rostro de la reina.

—¿Es que acaso has decidido convertir mi palacio en un circo? —se volvió a levantar, airada—. Te presentas aquí dando voces, vestida como un payaso humano —todas se miraron el uniforme del colegio a la vez—, turbando a mis damas, rompiéndolo todo, y además de traer a la humana ithirïe —miró a Laila directamente—, ¿te atreves a enturbiar mi vista con... con eso?

Aurige miró a Puck, que era depositado en el suelo de piedra negra con gran cuidado. Luego permaneció en silencio hasta que la condesa y todas las damas hubieron abandonado el salón, cerrando las puertas tras de sí. Entonces estalló.

—¡Y qué esperabas! —tronó cruzándose de brazos—. ¡Debería haber traído a todos los duendes y pixis de Blackowls, y abrirles las puertas para que lo arrasaran todo! —se quedó pensativa un segundo—. Es una gran idea. De hecho, lo voy a hacer ahora mismo. Podría ser mi comitiva de bodas...

—¿Pero por qué me haces esto? —se alteró la reina—. ¿Acaso no te permito esa vida de vagabunda junto a solarïes, airïes e... ithirïes? —terminó con esfuerzo.

Laila, Cyinder y Nimphia enrojecieron a la vez.

—¿Qué tú me permites? —se rió Aurige entre dientes.

—¿Por qué no eres como las hijas de Geminia o de Urania? —seguía Titania, sin escucharla—. Ellas tienen una educación perfecta, no la de una salvaje. Saben estar y desde luego saben vestir, tienen modales exquisitos. Sin duda cualquiera de ellas sería mejor princesa que tú...

Aurige se puso rígida.

—¡Pues quédate con ellas y cásalas a ellas con Árchero! —gritó llena de ira.

La reina se quedó muda por el asombro. Durante unos segundos fue incapaz de articular palabra y miró a su hija completamente anonadada. De repente Laila se dio cuenta del enorme parecido físico que tenían las dos: el mismo rostro ovalado, los labios rojos perfectos siempre endurecidos por gestos helados, los ojos llenos de estrellas oscuras... Ella, Cyinder y Nimphia asistían en silencio a aquella lucha de voluntades, deseando salir de allí cuanto antes.

—¿Pero qué estás diciendo, muchacha? —preguntó Titania, boquiabierta, molesta ya por tanta impertinencia sin sentido.

Aurige chasqueó los dedos y Puck abrió los ojos al momento. Su mirada feliz y turbia cambió de inmediato por otra de terror al reconocer el salón de música del palacio de Nictis. Miró a todos lados con espanto y de un brinco se puso en pie y corrió hacia las puertas como alma que lleva el diablo.

Titania hizo un suave gesto con la mano y el duende empezó a retroceder de espaldas. Entonces se esforzó aún más por escapar, tratando de avanzar en contra de una corriente imposible. Nimphia intentaba contener la risa ante una situación tan cómica y Cyinder le dio un codazo.

Al final el duende cejó en su empeño y cayó al suelo, directamente a los pies de la reina.

—¡Oh, mi señora, mi señora! —lloriqueó haciendo aspavientos sin levantar la cabeza. Cogió el borde del vestido de la reina y se lo besó—. ¡Majestad! Bella Titania, Reina de la Noche, Perla de Oro…

—¡Basta, duende! —exigió ella con su voz pura de campanas de plata—. No consigo entender qué relación guardas con la visita de mi hija, pero lo vas a explicar ahora mismo.

—No te hagas la tonta, mamá —la increpó Aurige—. Lo sabes perfectamente.

Titania la ignoró.

Puck se puso en pie y miró a las cuatro amigas. Luego hizo guiños y cabriolas y sacó la flauta del bolsillo. Tras sonar la primera nota, la flauta se convirtió en arena que se deslizó por sus dedos hasta el suelo.

—¿Y bien? —siguió Titania con una sonrisa helada.

—Bueno… —empezó el duende, desolado, mirando los restos de su flauta—, recordáis, mi señora, oh, Espejo de Luna, oh, Luz de la Noche… —carraspeó tras advertir que la mirada de la reina se volvía muy afilada—, ¿recordáis aquel pequeño incidente, del todo sin importancia, con la dama Io y ese malentendido de un collar de rubíes…?

—Lo recuerdo —cortó ella.

—Y… y… ¿recordáis que dijisteis que me perdonaríais la vida si alguna vez os hacía un gran favor?

—No recuerdo haberte perdonado la vida, ni necesitar de ti ningún gran favor —siguió Titania, sin mudar su rostro de nieve—. De hecho, no recuerdo haber dado orden alguna para dejarte salir de los calabozos.

Puck tragó saliva.

—Bella reina Titania —balbuceó el duende, haciendo cabriolas—. Dijisteis a la doncella Mistra que querías hablar con Aurige… quiero decir, con la princesa Aurige, cuanto antes…

—¿Cómo estás tú al tanto de esa conversación? —centellearon los ojos de la reina.

El duende se inclinó de nuevo y besó el filo de su vestido.

—Soy vuestro humilde esclavo —contestó el duende con descaro—. Y como vuestra generosidad es bien conocida en todo Ïalanthilïan —en ese momento Laila se llevó la mano a la boca para frenar una carcajada—, y sin duda me habéis perdonado la vida, decidí que, a cambio de un anillo de Orrian, podría cumplir vuestros deseos con la mayor presteza.

El silencio se podía cortar con un cuchillo en ese momento.

—¿Me has engañado? —exclamó Aurige, ruborizada por la furia, apretando los puños.

El duende le sacó la lengua y después de dar una voltereta se refugió tras el sillón de la reina.

—Mi señor Árchero no sabe nada de ningún compromiso de bodas —rió el duende—. De hecho, vive feliz y despreocupado, y cientos de ninfas le alegran los días…

—¡Te voy a matar, rata asquerosa! —amenazó la lunarïe dirigiéndose hacia él.

Entonces se escuchó un sonido cristalino y todas se volvieron hacia Titania. Increíblemente, la reina de Lunarïe se estaba riendo y observaba al duende con un destello de admiración en sus ojos.

Aurige se quedó asombrada mirando a su madre, que recobró la compostura al momento.

—Verdaderamente eres astuto, duende —dijo la reina—. Bien es cierto que deseaba hablar con la princesa Aurige, pero no la esperaba tan pronto. Esto no formaba parte de mis proyectos inmediatos.

—Entonces… ¿me daréis un anillo de Orrian? —preguntó Puck, esperanzado, sin hacer caso de las nubes de tormenta que se adivinaban en los ojos de Aurige.

Laila miró a Nimphia, interrogante.

—Es una joya de poco valor —cuchicheó la airïe—, pero pone a los pies de quien lo posea el corazón de la persona amada durante una hora. Luego se destruye. No sé qué quiere hacer el duende con ese anillo.

Todas miraron a Titania, esperando su decisión.

La reina arrojó un pequeño aro de cobre a los pies del duende, el cual lo recogió a toda velocidad. Luego saltó sobre el cojín del sillón e hizo una pirueta.

—No olvidaré esto —le dijo Aurige con los ojos convertidos en rendijas.

—Márchate, duende —susurró la reina con voz helada, sin rastro de la risa que la había embellecido momentos antes—. No sea que cambie de opinión. La dama Io podría estar muy interesada en hacer pociones con tus entrañas. Vete y disfruta de tu hora con la dama, ninfa o doncella que elijas.

—Mi reina —la interrumpió el duende haciendo una reverencia—, yo jamás he dicho que el anillo de Orrian fuese para mí.

Titania se lo quedó mirando, paralizada por aquella confesión.

—Y ahora, con un saludo de mi señor Oberón —dijo provocador, con el anillo en la mano—, me despido de ti, bella Titania, solterona de Nictis —añadió riendo con agudo ingenio.

Y desapareció en el aire, delante de todas.

Laila vio cómo la reina se sentaba con lentitud, mirando a un punto indeterminado, y en medio del salón sonó la risa de Aurige.

—¡Oh, mamá! —exclamó sin parar de reír—. Sólo por ver tu cara ha merecido la pena venir.

Titania se llevó una mano a la frente.

—Cállate por una vez, Aurige, cállate. Ya que fuiste capaz de ir en busca de las Arenas de Solarïe, podrías hacer el favor de ir a buscar ese maldito anillo y traerlo de vuelta.

—Ni lo sueñes. Oberón me cae muy bien. Además, ¿qué importa? Suspiras por él, así que una hora de tu tiempo no creo que te suponga ningún sacrificio.

—Esa grosería está fuera de lugar —advirtió su madre con una mirada acerada.

—Yo sí que estoy fuera de lugar, mamá —siguió Aurige—. Y si lo único que querías de mí era que asistiese a tus desavenencias con duendes, ya he cumplido. Me marcho ahora mismo.

Laila suspiró de alivio. No veía el momento de salir de allí.

—No te he dado permiso para marcharte —dijo la reina—. Y por supuesto, el motivo de requerirte ante mi presencia aún no ha sido desvelado.

Aurige torció el gesto. Luego pellizcó una cuerda del arpa con impaciencia y una burbuja violeta escapó al aire. Una mariposa blanca revoloteaba por encima de un centro lleno de frutas. Titania, con gesto frío y distante, miró su aleteo perdida en sus pensamientos.

—Tú y tus amigas estáis metidas en un serio problema, Aurige —dijo por fin.

—¿Más amenazas, mamá? —contestó la lunarïe con cinismo.

—Todo Ïalanthilïan sabe ya de vuestra incursión en Acuarïe, asaltando Cantáride como vándalas, sin invitación formal, saltándoos todo el protocolo real establecido durante siglos...

—¿Cómo dices? —preguntó Aurige asombrada. Las otras miraron a la reina con los ojos muy abiertos.

—Nada justifica vuestro comportamiento allí —siguió Titania, imperturbable—. No sólo atentasteis contra la reina Tritia, la cual ha hablado conmigo recientemente, sino que robasteis la joya más preciada de su cámara del tesoro, violando todas las leyes conocidas de Ïalanthilïan...

—¡Nosotras no hemos robado nada! —gritó Cyinder, fuera de sí—. ¡El Grano de las Arenas fue robado por ella y nosotras fuimos las únicas con el valor suficiente para sacarlo de allí! Nadie más, ni tú, reina Titania, ayudó en lo más mínimo para salvar Solarïe...

La reina se giró hacia ella y le lanzó una mirada singular. Luego se volvió hacia su hija. Las estrellas de sus ojos centelleaban.

—Atiende y escucha bien mis palabras, Aurige.

Laila no sabía qué decir. Cyinder apretaba los puños con rabia, dispuesta a no guardar ni un minuto más todo lo que la carcomía por dentro. Nimphia le cogió la mano, tratando de calmarla.

—En ningún momento he hablado aquí de las Arenas de Solarïe —decía la reina, con una voz monótona, como si leyese un discurso planteado de antemano—. Tritia niega que alguna vez hubiese guardado esa perla bajo sus dominios y, por suerte o por desgracia, no hay prueba alguna de que así haya sido.

—¿Cómo que no hay pruebas? —preguntó Aurige verdaderamente enfadada—. ¿Acaso no revivió Solarïe después de que volviésemos de allí? ¿No demuestra eso que encontramos un Grano de las Arenas en Acuarïe y que lo utilizamos? Tritia puede decir lo que quiera, pero todo es mentira.

—La palabra de una reina es sagrada —seguía Titania—. Lo sabes perfectamente, aunque claro, nunca te has molestado en aprender el protocolo y la política que corresponden a tu rango.

Sus ojos no la miraban. Estaban prendados en el aleteo de la mariposa blanca alrededor de un racimo de uvas.

—La palabra de mi madre también es sagrada —dijo Cyinder, temblando—. Y la misma Reina Maeve nos agasajó y felicitó por recuperar el Grano de las Arenas... ¿Acaso su palabra tampoco es sagrada?

Laila la miró con curiosidad. ¿Por qué defendía a Maeve?

—A pesar de todos los agasajos y felicitaciones —interrumpió Titania al momento—, la reina Tritia asegura que fuisteis a Acuarïe con la intención de robar el Agua de la Vida, su objeto sagrado, el cual, tras vuestra incursión, ha desaparecido.

—¡QUÉ! —gritó Cyinder, espantada.

La reina Titania endureció aún más sus gestos ante aquella muestra de mala educación típica de los solarïes.

—Nadie más que vosotras, como habéis confesado, ha logrado entrar en Acuarïe, y si los rumores se confirman, un extraño seísmo provocado por vosotras destruyó casi todo el palacio de Cantáride, resquebrajando los cimientos y abriendo la cámara del tesoro, lo cual aprovechasteis para robar el Agua de la Vida...

—¡Eso es mentira! —gritaba Cyinder, cuyos ojos resplandecían como dos soles encendidos—. Es ultrajante que la reina de Lunarïe sea capaz de dar crédito a esas calumnias sin sentido.

—Lamentablemente —sonrió la reina con una mueca ambigua—, todas las pruebas apuntan hacia vosotras, por lo cual, y aunque no esperaba que aparecieseis tan pronto en Ïalanthilïan, no me queda más remedio que reteneros aquí, en Nictis, hasta que seáis enviadas a la Universidad Blanca, donde se os mantendrá bajo un estricto control en espera del juicio que la reina Tritia ha demandado contra vosotras.

Aurige se giró hacia su madre con los ojos muy abiertos, esperando encontrar cualquier signo de que aquello era una broma muy pesada, en venganza por lo de Oberón. El rostro de Titania era una máscara de frialdad extrema. Entonces hizo algo extraño. Señaló a la mariposa blanca y se llevó un dedo a los labios. Luego hizo un rápido gesto sencillo y una tela de araña se formó en medio de la nada.

—Eso es imposible —atajó Cyinder, hablando orgullosamente, haciendo caso omiso a aquel hechizo—. No se nos puede retener aquí ni a Nimphia ni a mí, que te recuerdo que somos princesas de Airïe y de Solarïe, por si lo has olvidado. Mi madre jamás consentirá que se nos trate como tú estás haciendo...

—Tu madre ya no tiene voz ni decisión —contestó Titania, cortante como un cuchillo.

En ese momento, la mariposa blanca que había estado revoloteando en la fruta se acercó a la tela de araña y se quedó pegada a ella. Sus alas se agitaron frenéticas y entonces una araña apareció en medio de los hilos de seda justo frente a ella, observándola siniestramente.

Aunque era una nimiedad, Nimphia sintió la urgente necesidad de salvar a aquella mariposa. Alzó los dedos para rasgar la tela y la reina le sujetó la mano. Al momento la araña se abalanzó sobre el desgraciado insecto y empezó a envolverlo en un capullo de seda.

Titania sonrió con satisfacción y Nimphia crispó las manos al haber asistido a aquella nueva muestra de crueldad. Cyinder y Laila contemplaban la escena sin poder articular palabra, como si todo fuese una absurda pesadilla estúpida.

Laila miró a Aurige, que tenía la vista prendida en la araña. Esperaba que se enfrentase a su madre de una vez y todas salieran de allí rumbo a Lomondcastle sin más tardanza. Aquello era una locura. Ser conducidas y recluidas en el Reino Blanco... ¿Y qué pasaba con ella? Tenía una vida fuera de Faerie. Su padre, Daniel Kerry, su libro de las gemas... Todo estaba lejos de allí. Estaba determinada a no aceptar aquella especie de secuestro sin sentido.

Sin embargo su amiga lunarïe no daba muestras de oposición alguna. Después de un rato de embarazoso silencio, Titania volvió a hacer un leve gesto con los dedos y la araña bajó de la tela colgando de un hilo hasta posarse en la mano de Aurige. Tanteó despacio la piel y entonces se aferró con las patas alrededor de su muñeca convirtiéndose de repente en una pulsera de plata. Luego la tela de araña desapareció y el capullo de la mariposa cayó al suelo.

Aurige miró a su madre a los ojos y por un segundo ambas parecieron leerse el pensamiento.

—No puedes retenernos aquí, mama —dijo por fin con voz calmada.

—Ya no tenéis ningún otro sitio al que ir, hija —contestó Titania con un deje de suavidad en su voz—. La situación es muy grave. Si volvéis al mundo nemhirie estaréis lejos de mi influencia. Os darán caza y yo no podré protegeros. Se os acusa de robar el objeto de Acuarïe. Pronto empezará la propaganda de que las Arenas de Solarïe probablemente también fueron robadas por vosotras y que lo de recuperar el último Grano fue tan sólo una estratagema para llegar a la cámara del tesoro. Después de lo que ha ocurrido se exigirá la prueba de que el resto de objetos sagrados están a salvo, y yo tengo que velar por los Ojos de la Muerte.

—¿Por qué lo exigirán, mamá? —preguntó Aurige, enfadada—. Cuéntame toda la historia completa. ¿Quién está detrás de todo esto?

—No puedo decírtelo porque ni yo misma estoy segura —replicó la reina—. Hay espías por todas partes, la más pequeña y frágil mariposa podría ser uno de ellos —miró al capullo de araña, caído en el suelo—. Cualquier palabra sospechosa dicha entre estos muros podría desencadenar un caos contra mí. Mis damas conspiran y si se descubriese un secreto, el secreto que ahora guarda esa araña de plata —dijo señalando la joya aferrada a la muñeca de su hija—, sería el fin de Lunarïe tal y como lo conocemos.

Aurige guardó silencio. Contempló la delicada pulsera y sus ojos se desviaron hacia la luna visible tras los grandes ventanales.

—Entonces, estamos atrapadas aquí —dijo por fin.

Laila no comprendía nada. Aurige no estaba rabiosa ni lanzaba improperios. Al revés. Parecía aceptar aquella locura con total sumisión.

—Si estoy en lo cierto, y lo estoy —afirmó la reina con orgullo—, antes de que la luna empiece a decrecer, el Reino Blanco habrá mandado albanthïos para escoltaros a Tirennon. Como estoy completamente segura de que vuestra llegada a Ïalanthilïan ya es conocida allí, Geminia se habrá encargado de eso, permaneceréis en los aposentos que están preparando para vosotras en estos mismos momentos hasta la llegada de los emisarios de la reina Maeve —luego se volvió a Cyinder y a Nimphia con una mueca de cinismo—. Considerad que estáis en vuestra casa, princesas de Solarïe y de Airïe.

Entonces miró a Laila, pero no dijo una sola palabra.

Se volvió a sentar en su sillón dando la reunión por concluida.

Las vio marchar cabizbajas, con sus caras llenas de preguntas que la joya araña se encargaría de desvelar cuando estuviesen a salvo. Aurige así lo había comprendido, y en lo más profundo se sintió muy orgullosa de ella. Luego por un momento sintió lástima, pero un destello llamó su atención y se fijó en el capullo de la mariposa que había caído al suelo cuando la telaraña desapareció. Lo recogió con delicadeza, y sonriendo, lo aplastó con los dedos.

Se sentó junto al arpa y acarició las cuerdas que vibraron con una pequeña explosión de burbujas y fuegos fatuos.

—Sin duda tenéis un don para la música, bella Titania —la sobresaltó una voz.

La reina miró a su alrededor y entonces una sombra fue tomando forma en la oscuridad de la ventana hasta hacerse corpórea. La sorpresa le había dejado sin aliento, y su corazón normalmente helado latió demasiado deprisa.

«Sombra sobre sombra» —pensó recuperándose de su desasosiego.

—¿Qué haces aquí, tenebrii? —dijo con voz altiva y fría, sin rastro de debilidad—. No has sido formalmente invitado, por tanto no eres bien recibido.

El ser de las sombras se acercó, cayendo la luz de la luna sobre él. Sus alas se plegaron en la espalda pareciendo que vestía con una capa sobre su torso desnudo, pero Titania sabía que era para ocultar los dos sables curvos que los tenebrii portaban en el cinto, escondiéndolos como muestra de cortesía hacia ella.

El ser hizo una pequeña inclinación.

—Mi señor te envía saludos y parabienes, reina Titania, y quiere saber si nuestro ancestral pacto sigue en pie.

—Por supuesto —exclamó ella, cortante—. Me sorprende que tu amo tenga la osadía de dudar de mi palabra.

—No duda —rió el tenebrii con un siseo rasposo—. Simplemente está impaciente, como lo estaría cualquier novio celoso.

—Sin embargo, la paciencia es una virtud —dijo Titania con una mueca.

—Cuidado, reina Titania. A mi señor no le gustan las burlas ni los engaños, y Lunarïe es un reino bastante conocido por tales «dones».

Los ojos de Titania relampaguearon.

—Decid a vuestro señor que la reina Titania siempre cumple sus promesas. Es más, decidle que mi propia hija será quien cumplirá mi parte del trato, trayendo los Ojos de la Muerte de vuelta a Lunarïe. Sin embargo espero de tu amo que también él cumpla su palabra. Si Lunarïe es bien conocido por sus engaños, el Reino de las Sombras no se queda atrás.

El tenebrii pareció impresionado. Hizo una reverencia y sin más, su cuerpo se disolvió en la oscuridad del salón.

4. La única opción

—*De acuerdo,* Aurige —suspiró Cyinder cuando las vestales que las acompañaron a sus aposentos hubieron desaparecido—. ¿Nos vas a contar ahora qué es lo que ha ocurrido allí abajo?

La lunarïe permaneció en silencio. Recorrió el amplio dormitorio en penumbras, bordeando las camas recién creadas para ellas hasta llegar a la ventana. Apartó los velos y la luz de la luna entró a raudales, dándole a todo un aspecto aún más misterioso.

—Es que aún no lo sé —respondió por fin.

—¿Que no lo sabes? —preguntó Nimphia con los ojos muy abiertos—. ¿Aceptas la decisión de tu madre sin rechistar y no lo sabes?

—Como dice ella, en Lunarïe hay espías por todas partes. Creo que esta pulsera es un mensaje secreto para mí. Si lo abro ahora, el secreto dejaría de serlo si alguien nos estuviese escuchando ahora mismo.

Todas miraron a su alrededor, temerosas de algún enemigo oculto.

—Tu madre está paranoica —repuso Cyinder con agresividad, dejando traslucir todo el desagrado que sentía por Titania.

—Puede ser —contestó Aurige sin sonreír—. O puede que

no. Yo no he criticado las acciones de tu madre en Solarïe, y en cualquier caso el mensaje es para mí. Lo abriré cuando lo considere oportuno.

—¿Y qué es lo que puedes criticar tú de mi madre? —insistió Cyinder, ligeramente molesta.

Aurige cerró la boca. Laila la vigilaba con ojos muy abiertos, temiendo que con el enfado, revelase el verdadero comportamiento de Hellia cuando ocurrió la catástrofe y los soles se apagaron. Su amiga lunarïe abrió la boca a punto de decir algo.

—¡Yo no veo justa esta situación! —gritó ella en un intento de desviar la conversación—. Estamos aquí encerradas —siguió, titubeando, al ver que las tres la miraban expectantes—, y nos van a llevar al Reino Blanco como si fuésemos prisioneras. A mí nadie me ha preguntado si quiero ir o no, y encima no he podido decirle nada a mi padre... Además, ¿qué va a pasar con la arpía? Y en el colegio se va a armar una buena cuando vean que hemos desaparecido.

—¿De verdad te preocupa eso? —preguntó Cyinder, más calmada, pero con un tinte de acidez en la voz.

—¡Pues claro que sí! Mi padre sería capaz de poner patas arriba toda Escocia buscándome.

—¿O es por el nemhirie? —añadió Nimphia con un guiño, sentándose sobre una pila de cojines de color malva.

—¡No! —negó ella con demasiada vehemencia. Su cara enrojeció.

—De todas formas Laila tiene razón en eso —siguió la solarïe muy seria—. Nadie nos ha preguntado si queremos ir a Tirennon o no, y además tu madre no es nadie para retenernos aquí en contra de nuestra voluntad, Aurige. Mi madre y la reina Zephira —añadió buscando la complicidad con Nimphia—, tienen los mismos derechos reales que tu madre y esto representa una gran ofensa. Antes yo misma quería ir a Tirennon para aprender todo lo necesario para reinar sabiamente, pero ahora no quiero ir en estas condiciones, como prisioneras que vamos a juicio. Deberíamos marcharnos inmediatamente, antes de que lleguen los albanthïos. Si es que vienen de verdad —añadió con cinismo.

—¿Para ir a Solarïe quizás? —preguntó Aurige con una mueca sarcástica.

—¿Por qué no? —contestó Cyinder más molesta aún—. Estaríamos a salvo. Mi madre se encargaría de protegernos…

—¡Por favor, no me hagas reír! Ir a Solandis sería como caer directamente en las garras de la vieja Mab.

—Nada de eso —replicó la rubia, dolida—. En Solandis nadie nos obligará a hacer cosas que no queramos, ni nos amenazarán con cuentos de fantasmas ni falsos misterios que nadie puede conocer…

De nuevo la tensión podía cortarse con un cuchillo. Laila sabía que la noche de Lunarïe afectaba al carácter alegre de Cyinder, pero en esta ocasión su amiga parecía verdaderamente enfadada. Durante un buen rato nadie abrió la boca.

—Si tan segura estás de tantas maravillas que dices que hay en Solarïe —dijo Aurige por fin—, ¿por qué no preguntas quién de nosotras quiere ir y quién no? Acabas de acusar a mi madre de quitarnos la libertad. Pregunta pues.

—Desde luego —repuso Cyinder sin atisbo de duda—. Laila, tú vienes, ¿verdad?

La muchacha desvió la mirada sin saber qué decir. No podía imaginar siquiera la posibilidad de que el grupo se dividiese, pero Aurige tenía toda la razón. Volver a Solandis era meterse directamente en la boca del lobo. Se mordió una uña con nerviosismo pero no contestó. Cyinder pareció entristecerse.

—¿Nimphia? —se dirigió a su amiga con una sombra en los ojos.

La aludida tosió.

—Bueno… quizás fuese mejor ir a Airïe —sugirió dudando—. Yo también quisiera ver a mi madre.

Cyinder las miró a las tres con rabia.

—Es decir, que todas pensáis que mi madre es una marioneta y que tiene el cerebro lavado por Maeve.

Por un momento nadie contestó. Laila se sintió avergonzada.

—Muy bien —siguió la solarïe, herida pero orgullosa, con sus ojos dorados reluciendo en la penumbra—. No tengo nada más que deciros, pero estoy segura de que Titania nos engaña, y que todo esto no son más que mentiras lunarïes para sus propios propósitos.

Y dicho esto se dio media vuelta y se recostó en la cama que las vestales y las damas de compañía habían preparado para ella. Cerró los ojos ignorando las miradas de sus amigas y no les volvió a dirigir la palabra.

El ambiente se volvió triste y cargante. Aurige tampoco pronunció ni una sola palabra más y se tumbó en su colchón mirando al lejano cielo lleno de estrellas con las manos cruzadas tras la cabeza.

—Buenas noches —dijo Laila dirigiéndose a su cama.

—Buenas noches —Nimphia fue la única que respondió.

Pasaron los minutos, lentos y negros. Arrebujada en su edredón, Laila observaba el lento desplazamiento de la luna más allá de los ventanales. La situación era muy difícil. Cyinder estaba enfadada. Aurige no daba su brazo a torcer, y ella y Nimphia estaban atrapadas en medio sin saber cómo mejorar las cosas ni herir a ninguna de las dos.

Los minutos dieron paso a las horas. El perfume de las flores era embriagador y la luz de la luna, hipnotizante. Poco a poco los párpados se le fueron cerrando, sin otro sonido que la respiración lenta de sus amigas y el suave viento nocturno que ondulaba las cortinas.

Por fin se durmió.

En sus sueños, volvía a amanecer. Amanecía más allá de la línea del horizonte. Más allá de la gran ciudad de pirámides de piedra recubiertas de frondosa vegetación.

La dama de largos cabellos a su lado le soltó de la mano y se subió al corcel blanco que habían dispuesto para ella. Laila lloraba y gritaba, pero manos fuertes y decididas se la llevaban al interior de los bosques. Gritos, carreras, luces y sombras pasando entre las ramas de los árboles. El cielo pareció volverse de fuego y entonces...

Cric

Abrió los ojos asustada. Su corazón latió apresuradamente pero la oscuridad de la habitación le impedía ver nada. Poco a poco las pupilas se le acostumbraron a la penumbra y las camas de sus amigas se definieron ante sus ojos.

Había oído algo. Un susurro. El sueño de los ithirïes se esfumaba pero aquel sonido había sido muy real.

Crac.

Sonó mucho más cerca esta vez.

Su cuerpo se paralizó de miedo. No se atrevía a moverse, pero distinguió la figura acurrucada de Aurige durmiendo tras los doseles y un poco más allá la de Nimphia, que se movía al ritmo de su respiración.

Giró la cabeza con una lentitud desquiciante, arriesgándose a echar un vistazo más allá. Sentía el corazón lleno de pinchos y la imaginación se le había desbocado pensando en una terrible posibilidad: que la duquesa Geminia hubiese entrado allí para vengarse de una vez por todas.

Pero no se trataba de ninguna duquesa. Para su sorpresa descubrió que la cama de Cyinder estaba vacía y una figura, la de la solarïe, se dirigía ya hacia la salida.

—¡Qué haces! —cuchicheó incorporándose, comprendiendo de golpe que su amiga planeaba algo.

Cyinder se quedó rígida un segundo frente a la puerta. Luego se volvió y le hizo un gesto para que guardara silencio. Laila se levantó de la cama y se acercó a ella sin hacer ningún ruido.

—Me marcho —fue la terrible noticia. Luego miró a la cama de Aurige con los ojos llenos de lágrimas—. No puedo estar aquí ni un minuto más.

—¿Pero qué estás diciendo? —se horrorizó Laila.

Cyinder negó en silencio. Laila entendía perfectamente sus sentimientos, pero estaba segura de que la solarïe estaba demasiado influenciada por tanta oscuridad y tantos secretos misteriosos.

—Si quieres puedes venir —siguió la solarïe, casi inaudible—. Me voy a Solandis ahora mismo. Hace tiempo que debería haber vuelto.

Laila negó con gran tristeza. Le dolía pero no estaba de acuerdo con su amiga.

—No puedo —dijo pesarosa.

En ese momento, para complicar más las cosas, Nimphia se despertó. Las miró con ojos nebulosos, recién salida del sueño, y Cyinder, desesperada, le hizo una señal para que no hablase. La airïe se acercó a ellas con los ojos muy abiertos.

—Hacéis un ruido de mil demonios —se quejó en un susurro.

—Cyinder se va —cuchicheó Laila mirando a la figura dormida de Aurige, deseando que se despertara y detuviese aquella locura. Sin embargo su respiración seguía siendo tranquila y acompasada.

—Yo también —susurró Nimphia de repente.

Laila se quedó con la boca abierta.

—No me gusta esto —explicó en voz muy baja—. No sabemos qué se oculta tras las palabras de Titania, pero mi madre y Hellia jamás darían crédito a Tritia. No estoy dispuesta a someterme a ningún juicio de esa loca y mucho menos a permanecer aquí en Lunarïe bajo el mando de Titania. Me marcho con Cyinder.

Ella no sabía qué pensar. Volvió a mirar a Aurige y sintió una punzada. Lo que decía Nimphia era verdad, pero aquello era traicionar a su amiga, abandonándola a su suerte y huyendo. Sin embargo, acatar las órdenes de Titania sería como entregarse a aquella injusticia sin luchar.

—De acuerdo —admitió por fin con la voz entrecortada—. Pero tendremos que decírselo a Aurige, ¿no? No nos iremos sin ella, ¿verdad?

Se hizo el silencio.

—Aurige está de acuerdo con su madre por primera vez —respondió Cyinder, dolida—. La conozco y no querrá venir. Algún día se lo explicaremos.

—Eso espero —suspiró Nimphia dirigiéndose lentamente hacia la puerta.

—Creo que no deberíamos marcharnos sin decirle algo —insistió Laila sintiéndose arrastrada hacia la salida.

Cyinder y Nimphia estaban apesadumbradas. Se les notaba terriblemente tristes por tomar aquella decisión sin su amiga, pero dejaron ver a las claras que sin duda todas estarían mejor lejos de Lunarïe. El hada de Airïe abrió la puerta sin hacer ruido y miró hacia el corredor vacío.

—¡Ejem, ejem! —tosió de pronto la voz de Aurige a sus espaldas.

Todas dieron un brinco y Nimphia cerró la puerta de golpe. Se la quedaron mirando unos segundos.

—Nos vamos —dijo Cyinder a la defensiva, con el rostro ruborizado—. No nos vas a convencer de lo contrario, lunarïe.

Aurige las observó sentada desde la cama.

—¿Y me ibais a dejar aquí? —preguntó con voz fría.

—Tú has tomado la decisión de quedarte con tu madre, pero nosotras no —le respondió la solarïe.

—¿Yo he dicho eso? —contestó Aurige saltando de la cama. Pasó junto a ellas, que la miraban asombradas, y abrió la puerta.

—No hay nadie —susurró—. ¡Vamos!

Cyinder se rió, incapaz de aguantar un enfado ni medio minuto.

—Tengo ganas de abrazarte, lunarïe. Y de ahogarte también. ¿Por qué eres siempre tan difícil?

—Yo no soy difícil —contestó ella espiando las sombras del corredor—. Simplemente vosotras no me entendéis.

Laila no pudo evitar sonreír y Nimphia movió la cabeza. Caminaron despacio ocultándose en las sombras. Bajaron las escalinatas de mármol negro hacia el gran recibidor, donde las estrellas se reflejaban sobre el pulido suelo que parecía un lago negro.

Al frente, las puertas de Nictis; y tras esas puertas, a tan solo unos metros más allá de los escalones, el Mustang rosa que les devolvería la libertad.

—¡Esperad! —gritó Laila cuando los grandes portones estaban ya a su alcance.

No podía avanzar. Se sentía turbia y pegajosa, como si todo su cuerpo estuviese envuelto en gelatina. Para su sorpresa descubrió que todas tenían el mismo problema.

—¡Pero qué...! —exclamaba Cyinder.

—¡Una Telaraña de la Oscuridad! —comprendió Aurige al momento.

De repente estalló una luz y toda la sala se iluminó. Ellas se quedaron rígidas.

—Eres tan previsible, hija —sonó la voz helada de Titania a sus espaldas.

Enredándose aún más en los invisibles hilos, Laila se giró.

Junto a la reina, altiva y distante, cinco albanthïos las observaban sin rastro de pena o de alegría. Laila casi podía sentir la brisa nocturna en el rostro y la libertad a pocos metros, pero allá arriba las frías estrellas parecían reírse de ella.

Entonces las cosas empezaron a ir mal.

Ya fuese para crear confusión o porque eran sus verdaderas intenciones, en cuanto Aurige liberó una mano de la pegajosa tela de araña, lanzó un ataque de aspas negras que volaron directas hacia los cinco albanthïos.

Uno de ellos, vestido con una extraña túnica blanca llena de runas y una vara de madera, extendió su brazo y las mortíferas hélices se detuvieron, pero aún así una de ellas le rozó el rostro y una fina línea roja apareció en su mejilla.

Titania dio un paso al frente y Laila vio en sus ojos, por primera vez, un atisbo de auténtica preocupación por su hija. Sin embargo se serenó al momento, y asistió a la escena sin pronunciar palabra.

El albanthïo se tocó la herida y el corte se cerró de inmediato. Luego miró a Aurige y a la reina con una imperceptible señal de ira dibujada en la frente. La túnica blanca ondeó a su alrededor cuando trazó un signo con sus dedos y un círculo con dos líneas curvas brilló en el aire antes de desaparecer.

Aurige sintió una especie de picotazo y se llevó la mano al cuello automáticamente. Tocó algo frío incrustado en su piel y miró a las otras con un destello de alarma en los ojos.

—Dijisteis que no presentarían resistencia, majestad —susurró el albanthïo con dureza.

La reina observaba los grandes portones de su palacio.

—¿Eso dije? —contestó distraída.

—¿Eso dijiste? —gritó Aurige a la vez. Un fino hilo de sangre brotó de sus labios y se llevó la mano a la garganta. Su madre la miró a los ojos con intensidad.

—¡Pero qué es esto! —exclamó Cyinder asustada.

—Una runa de hierro —fueron las palabras del albanthïo señalando el pequeño círculo metálico que brillaba en el cuello de Aurige—. Se llama Paz. Es una cualidad muy importante que desde ahora todas aprenderéis a respetar. ¿Os oponéis acaso, majestad?

Se inclinó ante la reina Titania, que le observaba con una mirada de hielo.

—No.

Laila veía que la furia de Aurige era cada vez mayor. Forcejeó hasta liberar su otro brazo y unió sus manos como si fuese a rezar. La muchacha se quedó muy sorprendida. ¿Precisamente ese era el momento para oraciones? Sin embargo la cara de su amiga era de cualquier cosa menos de actitud devota. Separó las manos lentamente y entre ellas apareció un espacio negro. Cyinder y Nimphia la miraban con profunda admiración y más aún cuando aquella especie de vacío comenzó a agrandarse y a llenarse de estrellas. Entonces el círculo metálico de su cuello destelló con mayor intensidad y el agujero desapareció. Laila vio cómo el albanthïo sonreía con superioridad.

—Nunca me he sentido tan humillada —dijo entonces Titania lanzando a su hija una mirada de desaprobación—. Faltas el respeto a nuestros invitados, Aurige. Nunca atiendes a tus obligaciones de princesa. Nunca te molestas en aprender todo aquello que trato de enseñarte —hizo una larga pausa cerrando los ojos—. Parece que gozas avergonzándome constantemente... ¿Cuántas veces te he dicho que una Luna Negra necesita mayor concentración?

Tras aquellas heladas palabras los albanthïos se volvieron a Titania con la duda reflejada en sus caras, y sus sonrisas de soberbia desaparecieron. Entonces Laila vio con asombro cómo la reina unía sus manos igual que había hecho Aurige y las separaba rápidamente.

Un enorme agujero vacío apareció delante de ella y creció, colosal, devorándolo todo. Estrellas malignas brillaban en la distancia, y de repente Laila sintió que una fuerza horrible la atraía hacia el agujero, tan enorme como la resaca de una ola gigantesca.

Varios jarrones llenos de madreselvas volaron hacia el interior perdiéndose en la masa de oscuridad, y los largos velos de las paredes flotaron ondulando hacia el centro de aquella especie de sima de pesadilla. Hasta el aire pareció escaparse a borbotones, y las piedras del palacio empezaron a temblar sin poder resistir aquella enorme fuerza gravitatoria.

Presa del pánico intentó moverse hacia atrás, pero la telaraña que la envolvía se combaba de una forma horrible hacia aquel siniestro firmamento, y a duras penas impedía que se precipitase en su interior. Sus amigas seguían pegadas a la telaraña, forcejeando y rompiendo hilos que les enredaban aún más. Cyinder y Aurige parecían encontrarse a salvo pero Nimphia, que hacía enormes esfuerzos por alejarse, se encontraba al borde del abismo.

Dos albanthïos corrieron hacia la salida del palacio y de inmediato fueron succionados hacia dentro del pozo estrellado. Las figuras blancas parecieron disolverse en la noche y sus voces se perdieron en la distancia hasta desaparecer. Entonces la reina bajó los brazos y el agujero se cerró.

—Así es como se hace —siguió la reina su lección, imperturbable—. No quiero tener que repetirlo, Aurige.

Durante unos segundos nadie habló. Los largos velos cayeron al suelo y Laila sintió el estómago dándole vueltas, a punto de vomitar por el vértigo. El albanthïo de la túnica de runas, que se había encogido en un rincón agarrado a su vara de madera, tenía el rostro descompuesto de pavor. Poco a poco se irguió apoyado en su bastón y se secó la frente perlada en sudor.

—Reina Titania —susurró, todavía jadeando de esfuerzo y de miedo—. Esta acción será tomada como una agresión directa al Reino Blanco y a su majestad, la reina Maeve…

Ella le miró como a un insecto.

—En mi casa, nadie castiga a la princesa Aurige excepto yo.

—Pero…

—Estoy cansada, albanthïo —siguió ella con voz fría y cristalina—. Has perturbado la paz de mi palacio y ahora me amenazas con represalias de Tirennon, a mí, a la reina Titania en persona…

Con un gesto hizo desaparecer la Telaraña de la Oscuridad que envolvía a las cuatro amigas. Luego comenzó a subir las escaleras hacia sus aposentos. Cuando llegó al rellano miró al cielo estrellado sobre su cabeza y luego a Aurige, directamente a los ojos.

—Sal de Lunarïe antes de que termine de nevar —le dijo.

Después siguió su camino, fría, hermosa y distante, hasta que desapareció.

El salón permaneció en silencio y entonces algo diminuto y blanco flotó lentamente hasta el suelo ante los ojos de Laila.

Un copo de nieve.

Como si hubiese sido una señal, Aurige corrió hacia las puertas y todo el mundo se puso en movimiento a la vez. Nimphia lanzó una tromba de viento hacia los albanthïos y Cyinder arrojó dos bolas de luz que detuvieron su avance, pues al haber perdido a dos de sus componentes, los albanthïos actuaban con mayor cautela, como si se hubiesen dado cuenta por fin de que Lunarïe no era de fiar en ningún momento.

Corrieron hacia el Mustang bajando las escalinatas a trompicones. Todo el jardín estrellado estaba ya cubierto de nieve, que caía intensamente desde un cielo negro y despejado, cubierto de estrellas.

Aurige abrió la portezuela del coche y cuando fue a subirse pareció pensárselo mejor. Entonces agarró a Nimphia del brazo y de un tirón la obligó a sentarse al volante.

—¿Pero qué…? —musitó el hada del aire con los ojos muy abiertos.

—Yo no puedo —logró contestar la lunarïe antes de que un nuevo hilo de sangre brotase de sus labios.

Nimphia asintió temblorosa y Laila y Cyinder entraron a

toda prisa en los asientos de atrás. Los albanthïos bajaban por los escalones corriendo hacia ellas y el de las runas pareció que se preparaba para algún tipo de hechizo especial. Se quedó muy quieto con los ojos cerrados, concentrándose mientras la nieve caía a su alrededor. Una luz brilló en sus manos y subió hacia el cielo como un relámpago. En ese momento Nimphia arrancó de golpe, saliendo disparadas hacia delante. Laila y Cyinder se estrujaron contra el asiento trasero pero no tuvieron muchas opciones de protestar. La airïe condujo directamente hacia el laberinto a velocidad vertiginosa, alejándose de los tres albanthïos rodeados por el manto blanco, hasta que fueron sólo tres puntos indefinidos en medio de la ventisca.

De repente los setos del laberinto las rodearon y Laila no sintió ninguna vergüenza de esconderse agachada en el asiento para no ver los bordes de los arbustos, que pasaban a tal velocidad que podrían cortar el coche en dos.

—Por favor, ve más despacio —suplicaba Cyinder con los ojos desencajados.

—¡No! —gritó Aurige con la voz más ronca. Luego se llevó una mano a la garganta dolorida.

El laberinto quedó atrás pero de golpe entraron en un bosque de árboles oscuros, llenos de luces azules, fantasmales, que se movían por entre las densas ramas escondiéndose y volviendo a aparecer. La nieve no caía con tanta intensidad gracias a las frondosas copas de los árboles y el aire estaba lleno de susurros. Algunas pixis revoloteaban intentando refugiarse de la inusual tormenta dentro de las escasas flores que aún permanecían abiertas. Siguieron a toda carrera durante un trecho oscuro y enrevesado, con las ramas de los árboles arañando la carrocería y golpeando el cristal sin que por ello Nimphia bajase la velocidad en ningún momento. Poco después alcanzaban la salida del bosque, llegando a un pequeño valle de suaves colinas que se perdía en la distancia.

Toda la tierra estaba cubierta de nieve, que brillaba fantasmal bajo la enorme luna y las estrellas. Laila se alegró al ver que la tormenta parecía amainar. Algunos copos danzaban en pequeños torbellinos, pero sin duda en muy poco tiempo todo volvería a la calma.

—Ya estamos lejos de Nictis —dijo Nimphia frenando un poco—. No nos pueden alcanzar.

Aurige negó con la cabeza viendo cómo la nieve se agolpaba lentamente sobre el parabrisas.

—Mi… madre —jadeó por el esfuerzo. La voz era cada vez más seca y débil.

—No te esfuerces ahora —comentó Cyinder, alegre por verse fuera de las garras de los albanthïos.

Aurige se dio la vuelta hacia ella con los ojos centelleando.

—Mi… madre —intentó de nuevo, casi inaudible—, dijo que…

—Sí, sí.

—…saliéramos…

—Sí, del palacio, antes de que dejase de nevar.

—¡No! —jadeó ella.

Nimphia la miró con el coche casi detenido.

—…saliéramos de… Lunarïe —carraspeó la última palabra. Luego no volvió a hablar.

—¿Qué significa eso? —preguntó Laila con un hilo de voz.

Nimphia observó a Aurige con los ojos muy abiertos. Pareció que dudaba, pero entonces algo la sobresaltó. Miró hacia atrás, hacia los tupidos árboles llenos de nieve y lucecitas azules y Laila siguió su mirada. No se veía nada, pero ya no le dio tiempo a nada más. Nimphia se agarró al volante y aceleró de golpe, precipitándose a toda velocidad por el camino que descendía bordeando pequeños montículos y colinas.

—¿Pero qué haces? —gritó Cyinder tratando de mantenerse erguida tras un nuevo golpe contra el asiento.

—Nos persiguen —dijo ella temblorosa.

—¿Los albanthïos? —preguntó Laila escudriñando entre los remolinos de nieve y la oscuridad.

Nimphia negó. Parecía una estatua rígida y tenía las manos agarrotadas de miedo. Laila seguía sin comprender pero entonces le pareció ver figuras oscuras a lo lejos. Demasiado oscuras y siniestras. Un escalofrío la invadió. Su mente retrocedió de golpe a una gruta a principios de verano y entonces asoció la imagen del albanthïo con los ojos cerrados y la luz en la mano. Le había parecido en aquel momento que estaba invocando algo. Luego pensó que el miedo debía estar embotándole el cerebro. Aquello no podía ser cierto.

—¡Vamos a Solarïe! —gritó Cyinder, que también había comprendido lo que ocurría—. Sólo allí estaremos a salvo.

—¡Al colegio! —exclamó Laila a la vez, pensando por una vez que Nimphia iba demasiado despacio.

Su mirada iba y volvía desde el parabrisas trasero a la figura de su amiga, que seguía hacia delante sin siquiera pestañear. Bajo la luz de los faros, los copos de nieve disminuían en intensidad y Aurige parecía más preocupada por ellos que por los horribles perseguidores, gesticulando y haciéndole señas a Nimphia para que corriese aún más.

—Sólo hay una opción —susurró entonces el hada del aire, sin dirigirse a ninguna en particular.

Pisó el acelerador y el motor del Mustang se quejó por el enorme esfuerzo. Laila jamás creyó que un coche pudiese alcanzar tal velocidad. Las pequeñas colinas nevadas quedaron atrás hasta parecer un paisaje de juguete, y de todos los caminos que se abrían ante ellas, Nimphia guió el coche comenzando a subir una ladera empinada que parecía no tener fin.

—¿A dónde estamos yendo, Nimphia? —preguntó Cyinder con la voz desencajada de angustia, acercándose a la cara de su amiga. Luego miró hacia atrás, hacia dos figuras negras que eran ya muy visibles—. ¡La cuesta nos está frenando!

Nimphia no contestó. Invariablemente se dirigió hacia arriba esquivando matojos y peligrosos badenes llenos de piedras. El sendero se volvió estrecho y la colina se convirtió poco a poco en montaña. A un lado el borde pedregoso y al otro, una caída en picado de cientos de metros. Las curvas eran demasiado cerradas y angostas pero Nimphia no parecía darse cuenta.

Una vuelta más. La carretera bordeaba en redondo toda la montaña hacia arriba, y Laila no quería saber qué iba a ocurrir cuando llegasen a la cima. Estarían completamente atrapadas. Quizás tuviesen suerte, y cuando llegasen a la cumbre a lo mejor había un sendero de bajada que los monstruos hienas no habían visto y podrían escapar...

Como si le hubiesen leído el pensamiento, se produjo una pequeña avalancha de tierra y piedras y algo saltó desde las rocas, cayendo justo sobre el lugar que había ocupado el coche en la carretera tan solo un par de segundos antes. Todas dieron un grito de terror y Laila y Cyinder se escondieron bajo el asiento sin atreverse a mirar por la ventanilla.

El coche derrapó justo al borde del acantilado y una de las ruedas traseras giró en el aire. Un golpe violento sacudió el Mustang empujándolas hacia el precipicio y Nimphia maniobró a duras penas para mantener la estabilidad en el camino.

—¡Por Dios, Nimphia! —gritó Laila por encima de los gemidos de Cyinder, en el frenesí de la histeria.

El hada del aire dio un volantazo y volvió a acelerar. El coche escupió nieve y tierra mojada. El final se acercaba. La cima estaba ya a escasos metros y Laila se arriesgó a echar un vistazo. El corazón se le congeló.

Más allá no se veía nada, sólo la carretera sin salida y bordes cortantes por todos lados. La noche era demasiado oscura bajo la luz de los faros, y a esa velocidad apenas se podían divisar un par de metros por delante del capó. Detrás era aún peor. Dos enormes figuras cubiertas de áspero pelo negro las seguían corriendo a cuatro patas, dando zarpazos y dentelladas por entre los últimos copos de nieve.

Se acurrucó como pudo en una esquina, con el corazón latiendo a mil por hora y las manos crispadas sobre el regazo. Nimphia seguía imperturbable, mirando únicamente a un punto más allá del horizonte tras el cristal.

Por fin pareció que la pendiente cesaba, pero Nimphia, en vez de acelerar, frenó hasta parar el coche. Laila dio un rápido vistazo hacia atrás. Las dos figuras monstruosas se habían detenido a pocos metros de ellas en la pendiente y se habían erguido sobre sus patas traseras. Ahora venían caminando despacio, cortándoles todas las salidas posibles. Sus caras de hienas parecían sonreír y uno de ellos aulló con alegría desquiciada.

—¡Qué pasa! —gritó sintiendo el miedo crecer hasta hacerse insoportable—. ¿Por qué no avanzas?

—Esta es la única opción —dijo en un susurro.

En ese momento dejó de nevar y los últimos copos cayeron. Nimphia cerró los ojos pisando el acelerador a fondo, haciendo rugir el motor hasta forzarlo a máximo. Las ruedas derraparon sobre la nieve creando surcos profundos y el coche se lanzó en picado hacia el precipicio. Laila gritó con un alarido que resonó en sus oídos largamente mientras el Mustang caía en barrena hacia la oscuridad, alcanzando los últimos fragmentos de nieve que flotaban despacio hacia abajo.

Muy lejos Titania sonrió.

—Bien hecho —susurró complacida.

A su lado, mirando una pequeña esfera de cristal, su dama de compañía favorita, Mistra, se permitió relajarse con un suspiro. El artefacto rosa tan raro y extravagante había salido del hechizo de Tormenta de Nieve justo a tiempo y los dos ghüls golpeaban el cristal frenéticamente al borde de un precipicio de juguete. Entonces miró a Titania con secreto orgullo. La reina de Lunarïe parecía no querer darse cuenta de cuánto le importaba su hija, pero sólo en contados momentos tenía confianza como para demostrar su sentimientos más escondidos. Y aquel era uno de ellos.

—Vuestras acciones traerán represalias del Reino Blanco, majestad —le dijo, temerosa.

—Lo sé, pero no importa —murmuró Titania—. La reina de Lunarïe no tira la piedra y esconde la mano. Simplemente debemos prepararnos para lo que se avecina.

Cogió la bola de nieve, ahora en calma, y miró con más atención a tres diminutas figuras blancas que, en la distancia, recorrían los jardines nevados de un pequeño palacio, negro y afilado. La agitó riéndose y luego se la dio a la vestal.

—Haz llegar «esta piedra» a la reina Maeve —dijo con una mueca burlona—. Con mi más sincero y cordial afecto. Después visita a Oberón. Pídele que te devuelva el anillo de Orrian y que ni se le ocurra usarlo o sentirá mi ira. Si quieres que un duende haga algo, sólo tienes que prohibírselo. Insiste una y otra vez hasta que te expulse de allí. Sin el anillo, por supuesto.

5. Airïe

El balandro se mecía suave y lento bajo la fría brisa de la mañana. Licaön escudriñaba el cielo intentando contener una sonrisa de enorme satisfacción. Estaba contento. Más que contento, estaba eufórico. La noche había sido muy agitada, pero tremendamente beneficiosa. Ahora, con el nuevo día, todo estaba en calma y hasta los nemhiries descansaban. Total, el viento arrastraba la nave plácidamente... No necesitaba a sus esclavos para nada.

Se sentó en su butacón de cubierta y contempló a su presa por enésima vez. ¡Nada menos que un águila de la noche! Licaön jamás soñó con un tesoro de semejante calibre cuando lanzó las redes al atardecer. La bestia estaba bien segura dentro de la trampa de gruesas sogas, y aunque había luchado salvajemente, ahora descansaba triste y vencida.

Acariciándose algunas pequeñas cicatrices de los brazos, Licaön admiró las plumas del águila, tan negras que parecían azules. Cada una de ellas valía su peso en oro aunque claro, el peso de una pluma era más bien escaso. Pero había muchas plumas —calculó contentándose—. Eso le daría para un barco nuevo. Una goleta... o mejor aún, un bergantín. O quizás incluso ambos. En su sueño de riquezas, una flota de barcos sobrevoló el palacio de Silveria. Y tendría muchos esclavos. No tres como ahora, sino diez... ¡o cincuenta!

Las jarcias se tensaron con un golpe de viento y la gran vela cuadrada de color naranja se hinchó aumentando la velocidad del pequeño barco. Todo iba a las mil maravillas.

Volvió a contemplar el cielo profundamente azul, frío y cortante, y su mirada vagó por entre los pequeños cúmulos de nubes. De pronto apareció un punto negro en la distancia. Licaön sonrió. Sería maravilloso pescar otra águila. Aunque no fuese un ave de la noche, las plumas y las garras estaban muy cotizadas en la ciudad. ¡Y en las islas mucho más!

El punto negro se acercaba a gran velocidad y la sonrisa del pescador fue desapareciendo. Que él supiera, las águilas no volaban en línea recta y además aquello se le venía encima tan rápido que daba miedo. Los ojos se le abrieron como platos y sus alas se estremecieron bajo su toga de invierno.

Saltó de la butaca y corrió como alma que lleva el diablo a la pequeña campana de alarma, golpeándola furiosamente. El águila de la noche chilló y se agitó en su prisión.

—¡Arriba, malditos vagos! ¡Moveos! —gritó Licaön al viento, resonando su voz por toda la cubierta.

Siguió golpeando la campana una y otra vez, mientras veía con terror cómo aquella cosa se acercaba a una velocidad endiablada. Las manos le temblaron y dejó la campana, corriendo a toda prisa hacia el timón.

Los tres nemhiries se habían levantado y miraban al cielo con la sorpresa y el temor pintados en sus ojos somnolientos. De inmediato corrieron hacia la esfera del viento y se pusieron a soplar sobre ella. La pequeña bola comenzó a brillar y la vela cuadrada se hinchó más que nunca.

«Demasiado tarde, demasiado tarde» —pensaba Licaön horrorizado, siguiendo la trayectoria del objeto en picado hacia ellos. Era el conde de Libis en el Harmattan, no le cabía la menor duda. Venía a por sus nemhiries, pero él lucharía hasta la muerte por ellos. Ni por todas las plumas de águilas se los arrebatarían.

—¡¡Soplad, malditos, por vuestras vidas!! —gritó frenético.

El águila de la noche chillaba y se agitaba haciendo crujir las sogas, sacándole de quicio. Licaön dio un nuevo golpe de timón a la desesperada y el barco entero gimió por aquel maltrato.

No había nada que hacer. Además los vientos no parecían querer ayudar y los nemhiries trataban de soplar sobre la esfera a duras penas, zarandeados de un lado a otro, intentando no vomitar.

Aquella cosa arrancaría y se llevaría la cangreja de cuajo, y quien sabe si rompería las sogas, liberando al tesoro alado. Soltó el timón, que giró descontrolado, y se abrazó frenéticamente al trinquete. ¡Maldito conde de Libis! ¡Malditos todos! Antes de cerrar los ojos para no ver el final de su nave una idea extraña se coló por su mente: ¿Libis había pintado el Harmattan de color rosa?

Todavía estaba gritando cuando se hizo de día. Fue de golpe y porrazo y Laila cerró los ojos aturdida por la luz. Seguía abrazada a Cyinder, que gemía temblando escondida bajo el asiento trasero, pero al momento volvió a levantar la vista para mirar por el parabrisas. Nadie les seguía. Ningún monstruo hiena les amenazaba con la cara pegada al cristal y las hileras de dientes puntiagudos abriéndose y cerrándose. Todo parecía una pesadilla desquiciada porque de hecho, no había nada detrás de ellas. Solo el cielo azul.

Miró por la ventanilla y aquello fue peor. Ahogó un grito y sacudió a Cyinder de los hombros para que se incorporara. Estaban cayendo a gran velocidad, y el Mustang giraba descontrolado hacia abajo, hacia un espacio abierto infinito. Nimphia agarraba el volante tan fuerte que parecía que lo iba a estrangular y seguía rígida en el asiento, con los ojos muy abiertos mirando al frente.

—¡NIMPHIA! —gritó con los ojos desencajados y las manos clavadas en el respaldo del asiento de Aurige.

—¡Lo sé, lo sé! —aulló su amiga dando un volantazo inservible—. ¡Intento frenar, pero no lo consigo!

El coche dio una voltereta y Laila y Cyinder rodaron hasta la capota del techo en un amasijo de piernas y brazos. Entre golpes y tumbos consiguieron enderezarse. La fuerza del empuje las arrastraba hacia delante y Aurige estaba pegada al cristal. Sin duda, si pudiese hablar, la sarta de protestas sería horrible.

De repente algo apareció ante ellas y Laila parpadeó incrédula. Algo de color naranja hacia lo que iban en picado. Se iba a frotar los ojos cuando un nuevo giro le hizo estrellarse contra su amiga solarïe patas arriba.

La nausea se arremolinaba en su estómago y todo le daba vueltas, pero no quería perderse aquello. Se asomó a duras penas a la ventanilla porque no podía creérselo.

—¡Trata de esquivarlo! —gritaba Cyinder en ese momento, mirando fijamente hacia adelante.

—¡No puedo, no me obedece! —respondió Nimphia con un gemido, girando el volante a todos lados.

—¡Es increíble! —susurró Laila, sobrecogida.

A pesar de tanta admiración, todas chillaron. Justo debajo de ellas había un barco que volaba en el aire. E iban a chocar contra él.

Laila se cubrió la cara con los brazos en el momento en que el mundo azul se volvía de color naranja. Hubo una fuerte sacudida y un sonido de rasgado de telas y maderas crujiendo. Por un momento creyó escuchar maldiciones y gritos pero pronto volvió el silencio.

El Mustang había aminorado la velocidad, pero seguían cayendo, solo que ahora no sabían hacia adonde. Una enorme vela de color naranja envolvía el coche, y toda la lona aleteaba produciendo un ruido siniestro.

—¡Qué ha pasado! —consiguió exclamar en medio de la histeria general.

—Hemos chocado contra la vela de un barco —aseguró Cyinder, enfadada.

—Bueno —titubeó Nimphia—, al menos sabemos que estamos cerca de una ruta comercial.

—¿Lo sabemos? —preguntó la rubia agriamente, tratando de sujetarse al asiento mientras la tela que envolvía el coche se enredaba cada vez más—. ¡Por qué no frenas usando tu hechizo y planeamos como de costumbre!

—Lo sé, lo sé, lo siento —se disculpó la otra—. Es que esos monstruos…

—¡Todavía estamos cayendo!

De inmediato Nimphia pronunció unas palabras imposibles de repetir y el coche frenó suavemente hasta que la caída se convirtió en un vuelo lento. Durante unos segundos nadie habló. Laila sentía el corazón en la garganta y no quería ni pensar qué pasaría cuando llegasen al suelo. Si es que alguna vez llegaban.

—Ahora solo hay que tirar de la vela o romperla, hasta que nos deshagamos de ella y se vaya flotando —concluyó Nimphia.

Aurige bajó la ventanilla y en su mano surgió una daga de plata. Un segundo después, la daga titilaba y desaparecía. Laila presintió que su amiga estaba a punto de tirarse de los pelos de rabia y de frustración. Bajó su propia ventanilla para tratar de arrancar la lona naranja pero ya no tuvo tiempo para nada más.

El aire se llenó de gritos lejanos que venían de fuera, y una nueva sacudida detuvo el coche en seco. Entonces, lentamente, se inclinó en un ángulo de noventa grados y cayó rodando, chocando contra mil cosas desconocidas. El estómago se le llenó de bilis pastosa y las costillas le dolían al respirar. Los golpes y las contusiones se sucedieron y el paisaje naranja se volvió oscuro. Todas escucharon en silencio los crujidos de maderas, chasquidos y rasgados y entonces el Mustang chocó definitivamente contra algún tipo de suelo, volcó sobre la capota y ya no se movió.

Las voces por todos lados se hacían más fuertes. Pasos de gente que acudía hacia ellas, sonidos de telas rasgándose.

—¿Estáis todas bien? —preguntaba Nimphia en ese momento, sentada boca abajo agarrada al volante.

Laila no podía contestar. Le dolía la cabeza, el miedo se había aposentado en su garganta y tenía la boca seca, incapaz de tragar saliva. La espalda estaba rígida y llena de calambres y cualquier movimiento de la cabeza le provocaba unas nauseas espantosas.

—Bien no es la palabra, pero sí, gracias —contestó Cyinder tratando de enderezarse a duras penas—. Gracias por el pánico y por los golpes.

No era muy amable de su parte pero Laila se sentía igual. Parecía que habían salido de un terremoto y aunque estaban todas ilesas, el susto no se lo perdonarían jamás.

—¿Y qué querías que hiciera? —repuso Nimphia, dolida—. Había que salir de Lunarïe a toda prisa. Sabíais perfectamente que sólo se puede entrar en Airïe volando y encima he hecho todo lo posible para que esas bestias no nos cogieran…

La voz se le quebró y una lágrima apareció en sus ojos. Cyinder agachó la cabeza un poco avergonzada. Nimphia les había salvado la vida, y ahora que el miedo y los nervios desaparecían, las cosas empezaban a verse con otra perspectiva. La solarïe puso una mano en su hombro, reconfortándola a modo de disculpa.

Varios puntos de luz se abrieron frente a ellas y muchas manos terminaron de rasgar la tela, entrando la claridad a borbotones. Las puertas del Mustang se abrieron y Laila se vio arrastrada hacia fuera junto con sus amigas. Mucha gente mirándolas y hablando a la vez. Un rostro amable con largos cabellos de color violeta le estaba preguntando si se encontraba bien, pero el cansancio y la enorme angustia acumulada hicieron mella de golpe. La fatiga la invadió y aquella cara y todas las otras se desvanecieron en la oscuridad.

Poco a poco abrió los ojos. Algo la estaba molestando dentro del sueño pero no sabía qué era. Un movimiento desagradable que le levantaba el estómago. El crujir de viejas maderas y el olor seco de antiguos barnices. De nuevo aquel vaivén. Laila enfocó la vista pero todo estaba en penumbras.

De repente una cara nauseabunda, con ristras de dientes como cuchillas y una mirada brutal se coló en sus recuerdos y dio un respingo. Un gemido se escapó por entre sus labios y se cubrió la cara con las manos. Durante unos segundos esperó lo peor, allí tumbada en la oscuridad, pero no ocurrió nada horrible, y además notaba su cuerpo descansar sobre algo blando y cálido. Abrió los ojos y se dio cuenta de que se encontraba recostada en una pequeña cama. Se incorporó y la cabeza le dolió espantosamente. Todo le daba vueltas.

—¿Te encuentras bien? —preguntó la voz de Cyinder cerca de ella.

Tras el sobresalto, Laila reconoció el rostro de su amiga y negó. Le dolía todo el cuerpo y el mareo era insoportable, sin embargo, el alivio de saberse a salvo y lejos de aquel horror la reconfortaba. Se dio cuenta de que junto a Cyinder, Aurige descansaba sentada en otro camastro, con los ojos cerrados.

—A mí me ha pasado lo mismo —contó la rubia—. Estuve vomitando y ya no recuerdo más. Luego me he despertado aquí.

—¿Dónde estamos? —susurró ella mirando a su alrededor con curiosidad.

—En Airïe. Parece que caímos contra un barco y destrozamos algunas velas que amortiguaron la caída. Recuerdo mucha gente sacándonos del coche, pero el resto se vuelve confuso.

Laila asintió. Trató de acordarse de algo más pero la fatiga se lo impidió. Paseó su mirada por la habitación descubriendo que se alojaban en un pequeño camarote con las tres camas donde descansaban y varios muebles accesorios. Un nuevo movimiento hizo que se agarrase la cabeza con las manos. Las imágenes de los monstruos corriendo tras ellas volvían una y otra vez, como una pesadilla que nunca acababa.

—¡Eran dos! —exclamó sin poder contenerse.

Cyinder tragó saliva y Aurige cerró los párpados con más fuerza. Estuvieron en silencio lo que pareció una eternidad, hasta que ella sintió la necesidad de escuchar su propia voz.

—¿Y Nimphia? —preguntó por fin.

—Está fuera —explicó Cyinder, contenta por cambiar de tema—. Ella no se marea como nosotras y está muy emocionada por haber vuelto a Airïe.

Laila descubrió una nota de pesar en su voz. Cyinder hubiese preferido que Nimphia las hubiese conducido a Solarïe y regresar junto a su madre. Sintió pena y se sentó al borde de la cama, haciendo un esfuerzo sobrehumano por olvidarse de las figuras monstruosas y de los dientes como cuchillas de sierra.

—Vamos, anímate —trató de consolarla—. Todo esto se va a arreglar y volveremos pronto a Solandis. Seguro que la reina Zephira avisará a tu madre de inmediato…

Entonces se acordó de su propio padre y toda su vida nemhirie volvió de golpe. Cyinder notó su zozobra y le sonrió.

—Es verdad —siguió la rubia tratando de parecer alegre—. Y para festejar nuestra increíble llegada, voy a hacer algunos pasteles.

Laila no tenía gana alguna de probar bocado pero Aurige abrió los ojos de inmediato. Varios volcanes de frambuesa y pasteles de lentejuelas aparecieron flotando, y la lunarïe trató de decir algo. Luego bajó los hombros con frustración.

—Que quieres uno de chocolate, ¿no? —preguntó Cyinder con socarronería.

Aurige la miró frunciendo el ceño pero no le quedó más remedio que asentir. Laila rió y la solarïe hizo aparecer varias trufas que volaban con pequeñas alitas. Entonces ella se sintió mucho más contenta y se concentró firmemente cerrando los ojos. Tres minúsculos vasos llenos de batido azul aparecieron en el aire. Aurige pareció que iba a ahogarse, moviéndose hacia delante y hacia atrás y Laila se levantó hacia ella angustiada.

—No te preocupes —la detuvo Cyinder—. Sólo se está riendo. Ahora mismo diría que vaya porquería de hechizo.

La lunarïe afirmó y Laila se sintió enrojecer. Se volvió a sentar enfurruñada pero pronto aquella risa silenciosa se les contagió a todas. En ese momento se abrió la puerta y entró Nimphia con una sonrisa radiante.

—¡Hola! Vaya, cuánto me alegro de ver que estáis todas bien.

Cerró la puerta y Cyinder se abrazó a ella.

—No te perdono que no nos llevases a Solandis —le dijo riendo—, pero ha sido el mejor vuelo de la historia.

Nimphia se puso roja de orgullo. Luego se acercó a los pasteles flotantes y cogió uno de los volcanes.

—Bueno —habló entre bocado y bocado—, de verdad que me alegro de que estéis ya mejor. Por un momento creí que me odiaríais para siempre.

—Anda ya —rió Laila—. Sólo matarte un poquito.

—Bueno, cuenta —pidió Cyinder entre risas—. ¿Has averiguado algo?

Todas la miraron expectantes.

—Sí. Por lo visto, después de quedarnos ciegas con la lona naranja y frenar el coche, las corrientes de vientos que dominan esta zona nos arrastraron a una ruta transitada. Al parecer sorteamos un par de barcos antes de volver a chocar con una de las velas de este en el que viajamos. Entonces el Mustang rozó el mástil —miró a Aurige con cierta aprensión—, y caímos dando tumbos sobre la cubierta...

La lunarïe se levantó con la cara muy seria.

—El coche está bien —trató de calmarla—. Sólo necesita algunos arreglillos.

Aquello pareció enfurecerla aún más. Levantó las manos inquisidoramente.

—Oh, bueno —respondió Nimphia —. Sólo el cristal de delante...

Aurige suspiró.

—...y quizás la carrocería, y alguna rueda —siguió la airïe encogiendo la cara.

La lunarïe salió disparada del camarote. Por un momento ninguna de las tres supo qué hacer pero entonces se levantaron a la vez y corrieron tras ella. Dejaron atrás el pasillo y subieron a toda velocidad por las escaleras de madera tras los pasos de Aurige, que corría como el viento en busca de su amado coche.

Al salir a cubierta, la luz del día les obligó a parpadear y arriba sintieron aún más fuerte el movimiento del barco mecido entre los vientos. Laila no cabía en sí de asombro. Un enorme velero de tres palos, estilizado y majestuoso, con todas las velas blancas, se desplazaba lento y señorial a través del cielo.

Aurige corrió hacia su coche que estaba ahora vuelto del derecho, prácticamente destrozado con enormes abolladuras, todos los cristales rotos y la pintura rosa saltada en astillas. Laila quería ir con ella pero solo podía mirar hacia arriba, hacia las grandes velas hinchadas. Caminó lentamente sobre el pulido suelo de madera que se alejaba hacia la popa, y al llegar a la baranda miró hacia abajo.

El vértigo y la incredulidad la invadieron. ¡Era verdad, estaba en un barco que volaba! Después de agarrarse a la barandilla sintió el vaivén amenazante y retrocedió unos pasos. Entonces descubrió que en la distancia había más barcos que seguían el mismo rumbo o se iban a cruzar con ellos. Pequeños esquifes, veleros y grandes goletas que surcaban el cielo siguiendo una ruta de vientos, tal y como les había contado Nimphia.

Hacia abajo no había suelo. No se distinguía ninguna tierra lejana ni límites en el horizonte. Sólo cielo azul por todos lados, y en la distancia, algunos islotes pequeños, dispersos, como restos de tierra después de alguna explosión. El viento le azotaba la cara y parecía querer tirarla del barco, pero entonces cambiaba de forma caprichosa y la empujaba hacia adentro.

Se dio media vuelta buscando a sus amigas para que vieran el impresionante espectáculo, y se dio cuenta de que todas estaban alrededor del Mustang y dos hombres con alas conversaban con ellas.

Se acercó tambaleante por los golpes de viento. Una de las caras no le sonaba en absoluto. Largos cabellos de color violeta recogidos en una cola y tres cintas trenzadas en la frente. Su piel, bastante curtida por el sol y los vientos, mostraba varios tatuajes circulares, y dos pendientes de oro en la misma oreja señalaban algún tipo de rango. El otro le resultaba más familiar, también tenía los cabellos de color violeta, pero no lucía tatuajes y en la oreja sólo llevaba un pendiente. Laila recordó la cara que había visto al salir del Mustang.

—...por suerte hemos tenido una travesía sin incidentes —decía el hombre de los dos pendientes. Al llegar Laila se detuvo y la observó con curiosidad.

—Capitán Etesian —dijo Nimphia—, le presento a Laila Winter. Ella es quien...

—Me alegro de que estés bien, nemhirie —cortó el capitán, cortésmente pero con un tinte de frialdad—. Debes estar muy agradecida a tu ama. Te ha salvado la vida.

—¿Mi ama? —dijo ella, parpadeando incrédula.

El capitán puso cara de sorpresa.

—¿Permites hablar a tus esclavos sin permiso, princesa Nimphia?

Laila sintió un nudo en el estómago. Nimphia estaba colorada como un tomate.

—Laila no es esclava —explicó Cyinder de inmediato.

La sorpresa del capitán y de su acompañante fue aún mayor. Miraron a Cyinder con los ojos muy abiertos.

—Ella salvó Solarïe en el último momento…

Entonces Etesian sonrió mostrando dos dientes hechos de amatista en su perfecta dentadura blanca.

—Eso lo explica todo —razonó con voz helada—. No es común conocer nemhiries libres. Sin duda tu acción fue valerosa y ganaste tu libertad. Te felicito por ello, nemhirie Laila Winter.

Sin más palabras se dio media vuelta y se alejó perdiéndose entre el gentío que se arremolinaba en cubierta, incapaces de disimular su curiosidad. Laila lo siguió con ojos de odio.

—Disculpa al capitán Etesian, por favor —dijo el otro observando su cara—. No está acostumbrado a tratar con nemhiries, y esta novedad supone un cambio demasiado brusco en sus costumbres.

Laila se giró hacia él. Su voz era amable y su sonrisa, franca y cálida. De inmediato le cayó bien.

—Un grupo peculiar —rió observándolas a las cuatro—. Una nemhirie en libertad y una lunarïe con grilletes…

Aurige se tocó la runa del cuello y compuso una mirada desafiante.

—Soy Haboob, primer piloto de este barco, el Elbrus —se presentó estrechándole la mano a todas, incluso a Laila—. El capitán Etesian confía en mí plenamente y vosotras deberéis hacer lo mismo —añadió sonriendo con picardía—. Podéis preguntar lo que queráis. Dentro de dos horas avistaremos Silveria y hasta entonces no tengo nada que hacer.

—¡Silveria! —repitió Nimphia con emoción.

Haboob sonrió. Luego echó a andar hacia la baranda de estribor invitándolas a seguirle. La gente, todos hadas de Airïe, se apartaban a su paso. Al llegar se afirmó con las dos manos e inspiró profundamente. Ellas le imitaron.

—Volvemos después de un viaje de varios meses por las islas Tihorïas, más allá del lejano sur —explicó mirando los pequeños veleros que les seguían llevando el mismo rumbo—. Somos un buque comerciante de especias raras, animales exóticos y telas valiosas, y ya por fin volvemos a casa —suspiró como deseando que Silveria estuviese ya a la vista.

—Hay una cosa que no entiendo —dijo Laila sintiendo el viento frío en la cara y mil preguntas en la cabeza—. En Solarïe aprendí que la gente de Airïe vuela constantemente, sin duda son los mejores y más rápidos. ¿Por qué necesitáis barcos para viajar?

El piloto volvió a sonreír.

—Airïe es difícil de entender para los nemhiries —contestó sin rastro alguno de desprecio en su voz—. Nuestras ciudades están construidas en islas flotantes, algunas a miles de kilómetros de Silveria. Las corrientes y los vientos cambian a placer y a veces es muy difícil volar tan solo unas leguas debido a los tifones y a los huracanes.

Laila asintió. Empezaba a comprender.

—Algunas islas están tan aisladas por el clima que sus habitantes necesitan recursos que no pueden conseguir por otros medios mas que a través del comercio y las rutas de vientos —seguía Haboob la explicación.

—¿Por qué no usan la magia para fabricar ellos mismos sus propios recursos? —quiso saber Laila.

Sus amigas se llevaron las manos a la cabeza y el piloto la miró estupefacto.

—¿A qué te refieres? —preguntó algo molesto—. Estás hablando de shilayas, ¿verdad?

Laila se sintió avergonzada. Su mente nemhirie aún le jugaba malas pasadas. Desvió la mirada hacia una goleta que pasaba cerca en dirección contraria. El Elbrus hizo sonar una sirena y al momento la goleta les respondió como si fuese un saludo. Desde allí se podía ver a los tripulantes aparejando las velas y ella se quedó observando con asombro a un grupo de hombres, todos humanos, que soplaban sobre un poste iluminado con una bola de luz azul.

—¿Qué es eso? —preguntó señalando, cuando el barco se alejaba ya de ellos.

—Una esfera del viento —contestó Haboob—. Sirve para ganar velocidad hasta que las corrientes impulsan el barco sin necesidad del aliento de los nemhiries.

Laila le miró sorprendida.

—Los esclavos nemhiries —dijo él creyendo que así lo aclaraba todo.

Durante un segundo nadie habló. Laila estaba a punto de empezar una discusión que sin duda se volvería terrible.

—¿Y por qué no viven todos los habitantes de Airïe en Silveria o en los alrededores? —cortó Cyinder rápidamente.

—Silveria está superpoblada, abarrotada —dijo Haboob sin darse cuenta de la cara cambiante de Laila—. Las islas no tienen suelo ni capacidad infinita, y además, Silveria engloba a la corte real y a toda la administración burocrática de Airïe —añadió mirando de soslayo a Nimphia—. Necesitan mucho sitio para tantos deberes reales y tanta parafernalia.

Laila sintió que se le pasaba el enfado un poquito. Aquel hombre no tenía pelos en la lengua, ni con la propia princesa delante. Nimphia, por su parte, no abría la boca. En ese momento Aurige señaló a un punto en el horizonte y todas siguieron la dirección de su dedo.

—Águilas —dijo Haboob de inmediato, con una gran sonrisa—. Eso demuestra que estamos cerca de Silveria, quizás más de lo que creíamos. Tanto tiempo en el sur me ha hecho perder la noción de las distancias. Llegaremos muy pronto y puedo decir ya sin temor que hemos sido tremendamente afortunados.

—¿Por qué? —quiso saber Cyinder.

—Lady Notos ha debido estar muy ocupada con su nuevo nemhirie y no ha tenido tiempo para nosotros —rió él una broma que ninguna entendió—. Aunque claro, todo esto sólo son rumores que traen los vientos.

—¿Quién es Lady Notos? —quiso saber Laila, intrigada.

El piloto la miró y luego a las otras, descubriendo la misma cara interrogante.

—¡Por la Vieja Boreus! —exclamó—. ¿De veras no sabes de quién estoy hablando? Si ella se enterase te cortaría la garganta sin dudar, nemhirie. Estoy hablando de piratas, muchacha, ¡de piratas!

—¿Piratas? —exclamó Laila en voz alta con los ojos muy abiertos. Vio que en la cara de Cyinder y de Aurige se pintaba la misma sorpresa.

—¡Shhh! —susurró el piloto mirando a todos lados, como si la palabra piratas fuese a conjurar allí mismo a aquella misteriosa Lady Notos.

—¿Piratas en un mundo de hadas? —quiso saber Laila, incrédula, bajando la voz.

Haboob la miró con desagrado.

—Sinceramente, espero que ese comentario desafortunado haya sido sólo a causa de la mala educación que los nemhiries recibís —dijo muy serio.

Laila bajó la vista, horriblemente avergonzada. Volvía a meter la pata. Se había olvidado de que la palabra «hadas» era una tremenda grosería.

—Explícanos lo de los piratas, por favor —pidió Cyinder, siempre diplomática—. ¿Acaso corremos algún peligro?

El piloto no contestó de inmediato. Todavía estaba asimilando el insulto nemhirie. Después de un rato mirando hacia lo que ya se veía claramente como una nube de aves volando hacia ellos, volvió a contestar.

—Desde el momento en que hay comercio entre islas lejanas, y las rutas se llenan de barcos de transporte cargados de objetos valiosos, siempre hay criminales y ladrones que tratan de aprovecharse y esquilmarnos para su propio beneficio —escupió al suelo. Su voz sonaba muy enfadada—. Cada año los Señores de los Vientos causan terribles pérdidas a pobres mercaderes como nosotros, que no tenemos otros medios para ganarnos la vida. Aunque los nemhiries creáis que dedicamos nuestro tiempo a jugar con varitas mágicas y hechizos de belleza —añadió con cinismo.

—Perdona a mi amiga Laila, Haboob —dijo entonces Nimphia, que había permanecido silenciosa todo el tiempo—. Como tú mismo has dicho, Airïe es difícil de entender para los nemhiries, y esta es su primera visita.

El piloto asintió. Al rato sonrió como si no hubiese pasado nada.

—Será mejor que entréis en el camarote —aconsejó mirando al cielo—. Esas águilas vuelan muy bajo y podrían asustaros. Además vamos a replegar las velas para que no las dañen. Os avisaremos cuando vayamos a fondear en Silveria.

Ninguna quería moverse de allí y perderse el espectáculo de las aves volando alrededor del barco. Además, ahora tenían muchas preguntas acerca de aquellos Señores de los Vientos, pero Haboob había dado la conversación por concluida y se alejó de ellas caminando hacia el puente.

—Es mejor hacerle caso —sugirió Nimphia arrastrándolas hacia la escalera que conducía al camarote—. Son águilas salvajes, no están domesticadas y podrían atacarnos.

Al final la siguieron refunfuñando. A pesar de haberse acostumbrado a los movimientos del barco, hasta que no se volvieron a sentar sobre los camastros no se sintieron libres de cierta nausea aposentada en sus estómagos.

—Siento haber insultado a Haboob —dijo Laila por fin, al cabo de unos momentos en silencio.

—Tienes que aprender a controlar esa lengua nemhirie —la reconvino Cyinder—. Nosotras te conocemos pero los demás no, ni saben que no lo dices como un insulto.

Aurige se recostó sobre la cama poniendo las manos tras la cabeza, en actitud de: «Bah, ya se le pasará». Cyinder se rió.

—Una lunarïe con grilletes —repitió las palabras del piloto.

—Cuando lleguemos a Silveria, mi madre se encargará de quitarte esa runa —aseguró Nimphia.

Aurige asintió y se permitió sonreír un poquito a pesar de su disgusto.

Arriba comenzó a escucharse bastante alboroto y Laila se asomó por el ojo de buey tratando de ver algo. Sin duda estaban muy ocupados evitando a las aves y todas notaron que la velocidad del barco bajaba.

—Si el viento no nos empuja ahora —dijo—, ¿cómo nos movemos?

Ninguna habló y Laila se dio la vuelta mirando a Nimphia a los ojos.

—El barco debe tener una esfera del viento también —contestó su amiga por fin, bajando la vista.

Laila se sintió palidecer. Eso significaba que en aquel barco también había esclavos nemhiries que ahora estaban soplando a las órdenes de unas hadas… No quería pensarlo más. Sus manos se crisparon sobre la falda y movió la cabeza negativamente.

—¿Quién será esa Lady Notos? —preguntó Cyinder de inmediato, tratando de esquivar la posible tormenta verbal de Laila.

—Dicen que es la Señora de los Vientos del Sur —contestó Nimphia con un susurro—. Pero no son más que habladurías. Mi madre nunca nos ha contado una palabra al respecto, pero ya sabéis, se escuchan rumores, la gente cotillea…

—Suena muy romántico —dijo Laila, abandonando el enfado a su pesar—. Piratas, Vientos del Sur... Aún no me cabe en la cabeza.

Aurige meneó la cabeza. Si pudiese hablar hubiese dicho miles de cosas. Cyinder hizo de traductora de pensamientos.

—Aurige diría que vives en un mundo de shilayas, Laila. Pero el piloto Haboob lo ha explicado con claridad. Si hay rutas de comercio, hay bandidos. Ocurre aquí y en el mundo nemhirie.

—Lo sé, lo sé. Es sólo que me resulta difícil de entender que las had..., que la Bella Gente se pueda dedicar a la piratería. Es como enfrentar un mundo con otro.

—Vete a saber qué roban y por qué lo hacen —dijo Nimphia—. Afortunadamente no los veremos. En cuanto lleguemos a Silveria, arreglaremos lo de la runa y pensaremos un plan para terminar con el asunto ese de la acusación de Tritia.

—Espero que no tengamos que volver a Acuarïe —susurró Cyinder—. No creo que pudiese soportarlo.

Laila asintió también. La idea de sumergirse en aguas profundas aún le producía escalofríos, y sólo de pensarlo, su pesadilla de la torre del örgothil se hacía demasiado real.

El alboroto de cubierta había cesado hacía rato y de nuevo el barco ganaba en velocidad. La muchacha se imaginó a unos nemhiries castigados, cubiertos de harapos, descansando por fin tras haberse reventado los pulmones soplando para mantener aquel barco navegando en el aire. Sin duda un hada se paseaba entre ellos con un látigo, como en las películas de galeotes, y a la mínima queja les azotaba una y otra vez. Frunciendo el ceño, Laila se juró liberarlos a todos algún día.

Cuando ya su imaginación la llevaba por senderos de rebeliones y peleas, asaltando el palacio de Silveria y liberando a cientos de humanos que lloraban agradecidos, un grito desde fuera la hizo dar un respingo sobre el camastro.

—¡Tierra a la vista!

6. *Silveria*

«*Tierra* a la vista» —pensó Laila con desdén.

Desde la proa, con la niebla y la oscuridad crecientes, no se veía absolutamente nada. El Elbrus avanzaba a través de un banco de densas nubes, y Laila aún se preguntaba cómo el vigía había sido capaz de distinguir algo antes de gritar aquella frase que las había hecho ponerse en pie y subir corriendo hacia cubierta.

La humedad se le enredaba en los cabellos y todo a su alrededor estaba frío y pegajoso. Nimphia, a su lado, parecía querer saltar de ansiedad por la borda, y Cyinder y Aurige apenas pestañeaban a pesar de que no se veía nada más allá de diez metros por delante de sus narices. Una luz perdida en la niebla parpadeó a lo lejos y poco a poco, al acercarse el barco, se convirtió en una columna de fuego azul que se elevaba hasta perderse de vista.

—¿Ya estamos en Silveria? —preguntó a Nimphia, algo decepcionada.

Había esperado un espectáculo grandioso, pero su amiga negó.

—Es el Faro del Sur —dijo cogiéndola de las manos—. Estamos ya tan cerca que no puedo esperar.

—¡Un faro! —exclamó Laila, admirada.

Una torre blanca colosal surgió por entre los jirones de nubes que comenzaban a dispersarse, y en lo alto, la columna de fuego brillaba en medio de la niebla como una llama fantasmal. El barco pasó por su lado pareciendo un pequeño juguete.

«Igual que en un sueño» —pensó Laila, extasiada, y estiró el cuello hacia lo alto, siguiendo con la mirada aquella mole que poco a poco fue quedándose atrás.

Miles de preguntas se formaban en su cabeza, y todo lo que había visto de Airïe hasta ahora le resultaba increíble. ¿Vivía alguien en aquel faro maravilloso? ¿Se encendía sólo de noche, igual que en su mundo? ¿O acaso eran nemhiries esclavos los encargados de su mantenimiento? Aquel pensamiento volvió a enfurecerla, pero ya la niebla se disipaba y las grandes velas del Elbrus atravesaron los últimos cúmulos de nubes, saliendo a un cielo limpio del atardecer donde brillaban algunas estrellas.

En el horizonte apareció una fila de luces, como un enjambre de luciérnagas arremolinadas en lo alto de lo que, desde lejos, parecía un enorme iceberg incandescente.

—¡Por fin! —exclamó Nimphia, roja de emoción, y Laila contuvo el aliento.

Según se acercaban, las embarcaciones que se cruzaban con ellos eran cada vez más numerosas. Goletas, balandros, grandes bergantines y pequeños esquifes, globos aerostáticos y veleros de recreo que iban y venían, y sus pasajeros las saludaban con la mano antes de alejarse y perderse entre las nubes.

La isla se agrandaba a ojos vista, y las miles de luces parpadeantes se convirtieron en torres y cúpulas brillantes cuyo resplandor se perdía hacia arriba, como los rayos de un sol azul. Las nubes algodonosas apenas cubrían la gran masa de roca cubierta de vegetación que conformaba el suelo escarpado de Silveria, y toda la base de tierra parecía un peñasco insólito, como si hubiese sido arrancada de cuajo de algún mundo extraño. Desde la distancia, al menos tres pequeñas islas, flotando a distinta altura, se unían a la principal por largos y estilizados puentes llenos de arcos, y por el otro lado, extrañas construcciones semicirculares que, cuando estuvieron más cerca, pudieron comprobar que se trataba de gigantescas dársenas de piedra hacia donde se dirigían precisamente para atracar.

Las pequeñas islas parecían estar abarrotadas de casas y palacetes, a punto de salirse por el borde de tierra. Altas torres que le recordaron a los palacios rusos con sus minaretes redondos, plazas con arcos y columnas retorcidas flotando en el aire, y estatuas que sobresalían por encima de los jirones de nubes.

Algo extraño llamó la atención de Laila de inmediato. En una de las tres islas, la más cercana a Silveria, algo grotesco e irreal se mecía lentamente, anclado a una larga cadena que lo sujetaba a la tierra.

Un enorme trasatlántico.

—¿Qué es eso? —preguntó, incapaz de asimilar lo que sus ojos veían.

—El Reina Katrina —contestó Nimphia, orgullosa—. El regalo que hizo la bisabuela de la profesora Popea al gremio de Airïe hace muchos años. Ya sabes, «Raro, Grande, Difícil».

Laila recordó al momento a la profesora del gremio de Solarïe, con sus eternos hipitos y sus discursos grandilocuentes y se preguntó dónde estaría. No la había vuelto a ver desde el desastre de Solandis y ahora, al ver el gran barco flotando se dio cuenta de que la había echado de menos.

—¿Es el cuartel del gremio de Airïe? —preguntó, deseando encontrarse con Arissa y con Silfila.

—No lo creo —respondió Nimphia—. Sería demasiado evidente. Yo no soy de este gremio, así que no me preguntes dónde tienen su escondite secreto porque no lo sé.

Siguieron con la vista al Reina Katrina hasta que dejaron atrás los islotes anclados, pasando por delante de la isla principal hacia los grandes sillares del puerto flotante. Una pequeña muralla de arcadas de piedra blanca bordeaba toda la isla, y desde la base casi en el precipicio, numerosas agrupaciones de mansiones y templos ocupaban la mayoría del espacio habitable. Sin embargo, por todas partes se descubrían jardines elevados y espaciosas avenidas que subían en interminables escalinatas hacia el castillo, en lo alto de una suave colina en la parte más elevada de la isla.

El palacio era grandioso y se engalanaba con altas cúpulas redondas, construidas unas sobre otras, con una gran torre central llena de afilados minaretes que destellaban bajo los rayos del rojizo atardecer.

—Esa es la Torre de los Vientos —señaló Nimphia tremendamente emocionada—. Es la única que existe en todo Airïe. Se dice que antiguamente había torres que fueron creadas por los mismísimos vientos para hablar con el Pueblo Bello, pero claro, no son más que fantasías —suspiro—. Esta de Silveria es bastante moderna. La mandó construir mi madre, y nuestros astrónomos la utilizan para saber los cambios de los vientos y sus efectos cuando hay que tomar grandes decisiones.

Laila la miró sin comprender, pero Nimphia seguía absorta en el palacio.

—En Airïe, cuando cambia el viento, cambia la voluntad de la reina —le cotilleó Cyinder muy bajito al oído.

No le dio más tiempo para pensar sobre aquello. A su alrededor comenzó una gran actividad. El Elbrus llegaba ya a los sillares de piedra y todo el mundo se acercaba a la barandilla, ansioso por ver el desenlace final de tan largo viaje. Haboob dirigía la goleta desde el timón, y maniobraba cuidadosamente por entre los miles de navíos atracados en extraños salientes de roca.

Muchos nemhiries contemplaban el puerto abarrotado de gente y Laila los miró con curiosidad. No tenían aspecto andrajoso ni desnutrido, ni iban con grilletes. De hecho parecían estar disfrutando con la proximidad de Silveria. Dio un paso hacia ellos y entonces sintió la mano de Aurige en el hombro. La lunarïe la miró a los ojos y meneó la cabeza negativamente. Laila suspiró. Volvió su cabeza hacia el puente y descubrió a Etesian contemplando orgulloso el lento maniobrar de su nave.

Fueron lanzadas amarras y pasarelas hacia tierra y cuando el barco se detuvo, numerosos nemhiries subieron a bordo para empezar las faenas de estiba y descarga de todas las mercancías acumuladas durante meses. Haboob las saludó con la mano brevemente antes de dirigirse a un grupo de hombres recién llegados, y todos desaparecieron al momento por las escaleras de las bodegas.

Nimphia subió al puente a dar las gracias al capitán, y después de unas palabras, Etesian se volvió hacia ellas y las saludó inclinando la cabeza levemente.

—El capitán dice que llevarán el Mustang al palacio —les contó cuando se reunió de nuevo con las otras—, y nos desea buena suerte y buenos vientos. Además nos ofrece su barco si lo necesitamos. Hasta la próxima estación no saldrán rumbo al norte, y el Elbrus permanecerá anclado aquí, frente al tinglado nueve.

Todas le devolvieron el saludo y Aurige compuso una mueca de tristeza mirando a su maltrecho coche depositado en cubierta. Bajaron por la pasarela tras los numerosos pasajeros que abandonaban el Elbrus y al pisar tierra firme de nuevo la cabeza les dio vueltas.

—Nunca me acostumbraré a esto —aseguró Laila intentando recuperar el equilibrio perdido.

—Ni yo —contestó Cyinder.

Nimphia las miró divertida y Aurige levantó los hombros con desdén, diciendo claramente que ella no tendría tiempo para acostumbrarse. En cuanto le quitasen la runa del cuello se marcharía de allí.

Echaron a andar por entre las voces y el gentío que abarrotaba los muelles flotantes. Una pequeña ciudad de comercios se había instalado allí con el tiempo, igual que a las afueras de Blackowls, y por todas partes se anunciaban mercancías y se cerraban tratos de distinta índole. Había muchos nemhiries descargando grandes cajas o apilándolas frente a los innumerables puestos y el griterío resultaba ensordecedor. La mayoría de los mercadillos vendían toda clase de cosas: telas, perfumes, sacos de especias, armas, plumas y abalorios para los cabellos, porcelanas y baratijas, y también comidas en puestos que olían intensamente. Pequeños pájaros y águilas de todos los tamaños permanecían tristes en sus prisiones mirando al cielo. En otros puestos, varios hombres —sin duda humanos—, se sentaban en lo alto de una tarima, sin nada que hacer aparentemente. Un hada del aire muy engalanada caminaba junto a ellos observándolos minuciosamente.

—¿Qué hacen ahí? —quiso saber Laila, mirándolos al pasar.

Nadie le contestó y Nimphia apretó el paso. La cara de Laila se volvió tan verde como su pelo al comprender lo que ocurría.

—¡Son traficantes de esclavos! —exclamó, y varias cabezas se giraron en su dirección, mirándola con curiosidad.

Cyinder la cogió del brazo y la arrastró aparte.

—Laila, deja ya de escandalizarte —le susurró—. No son esclavos como tú te imaginas. Nadie los maltrata ni les hace sufrir. La mayoría han sido rescatados de vuestros mares tras naufragios en los que iban a morir. Aquí se les da un trabajo y viven decentemente…

—Eso es muy bonito de decir —interrumpió ella con la cara agria—. Si tan compasivos fueron salvándoles la vida, ¿por qué no les devolvieron a sus casas y a sus familias? ¡No! Les secuestraron para ser esclavizados por hadas que son incapaces de hacer su propio trabajo…

Nimphia, delante de ellas, tenía la cabeza hundida entre los hombros y Laila cerró la boca. Sabía que estaba haciendo daño a su amiga, y además sabía que Nimphia no estaba de acuerdo con aquel sistema de esclavitud de su reino. Sin embargo sus sentimientos de aversión eran muy fuertes y no sabía cómo expresar lo que pensaba sin hacerla desgraciada.

Siguieron caminando en silencio y los sillares del puerto quedaron atrás. El viento silbaba caprichosamente, enmarañándoles los cabellos, o de pronto cambiando de dirección. A veces avanzaban contracorriente y de repente eran empujadas hacia adelante con gran fuerza. Y a pesar de aquella ventisca desagradable, los sentimientos negros de Laila se fueron disolviendo a medida que cruzaban por las amplias plazas, paseando bajo estilizados arcos y columnas que flotaban en el aire, y las espaciosas avenidas vacías de gente, con sus enormes escalinatas flanqueadas por estatuas de grifos, águilas y esfinges a los lados.

En el cielo, numerosas estelas iban y venían en vuelos caprichosos y dislocados y Laila recordó que los airïes no solían pisar la tierra más que por absoluta necesidad. Así pues, siguieron su paso hacia el castillo, y excepto algunos nemhiries que les hacían una reverencia al pasar, nadie más se cruzó con ellas.

Por fin, tras subir una nueva pendiente de escalinatas, el palacio de Silveria apareció ante su vista.

Dos enormes monolitos afilados enmarcaban la entrada, y tras ellos, una arquitectura grandiosa de cúpulas de cristal y finas torres espirales elevándose armoniosamente hacia el cielo. Y en medio de todo, destacando por su enorme altura sobre el conjunto del palacio de Silveria, los delgados vértices de la Torre de los Vientos.

El cuello de Laila se resentía de estar tanto tiempo estirado hacia arriba, pues las torres eran tan altas que se escondían entre las nubes, y para verlas por completo tenía que estar con la nuca pegada a la espalda todo el tiempo. Llegaron por fin ante los muros de cristal del palacio, y la muchacha se admiró al descubrir que parecían estar vivos, con grabados y filigranas cambiantes bajo el sol del atardecer, imitando las corrientes de vientos que reinaban por todos lados. No había puertas ni guardianes en la entrada, y de nuevo se sintió intrigada.

—¿Todo el mundo puede entrar y salir sin impedimentos? —preguntó—. ¿No hay peligro de que alguien venga a robar o cosas peores?

—Nadie tiene necesidad de robar —le respondió Nimphia con suavidad—. Sin embargo, la verdadera causa para que no haya puertas en el palacio, es que sería una gran descortesía impedir a los vientos entrar a sus anchas. Sería el insulto más grande que se les puede hacer.

—Y luego dicen que los solarïes somos extravagantes —rió Cyinder cuando ya todas cruzaban bajo los muros cambiantes—. Por cierto, ¿dónde están todos?

Nadie había salido a recibirles y el gran vestíbulo parecía desierto. Aunque sólo llevaba unos minutos allí dentro, Laila tuvo la sensación de que el palacio estaba abandonado y descuidado. Las corrientes de aire reinaban a placer: pequeños torbellinos caprichosos o fuertes avalanchas que, de pronto, les despeinaban los cabellos o les removían las faldas. Un jarrón de flores se había caído al suelo y los pétalos correteaban sobre las baldosas sin que nadie se preocupase de recogerlos.

El viento volvió a cambiar, transformándose en una brisa tórrida que les hizo sudar mientras Nimphia llamaba a su madre en voz alta. Entonces el calor cesó de golpe convirtiéndose en una tromba helada y Laila pensó que pillaría una pulmonía si no salían pronto de allí. En tan solo cinco minutos, el palacio de Silveria le parecía detestable.

Nimphia seguía llamando a su madre, y las caras de Cyinder y de Aurige reflejaban la angustia de la tortura bajo tanto aire desquiciado. Cuando ya la situación se volvía insostenible, una figura surgió desde una galería en penumbras, y en lugar de caminar, se movió hacia ellas flotando a un palmo del suelo. La figura, un hada de largos cabellos violáceos y una toga de gasa azul llena de bordados de oro, las miró unos segundos con cara de sorpresa, y entonces reconoció a Nimphia.

—Alteza —habló en tono austero, haciendo una reverencia. Los jirones de su vestido hecho de velos parecieron flotar.

—¡Hola, Raissana! —contestó Nimphia abrazándose a ella de golpe.

El hada tosió discretamente, intentando mantener la compostura.

—Lo siento —se disculpó la muchacha—. Estoy tan contenta de haber vuelto que me olvido de ese protocolo anticuado que seguís usando.

Se separó de ella para contemplarla y Laila pudo comprobar que se trataba de un hada mayor, con algunas arrugas de preocupación enmarcando sus ojos alargados y unas alas demasiado transparentes, como si hubiesen perdido ya el color vital. A pesar de ello, lucía una sonrisa amable y cansada. El hada las hizo pasar al interior y se inclinó de nuevo ante Cyinder y Aurige. Luego miró a Laila y los ojos se le abrieron de par en par.

—No es una nemhirie —dijo Nimphia de inmediato, leyéndole el pensamiento.

—Sí que lo soy —contraatacó Laila saltándose cualquier protocolo, incapaz de morderse la lengua—. Pero no soy una escl…

Aurige le dio un codazo y la muchacha desvió la vista mirando con fingido desinterés el recibidor del palacio. Aunque estuviese muy disgustada por lo de los esclavos y harta del viento, el palacio le resultaba sobrecogedoramente bello y misterioso. Cientos de columnas se elevaban hasta un lejano techo transparente, y los grandes muros vivientes parecían crecer en oleadas de flores y ninfas de cristal. En las alturas se descubrían galerías y entradas hacia los aposentos privados, pero ninguna escalera conducía a ellos. Todo parecía flotar en medio de las nubes, y cuando el cielo se volvió más oscuro, las estrellas de la tarde se reflejaron en las pareces de cristal como pequeños diamantes luminosos.

El hada Raissana volvió a toser. Después de unos segundos de vacilación, Nimphia continuó.

—Me gustaría ver a mi madre, aya —le dijo—. Tengo tantas cosas que contarle…

—Me temo que ahora mismo es imposible, princesa Nimphia —negó el hada—. Lleva ya tres días reunida con la corte de astrónomos en la Torre de los Vientos.

—¿Por qué? —preguntó la otra con cara de enorme desilusión.

—Viejos problemas, nuevos problemas —contestó el aya divagando con voz cansada—. Ya sabes, mi niña. Son cosas que traen los vientos.

—No, no lo sé, aya. Llevo mucho tiempo fuera y desde que mi madre estuvo en Solandis en verano, no he vuelto a saber nada de ella ni de todo lo que ocurre en Airïe…

—¡Por supuesto que no lo sabes! —interrumpió de pronto una voz chillona desde las alturas.

Todas dieron un respingo y miraron hacia arriba a la vez. Oculta en las sombras, apostada junto al capitel de una columna cerca del techo acristalado, una chica las miraba con descaro impertinente. Entonces desplegó unas alas muy finas y lineales y se lanzó al vacío. Voló con vagancia, hizo unas complicadas piruetas en medio de las corrientes que recorrían la antesala del palacio y por fin, estirando los brazos de forma teatral, se posó frente a las cuatro sin rozar el suelo.

—Hola, hermana —dijo con una mueca torcida—. Cuánto tiempo sin verte.

Nimphia sonrió y se dirigió hacia ella para abrazarla, pero la recién llegada voló hacia atrás apartándose de su contacto. Nimphia se quedó algo cortada.

—Soy Eriel —se presentó ella misma elevándose un poquito del suelo—. Hermana de Nimphia y futura reina de Airïe.

Aquella noticia fue como una bomba de hielo arrojada en la cara de Nimphia, que se quedó mirando a la chica con la boca abierta sin saber qué decir.

—¿Sorprendida, hermana mayor? —siguió con una sonrisa cruel y cortante.

—¿De dónde has sacado eso, mocosa? —la regañó Raissana con cara muy seria—. Compórtate como debes y presenta tus respetos a tu hermana y a nuestras invitadas. Además, es de muy mala educación espiar en los rincones, te lo he dicho mil veces.

Eriel sonrió despectivamente.

—¿Y qué importa, aya? —respondió con una voz tan fría que pareció que la temperatura bajaba varios grados—. Peor es relacionarse con esclavos y trabar amistad con ellos. Como Nimphia se ha olvidado de sus obligaciones, mamá me ha elegido a mí para ser su única sucesora…

—¡Ya basta! —la interrumpió la vieja hada—. Deja de decir bobadas y ve a acostarte, es tarde ya y nuestras invitadas están cansadas.

—Deja de darme órdenes, Raissana. Las órdenes son para los esclavos. Esclavos humanos, Raissana. Recuérdalo y no vuelvas a equivocarte.

Laila, que hasta el momento había escuchado todo sin darse por aludida, frunció el ceño.

—Disculpa a mi hermana Eriel, Laila —le pidió Nimphia en un susurro.

—¡No tienes que pedir disculpas a los nemhiries, hermana! —interrumpió la otra de malos modos—. ¡Y mucho menos en mi nombre!

Laila miró a Cyinder y a Aurige. Ambas le devolvieron una rápida mirada de advertencia.

—Y vosotras dos, ¿qué tenéis que decir? —siguió Eriel con orgullo, notando aquella complicidad—. Veo que es verdad lo que se rumorea en Tirennon acerca de que sois amigas de una nemhirie —comentó despectiva, mirando a Laila con una mueca de disgusto—. No es raro en solarïes, claro, pero que la mismísima princesa Aurige hable con humanos me resulta realmente patético. Aunque… —hizo una pausa mirando a la lunarïe detenidamente—, viendo esa runa de hierro ya no me extraña nada. Creo que a mi amiga Núctuna le encantará la noticia cuando vuelva a la Universidad.

Aurige permaneció con el rostro helado, sin dejar traslucir ningún sentimiento.

—Bueno, ya está bien, Eriel —dijo Nimphia con gran seriedad—. Has dejado claro que no tienes ni idea de lo que hablas y si no piensas disculparte, déjanos tranquilas y márchate a tu habitación ahora mismo.

—Ya nadie me da órdenes, Nimphia —contestó la aludida con una mueca extraña—. Ni siquiera tú. Soy la favorita de mamá, su elegida. Justo antes de empezar el concilio con la corte de astrónomos, me avisaron en Tirennon para acudir de inmediato y hacerme cargo de Airïe mientras durase todo el cónclave, ¿entiendes? ¡Me llamaron a mí! ¡A MÍ! Puedes seguir tus amistades con humanos, hermana. Soy benevolente y no me opondré, pero la nemhirie debe ocupar su lugar junto a los demás esclavos mientras permanezca en Silveria.

Laila abrió los ojos, incrédula, pero sin tiempo para contestar.

—Laila es una ithirïe —susurró Nimphia intentando controlarse—. Pero aunque fuese una nemhirie normal, sería tratada con el respeto que se le debe a cualquier invitado, Eriel. ¿O es que acaso tus nuevas funciones de reina te han hecho olvidar la cortesía de Airïe?

La aludida se puso roja de ira, y sus largos cabellos flotaron a su alrededor.

—Ithirïe dices —contestó apretando los dientes—. ¿Y qué es una ithirïe? ¿Un animal nuevo? ¿Una planta? ¿Acaso una aberración?... No sé qué es una ithirïe ni me importa, hermana. Y esta humana que está delante de mí, huele a tierra podrida, igual que todos los demás. Incluso tú hueles así, Nimphia. No olvido la cortesía de Airïe, así que os aconsejo a todas un baño antes de descansar en vuestras habitaciones. Si mañana seguís aquí, la nemhirie será llevada a las cocinas para que cumpla con sus obligaciones como todos los demás esclavos del palacio. Si le doy privilegios, los demás podrían reclamarlos también, y no estoy dispuesta a consentir un caos nemhirie mientras mamá está ocupada.

Se elevó un poco más en el aire y quedó una cabeza por encima de todas. Sus largos cabellos flotaban en una brisa invernal, y aunque su rostro aniñado parecía dulce y lánguido como el de Nimphia, sus rasgos estaban marcados por la crueldad. Entonces, sin apenas mover las alas, voló rauda hacia arriba hasta desaparecer.

Durante un segundo que a Laila le pareció eterno, nadie habló. Entonces Nimphia se volvió a la vieja aya con lágrimas en los ojos.

—¿Qué le ha pasado, Raissana? —sollozó—. Antes no era así.

—Tirennon la ha cambiado, mi amor —respondió ella acariciándole la cara—. Todo cambia. Mis pequeñas que yo cuidaba se fueron para siempre, y ahora son grandes mujeres que han tomado sus propios caminos.

—¿Y Shiza? —preguntó Nimphia secándose las lágrimas—. ¿También está aquí?

Raissana negó.

—Sólo vino Eriel. Pero no hagas caso de sus palabras, mi

tesoro. Sabes que siempre te ha tenido un poco de celos. Ella no lo sabe, pero tu madre mandó a buscarte por todo Ïalanthilïan, y al no encontrarte, supuso que andabas en el mundo nemhirie. El concilio era inminente, así que al final avisaron a Eriel.

—De todas formas no sabía que me odiase tanto…

—Estás cansada, mi niña. Idos todas a dormir. Mañana los vientos habrán cambiado y todo será distinto.

—¿Y terminará el concilio? —preguntó Nimphia con ansiedad—. ¿Mañana veré a mi madre?

—No son esos los vientos que cambiarán, querida mía. Pero no debes preocuparte. Todo saldrá bien.

Y movió las alas dispuesta a marcharse. Aurige cogió a Nimphia de un brazo y la obligó a mirarla a la cara.

—¡Aya! —llamó Nimphia de inmediato—. Tenemos un problema con mi amiga Aurige. Necesito ver a mi madre de cualquier manera. Creo que ella puede quitarle esa cosa del cuello.

Raissana se dio media vuelta con paso cansino. Parecía que tenía que apoyarse en un bastón invisible.

—Ya he visto ese castigo otras veces —dijo la anciana examinando la piel de Aurige—. No eres dócil, ¿eh, lunarïe? Mmm…

Inspeccionó la runa cuidadosamente, sin tocarla en ningún momento.

—¿Crees que habrá algo sobre esta runa en la biblioteca? —preguntó Nimphia, ansiosa.

—Puede ser —replicó el aya—. Os acompañaré antes de retirarme. Estoy muy cansada. Tratar con Eriel a todas horas me está volviendo vieja antes de tiempo.

Nimphia ocultó una sonrisa tapándose la boca. El aya movió las alas flotando sobre el suelo, y voló despacio hacia el interior de la galería por la que había venido. Las guió a través de estancias y salones cada vez más sorprendentes. Por todos lados flotaban jarrones de los que manaban riachuelos de viento, y pequeñas riadas de humo que se convertían en flores y se deshacían al instante, dejando un suave perfume que se extendía por todos lados. Aquello podía ser muy agradable, pero después de caminar a contraviento y luego ser empujada por una brisa caprichosa, Laila estaba segura de que cualquier nemhirie se volvería loco allí en menos de una hora.

Por fin llegaron a una enorme sala donde, afortunadamente, reinaba la calma. El cambio fue tan brusco que la muchacha sintió nauseas, sin embargo, la admiración le cortó el aliento.

Cientos, miles de libros en hileras de estantes que parecían no tener fin. Todas las paredes estaban cubiertas de ellos hasta el lejano techo de cristal por donde se veían las estrellas, y en el suelo, millones de teselas brillantes formaban dibujos de grandes pájaros alados y bestias mitológicas, águilas de dos cabezas, grifos, incluso esfinges de alas negras...

—¡Es precioso! —exclamó sin poder evitarlo.

Nimphia sonrió orgullosa.

—Son los emblemas de las grandes reinas del pasado —explicó encantada—. El halcón es el símbolo de mi madre y estos grifos son el escudo de mi abuela Arlia —señaló aquí y allá.

—Ojalá viviese yo en un sitio así —suspiró maravillada.

—Y el que más me gusta es este —siguió Nimphia señalando el dibujo de una esfinge borrosa con algunos fragmentos desgastados—. Data de casi el principio de la historia de Airïe, de una tatarabuela mía hace miles de años. Ni siquiera sabemos su nombre.

Laila observó el ser mitológico con gran atención. Sin saber por qué le recordaba al pergamino que le había regalado Sir Richard, con las figuras egipcias y la reina sentada en el trono. Luego desvió su mirada hacia las estanterías. Grandes bloques de manuscritos cuidadosamente ordenados, el sueño de cualquier bibliotecario.

Caminado entre ellos, Laila comprobó que estaban perfectamente ordenados por reinos: Lunarïe, Solarïe... hasta de Acuarïe había una pequeña reseña con escasos documentos: Geografía, Historia, Genealogía de las casas reales... Cuando llegó a las estanterías dedicadas al mundo nemhirie, sonrió llena de orgullo. Allí había más libros que de ningún otro reino. Reconoció autores de todos los tiempos, incluso papiros egipcios y cartas de la época romana. Y sólo eran las estanterías más bajas, pues hacia arriba, los tomos se agolpaban ya casi sin sitio. Filosofía, Botánica, Matemáticas, Escultura, Pintura y miles de temas. Libros importantes y otros poco valiosos. Panfletos de propaganda, periódicos, manuales de caza y pesca... por haber, había hasta varios libros de recetas de cocina nemhirie.

Mientras los ojeaba, Nimphia había volado a las columnas de libros del Reino Blanco, y después de seleccionarlos, los arrojaba al aire y ellos planeaban despacio hasta el suelo. Cyinder y Aurige se encargaban de echarles un vistazo rápido.

Laila siguió caminando despacio, embelesada, dando un gran rodeo mientras envidiaba a Nimphia más que nunca por su capacidad para volar. Buscaba algo, si acaso un solo documento, un escrito, cualquier cosa sobre los ithirïes, pero no encontró nada. Ni siquiera una mención, o una estantería vacía donde hubiesen existido libros que alguien hubiese escondido. Ni de Ithirïe ni de Firïe. Simplemente nada. Como si no existiesen.

Cuando ya se marchaba hacia la pila de tomos arrojados por Nimphia, sintió algo extraño. Una corriente helada la empujó lejos de una de las estanterías y ella se volvió con un sobresalto, esperando ver a alguien que le hubiese gastado una broma.

Nadie. Sólo los libros. Miró a todos lados con inquietud y dio un paso hacia ellos. El viento helado la empujó de nuevo hacia atrás, tan fuerte que casi perdió el equilibrio. Observó la estantería frunciendo el ceño y entonces se dio cuenta de que los escasos volúmenes que contenía eran todos negros. No solo negros. Eran como sombras de terciopelo. Volvió hacia ellos con firmeza, y esta vez el viento la tiró al suelo sin ninguna piedad. Dio un pequeño grito de dolor al golpearse la espalda, y entonces vio que en las alturas flotaba una pequeña placa dorada, imposible de leer desde tan lejos.

Volvió junto a las otras, que leían los tomos del Reino Blanco concienzudamente, sin dejar de volverse una y otra vez hacia aquella librería misteriosa.

—¡Nimphia! —reclamó a gritos la atención de su amiga, que aleteaba de aquí para allá en busca de cualquier indicio sobre hechizos de albanthïos.

—¿Qué ocurre? —le llegó su voz desde las alturas.

—¿Por qué no puedo coger un libro de aquella pared? —le gritó señalando a la estantería de tomos negros.

Cyinder y Aurige levantaron la cabeza, interesadas, y Nimphia voló hacia allá, dispuesta a cumplir el deseo de su amiga. Al momento salió despedida hacia atrás, con un vuelo descontrolado que la lanzó hacia la otra punta de la sala, provocándole una gran sorpresa. Tras un nuevo intento, la corriente fue tan fuerte que hizo que la chica se estrellase contra las estanterías de Solarïe, y decenas de libros cayeron al suelo formando un tumulto. Se acarició la espalda dolorida y Aurige se adelantó dispuesta a intentarlo ella.

—No podéis hacer nada —las sobresaltó Raissana. Se habían olvidado de ella y su tono de voz sonó como un susurro misterioso—. Son las Sombras. La cerradura de viento no os dejará pasar.

—¿Las Sombras? —jadeó Nimphia mirando desde lejos la plaquita dorada que flotaba en las alturas—. Nunca había escuchado nada de eso.

—Tenebrii —dijo el aya—. Siempre han estado ahí, pero tu pasión por los nemhiries hacía que te pasases las horas leyendo libros humanos, sin fijarte en nada más.

—¿Qué es Tenebrii? —preguntó Cyinder con un libro abierto en las manos.

—Son las Sombras —repitió ella, dispuesta a no dar explicaciones, y su cara fue volviéndose oscura con cada pregunta que le formulaban—. Perdonadme, he de marcharme. Me siento cansada. Son demasiadas emociones para estos viejos huesos.

—Espera, por favor —suplicó Nimphia—. Al menos ayúdanos con la runa de Aurige. En estos libros dice una y otra vez que sólo aquel que conjuró el hechizo puede quitarlo, y ahora mismo eso no es posible.

La vieja hada se quedó callada unos segundos y luego sonrió con cansancio.

—Está bien, pero salgamos de la biblioteca. Este lugar se está volviendo demasiado frío y no quiero estar aquí cuando sea noche cerrada.

Todas se miraron con inquietud, y echaron un último vistazo a la misteriosa estantería que parecía desprender un halo glacial. Raissana flotó por el corredor, alejándose de la sala hasta que creyó sentirse segura bajo la luz de la luna que se filtraba por los muros de cristal.

—Sé de alguien que os puede ayudar —susurró con ojos brillantes.

—¿Sí? —exclamó Nimphia ilusionada.

—Tu tío Zërh —determinó el hada—. Le encantan estas cosas y conoce miles de secretos y fórmulas extrañas que no vienen en los libros. Si hay una cura, él tiene que saberlo.

Nimphia pareció desilusionarse.

—Desde que yo recuerdo, el tío Zërh y mamá no se hablan.

—Eso no quiere decir que no puedas ir a visitarle —guiñó un ojo Raissana, y pareció que una brisa de flores las invadía—. Yo no se lo diré a la reina, será nuestro secreto. Pero deberíais ir a verle cuanto antes —terció poniendo cara seria—. Si tu hermana se entera, te aseguro que te hará la vida imposible.

—Podríamos ir ahora mismo —dijo Cyinder, animada—. Si vive cerca, no tardaremos mucho y nadie se dará cuenta.

—Y además yo no quiero ir a las cocinas —exclamó Laila, recordando la amenaza de la hermana de Nimphia.

La anciana la miró levantando una ceja.

—Pues sí que eres descarada, nemhirie —le contestó con ojos chispeantes—, aunque no eres una nemhirie cualquiera, ¿verdad?

Laila se sonrojó.

—Ithirïes —dijo la anciana—. No sé exactamente qué significa eso. El reino de la tierra. Los vientos traen rumores pero ya casi nadie los escucha. Ojalá fuese más sabia y entendiese qué me quieren decir, aunque creo que no quiero saber qué va a pasar.

Sus palabras eran ominosas y Laila sintió un gran desasosiego.

—¿Dónde vive el tío Zërh? —preguntó Nimphia desviando la conversación.

—Ahora mismo vive en Londres —sonrió Raissana y Laila se quedó muy sorprendida.

—¿En qué parte? —quiso saber con curiosidad.

—Encima —contestó el aya.

—¿Encima? —repitió, parpadeando.

Su mente divagó buscando algo imposible: un castillo en las nubes, algún globo aerostático… Pero no. Encima de Londres quizás lo único que hubiese fuera una nube de contaminación. Nimphia se rió.

—Londres es una de las tres islas ancladas a Silveria, las vimos cuando llegábamos en el Elbrus. Las islas fueron regaladas a los nemhiries para que viviesen en ellas. Tienen sus propias comunidades y leyes, y los maddins —los jefes de las islas—, gobiernan cada una de ellas como si fuesen príncipes. Creo que se votan entre sí cada cuatro años, pero curiosamente, siempre resultan elegidos los mismos.

—O sea, que en verdad Londres y las otras islas son los barracones de los nemhiries —repuso Laila con enfado.

Nimphia se entristeció, pero Cyinder pareció estallar.

—Ya está bien, Laila. Te estás poniendo muy pesada, y estás agobiando a Nimphia. No haces más que enfadarte y protestar sobre Airïe, sobre Faerïe y sobre nosotras, pero todavía no te he escuchado una sola palabra sobre los esclavos y las miserias de tu propio mundo —respiró profundamente—. ¿Por qué no te rebelas y tratas de arreglar las cosas allí? ¿O es que acaso los esclavos que hay en tus países pobres no te importan en absoluto?

Laila sintió que se ponía colorada como un tomate. De repente estaba muy avergonzada con el discurso de Cyinder, que sin saberlo, le había hablado como una auténtica reina.

—Esta nemhi… esta ithirïe es peligrosa —dijo Raissana con una media sonrisa—. Será mejor que os vayáis antes de que se haga más tarde. Tendréis que coger un bote. La lunarïe y la ithirïe no pueden volar.

Y se marchó en silencio riéndose bajito.

—¡Vamos! —exclamó la rubia tratando de animar el ambiente—. Acabemos con esto.

Nimphia echó a andar cruzando el gran salón en dirección a la galería oeste, y las demás la siguieron en silencio. La luna se filtraba por las grandes cristaleras, reverberando en los suelos de piedra pulida, y las pequeñas corrientes que iban y venían sin control las persiguieron todo el camino como si se divirtiesen molestándolas.

—¿A dónde vamos? —quiso saber Laila, aclarándose la voz con una tosecilla nerviosa.

—El palacio tiene su propio embarcadero real —contestó Nimphia muy seria, sin dejar de caminar—. Y antes de que te de un berrinche, quiero que sepas que son los nemhiries los encargados de cuidar nuestros barcos.

Ella se mordió los labios.

—Lo siento —dijo por fin, cuando su amiga cruzaba ya unas arcadas de mármol, saliendo a un extenso patio rodeado de altos muros.

Entonces sintió que se le abría la boca de admiración. Allí, suspendida en el aire de la noche, una gran flota de barcos alados se mecía cabeceando en la suave brisa, amarrados a salientes de piedra de un embarcadero de sillares similar al del puerto de Silveria.

Al menos se trataba de treinta navíos o más, goletas y veleros de tres y cuatro palos, galeones y bergantines con las velas amarradas, pulcramente situados uno tras otro flotando en el aire, hasta llegar al rey de todos los barcos: un bajel de tres puentes grandioso, que ocupaba casi media extensión de aquel patio. El mascarón de proa era un hada con las alas desplegadas, profusamente adornada con oro, amatistas y lapislázuli. Las alas lacadas en todos los tonos de azules, blancos y dorados, se estiraban hacia atrás abrazando las grandes maderas, que continuaban desde proa, con esculturas y guirnaldas de flores talladas, colgaduras y ricos faroles, hasta el castillo de popa.

Todas se habían quedado anonadadas ante el majestuoso barco. Nimphia se giró hacia ellas sonriendo.

—El Eolo, el buque insignia de la casa real de Airïe —explicó—, es un regalo que hizo el antiguo maddin de Catay a mi madre. Lo construyeron los nemhiries de Silveria, Laila, y es nuestro mayor orgullo. No lo hicieron por ser esclavos, sino como un regalo de armonía entre los humanos y las had… y el Pueblo Bello.

Laila la miró con sorpresa.

—¿Has estado a punto de decir «hadas»? —preguntó sonriendo.

Nimphia sonrió también.

—Es que eres muy contagiosa, nemhirie —contestó sacándole la lengua.

Cyinder se rió, y Aurige se tapó la boca con una mano temblorosa.

—Te prometo que algún día lo tomaremos prestado —dijo Nimphia muy bajito—. Lo robaremos y nos pasearemos por todos los reinos demostrando que los nemhiries son grandiosos.

—Cojámoslo ahora —propuso Cyinder con los ojos luminosos chispeando.

—No, no —se apresuró Nimphia, caminando hacia el grupo de botes pequeños—. No debemos llamar la atención. Iremos en este.

De entre todas aquellas maravillas se acercó a un pequeño velero, apenas un cascarón de nuez que no tendría ni cuatro metros de eslora y Laila pensó que montadas en aquello, en cuanto el viento les diese un bandazo se caerían por la borda de golpe. Se subieron de una en una y el pequeño bote se balanceó peligrosamente. En mitad del barco, cerca de la proa, un pequeño poste coronado con una esfera llena de cristales azules estaba apagado, y en el suelo, un grupo de sogas enrolladas alrededor del único mástil ocupaban casi un tercio del espacio disponible.

—¿Esto va a aguantar? —preguntó Cyinder intentando sentarse a duras penas sobre un estrecho asiento de madera.

—Desde luego —afirmó Nimphia agarrándose al timón—, pero no te acomodes. Os necesito a todas para ganar velocidad.

Las tres la miraron con los ojos muy abiertos.

—No estarás sugiriendo que…

—Necesito vuestros alientos para que la vela se hinche hasta que salgamos de los muros del castillo y los vientos nos lleven.

De inmediato Aurige cruzó los brazos y se sentó en el travesaño de madera, con una actitud que no dejaba lugar a dudas.

—Esto no es un crucero de placer, lunarïe —la regañó

Nimphia—. Ponte a soplar de inmediato. Tú eres la que más prisa tienes en llegar.

Aurige la miró con cara de pocos amigos, pero al final, con gran desgana, se levantó del asiento y se acercó al pequeño pilar de madera cuajado de cristales, zarandeando el bote al pasar. Tomó aire fuertemente y lo exhaló sobre las piedras apagadas.

Una luz azul brilló y miles de pequeños destellos las cegaron unos segundos, entonces la vela blanca se hinchó con un suave susurro de tela y el barco se movió de golpe, haciendo que las tres cayeran al suelo. Entre protestas y farfullidos Nimphia soltó la amarra que sujetaba el bote al sillar de piedra y la pequeña nave flotó suavemente hacia delante.

—¡Soplad! —las jaleó con una ancha sonrisa.

—Deberíamos amotinarnos —dijo Laila expulsando una enorme bocanada sobre los cristales azules—. Tiremos al capitán por la borda y surquemos los siete mares… o los siete vientos.

—¡Hay una pega! —jadeó Cyinder entre siseos y soplidos que se confundían con el sonido del viento reinante—. El capitán tiene alas y además, la caída es tan solo de dos metros hasta el suelo.

Laila se atragantó por la risa, pero ya el pequeño velero se elevaba, cruzando por encima de los grandes mástiles de la flota que quedaba por debajo de ellas. Ascendieron lentamente dejando atrás los altos muros acristalados del palacio, y el bote ganó velocidad cuando pasaron cerca de las afiladas almenas de la Torre de los Vientos. Laila vio que Nimphia miraba hacia la torre con intensidad, pero tras las grandes cristaleras de color azul no se divisaba figura alguna y pronto la dejaron atrás. Entonces el velero se vio zarandeado por una fuerte corriente que hizo que todas se agarraran de inmediato al mástil de la esfera del viento.

Nimphia sujetaba el timón con firmeza y de vez en cuando

lo hacía girar suavemente, con la vista concentrada en el punto lejano que era el Reina Katrina.

—Creo que ya podéis dejar de soplar —anunció con gravedad—. La corriente es buena y si no nos desviamos, llegaremos dentro de poco.

De inmediato las tres se sentaron en el fondo del bote, jadeando fatigadas. Laila se acercó al borde y miró hacia abajo. Toda Silveria se hallaba a sus pies. Torres resplandecientes y palacetes iluminados en altas espirales, y miles de diminutos puntos de luz como si toda la isla fuese un tapiz lleno de joyas brillantes.

—No sabía que podías pilotar —decía Cyinder en ese momento.

—Este es mi primer barco —contó Nimphia virando lentamente—. Mis hermanas y yo solíamos…

Entonces se calló y todas guardaron un silencio respetuoso, perdidas en sus propios pensamientos. La noche caía cuando cruzaron por encima de la isla llamada Londres. Desde las alturas se divisaban calles lineales abarrotadas de edificios iluminados, grandes mansiones con amplios jardines y barrios enteros de chaléts y casas adosadas. Laila sintió una gran añoranza y más aún cuando en medio de la noche sonó a lo lejos el tañido de un reloj que reconoció de inmediato.

—¿El Big Ben? —preguntó emocionada, y Nimphia sonrió.

Quiso buscarlo con la mirada, pero la enorme figura del Reina Katrina llenaba ya su campo de visión. El gran trasatlántico flotante le recordó de inmediato al Titanic, con sus cuatro chimeneas amarillas y el casco negro, tan impresionante que no podía apartar los ojos de encima. Filas de ventanales y extensas cubiertas de pulida madera con todos los detalles de un barco de principios del siglo veinte. Los botes salvavidas aún estaban amarrados a los barandales, y hasta las butacas de los viajeros seguían intactas, como si en cualquier momento fuese a hacer sonar la sirena y echar a navegar.

Nimphia dirigió el pequeño velero hacia la cubierta principal y cuando estuvieron encima, lanzó una de las amarras con prodigiosa puntería enganchándola a un pequeño cabrestante, y luego tiró de ella hasta comprobar que la sujeción era fiable.

—Ya podemos bajar —anunció con orgullo.

Laila miró hacia abajo indecisa, pero Cyinder la agarró de los brazos y de un salto echó a volar suavemente, alcanzando la cubierta del trasatlántico en pocos segundos. Cuando sus pies se apoyaron en el suelo, el corazón de la muchacha volvió a latir con normalidad, y contempló con envidia a Nimphia, que llegaba junto a ellas transportando a una Aurige muy enfurruñada. Sin duda el hecho de no poder volar la tenía al borde del colapso. En momentos como ese Laila daba gracias en secreto porque la lunarïe no pudiese hablar.

Encima de ellas quedó el balandro meciéndose suavemente y todas miraron a su alrededor con curiosidad.

El Reina Katrina permanecía oscuro y apagado, con un silencio denso, roto tan sólo por el gemido del viento y los crujidos misteriosos de la madera. Las sombras se proyectaban sobre los botes salvavidas dándole a todo un aspecto siniestro.

—¿Dónde vive tu tío? —susurró Laila sintiendo la necesidad de hablar en voz baja.

—No lo sé. Pero conociéndole, juraría que habitará el camarote del capitán, por supuesto.

Todas asintieron sin pensar y Nimphia echó a andar con cuidado, sorteando los grandes remaches de metal que se afirmaban en el suelo, hasta llegar a una puerta acristalada que comunicaba con el interior del barco. Entraron en un amplio salón de recepciones con grandes arañas de cristal, alfombras y lujosos muebles que apenas se vislumbraban en la oscuridad. El aire era rancio y olía a maderas viejas, a moho y telas secas. Más allá no se veía nada, y tras una gran escalinata de mármol, el resto de la sala se perdía oculto en las sombras.

—Voy a llamarle —susurró Nimphia—. Estamos completamente perdidas aquí.

Bajó los escalones y gritó el nombre de su tío en voz alta. No ocurrió nada y volvió a gritar. La oscuridad se filtraba por todos lados y entonces, de repente, se encendió una pequeña lamparita en una pared lejana.

Nimphia miró a sus amigas, haciéndoles señas para que la siguieran. Al lado de la luz había una puerta que conducía a un pasillo ricamente adornado, tapizado de rojo. Al fondo se encendió otra luz. Dieron pasos silenciosos sobre las mullidas alfombras mientras las lámparas se iban encendiendo, guiándolas por los corredores llenos de puertas cerradas y recovecos que se adentraban en el seno del navío. Por fin, tras el último recodo, una puerta con dos pequeños faroles iluminados las estaba esperando.

Cuando la alcanzaron, Nimphia golpeó suavemente y giró el picaporte.

El espacioso camarote estaba completamente iluminado, y Laila se sintió asaltada por el olor almizclado de viejos barnices, a la vez que sus ojos capturaban el color de las maderas y los tapices de las paredes. Cuadros de barcos y nudos marineros atestaban la sala, y un enorme timón de madera lleno de velas encendidas colgaba desde el techo.

En el centro del camarote, una figura rechoncha y bonachona, con el pelo canoso y gafitas redondas, las aguardaba expectante.

—¡Nimphia! ¡Mi sobrina favorita! —tronó con voz grave al reconocerla.

—¡Tío Zërh! —respondió ella de inmediato lanzándose a sus brazos.

En un momento caótico comenzaron una conversación rápida y animada sobre temas intrascendentes: que cómo estaban, que cuánto tiempo sin verse, que qué alta y delgada estaba

Nimphia… Laila, Cyinder y Aurige se quedaron allí en la puerta sin saber qué hacer.

—Tío Zërh —sonrió entonces Nimphia, intentando detener tanta avalancha de preguntas—, he venido con unas amigas porque tenemos un serio problema…

El hombre de pelo cano se separó de ella dulcemente y contempló a las recién llegadas con interés. Entonces los ojos se le abrieron de par en par al ver a Laila. Las pupilas se le dilataron y miró a su sobrina mientras se llevaba la mano a la boca sin querer. De nuevo miró a la chica y entonces un susurro ronco escapó de sus labios antes de que pudiese acallarlo. A Laila se le pusieron los vellos de punta al escuchar aquellas palabras entrecortadas, que se quedaron flotando en medio de toda la sala:

—¡El tesoro de los ithirïes!

7. El tesoro del Nuïteniriïan

Nimphia había tenido que agarrar a su tío, pues las piernas comenzaron a temblarle y trastabilló a punto de caer al suelo. La respiración se había convertido en un jadeo y con gran esfuerzo logró sentarse en un sofá sin dejar de mirar a Laila. Algunas gotas de sudor coronaban su frente.

—¿Qué es lo que ocurre, tío Zërh? —preguntó Nimphia, preocupada, sentándose a su lado.

—¡Es el tesoro! —la agarró de los brazos. Sus manos crispadas le hacían daño—. ¿Cómo lo has conseguido? Llevo años… ¿Cómo han vuelto?

Su mirada intensa pasaba de Laila a su sobrina constantemente.

—No sé de qué me hablas…

—No lo sabemos —dijo Laila de golpe—. No sabemos cómo «hemos vuelto», si se refiere usted a los ithiriïes, ni sabemos nada de la maldición. Además, según parece, sólo yo he vuelto —continuó con un tinte de amargura agarrando su medallón instintivamente.

De repente se había acordado de los tres dragones de Acuariïe con sus diabólicos juegos de palabras. Ellos habían querido saber cómo los ithiriïes habían logrado evitar una misteriosa maldición de la que nunca habían oído hablar, ni antes, ni después.

Zërh la miró como quien mira a un fantasma. Las garras que aprisionaban los hombros de su sobrina se suavizaron. Se recolocó las lentes y dejó caer los brazos suspirando.

—Sentaos, por favor —les dijo a todas—. No he sido muy cortés, disculpad la mala educación y las tonterías de este anciano senil... Querida Nimphia, no sabes cuánto me alegro de verte. ¿He dicho tesoro? Bah, olvidad eso. No son más que leyendas.

Aurige levantó una ceja. Sus ojos brillaban de interés, y Laila intentó contener la risa. La conocía lo suficiente para saber que, de repente, Aurige prefería quedarse muda de por vida a perder la oportunidad de inspeccionar un tesoro escondido.

—Tío Zërh —siguió Nimphia, que también se había dado cuenta de la mirada de la lunarïe—, no sabemos nada de ningún tesoro. Mi amiga Aurige lleva una runa de hierro en el cuello. Todo ha sido un malentendido, por supuesto, pero Raissana dice que nos puedes ayudar a quitársela.

El anciano se giró hacia Aurige.

—¿Un malentendido dices? Acércate, muchacha —dijo moviendo las gafas sobre el puente de una nariz recta y afilada.

Inspeccionó la runa con curiosidad. Aún tenía la mirada ausente y de vez en cuando sus ojos se desviaban hacia Laila, aunque ahora con un brillo de inteligencia escondida.

—Sí, desde luego —siguió mirando por encima de sus gafas—. Es un malentendido digno de lunarïes. Aún no me explico cómo la reina Titania no lleva un collar entero de estas cosas al cuello... quiero decir de tantos malentendidos, claro —se disculpó al ver que Aurige se sobresaltaba.

—¿Se la puedes quitar? —preguntó Nimphia ansiosamente.

Se hizo un silencio largo y expectante.

—No —negó por fin—. Habría que extirparla y no tengo esa habilidad.

En la cara de todas se pintó una desilusión horrible y la de Aurige fue como si la hubiesen abofeteado.

—Pero puedo contrarrestarla —siguió pensativo—. Aunque claro, quién sabe qué efectos tendría…

—¿A qué te refieres? —le devoraba Nimphia de impaciencia.

Su tío la miró con una sonrisa.

—Tengo una poción que podría venirnos a las mil maravillas, pero nunca la he usado con personas. ¿Habéis oído hablar de un tal Midas?

Cyinder, Aurige y Nimphia negaron.

—¿El rey Midas? —aventuró Laila, pensando que el viejo les iba a contar una fábula moral.

—¿Ha llegado a rey? ¡Hay que ver estos nemhiries! —se sorprendió el anciano.

—¿Quién es? —preguntó Cyinder con curiosidad.

—Es sólo un cuento —dijo Laila—. El rey Midas tenía el poder de convertir en oro todo lo que tocaba. En el cuento acababa sólo y abandonado maldiciendo ese don.

Zërh se rió.

—No era lo que tocaba, y no es un cuento. Una shilaya le regaló la fórmula para convertir las cosas en oro. Está claro que su avaricia le llevó demasiado lejos. ¿Y dices que ahora es rey?

—No sabía que hubiese existido de verdad —dudó la muchacha.

—¿Y tú tienes esa fórmula, tío Zërh? —cortó Nimphia, impaciente.

—No la tengo —dijo él—, pero tengo un poquito del elixir en una botella. Con una sola gota cambiaremos el hierro de esta runa por oro, y su efecto nocivo desaparecerá.

—¿Y va a seguir en el cuello de Aurige? —inquirió Cyinder.

—Tendrá que seguir ahí hasta que se la quite un cirujano —aseguró él—. Conozco uno muy bueno, dicho sea de paso.

—Es maravilloso —sonrió Nimphia.

Laila se mordió los labios. Ella también conocía a una cirujana, pero en aquellos momentos la odiaba a muerte, y no le pediría a Monique un favor ni por todo el oro del mundo.

—Venid a mi sala de trabajo —les dijo él poniéndose en pie.

Todo el sudor y el nerviosismo habían desaparecido ya, y Zërh se comportaba ahora de manera muy decidida. Se diría que estaba ansioso por ayudarlas. Salió del camarote y las guió por los pasillos iluminados hasta un amplio salón donde se exponían grandes maquetas de paisajes extraños.

—¿Qué es todo esto, tío Zërh? —preguntó Nimphia emocionada, toqueteando los tarritos que había encima de una mesa y observando atentamente varios cuadernos llenos de dibujos y bocetos.

—Pinturas nemhiries, sobrina. Las hacen con cosas que llaman «sintéticas» y las usan para distraerse en su tiempo libre. Esto es un caballete —le enseñó, orgulloso—, y en él dibujo y coloreo los bocetos de estos paisajes que he logrado construir a lo largo del tiempo.

Laila observó aquellas maquetas con gran atención. Una de ellas le sonaba mucho, pero no llegaba a concretar una imagen conocida. Zërh la seguía con la mirada muy atentamente.

—Es Solarïe —le reveló.

—¿Solarïe? —repitió Cyinder acercándose a la maqueta.

Bajo la luz de dos pequeños soles que flotaban en el aire, un grupo de palacetes se congregaban en lo alto de un suave montículo dorado. No había ciudades densas como Solandis, con sus calles llenas de casas venecianas y avenidas metropolitanas. Todo era muy salvaje… muy primitivo. Cerca, casi al borde de un lago de oro, había una pequeña ciudad que Laila no recordaba, pero sus ojos pasaron de largo fijándose rápidamente en un punto aislado en la ciudadela principal, un cilindro absurdo.

—La Torre de Cálime —dijo Zërh con los ojos fijos en Laila, observando cualquier mínima expresión de la muchacha.

Ella se sobresaltó. Se le había puesto la carne de gallina.

—No es Solarïe —terció Cyinder—. Sólo hay dos soles y apenas reconozco nada de lo que veo.

—Hace treinta mil años, las cosas eran algo distintas —sonrió el viejo.

—¿Treinta mil años? —se sorprendió la rubia—. ¿Y cómo puedes saber cómo era Solarïe entonces? ¿Acaso tú vivías?

—Oh, no, nada de eso. No queda casi nadie de aquella época prehistórica. Bueno, algunos aún viven, pero han pasado muchas generaciones. Para averiguar todo esto —dijo señalando las maquetas dispersas—, he tenido que pasar muchos años estudiando en la Universidad Blanca.

—¿Allí saben qué ocurrió? —preguntó Laila caminando por entre los paisajes. De repente ya no le interesaba Solarïe.

Rodeó una maqueta oscura llena de árboles y otra que parecía un páramo asolado por el fuego. Más allá, tras una bruma misteriosa, Zërh había construido un paisaje de musgo verde. Se acercó con el corazón latiendo a mil por hora. Un pequeño sol nacía por detrás de una cadena montañosa y pequeños riachuelos fluían hacía una explanada donde se alzaban pirámides escalonadas de piedra.

—Los traidores de Ithirïe —dijo Zërh con intención.

Laila se mordió los labios tratando de no soltar una barbaridad.

—¿En la Universidad Blanca saben qué ocurrió? —volvió a preguntar sin dejar de mirar las pirámides, las mismas de sus sueños.

Zërh guardó silencio, sopesando su respuesta.

—Hay libros —dijo por fin, divagando—. En las catacumbas de la Biblioteca hay cosas muy interesantes si sabes buscar, claro. Pero no es fácil bajar a ellas. Hay cosas curiosas y otras que mejor no deberían estar allí, pero bueno, al fin y al cabo he logrado una reproducción muy fidedigna del último día antes del Nuïtenirïan —añadió lleno de orgullo.

Nuïtenirïan. Aquella palabra le sonaba. Alguna vez la había escuchado pero no sabía cuándo.

—¿Qué significa Nuïtenirïan? —preguntó Cyinder.

Zërh las miró a todas.

—Tiene varios significados —respondió—. Literalmente se traduce como «La noche de las Seis Lunas», pero en definitiva es la representación de una catástrofe que cambió Ïalanthilïan para siempre. Aquellos que conocen la historia culpan a los ithirïes de aquello. Por eso fueron traidores, por lo que ocurrió.

—¿Qué ocurrió? —insistió Laila.

La muchacha estaba segura de que el tío de Nimphia lo sabía, y ahora necesitaba conocer la verdad con urgencia. No pararía hasta encontrar las respuestas.

—Vamos a ver esa runa —dijo Zërh sin embargo. Parecía que se divertía haciéndose de rogar.

La cara de Laila era una máscara de tirantez y frustración, pero el anciano se dio la vuelta y con pasos cansados caminó hacia una pequeña alacena. Rebuscó en su interior y momentos después extraía un frasco diminuto que parecía de oro.

Entonces cogió una cerilla y encendió varias velas para tener más luz. Las llamas crearon sombras danzantes en las paredes. Hizo sentarse a Aurige en un taburete y le inspeccionó el cuello otra vez.

—Hay que tener muchísimo cuidado —explicó retirándole los largos cabellos negros—. Un solo fallo, una gota de más, y te convertirías en una estatua de oro macizo. No debes moverte o respirar siquiera, muchacha…

Abrió el frasco con excesivo cuidado y lo colocó en una mesita accesoria llena de tarros con pinceles y espátulas. De dentro surgieron chispitas doradas. Abrió un cajón y sacó un par de guantes de piel. Después de ponerse uno de ellos tomó un palillo de madera y lo partió por la mitad.

—No puedo usar un pincel —siguió su explicación hablando para sí mismo mientras introducía la punta del palillo en el tarrito—. Las cerdas se volverían rígidas, convertidas en oro, y el pincel sería incontrolable. Agáchate un poco, muchacha. Sí, así está perfecto.

Se produjo un silencio intenso. Aurige exponía su cuello como los prisioneros que iban a ser guillotinados durante la revolución francesa y por un momento la mano del anciano tembló. Del tarrito sacó la punta del palillo, ahora convertido en oro, con una única gota barrigona en el extremo. Retiró el exceso de líquido y se acercó, completamente concentrado, a la runa de hierro.

Guió sus dedos a través de la mirada de sus gafas y entonces tocó la runa. Se produjo un pequeño destello y el metal quedó convertido en oro resplandeciente. De inmediato retiró el palillo y lo tiró a un cubo lleno de desperdicios. Saltaron más chispitas en el cubo y al momento varias virutas de madera se volvieron de oro.

—¡Listo! —suspiró con gran satisfacción—. Ya puedes moverte, muchacha.

Aurige descansó de su postura. Todas la miraban con gran expectación. Tosió y carraspeó aclarándose la garganta, haciendo una pausa desmedida.

—Me llamo Aurige, no «muchacha» —dijo por fin.

Cyinder dio un gritito de sorpresa y se abalanzó sobre ella, abrazándola. Laila y Nimphia se unieron de inmediato, pero en seguida Aurige las apartó a todas, muy azorada.

—No es para tanto —les dijo intentando parecer seria—. Sólo he estado muda unas horas, no me he muerto.

—¡Muchísimas gracias, tío Zërh! —exclamó Nimphia abrazándose al anciano—. Ha sido maravilloso, nunca podremos pagarte esto.

—De nada, de nada, querida sobrina —su mirada volvía a ser

aguda y brillante—. De todas formas, os advierto que no sé qué efectos puede tener ahora esa runa. Sigue pegada a la garganta de la mucha... de Aurige, y sigue siendo una runa. Aunque esté neutralizada, yo me la quitaría del cuello cuanto antes.

Aurige asintió sonriendo.

—Muchísimas gracias —le dijo, sintiendo de pronto que debía ser amable.

La cara se le volvió seria y abrió los ojos incrédula. Entonces movió los labios, extrañada, y se llevó la mano a la boca sacándose algo. Lo contempló asustada. Un pequeño diamante refulgía bajo la luz de las velas.

—¡Pero qué es esto! —exclamó horrorizada.

Todas estaban mudas de asombro y Zërh siseó.

—Pues parece que es un efecto indeseable de la poción —dudó atónito mirando la piedra—. Os recuerdo que es una fórmula de shilayas...

—¡Por los dioses! ¡Me tengo que quitar esto ahora mismo! —gritó Aurige, desesperada, pellizcándose la runa—. ¡He escupido un diamante al hablar!

—Espera, tranquila —dijo Nimphia tratando de apaciguarla—. No ha vuelto a ocurrir. Sigues hablando y no ha pasado nada.

Aurige dejó de intentar arrancarse la runa y suspiró. Era verdad. Quizás sólo fuera un último intento de la antigua runa de hierro de hacer algo. Se acarició los labios, intranquila, y miró a Zërh. El tío de Nimphia estaba apagando las velas encendidas, dándoles la espalda a todas.

—Has dicho que conocías a un cirujano, ¿verdad, tío Zërh? —preguntó Nimphia.

El hombre no contestó de inmediato. Terminó con las velas y se dispuso a ordenar torpemente los punzones, limas, pinceles y lápices que se amontonaban en su mesa de trabajo.

—Conozco uno —dijo por fin—, pero no es fácil de encontrar.

—¿Quién es?

—Es… bueno, es un viejo conocido. Viaja por aquí y por allá… ya sabes. Ahora mismo no sé dónde está con exactitud.

Se dio media vuelta ajustándose las gafas y se sentó en un sillón cerca de los ventanales. Su mirada decía que estaba viajando muy lejos en sus pensamientos. Durante unos momentos, ninguna habló.

—¿Qué era eso del tesoro de los ithirïes? —quiso saber Aurige.

Zërh salió de su ensoñación.

—No son más que bobadas, leyendas. Olvidadlo. Llevo tanto tiempo haciendo estas maquetas que cuando vi a la nemhirie —miró a Laila—, me emocioné.

—Tío Zërh —habló Nimphia—. Sabes perfectamente que no es una nemhirie. Tú mismo le has preguntado hace un momento que cómo ha podido volver a Ïalanthilïan, como ithirïe que es.

—Sí, por favor señor Zërh —imploró Laila con la voz más triste que pudo fingir—. No sé nada de los ithirïes. Mi madre es uno de ellos y nunca la he visto. Me abandonó junto a mi padre cuando nací, y sólo me dejó un libro con piedras incrustadas. Gracias a ese libro entré en Solarïe…

—¡Un libro con piedras incrustadas! —exclamó él poniéndose en pie de un salto.

Salió del camarote como una exhalación y volvió al momento. Todas le miraban sorprendidas. En sus manos traía dos libros. Laila reconoció uno de ellos de inmediato.

—Un libro de Hirïa —dijo Zërh tendiéndoselo—. Creí que yo era el único que tenía uno.

—Es como el mío —asintió Laila emocionada, observando la cubierta—. Sin embargo en el mío sólo falta una piedra… no, faltan dos —repuso con tristeza—. Tritia arrancó la aguamarina de Acuarïe.

Zërh la miró con profunda incredulidad.

—¿Las tienes… las tenías todas? —su voz tembló.

—El topacio, el diamante, la piedra luna y la amatista —recitó asintiendo.

El hombre se llevó una mano a la boca y comenzó a morderse las uñas de manera frenética. La chica no lo sabía, pero aparte de la aguamarina le faltaba más de una piedra. Había otras…

—Necesitas la esmeralda —dijo por fin, después de un grave silencio—. Yo sólo tengo un topacio y una amatista, pero si pudiese ver tu libro…

—Estaré encantada de traerlo en cuanto volvamos al colegio —sonrió Laila.

—Pues en cuanto el coche esté arreglado, nos podremos marchar —añadió Cyinder.

—Primero el cirujano —refunfuñó Aurige.

Nimphia había cogido el libro de las piedras de su tío y miraba la cubierta vacía.

—¿Dónde iría la piedra de Firïe, tío Zërh? ¿Y qué es Hirïa? Hasta que Tritia no los nombró, jamás había oído hablar de estos libros.

—Igual que esa palabra que dijo Raissana: «Tenebrii» —rememoró Cyinder—. Otro misterio.

El anciano se quedó rígido unos segundos. En sus ojos apareció un reflejo de miedo y los labios le temblaron. Sin embargo reaccionó al momento y le quitó el libro de las manos a su sobrina, evadiendo las preguntas.

—Aquí tengo otra pequeña joya —dijo rápidamente, mostrándoles el diario de viaje—, y os aseguro que no hay dos en todo Ïalanthilïan. Tened muchísimo cuidado al leerlo. Está a punto de hacerse pedazos.

Se lo entregó a Laila intencionadamente y ella lo recogió con avidez. Leyó el título con esfuerzo y pasó las páginas una a una, extremando la delicadeza. Las demás se arremolinaron en torno a ella.

—Me cuesta mucho entenderlo.

—Sí. Es el lenguaje de los ithirïes.

—Parece un diario —comentó Nimphia.

Su tío asintió.

—Es la única prueba existente de un viaje emprendido por representantes de todos los reinos hacia Firïe.

—¿Con qué propósito? —quiso saber Cyinder.

Zërh suspiró. Todas levantaron la mirada hacia él.

—He estudiado este diario y otros documentos y registros de la Universidad durante largos años, pero todo son conjeturas. Sostengo la hipótesis de que, en un determinado momento, los ithirïes «se hicieron» con las Piedras de Firïe, aunque el por qué, lo desconozco.

—No me lo creo —interrumpió Laila frunciendo el ceño.

—¿Quieres que cuente mi hipótesis o no? —la regañó Zërh.

Laila agachó la cabeza.

—Según mi teoría, que por supuesto está sujeta a contradicciones —continuó él después de unos segundos—, por alguna razón, los ithirïes se vieron obligados a devolverlas. Mirad aquí —les señaló los párrafos—. Dice que este tal Fahon era uno de los «Portadores», y luego dice varias veces la palabra «Piedras», y que deben protegerlas a riesgo de sus vidas.

Todas miraron las líneas emborronadas con gran interés, como si así pudiesen ser capaces de descifrar el pasado.

—La joven ithirïe cuenta que se sienten acosados por unos misteriosos perseguidores, pero el diario termina bruscamente. A partir de aquí comienzan las conjeturas.

La atención era absoluta. Ninguna movía ni un músculo escuchando el relato.

—Encontré en las catacumbas de la Universidad —siguió Zërh—, apilados entre montañas de basuras antiguas, los registros de los prisioneros ithirïes capturados en todos los reinos durante los días o meses que siguieron a la catástrofe del

Nuïtenirïan. Listas enormes de nombres desconocidos. Era tremendamente aburrido, pero tras días infructuosos de separar la basura de la información interesante, ocurrió una gran sorpresa —sus ojos resplandecían—. ¡Entre los ithirïes encontrados en Airïe, se hallaba un tal Fahon!

Se produjo un silencio de desconcierto.

—Eso quiere decir… —animó Cyinder, muerta de intriga.

—¡Quiere decir que Fahon escapó de sus misteriosos perseguidores y que, por algún motivo, vino aquí, a Airïe! —la voz de Zërh temblaba de emoción.

—¿A dónde fue, tío Zërh? —preguntó Nimphia presa de la ansiedad.

—Eso no lo sé —contestó el hombre—. Pero como los ithirïes fueron considerados traidores, es de suponer que las Piedras jamás fueron devueltas. Si Fahon se las llevó de los páramos de Tir-Nan-Og aquella noche o no, es algo que no podemos saber, pero…

—¿Pero? —exclamaron todas a la vez. Se diría que iban a saltar sobre él.

Zërh sonrió socarrón.

—Podría ocurrir que Fahon, durante su estancia aquí, hubiese escondido algo…

Aurige dio un pequeño respingo. Todas entendieron enseguida lo que el anciano quería sugerir.

—¡Las Piedras de Firïe!

Zërh asintió con satisfacción.

—Todo un tesoro —afirmó—. El tesoro de los ithirïes, el tesoro del Nuïtenirïan. En el idioma de los altos ithirïes, Nuïtenirïan significa «Seis Lunas». Así que ese tesoro tiene muchos nombres.

—¿Y nadie lo ha encontrado nunca? —preguntó Laila con ojos brillantes.

—Nadie —contestó con una sonrisa aún mayor—. Sigue por ahí, esperando que alguien lo descubra…

Aurige comenzó a caminar dando vueltas.

—¿No hay ningún plano? ¿Ninguna pista? —preguntó mirando a Zërh fijamente.

El anciano negó.

—Solo hay rumores traídos por los vientos. Susurros que ellos cuentan, si los escuchas con atención. Sin embargo...

—¡Qué! —exclamó Nimphia agarrándole del brazo.

Su tío se rió.

—Los vientos del sur son muy cotillas —susurró mirando a todos lados, como si los mismos vientos pudiesen escucharlo y enfadarse—. Rumorean que el Conde de Libis y el Barón de Tramontana andan tras la caza de un tesoro...

—¡El Barón de Tramontana! —gritó Nimphia, incrédula—. ¡Es un pirata!

—¿Y Libis no? —levantó Zërh una ceja.

—¡El Conde de Libis es un héroe! —se sonrojó Nimphia—. No es un bandido como Tramontana...

—Bueno —terció su tío—, tiene sus motivos.

—¿Motivos? No encuentro motivos para enfrentarse a mi madre constantemente, asaltar rutas comerciales y traficar con esclavos. ¿Acaso lo defiendes?

—No lo defiendo —negó él de inmediato, poniéndose colorado—. Sólo digo que tiene sus propios motivos personales. Le conozco y no es mala persona.

Nimphia abrió la boca, asombrada.

—¿Lo conoces? ¿Tienes tratos con la Casa del Este?

Laila nunca había visto a Nimphia tan enfadada, sorprendida y decepcionada a la vez. Sin embargo a ella, eso de hadas piratas no le parecía más que una fantasía infantil como el libro de Peter Pan. Por el contrario, el tío de Nimphia se había puesto rojo como un tomate y de nuevo la frente le sudaba un poquito.

—No se lo dirás a tu madre, ¿verdad? —suplicó.

Nimphia le miró a los ojos. Luego agachó la cabeza.

—No. Además, mientras dure el concilio, Eriel está a cargo de Silveria. No merece la pena hablar con ella.

Zërh silbó un siseo.

—¿Eriel está aquí? Es dura esa hermana tuya.

Nimphia levantó los hombros.

—Nos estamos desviando del tema principal —susurró Aurige impaciente, a quién le importaba bien poco los líos de familia.

—Bueno —retomó Zërh la historia—, aparte del hecho de que Tramontana sea un pirata, el caso es que anda tras algo grande. Un secreto. Si abandonaseis los escrúpulos sobre su condición de proscrito, podríais hablar con él... Además os conviene. El Barbero viaja a su lado. Mataríais dos pájaros de un tiro, como dicen los nemhiries.

—¿Quién es el Barbero? —preguntó Cyinder.

—Es el cirujano del que os hablé. La última vez que tuve noticias, estaba en su tripulación.

— ¿Cómo podremos encontrar al Barón de Tramontana? —preguntó Aurige de inmediato.

Zërh la miró a los ojos riéndose.

—¿Estás decidida, eh, mucha... lunarïe? Bien. El Barón recorre las rutas más apartadas de las islas Dilaï, al este de Airïe. Aunque el Pimpollo parece un pavo real, es esquivo y navega bien. No os será fácil dar con él. Quizás por el aroma lo podáis encontrar, claro. Buscad las rutas de telas exóticas y especias fragantes y puede que tengáis suerte.

—¿Pimpollo? —se sorprendió Laila.

—Es muy presumido y terriblemente superficial. Pero muy listo. Os aseguro que será difícil seguirle la pista.

Por un momento se hizo un silencio de decepción.

—Podríamos pedirle ayuda al capitán Etesian —sugirió Cyinder—. Recordad que nos ofreció su barco. Dijo que no saldría de puerto hasta la próxima estación.

—¡Buena idea! —corroboró Nimphia, encantada.

—Mmm... ¿Etesian decís? —murmuró Zërh—. Interesante.

Todas le miraron con dudas en los ojos.

—Bueno —siguió él—. Dudo que arriesgue su barco cazando piratas, pero quien sabe. A lo mejor le atrae la idea... mmm.

Pareció que se guardaba muchos secretos tras sus ojos entrecerrados, pero desde luego ya no los iba a contar.

—Entonces este es el plan —resumió Aurige—. Mañana buscamos a Etesian y le obligamos... le pedimos amablemente que nos lleve hacia las islas esas hasta que encontremos al Barón. Averiguamos lo del tesoro, que probablemente serán las piedras de Firïe, el Barbero me quita la runa y todo solucionado.

—Rápido y sencillo —rió Zërh entre dientes.

Laila seguía con el diario de viaje en las manos y la mirada prendida en la maqueta de Ithirïe.

—¿Qué ocurrió con Fahon? —preguntó en un susurro.

Todas guardaron silencio y Zërh carraspeó.

—Lo encerraron en la Torre de Cálime —contó con voz extraña—. Nunca más se tuvo noticias de él, pues todo el mundo sabe que nadie puede entrar y nadie puede salir de esa torre...

Laila sintió un escalofrío. Miles de agujas le pinchaban en el estómago recordando a los desaparecidos fantasmas. La imagen del gran espectro señalando a la fuente llena de sal volvió clara y nítida a su mente, y de nuevo se aferró a su medallón para tranquilizarse.

Tras unos momentos en silencio, Nimphia se puso en pie intentando olvidar el desasosiego que todas sentían.

—Muchísimas gracias por todo, tío Zërh —le abrazó de nuevo—. Si no te molesta, nos vamos a marchar. Ya es muy tarde y aún tenemos que bajar al palacio sin que nadie se de cuenta.

—Claro que sí, sobrina. Recordarás nuestro secretillo, ¿verdad?

—No te preocupes —sonrió Nimphia—. Ni por todo el oro del mundo se lo contaría a nadie. Y menos a Eriel.

Su tío le acarició los cabellos alborotándoselos y luego se dirigió a Laila, estrechándole la mano.

—Ha sido un placer conocerte, ithirïe. Deseo que algún día puedas enseñarme tu libro de Hirïa para compararlo con el mío.

—Le prometo que volveré con él, señor Zërh. Muchísimas gracias por todo lo que nos ha contado. Para mí ha sido muy importante, aunque eso confirme que mi gente fueron traidores…

—Quién sabe, muchacha. La historia siempre reserva muchas sorpresas.

Laila asintió. Después Cyinder le dio dos besos y todas se dirigieron a la puerta. Entonces, sorprendentemente, Aurige se dio media vuelta y le dio un abrazo al anciano.

—De nuevo muchas gracias por lo de la runa —dijo ante la mirada asombrada de todas.

Echó a andar hacia ellas como si no hubiese ocurrido nada especial y entonces se detuvo. Con una cara de mil demonios se llevo la manó a la boca y escupió algo.

—¡Otra vez ha ocurrido! —exclamó al borde de la furia contemplando otro pequeño diamante.

Se giró hacia Zërh pero el anciano levantó los hombros con impotencia.

—Vámonos —dijo Nimphia rápidamente—. Mañana aclararemos esto. Seguro que no tiene mayor importancia, ya se pasará.

A regañadientes, la lunarïe se dejó arrastrar hacia el pasillo. Caminaron sobre las alfombras, guiadas por las luces que se iban apagando tras ellas. Antes de llegar al salón de recepciones Nimphia se detuvo y husmeó el aire. Luego volvió a caminar, negando en silencio.

—Por un momento me ha parecido que el olor cambiaba —susurró.

Cruzaron el salón mohoso en sombras y subieron las grandes escalinatas bajo las arañas de cristal. Al abrir la puerta el viento nocturno les refrescó la cara.

El velero las estaba esperando, meciéndose en la brisa como una cometa. Cruzaron la gran cubierta de madera y Nimphia cogió la amarra tensa. Entonces, de repente, giró la cabeza hacia la puertecita del salón.

—¿No oléis algo? —preguntó inquieta.

—Aún tengo atascada la nariz del aire rancio del salón —contestó Cyinder.

La chica volvió a mirar al velero en lo alto. Las estrellas brillaban por encima, lejanas y silenciosas, y de nuevo creyó percibir una nota, un olor tenue. Se quedó muy quieta, escuchando atentamente los sonidos, y todas la miraron con gran expectación.

—Hay alguien más en el barco —dijo por fin.

Ninguna dudó de sus palabras. Se miraron inquietas pero Nimphia corría ya por la cubierta hacia la puertecita acristalada.

—¡Voy a avisar a mi tío! —gritó a la carrera.

De inmediato la siguieron con el corazón acelerado, a punto de trastabillar con los salientes que se desperdigaban por todas partes. Cuando Nimphia abrió la puerta, el olor las abofeteó.

—¡Qué peste tan horrible! —susurró Cyinder tapándose la nariz mientras corrían escaleras abajo.

Las sombras lo inundaban todo, y ya no había ninguna luz que las guiase. Tras cruzar el salón, el pasillo que conducía a los camarotes parecía profundamente oscuro y tenebroso. Nimphia caminaba deprisa, olfateando como un sabueso, girando en cada recodo hacia las profundidades envueltas en tinieblas. Después de varios equívocos e incertidumbres por fin apareció el pasillo estrecho que conducía al salón de las maquetas, y todas se detuvieron. El olor era mucho más intenso, casi insoportable, y al fondo se veía una luz parpadeante proveniente de la puerta entreabierta.

Se acercaron sigilosamente pegadas a las paredes. Desde la lejanía llegaban voces roncas y disonantes.

—No sé de qué os asombráis, alteza —decía una voz calmada—. «A-108-λ» era una trampa, y vos lo sabíais perfectamente.

—¡Juro que no! —chillaba Zërh con una nota de pánico en la voz.

—Y por eso estamos aquí —coreó otra voz más profunda—. Para resarcirnos de la derrota y de tantas vidas perdidas, tantos valerosos hermanos del Norte muertos. ¿Se os ocurre alguna forma de compensarnos, alteza?

No se escuchó nada, solo sollozos. Junto a Nimphia, Laila se arriesgó a echar un vistazo.

Zërh estaba postrado de rodillas, gimiendo cara abajo con las gafas en el suelo, y dos hombres le rodeaban burlándose de él. Uno de ellos le dio una patada en las costillas. Un tercero con largas barbas trenzadas descansaba en una silla con las piernas estiradas sobre la maqueta de Solarïe. Se estaba limpiando las uñas con un cuchillo y apenas prestaba atención.

—Por aquí no hay nada de valor —se quejó la primera voz, que provenía de uno de los dos hombres junto a Zërh, enfundado en gruesos abrigos de pieles.

—Todo basura —habló el segundo dando un manotazo a varios árboles en miniatura de la maqueta de Ithirïe. Algunas pirámides se cayeron al suelo.

—Vamos, alteza —susurró el que se limpiaba las uñas, sin levantar la mirada—, algo tendréis para contentar a Lord Vardarac. No queremos ser despiadados. Sólo nos ha pedido vuestros ojos… Ha dicho: «Chicos, traedme los ojos de ese tramposo», pero ya ves —dijo observándose los dedos—, te tenemos aprecio.

—No tengo nada, Äüstru, lo juro —balbuceó el tío de Nimphia desde el suelo. Un temblor le recorría todo el cuerpo.

El pirata levantó los ojos y chasqueó la lengua contrariado. Con un movimiento certero lanzó su cuchillo que se clavó en las maderas a escasos milímetros de la cara del anciano.

—Es una pena —suspiró el tal Äüstru levantándose. Los largos faldones de pieles blancas flotaron alrededor de sus botas.

Laila se cubría la nariz y la boca a punto de vomitar. El hedor era insoportable pero por el rabillo del ojo vio un movimiento que le hizo abrir los ojos de pavor. Nimphia tenía las manos cargadas de pequeños relámpagos que saltaban entre sus dedos y se disponía a lanzarlos contra uno de aquellos hombres.

Instintivamente trató de agarrarla pero ya fue demasiado tarde. En el momento en que uno de los piratas levantaba la cabeza llorosa de Zërh, exponiendo su cuello al afilado cuchillo, una cadena de rayos salió disparada impactando contra el pecho. El pirata lanzó un aullido agónico cayendo hacia atrás, estampándose contra la maqueta de Lunarïe, que se vino abajo sobre su cuerpo chamuscado.

De inmediato el otro llamado Äüstru se puso en guardia sacando un sable enorme oculto bajo sus abrigos, y miró a las recién llegadas con cara de sorpresa. El tercer pirata había levantado a Zërh de golpe y lo apretaba contra su cuerpo, amenazando con degollarlo al mínimo movimiento sospechoso. Cyinder hizo aparecer una bola incandescente y en las manos de Aurige surgieron aspas negras.

—Nimp... Nimphia... —se ahogaba el anciano bajo la presión de la daga—. Sal... de aquí...

—Mi tío viene con nosotras —dijo la muchacha formando una nueva masa de rayos danzarines.

El pirata apretó el cuchillo y miró a Äüstru, inquieto, esperando su decisión.

—Nadie va a ningún sitio —tronó el tal Äüstru a la vez que

en su otra mano aparecía un pistolón de madera—. La sobrina del tramposo... —añadió mirando a su compañero—. Eso sólo puede significar que eres una de las hijas de Zephira. Un maravilloso rescate que contentará a Lord Vardarac...

—¡NO! —gritó Zërh de repente, empujando a su captor hacia atrás, golpeándole en el estómago.

La maniobra le había pillado desprevenido y la violencia del empuje le hizo caer, tropezando con la mesita de pinceles. Espátulas y lápices volaron por los aires en un caos pero de pronto algo brilló, lanzando destellos por todos lados. Laila lo vio como a cámara lenta. El frasco del elixir de shilayas voló dando vueltas, salpicando por todas partes. Paredes y cortinas se convirtieron en oro de golpe y Äüstru saltó hacia atrás esquivando las gotas doradas, que se estamparon contra el taburete en el que había estado reposando momentos antes.

—¡Nimphia! —se escuchó el grito desesperado de Zërh.

Laila vio con terror cómo el pequeño tarro caía directamente sobre él. Nimphia se abalanzó para intentar cogerlo en el aire, pero Aurige la agarró de la camisa y tiró de ella hacia atrás. Un segundo después el resto del elixir salpicaba la cara del anciano y de su atacante, y ambos se convirtieron en dos masas doradas que no volvieron a moverse.

—¡Tío Zërh! ¡NO! —Nimphia se liberó de la garra de la lunarïe y corrió hacia la estatua de oro en la que se había convertido su tío, abrazándose a él. Las lágrimas rodaban por sus mejillas.

Y antes de que pudiesen hacer nada más, Äüstru voló hacia Nimphia, levantándola de golpe y encañonándola con la pistola.

—Ya está bien de tonterías —gruñó exhalando su aliento. Nimphia cerró los ojos con asco—. Ahora todas quietecitas. La hija de Zephira y yo vamos a salir de aquí tranquilamente y nadie resultará herido. Apartaos de la puerta, vamos...

Caminó arrastrándola con la pistola pegada a la cara, pero Aurige había hecho aparecer de nuevo las aspas de luz negra.

—Somos tres contra uno —dijo con aplomo, dejando claro que no tenía intenciones de dejar que se llevasen a Nimphia por las buenas.

—¡Ese cálculo está equivocado! —tronó de repente una voz a sus espaldas.

Laila, Cyinder y Aurige se giraron sobresaltadas. Tras ellas, varios hombres enfundados en abrigos de pieles ocupaban el pasillo de salida, y las amenazaban con una maraña de espadas y sables. La voz lanzó una risotada.

—Somos... —pareció contar indeciso—, somos muchos contra tres.

8. Blanco y Negro

La reina de reinas hizo tamborilear sus largos y finos dedos sobre el reposabrazos de su silla de oro, mientras meditaba sus acciones, allá en sus aposentos privados del palacio de Tirennon. Sobre la mesa estaba la bola de cristal que Titania, con sus continuos desafíos, había tenido la osadía de regalarle. Pero ya había sido castigada, sí. La reina de Lunarïe tenía mucho de qué arrepentirse y Maeve era magnánima. Cuando Titania postrase una rodilla a sus pies, ella la abrazaría y le perdonaría todas sus faltas. Para eso era la reina de reinas. Solo que Titania no iba a arrodillarse tan fácilmente, claro. Aún recordaba su mirada desafiante cuando estaba siendo acompañada a sus habitaciones por los albanthïos, pero ya se doblegaría. Encontraría su punto flaco y lo atacaría, moldeándolo a fuego como el martillo golpea al acero: una y otra vez, hasta que hace de él la mejor de las espadas. Y la reina de Lunarïe podía ser una espada excelente.

Su mirada quedó atrapada en la bola de cristal y la agitó con fuerza, provocando una tempestad de nieve en el interior. Las tres figuras blancas se habían refugiado en el palacio negro de juguete y habían atrancado las puertas. No importaba. Los dos ghüls hallarían la forma de entrar. Era un castigo perfecto ante tanta incompetencia.

La tormenta fue amainando y los copos de nieve cayeron lentamente, igual que la noche en la que ella se presentó en Lunarïe…

—Es una sorpresa «tan» inesperada, majestad —dijo Titania inclinándose con respeto ante la reina Mab.

La misma reina de Lunarïe en persona había salido a recibirla a las puertas de Nictis, acompañada de todas sus duquesas, que se habían postrado en el suelo de mármol negro sin levantar la vista. Fuera la nieve caía suavemente, cubriendo el jardín estrellado con un manto blanco que refulgía bajo la luz de la luna.

—Lo sé, querida Titania —respondió ella—. Siempre es un placer visitarte.

De inmediato una comitiva de vestales la acompañó al salón del trono, y pronto agasajaron a la reina blanca y a todas sus damas con néctar de malvas y dulces de rosas, mientras una patrulla de albanthïos permanecía a las puertas, quietos como estatuas, sin importarles que la nieve los cubriese por completo.

Dos ninfas comenzaron a tocar laúdes y una vestal entonó un cántico lleno de melancolía sobre la grandeza del Reino Blanco. En el aire flotaron burbujas que se fueron deshaciendo al ritmo de la canción.

Cuando la música cesó, Titania ofreció a Maeve una silla cuajada de diamantes, pero ella subió los peldaños hacia su propio trono, quedando muy por encima de la soberana de todo Faerie. Las duquesas se retiraron, pero las sacerdotisas blancas permanecieron de pie junto a su reina.

—Entonces… ¿a qué debo el honor de vuestra presencia en Lunarïe? —preguntó Titania, queriendo parecer interesada.

—Me encantó tu regalo —respondió Maeve—. Decidí al momento que tenía que demostrarte todo mi cariño. ¿Y qué mejor que una visita para renovar nuestra vieja amistad?

—Sin duda, sin duda —dijo Titania, ausente, mientras pensaba que su vestal favorita, Mistra, había cumplido todos sus encargos a la perfección. Se había empeñado tanto en que Oberón le devolviese el anillo de Orrian, que la habían largado de Blackowls de una patada. Ahora el rey de los duendes tenía la idea del anillo metida en la cabeza, y lo usaría en cualquier momento sólo para fastidiarla. Titania rezó para que fuese pronto.

—...el objeto de Lunarïe, como muestra de buena voluntad —decía la reina Mab en aquel momento.

Titania se sobresaltó, saliendo de golpe de sus pensamientos.

—¿Qué? —preguntó de manera inconsciente.

—Querida Titania, estás en la nubes —la amonestó Maeve con una sonrisa.

—Disculpadme, majestad. Últimamente Oberón está siendo muy pesado y me crispa los nervios. ¿Qué me decíais?

—Decía que, debido a los acontecimientos ocurridos en Acuarïe, algo lamentable, desde luego, tenemos que pensar en el futuro y en la seguridad de los reinos. Nada está a salvo en estos tiempos turbulentos que se avecinan. Como quiero devolverte el maravilloso regalo que me has hecho, he decidido guardar todos los objetos sagrados en Tirennon, a fin de que estén a salvo —miró a Titania sin parpadear—. He venido a que me entregues el objeto de Lunarïe, como muestra de buena voluntad. Cuando pase el peligro, te lo devolveré de inmediato. Considéralo un magnífico regalo: la seguridad de Tirennon a tu alcance.

—No os entiendo —repuso ella—. No sé de qué peligro habláis. Lunarïe no es un reino decadente, ni hay posibilidad alguna de que nos volvamos locas aquí, ofreciendo nuestros tesoros en concursos descabellados, si ese es el peligro al que os referís...

Maeve frunció levemente el ceño, único rastro de su disgusto ante aquella oposición.

—El peligro de la locura siempre está al acecho, querida Titania, y más aún cuando pasan los eones y ya nos convertimos en viejas solitarias que ven enemigos donde no los hay. Sin embargo, las jóvenes como Hellia o Zephira, piensan que pueden comerse el mundo con su energía vital, cometiendo graves errores que nosotras, las mayores, debemos corregir.

—Sigo sin entenderos. No sé qué relación guardan Hellia o Zephira con el objeto de Lunarïe.

—Es sencillo —chasqueó Maeve la lengua, impaciente—. La juventud y la irreflexión de Hellia nos han costado muy caras. Sin embargo, en caso de que abdicase en su hija, y hay rumores de ello, el trono de Solarïe estaría en manos de alguien más joven e irresponsable aún.

—De la loca de Hellia me espero ya cualquier barbaridad —comentó Titania torciendo el gesto.

Maeve hizo una pausa mirando a Titania intensamente.

—¿Estaría Lunarïe preparado entonces para que alguien más joven ocupase el trono?

Titania pareció sorprenderse y durante un segundo calculó mil posibles jugadas en aquella partida de ajedrez. Pero sólo duró eso: un segundo. Maeve no fue capaz de adivinar nada en aquella pausa.

—Si os referís a Aurige, es incapaz de cocinar ni siquiera un caldo de margaritas —rió con desprecio—. Antes prefiero ver mi trono en manos de la hija de Geminia, que ver como se destruye Lunarïe a manos de mi hija, una perfecta insensata.

—Tienes toda la razón —sonrió Maeve—. Yo tampoco había pensado en tu hija. Una chica talentosa, la hija de la duquesa. ¿Se llama Núctuna, verdad?

—Así lo creo —asintió Titania con la cara congelada en una sonrisa perfecta.

—Piensa pues, querida Titania. Si ocurriese un desastre inevitable… digamos una guerra, algo que nadie desea, por supuesto, nuestros reinos estarían en grave peligro. Y más aún si nosotras, la que velamos por la seguridad de todos, tuviésemos que realizar algún tipo de sacrificio final por el bien común…

—¿Un sacrificio final? —preguntó la reina de Lunarïe con candorosa inocencia.

—Sí. No te hagas la tonta, querida amiga. Sabes perfectamente a qué me refiero.

La reina Titania se levantó de su trono despacio.

—Hablad a las claras entonces y dejemos tanto protocolo banal —exclamó—. Si lo que queréis son los… es el Ojo de la Muerte, pedidlo sin rodeos.

—No pareces comprender la amenaza que nos acecha —la increpó la otra—. Yo misma he bajado al Templo del Amanecer. El pilar que cierra el reino de los ithirïes parpadea. Por culpa de esa especie de engendro, mitad humana, mitad ithirïe, nos vemos abocadas a una guerra sangrienta. Tuviste la oportunidad de retenerla aquí, en Nictis —suspiró—, pero la dejaste marchar oponiéndote a mis deseos. He llegado a pensar que habías perdido la razón, igual que Hellia.

Titania apretó los labios. Su rostro era una máscara de hielo.

—Queréis el trono de Lunarïe entonces —dijo sin mirarla—. Me consideráis una demente y habéis venido a arrebatármelo…

—No, no, querida Titania —rió ella con voz cantarina—. Precisamente sólo deseo defender Lunarïe, y a todos los reinos de Ïalanthilïan, del peligro de los ithirïes. Dame tu objeto sagrado, deja que os proteja, y ayúdame a vencer el mal que se nos avecina. Tú seguirás reinando, pero ya sin temor a errores de juventud.

Titania volvió a acomodarse en su trono, con la mirada fija en los ojos limpios y transparentes de la reina de reinas.

—¿Y si dijera que no? —preguntó acariciando los velos de su vestido negro.

—¿Si dijeras que no? —se sorprendió la otra—. ¿Acaso tienes opción? ¿No te das cuenta de que tu situación es muy comprometida? Tu hija y sus amigas están acusadas del robo del Agua de la Vida de Acuarïe, y pronto del de las Arenas de Solarïe. Además de la protección de Tirennon, tú puedes demostrar su inocencia entregando el Ojo de la Muerte.

—¿Cómo sería eso posible? —preguntó Titania con una voz llena de oscuridad.

—El Ojo es capaz de ver el pasado, ¿no es así? Ante Tritia, podríamos ver quién robó ambos objetos y salvar a tu hija de tan horrible acusación.

—¿Y por qué tendría yo que estar interesada en salvar a Aurige? —quiso saber ella.

Maeve abrió la boca, asombrada.

—Con tu negativa no haces sino confirmar el robo. Más aún, tú has mirado el Ojo y sabes que han sido ella y sus amigas, estoy segura. No quiero creer que seas capaz de dejar a tu hija en manos de los jueces de Acuarïe sin que nadie abogue por ella. Yo podría ayudarte —siseó—, pero de lo contrario tendré que respetar la palabra de la reina Tritia antes que la de cualquier princesa. No tienes alternativa.

—Claro que la tengo —respondió Titania con rotundidad—. Y mi respuesta es no.

Se produjo un silencio cortante. El aire pareció cargarse de electricidad.

—Entonces no me queda más remedio que exigir que me lo entregues —dijo Maeve—. Intento ayudarte por todos los medios, como amigas que somos. No voy a poner en peligro a todo Ïalanthilïan por culpa de una cabezonería.

—Aún así, sigo diciendo que no.

La reina Mab se levantó de la silla de diamantes. Su rostro, siempre calmado y lleno de sabiduría, se estaba resquebrajando.

—Definitivamente has perdido el juicio, como me temía. Te estoy dando una orden, Titania, ya no es una petición amable. Dame el Ojo de la Muerte y me marcharé de Lunarïe tratando de no olvidar la amistad que nos unía.

—No.

—Pero, ¿por qué? —se desesperó Maeve apretando los puños—. ¿Acaso estás de parte de esos traidores, que se agazapan dispuestos a verter nuestra sangre…? —cerró la boca mirando a Titania como quien mira a un insecto—. ¿O es que tú tienes algo que ver en esto?

—¿Me estáis acusando de traición? —exclamó la otra con voz aguda—. ¿Vos? ¿La que ha invadido Solarïe y pretende invadir Lunarïe con pretextos? ¿La misma que cometió otro error de juventud que arrastra sangre hasta hoy? ¿O es que ya no recordáis quién fue la que exterminó a los ithirïes, provocando que la reina Serpiente quiera una venganza que caerá sobre todas nosotras?

—No voy a tolerar ni una palabra más, reina de Lunarïe —reseñó su título con claridad—. No voy a darte explicaciones de mis actos, ni de los del pasado, ni de los del futuro. Si no me entregas el Ojo de la Muerte ahora mismo, serás recluida en tus aposentos para que medites… Y tienes razón, Núctuna es muy capaz de hacerse cargo de Lunarïe, bajo el estricto control de su madre y el mío propio.

La reina Titania cerró los labios y levantó la cara, altanera, bajando los peldaños en silencio. Dos albanthïos entraron al momento en el salón y la escoltaron hacia el gran recibidor. La duquesa Geminia y las condesas Urania y Bernicatte esperaban fuera, y cuando la vieron pasar, hicieron una reverencia con rostros de incredulidad. Titania ni siquiera las miró. Las sacerdotisas blancas se acercaron a Geminia, indicándole que la reina Maeve quería hablar con ella en privado, y en los labios de la duquesa se dibujó una mueca de enorme satisfacción.

Ya a solas, Titania se desesperaba viendo el lento avance de la luna en el cielo. La tranquilidad y el silencio inundaban la estancia, pero aquello solo hacía ponerla más nerviosa. ¿Pero por qué no la llamaba ya Oberón? Había jugado muy fuerte arriesgando mucho en esta ocasión, pero todavía no había mostrado ni una de sus cartas.

Volvió a suspirar. Al menos había salvado a la rebelde de su hija, y encima nunca se lo agradecería. Sin embargo, la hija de Hellia no tendría esa suerte. Caería de lleno en las garras de esa bruja blanca...

¿Pero dónde estaba Oberón? ¿Es que acaso ya no la deseaba? Aquel pensamiento hizo que se pusiese más nerviosa aún. ¿Y si alguna ninfa estúpida le estaba colmando de atenciones y él la había olvidado? El mismo temor le dio nauseas y se sentó mareada en un pequeño diván.

El mareo se convirtió en vértigo, y la vista se le nubló. Todo a su alrededor pareció cambiar, y de repente dio un pequeño brinco al notar el roce de unos labios en su pálido cuello.

—Mi reina —escuchó el susurro ronco de Oberón en su oído.

—¡Me has dado un susto de muerte! —exclamó ella apartándose de su lado al momento.

La habitación había cambiado. Ya no olía el suave perfume de las madreselvas, y las antorchas habían hecho huir a las eternas penumbras de Nictis. Todo a su alrededor era piedra tosca y olores desagradables. En la lejanía se escuchaba el griterío ensordecedor de fiestas y risas incontroladas. Se encontraba en Blackowls, y, a juzgar por las apariencias, en el propio dormitorio del rey. Sin querer, su corazón helado se aceleró al verle, pero mantuvo la calma y la mirada frías, sin dejar traslucir ni un rastro de emoción.

—Estás más bella que nunca, adorada Titania —siguió él con los ojos encendidos, jugueteando con el anillo de cobre entre sus dedos.

—Tú tampoco estás mal —respondió ella parapetándose tras el respaldo de una silla.

—Quieres jugar, ¿eh? —rió Oberón acercándose lentamente—. Como cuando éramos jóvenes y yo te perseguía por todo el castillo...

—Quiero que me escuches —replicó ella, tratando de mantener un ambiente helado en todo momento.

—Sabes que siempre te escucho —dijo él llegando de un salto hasta su lado, a la vez que le tomaba una mano y comenzaba a besarla.

—¡No tenemos tiempo para esto! —gritó Titania tratando de desembarazarse de él a duras penas.

Oberón suspiró.

—¿De verdad es un anillo de Orrian? —dijo decepcionado, mirando el aro—. No parece hacer mucho efecto.

—¡Deja el anillo en paz, por los dioses! Necesito tu ayuda desesperadamente.

—Y yo te necesito a ti desesperadamente...

Titania se quedó sin saber qué decir. Aquello era muy halagador y además, no sabía cómo demonios estaba logrando resistirse a sus encantos. Hacía tanto tiempo que no estaban juntos... Por un momento pensó que Lunarïe podía irse al infierno, pero de nuevo su mente fría pudo controlar sus sentimientos, y apartó a Oberón de su lado de forma violenta.

—Necesito que encuentres a Aurige —le pidió tratando de mantener una postura distante, haciendo caso omiso a la tristeza que veía en sus ojos—. Búscala, por favor. No sé cómo, pero hazlo. Yo ya no estoy segura en Nictis, y me queda muy poco tiempo antes de que el anillo me devuelva a mis aposentos.

El rey de los duendes la observó pensativo.

—Me imagino que he de buscarla sin que nadie sepa que eres tú quien está detrás, ¿cierto? —dijo con una sonrisa ambigua, que además era encantadora.

—Siempre has sido muy perspicaz, querido.

—¿Y me contarás tus motivos, o son parte de un nuevo misterio intrigante que jamás lograré saber?

Titania suspiró.

—Si te los explicase, tardaría mucho tiempo. Eres tú quien tiene el anillo de Orrian en tus manos y la hora se agota poco a poco. Creo que vas a tener que elegir, querido. Podemos hablar… o no.

Maeve, la reina de reinas, había regresado a Tirennon en cuanto terminó su coloquio con la duquesa Geminia. No soportaba tanta oscuridad desagradable que le alteraba los nervios. Las cosas en el Reino Blanco eran más sencillas, no había tonalidades grises. Blanco o negro. O se estaba de su parte, o eran considerados enemigos. Y Titania era ahora una enemiga.

Muy bien. Ya no podía hacer nada por ella ni por su hija. De todos modos, Titania no era más que una molestia, con sus continuas intrigas y conspiraciones. Sin embargo Geminia sería fiel. Tonta, pero fiel. Y Núctuna era arcilla en sus manos. Hacía mucho tiempo que Maeve la vigilaba en la Universidad Blanca.

Así pues, Lunarïe estaba ahora bien controlado. Si solo la reina dejase de ser tan testaruda y le entregase el dichoso Ojo… Si no, tendría que poner el reino entero patas arriba. Si era preciso talaría los bosques, destruiría los palacios, no dejaría piedra sobre piedra hasta encontrarlo.

Y luego Airïe. El Arpa de los Vientos sería el último objeto de todos. Entonces ella estaría preparada para defender Ïalanthilïan a sangre y fuego.

Necesitaba a sus espías. Tenía que saber qué decisiones estaba tomando la reina Zephira en aquellos momentos. Y más aún, si la humana medio ithirïe estaba allí, tendría que encargarse de ella de una vez por todas.

9. Rumbo a Benthu-Lü

Primero oscuridad. Entonces empezó a amanecer. Y era un amanecer precioso. El sol salía por todos lados. Rayos de luz cruzaban el cielo desde más allá de las lejanas montañas y el espectáculo era impresionante.

Cerca de ella muchas hadas miraban también hacia el horizonte resplandeciente, y a su lado, un hada de largos cabellos verdes le soltó la mano. Laila empezó a gritar y a llorar, pero brazos fuertes la arrastraban hacia una arboleda cambiante. Gritos, miedo, dolor. Gente que la empujaba sin cesar corriendo hacia la oscuridad. El amanecer venía hacia ellos. Entonces todo se volvió negro, difuminándose en la distancia. Y en aquella distancia silenciosa, surgió una lucecita redonda. Laila se acercó flotando en la nada. Una figura anciana se encorvaba sobre una mesa de trabajo, dándole la espalda. Brillaba como si fuese de oro, y parecía trabajar una pieza de madera, soltando virutas espirales que caían al suelo.

La figura, que parecía una estatua, cogió una cerilla y encendió varias velitas que flotaron a su alrededor. Laila caminó hacia ella. Quería ver su cara y qué estaba haciendo, pero sus pasos eran demasiado lentos y pegajosos. La figura parecía la de un anciano encorvado, y su rostro eran sombras bajo una máscara de oro. Tras aquel disfraz, alguien misterioso se llevó un dedo a los labios pidiendo que guardase silencio. Apagó las velas, una a una, y desapareció en la oscuridad. Sólo quedaron pequeñas volutas de humo que flotaban formando columnas caprichosas.

Entonces una idea destelló en la mente de Laila. Algo. Algo que era muy importante. La idea se le escurrió como arena entre los dedos y voló hacia el olvido, riéndose de ella. Laila luchó por atrapar el recuerdo, pero un zarandeo súbito le llenó la cabeza de dolor. Aquello que era la idea se perdió en la oscuridad y la muchacha se sintió tremendamente frustrada sin saber por qué.

De nuevo un zarandeo brusco. Laila abrió los ojos asustada en el momento en que se golpeaba la cabeza contra algo duro.

—¡Ay! —gimió en voz alta.

Miró a su alrededor parpadeando varias veces. Se tocó la frente donde se había golpeado y entonces descubrió a sus amigas, que la miraban con preocupación. Todas estaban sentadas muy juntas, apretujadas contra una esquina, y Laila se incorporó a duras penas apoyándose contra una pared de madera oscura. Un nuevo balanceo hizo que la cabeza le diese vueltas, pero entonces le llegó el olor.

—Dios mío, ¿qué es esto? —exclamó arrugando la nariz.

—La Casa del Norte —contestó Nimphia lúgubremente—. Vamos en uno de sus barcos camino a quien sabe dónde.

—¿Nos han secuestrado? —se alarmó con los ojos muy abiertos mirando a todos lados. Ninguna se movió ni hizo gesto alguno.

—¿Qué hacéis ahí apretadas? —preguntó al notar aquel silencio.

Aurige le indicó con un dedo que mirase al frente.

Se encontraban dentro de una gran jaula de hierros oxidados. De las cuatro paredes, dos estaban formadas por el propio barco, y las otras dos eran viejas verjas soldadas de una forma muy primitiva. La chica recorrió todas las esquinas. Una pila de sacas separaba la estrecha celda de un pequeño habitáculo con una tapa en el suelo. El olor era espantoso y la muchacha se dio cuenta de que aquello debía ser una letrina improvisada para prisioneros. Huyó de allí al momento y se acercó a la puerta de barrotes cerrada a cal y canto, mirando hacia la penumbra. Al tocar los hierros, las otras se estremecieron.

Había cajas y grandes embalajes apilados por todos lados, y montones de escombros por donde correteaban cosas chillonas. El suelo estaba cubierto de paja sucia y mohosa. La escasa luz grisácea existente entraba desde varios ventanucos en hileras dibujando cuadros en el suelo y alguna antorcha brillaba a lo lejos. De repente las muñecas le dolieron y se las acarició. Tenía varios rasguños.

—No veo nada importante —dijo.

—El hierro —explicó Cyinder—. No podemos tocarlo.

Laila sonrió mirando los barrotes.

—A veces me encanta ser nemhirie —dijo con una mueca burlona.

—Pues muy bien, nemhirie —se enfurruñó Aurige—, ya que eres tan poderosa, podrías contarnos qué ves de este cuchitril apestoso antes de que empecemos a vomitar de asco.

Laila se rió un poquito, pero miró hacia la penumbra.

—Hay muchas cajas —contó—. Basuras y ratas, creo. Estamos en la bodega, ¿no? Allí veo algo más —dijo entonces, descubriendo unas figuras borrosas que parecían brillar atadas al techo y a las paredes con gruesas sogas—. ¡Oh!

—Mi tío, ¿verdad? —preguntó Nimphia con tristeza, sin levantar la mirada.

Laila asintió.

—¿Qué ocurrió? —quiso saber—. ¿Cómo hemos llegado hasta aquí?

—Recuerdo cosas borrosas —contestó Cyinder—. Pero poco más. ¿Y tú?

Laila rebuscó en su memoria sin dejar de mirar las tristes estatuas de oro, que se mecían colgadas en el balanceo del barco. Lo último había sido que estaban en el Reina Katrina y el tío de Nimphia se había convertido en oro por culpa del elixir de shilayas. De nuevo aquella idea misteriosa le sacó la lengua antes de desaparecer. También había piratas. Una muchedumbre de piratas en un pasillo estrecho. Voces y gritos. Laila recordaba que la habían atado con sogas ásperas y de nuevo se acarició las muñecas doloridas. Las sacaron del trasatlántico a empujones. Varias barcazas flotaban cerca de ellas y Nimphia había intentado salir volando de allí. Recordaba las fauces monstruosas de un dragón negro…

—¿Hay un dragón? —preguntó temblorosa.

—No —negó Aurige—. También yo pensé lo mismo, pero lo que viste es el mascarón de proa de este barco. Después de eso recuerdo un olor muy fuerte en mi nariz y ya nos despertamos aquí.

Laila se quedó pensativa.

—Sin duda nos narcotizaron con cloroformo —fantaseó con las imágenes de todas las películas de espías que había visto en el cine, aunque aquello no produjo el menor interés.

Una rata chilló en algún lugar lejano y Laila dio un paso atrás, acercándose a las otras. Se sentó junto a ellas y las miró con pesar. Nimphia tenía ojeras profundas bajo sus ojos.

—¿Qué es la Casa del Norte? —preguntó intentando animar el ambiente.

—Son asesinos despiadados —contestó Nimphia al momento, con un timbre de odio en la voz—. Se dice que despellejan a sus víctimas en aceite hirviendo, y que usan sus pieles para vestirse. Nunca se lavan porque la grasa y la suciedad les protege del frío helado de las islas del norte.

—¡Es asqueroso! —exclamó Cyinder encogiéndose de hombros.

—¿Van a hacer eso con nosotras? —se horrorizó Laila.

—Conmigo no, desde luego —aseguró Aurige.

—También podrían cortarnos las alas y hacernos saltar desde la pasarela del barco —contó Nimphia, cada vez más tétrica.

—No lo creo —se estremeció Cyinder—. Lo más seguro es que pidan rescate por nosotras.

—Por Nimphia sí —arguyó Aurige—. Pero por ti y por mí no. No saben nada de nosotras. Además no tengo claro que mi madre pagase nada.

—Pues a mí sólo me falta crear más complicaciones a mi madre —repuso Cyinder—. Puedo crear montañas de oro. Yo misma puedo pagar el rescate de todas. Hablaré con ese tal Lord Vardarac para tratar de llegar a un acuerdo.

—Si haces algo así te van a encerrar aparte y te van a exprimir —dijo Aurige—. Mejor que te quedes calladita, tenemos que pensar otra cosa.

Todas se concentraron en ideas descabelladas, pero tan sólo la visión de los barrotes las hacía desistir.

—¿Esos piratas son hadas? —preguntó Laila—. Quiero decir... ¿son Gente Bella?

—Muy bellos no son, que digamos —protestó Cyinder—. Eso sí, me encantan sus abrigos... los de oso polar, me refiero.

Todas la miraron con cara de pocos amigos.

—¿Qué pasa? Es la verdad. Apestan y los odio a muerte, pero no me importaría llevarme una casaca de esas a Solarïe.

—Sí, son hadas —contestó Nimphia meneando la cabeza como diciendo que los solarïes no tenían remedio—. Cuando yo vivía en el palacio, Raissana nos contaba que Lord Vardarac era un proscrito amargado, que por culpa de tener las alas tan pequeñas y deformes, no le servían para nada y todos se reían de él. Entonces decidió hacerse pirata y vengarse de todos los que se burlaron en su día, y su crueldad no conoció límites para con sus víctimas.

Todas se quedaron calladas. Tras un momento de silencio, Laila comenzó a reírse.

—O sea, que es como un abejorro —dijo sin poder contenerse.

Aurige, Cyinder y Nimphia se la quedaron mirando, y de repente estallaron en carcajadas. A pesar de la situación tan desastrosa en la que estaban, imaginar a un pirata maloliente con pequeñas alas zumbonas era demasiado bueno para dejarlo escapar.

—Bueno, si son hadas —siguió la chica entre toses de risa—, ¿cómo nos han encerrado entre hierros? De alguna forma han tenido que abrir la puerta, ¿no?

—Han debido ser sus nemhiries —respondió Nimphia después de reflexionar—. No hay otro modo.

—Pues si hay nemhiries esclavos —concluyó Laila con ojos brillantes—, sin duda querrán liberarse de la esclavitud. Si les prometemos nuestra ayuda, tal vez nos liberen…

—¿Y que se amotinen frente a Vardarac? No lo creo. Deben tenerle terror. Y por favor, deja el tema de los esclavos de una vez.

Laila suspiró hundiendo los hombros. No podía pensar bien. El olor le inundaba el cerebro, pero además estaba hambrienta. Llevaba una eternidad sin comer. Se concentró con decisión y al cabo de un momento un dónut de chocolate apareció en el suelo.

—¡Oye, yo también quiero uno! —gritó Aurige con los ojos muy abiertos.

—El mío glaseado —pidió Cyinder—. Y batidos de bayas de Krum, por favor.

—Me cuesta mucho hacerlos —protestó la chica sintiendo que la cabeza le dolía.

—Has pasado mucho tiempo sin practicar —le regañó la lunarïe—. Ahora que estamos en apuros, no estás preparada.

Nosotras no podemos hacer nada entre estos hierros y ahora la nemhirie tampoco sirve para nada.

Laila la miró como quién recibe el guante de un duelo.

—Voy a hacer una tarta que os vais a enterar —se envalentonó poniéndose en pie.

Se puso los dedos en la frente y cerró los ojos. Las imágenes de pasteles iban y venían. Una enorme tarta de crema con fresas y lentejuelas crecía en su imaginación. Lo había conseguido, estaba segura. Le tiraría la tarta a Aurige en su propia cara. Abrió los ojos y su sonrisa victoriosa se truncó en una mueca de pesar.

En el suelo, un charco de crema se escurría por entre las maderas, y trozos de bizcocho flotaban igual que barcos a la deriva.

—Está… comestible —comentó Aurige, que había cogido uno de los trozos empapados en el líquido azucarado y lo degustaba sin mucha convicción.

Nimphia untó su dedo en la crema pero de repente se quedó mirando hacia algún punto indeterminado, fuera de los barrotes.

—Viene alguien —susurró con el dedo manchado a escasos centímetros de los labios.

Todas aguardaron expectantes. Laila notaba el corazón a punto de salirse por la boca. Se escuchó el sonido de una escotilla al abrirse y luego unos pasos que bajaban. Trip trap. Alguien que caminaba cojeando se acercaba a ellas entonando una cancioncilla desafinada. La luz balanceante de un farol llegó hasta ellas.

Al principio Laila pensó que se trataba de un enano. Una figura baja de menos de medio metro con el pelo canoso, largo y apelmazado, se acercó hasta la jaula y se quedó muy quieto mirándolas. Levantó el farol a la altura de la cara y todas sintieron un escalofrío.

—¡Un silfo! —exclamó Nimphia, sin dar crédito a lo que veía.

—¡Un silfo, un silfo! —coreó el recién llegado con burla. Su voz era chillona y desagradable—. ¡Y vosotras unas shilayas! El amo envía a Shamal a comprobar que shilayas estar bien, y Shamal dice que muy bien... jugosas y tiernas.

Laila se estremeció y dio un paso atrás. Por un momento se le había ocurrido que estaba muy cerca de aquel ser. El silfo chasqueó la lengua relamiéndose, dejando ver unos pequeños dientes puntiagudos dentro de una sonrisa lunática. Sus ojillos alargados eran tan blancos como su cabello, y las miraba de forma cruel y calculadora. Entonces olfateó el aire y fijó la vista en el suelo salpicado de restos de crema.

—¡Quiero comida! —exigió de pronto dando unos pasos hacia ellas. Pareció que se movía demasiado rápido, apenas una sombra cambiante y su cuerpo sólido llegaba un segundo después. La presencia de los barrotes de hierro le detuvo y las miró con ojos frenéticos.

Laila se echó atrás apretándose contra sus amigas. El corazón le latía muy rápido.

—¡Dadme comida, dádmela!

—Te refieres a... ¿esto? —preguntó ella con voz inocente.

En su mano apareció una fantástica magdalena. El chocolate derretido caía como la lava de un volcán.

—Desde luego, trabajas mejor bajo presión, nemhirie —dijo Aurige.

—Esta magdalena está deliciosa —siguió Laila sin hacerle caso—. Está diciendo: «Cómeme».

El silfo se abalanzó hacia ella, ciego de anhelo. Al chocar con los barrotes dio un grito de dolor.

—¡Malditas shilayas! ¡Yo matar, comer crudas, y luego limpiar boca con alas! —gritó acariciándose varias quemaduras en la cara y en las manos.

—Si nos traes las llaves, te haré mil pasteles como este —dijo Laila con voz melosa, tratando de no pensar en las funestas amenazas.

—¡Dámelo! Deja que lo coma y Shamal será bueno con shilayas, muy bueno, Shamal prometer —dijo rechinando los dientes triangulares. Su mano extendida temblaba. En ella había un brazalete de metal que le aprisionaba la muñeca.

Laila miró a las otras. Aurige negó tajantemente pero Cyinder y Nimphia asintieron.

—Tráenos las llaves, silfo —le dijo Laila lanzándole el pastel por entre las rejas.

La criatura lo cogió tan rápido que pareció que nunca había existido. Luego se lo tragó de un bocado haciendo un ruido horrible.

—¡Más! —exigió con los dientes manchados de chocolate.

—¡Las llaves primero!

El viejo silfo las miró con odio y se marchó renqueando. Laila suspiró de alivio y se dejó caer sobre el suelo. Aún le bombeaba el corazón salvajemente, pero le había encantado demostrar tanto aplomo ante sus amigas.

—No nos traerá las llaves —suspiró Nimphia—. Los silfos son muy traicioneros. Vienen y van con los vientos y cambian de forma. Se dice que si les dejas, pueden leerte el pensamiento. Este es un caso raro, normalmente no podríamos verle.

—Llevaba un brazalete de metal en un brazo —contó Laila.

—Entonces es que está encadenado a su amo —meditó Nimphia—. Nunca he visto una cosa igual. Los silfos son criaturas de aire, altos, y delgados, casi transparentes. Este es apenas un duende encorvado, como si se estuviese marchitando. No me explico cómo han logrado capturarle.

—Vardarac debe ser muy poderoso pues —suspiró Cyinder.

Ninguna contestó. Pronto se hizo el silencio, cada una perdida en sus propios pensamientos. Tan sólo el sonido del viento gimiendo y algún chillido de ratas les acompañaron durante largas horas. Al caer la oscuridad, Laila intentó hacer de nuevo pasteles y batidos. Había descubierto que crear galletas y bizcochos nemhiries le resultaba mucho más fácil que los suntuosos pasteles de Faerie.

—Estoy preocupada —comentó entre bocados, aburrida del paisaje de cajas y maderas—. Ya han tenido que notar nuestra ausencia del colegio y sin duda habrán avisado a mi padre. No quiero ni pensar el disgusto que tendrá…

—Y la arpía —añadió Nimphia—. Allí sola sin que nadie le dé de comer. Se morirá de hambre chillando. Pobrecita.

—Yo voy a dormir —resolvió Aurige aquella situación tan triste de golpe—. Creo que deberíamos preocuparnos por nosotras más que por la arpía. Quién sabe qué nos van a hacer cuando lleguemos a donde quiera que vayamos. Yo de vosotras descansaría bien por si acaso.

Laila cerró los ojos. Como siempre, Aurige tenía toda la razón. Le dolía todo el cuerpo del constante balanceo del barco entre las corrientes de viento y tenía frío. El aire se estaba volviendo helado a gran velocidad, pero al menos se había acostumbrado al olor del Norte y ya casi ni lo percibía. Trató de dormir acurrucada entre las otras, acomodándose lo mejor posible entre el cuerpo de una de ellas y los barrotes de hierro. Las horas pasaban, lentas y negras, y al final el sueño la venció en un remolino de caras e imágenes confusas que la mantuvieron intranquila toda la noche.

A la mañana siguiente, Laila sintió algo molesto que le rozaba el cuello. En sueños dio un manotazo y abrió los ojos lentamente. Entonces dejó escapar un alarido y se puso en pie como un resorte. Frente a ella, muy cerca, el silfo había logrado meter uno de sus largos dedos por entre los barrotes y le había tocado. Las otras abrieron los ojos sobresaltadas y el ser les sonrió a todas con aquellos dientes afilados.

—Comida —pidió con una voz más suave que el día anterior.

—¿Has traído las llaves? —preguntó Laila con voz temblorosa.

El silfo sonrió.

—No, pero soy bueno. Shamal es bueno. Shamal ha traído abrigos para todas.

Les enseñó un amasijo de pieles que se amontonaban cerca de él.

—No los necesitamos —respondió Laila sin querer dar su brazo a torcer—. Yo misma puedo hacer ropas de invierno para todas.

—Pero no tan buenos, no tan buenos —los ojos de Shamal brillaban—. Buenas pieles. Pronto llegaremos a Benthu-Lü-En, y allí hacer mucho frío. Mucho, mucho frío.

—Dile que sí —susurró Cyinder observando los abrigos.

Laila la miró con enfado pero vio que la solarïe tiritaba. Cyinder no estaba acostumbrada a climas tan helados y ella misma estaba temblando. Al respirar soltaba vapor por la boca.

—De acuerdo —concedió por fin ante la alegría del silfo—. Te haré pasteles, pero recuerda que queremos las llaves de la jaula.

—Sí, sí, sí, shilayitas quieren llaves —rió Shamal mientras introducía las gruesas prendas por entre los barrotes, con cuidado de no tocarlos.

Los abrigos apestaban aún más si era posible, pero eran tremendamente cálidos. Poco después de ponérselos se sintieron mucho mejor y Laila fue creando galletas, bizcochos y pastas, lanzándolas a través de los hierros mientras Shamal las cazaba al vuelo. Al final notó el agotamiento y después de meditarlo, se acercó a la puerta de la jaula y de un tirón hizo una montaña de pastas al lado de aquel enano. El silfo gritó de emoción sentándose junto a los pasteles, devorándolos sistemáticamente y ella se dejó caer en el suelo, exhausta. Al cabo de un rato se olvidaron de él.

—¿Qué vamos a hacer? —cuchicheó Cyinder mordisqueando un bizcocho. Aún se calentaba las manos frotándolas contra su abrigo de pieles.

—Tenemos que salir de aquí como sea —respondió Aurige en voz baja—. Tenemos que buscar el tesoro de los ithirïes y además este abrigo me sienta fatal.

Todas la miraron con curiosidad.

—¿Qué quieres decir con que te sienta fatal? —preguntó Nimphia asombrada—. ¿Tienes frío?

—No, no tengo frío... Pero es horriblemente feo, y me hace gorda.

El silencio se adueñó de todas.

—¿Qué pasa? —quiso saber la lunarïe.

—Nada —dijo Laila—. Pensemos en lo del tesoro.

—Shamal sabe de un gran tesoro —las interrumpió el silfo de repente.

Todas se asustaron. Se les había olvidado que el silfo estaba allí y que las escuchaba perfectamente. La criatura les miraba con un brillo malévolo.

—¿De qué tesoro hablas, enano? —preguntó Aurige con voz de mando.

—Je, je, je. Shamal sabe, shilayitas. Gran tesoro legendario. Perdido. Oh, sí, perdido. Abuelo de Shamal contar antes de que pelo de Shamal volverse blanco, hace muuuuuuchos años.

Arrojó un trozo de pasta a lo lejos y se puso en pie.

—Y... ¿sabes dónde está? —la voz de Aurige era dulce como la miel.

El silfo la miró con odio.

—Shamal no lo dirá a bruja, sólo a la humana.

—¡¿Bruja?! —exclamó la lunarïe mientras las otras se tapaban la boca tratando de ahogar las carcajadas.

—Tendrás que decírnoslo a todas —dijo Laila inspirando profundamente—. Si no, no haré más pasteles.

El silfo las miró a todas con recelo. Luego se dio media vuelta y se marchó arrastrando su pierna coja hacia la escalerilla.

—¡Pues estamos bien! —exclamó Aurige muy contrariada.

—Ya volverá, seguro —dijo Nimphia—. Los silfos van y vienen. Son criaturas peligrosas, cambiantes, no son de fiar. Pero este tiene un amo. Sólo le es fiel a él y hasta que no se muera de hambre no le traicionará.

Todas volvieron a encerrarse en sus pensamientos, silenciosas y abatidas, dejando que pasaran las horas tediosas sin nada que hacer. Ya hasta la comida dejaba de tener sabor y el frío aumentaba. Al caer la tarde el aburrimiento era insoportable. Laila daba cortos paseos de vez en cuando para mover las piernas, pero las otras permanecían mustias sin otra cosa que hacer que comer o permanecer sentadas con los ojos cerrados. Los recuerdos de ella vagaban volviéndose cada vez más tenebrosos.

—¿Creéis que los albanthïos invocaron a los monstruos hienas? —preguntó de repente. Aquella imagen de la figura del extraño monje bajo la nieve, con la luz en las manos, acababa de regresar sin previo aviso.

—¡No puede ser! —se asustó Cyinder.

—Es sólo una corazonada —insistió Laila—, pero me da escalofríos.

—Si ellos pueden invocar a esas bestias —siguió Aurige la misma línea de razonamiento—, eso significa que Maeve sería la responsable del monstruo que nos atacó en Solarïe en verano...

—¡No lo creo! —contestó Cyinder, demasiado tajante—. El Reino Blanco jamás se implicaría en algo así.

—Lo que no me explico es por qué defiendes tanto a esos dictadores —replicó Aurige—. ¿O es que acaso se te olvida que Solarïe está ahora bajo el dominio de Tirennon?

—Solarïe sólo está bajo el dominio de mi madre —contestó Cyinder—. Maeve nos ayuda como puede, no como otras reinas. Todas las manos son pocas.

La lunarïe apretó los labios sin decir nada y todas guardaron un silencio incómodo. El encierro estaba consiguiendo crispar los ánimos y cualquier cosa bastaba para que saltasen chispas. Al rato Laila trató de animar el ambiente ideando un plan de fuga.

—Podríamos tratar de escapar por el agujero ese que hay tras las sacas —propuso, harta de darle vueltas a la cabeza.

—Es la idea más encantadora que se te ha ocurrido —respondió Cyinder—. Rompemos esa especie de alcantarilla siniestra y luego nos lanzamos al vacío helado sin saber dónde estamos ni dónde caeremos.

—Sólo había sido una idea, nada más —le reprochó la otra.

Cyinder guardó silencio un momento.

—Lo siento —se disculpó al rato—. Es que ya no puedo más. No… no puedo resistir…

Se llevó las manos a la cara y empezó a llorar en silencio. De repente el ánimo de todas se vino abajo. Aurige le pasó un brazo por los hombros.

—No te preocupes, todo va a salir bien, ya veras que…

Cerró los ojos llena de furia y escupió un diamante al suelo.

—¡Esto se acabó! —gritó con desesperación poniéndose en pie—. ¡Eh! ¡Los de arriba! ¡Sacadnos de aquí!

Se acercó lo más que pudo a la verja y comenzó a gritar todos los insultos que conocía. Laila presintió que aquello podía ser una gran idea, y se unió a ella de inmediato, chillando barbaridades a todo volumen. Pronto Cyinder y Nimphia corearon aullidos hasta convertir la bodega en una cacofonía insoportable.

No pasaron ni cinco minutos antes de que la trampilla se abriese. Por ella bajó el silfo apresuradamente con el rostro tirante. Tras él, tres nemhiries barbudos y desaliñados se acercaron a la verja con cara de pocos amigos.

—¡Silencio, shilayas! —gritó el silfo chirriando los dientes puntiagudos—. ¡Shilayas molestan al señor Äüstru!

Ellas gritaron más fuerte.

Shamal intentó taparse sus orejas puntiagudas y le hizo una señal a uno de los nemhiries, el cual sacó una llave oxidada y abrió la puerta. Los otros habían desenvainado dagas y cuchillos y las amenazaban con cortarlas en trozos al mínimo intento de escapar.

—¡Shilayas callar! —rugió el silfo haciéndoles una señal para que saliesen de la celda—. Ver si ser capaces de chillar delante de señor Äüstru.

Ninguna se hizo de rogar. Atravesaron la estrecha puerta con mucho cuidado y el silfo encaminó la marcha hacia la trampilla con aquellos pasos discordantes. Los nemhiries las rodeaban sin dejar opción a la huida.

Al salir al exterior, el aire helado les cortó el aliento, pero cualquier cosa era mejor que estar encerradas en aquella celda apestosa. Laila se quedó boquiabierta. Se encontraban en un gran barco de madera negra que de inmediato le recordó a los drakkars vikingos. Dos grandes mástiles soportaban velas cuadradas con rayas rojas y blancas, y el mascarón de proa era la cabeza del dragón negro que recordaba haber visto en el Reina Katrina. Tres postes llenos de piedras azules se apostaban cerca del primer mástil, apagados y solitarios.

El drakkar avanzaba a través de un cielo del atardecer donde algunas estrellas brillaban lejanas. El aire era limpio y transparente, y parecía que navegaban sobre un espejo tranquilo. Algunos islotes helados pasaban cerca del barco, pequeños icebergs a la deriva que el drakkar esquivaba con experta agilidad.

El espectáculo era impresionante, pero terminó de forma brusca en cuanto se escuchó el chasquido de un látigo a sus espaldas. Todas se giraron sobresaltadas. Saliendo del camarote del puente, la figura que recordaban del pirata sentado en el

Reina Katrina limpiándose las uñas, las miraba con una mueca torcida. A su lado, dos airïes más las observaban, divertidos, con los brazos cruzados.

—Malditas shilayas histéricas, ahora vais a saber lo que es gritar de verdad.

—Me temo que los gritos van a ser generalizados —respondió Aurige.

Libre por fin de los barrotes de hierro, en sus manos aparecieron tres aspas negras que giraron brillantes y afiladas bajo la luz del atardecer. Äüstru se mordió los labios, pensativo.

—Bien, señoritas —dijo—. La situación no os favorece. Cuatro preciosas shilayitas contra treinta formidables guerreros no tienen muchas posibilidades.

Una de las aspas voló rauda impactándose contra el brazo de uno de los nemhiries que reían desde el puente. El hombre dio un grito de dolor cayendo de rodillas. La sangre comenzó a brotar profusamente, manchando su abrigo.

—Veintinueve —contestó la lunarïe.

La cara de Äüstru se volvió de color morado.

—¡Matadlas a todas! ¡Ya no me interesan como rehenes! Tú, John —ordenó a otro nemhirie—. Mira a ver qué le pasa a Dominique. Grita más que las shilayas, el muy bastardo.

El tal John se acercó corriendo a su compañero herido pero todos los demás desenfundaron cuchillos y hachas, creando un círculo en cuyo centro las cuatro se agruparon, espalda con espalda. Los hombres gruñían y enseñaban dientes amarillos. Laila se apretó aún más contra las otras. Cyinder invocó dos grandes soles luminosos y Nimphia hizo restallar relámpagos en las manos.

—¡Esperad! Podríamos dialogar —gritó Laila, presa de la angustia—. Yo soy nemhirie como vosotros…

En ese momento, uno de ellos se abalanzó sobre Nimphia con una estocada mortal. La mente de Laila se nubló.

—¡No! —gritó desde lo más profundo de su garganta.

Instintivamente le había agarrado la muñeca al pirata, tan rápido que ni fue capaz de ordenar aquel movimiento con el cerebro. La daga se había quedado a escasos centímetros del pecho de Nimphia mientras Laila notaba el latido del hombre entre sus dedos. El pirata sonrió comenzando a desenfundar otro cuchillo con su mano libre, pero entonces los ojos se le crisparon de dolor.

La carne del brazo había empezado a resquebrajarse y a volverse de color tostado, y entonces, raíces verdes diminutas surgieron como gusanos, brotando hojas y tallos que envolvieron el brazo del nemhirie hasta el hombro.

—¡Quitádmela! —gritó el hombre, desesperado, con los ojos desencajados, tratando de soltarse de aquella garra que le aprisionaba como un guante de acero—. ¡Por San Jorge, quitadme este demonio de encima!

Todos habían dado un paso atrás, sobrecogidos de terror. Las raíces seguían creciendo, engullendo el cuerpo del nemhirie, mientras las grietas corrían por el cuello en dirección a la barbilla, ajenas a los chillidos y pataleos del hombre, que empujaba y golpeaba a Laila en un intento desquiciado por soltarse.

La muchacha no parecía ver ni oír nada y viendo que el ataque había cesado de golpe, Cyinder la zarandeó gritando su nombre hasta que ella pareció volver en sí. Parpadeó unos segundos y entonces miró a su prisionero con terror, soltándole la muñeca en el momento en que la cara se volvía igual que el tronco de un árbol viejo. De inmediato las raíces desaparecieron y la piel volvió a ser rosada y humana. El nemhirie trastabilló hacia atrás jadeando sin dejar de mirarla.

Aurige seguía en posición de ataque, pero miraba a Laila con los ojos muy abiertos. Desde el puente, el pirata Äüstru tragaba saliva tratando de recomponerse.

—De acuerdo, nos has impresionado a todos —dijo con

una voz muy suave—. Aunque claro, como leña, Andersen nos hubiese venido muy bien para alimentar la caldera —miró al nemhirie que aún trataba de recuperar el aliento—. ¡Vosotros, guardad las armas! —les gritó a sus hombres—. No quiero convertir el Narval en una selva. ¡Shilayas, venid aquí!... sin acercaros demasiado.

Los nemhiries se fueron dispersando entre gruñidos, y algunas voces rumiaron enfadadas que podrían haberlas vencido sin dificultades. Laila sudaba y tenía nauseas, pero lo peor era el tremendo desagrado que sentía hacia sí misma.

—Ha estado genial —le susurró Aurige mientras subían la escalerilla hacia Äüstru, el cual desapareció por la puerta del camarote seguido por sus dos lugartenientes.

—¿Tú crees? —respondió Laila, aún aterrada—. Yo creo que ha sido horrible. Por un momento, no quise parar...

—Lo horrible es esto —se desesperó la lunarïe sacándose de la boca otro diamante. Con un gesto de desagrado lo lanzó por la borda.

Entraron en el camarote una tras otra. Dentro el ambiente era cálido y acogedor. Un viejo brasero encendido y numerosos candiles de aceite iluminaban la habitación. En el centro había una mesa ovalada de ébano, con numerosos mapas cartográficos apilados en un caótico desorden, brújulas, astrolabios y otros objetos extraños que lo mismo podían tener una función misteriosa que ser simples pisapapeles.

El pirata y los otros se sentaron frente a ellas y así Laila pudo fijarse mejor. Äüstru tenía largas barbas del mismo color del cabello de Nimphia, llenas de trenzas con anillos de jade, cejas pobladas y largos cabellos semiocultos bajos un sombrero de piel de estilo ruso. Era el primer hombre hada que ella veía que tuviese barbas. Otro de ellos tenía la cabeza rapada al cero y se adornaba la frente con tatuajes circulares como los que recordaba del capitán Etesian. El tercero parecía canijo y enclenque bajo la montaña de abrigos, pero su mirada cruel y su mueca burlona indicaban que quizás fuese mejor no tenerlo como enemigo.

—Bien shilayas, negociemos un acuerdo —las invitó Äüstru a sentarse—. No puedo permitirme el lujo de perder a un sólo hombre. Y vosotras no tenéis pinta de frágiles doncellas en apuros. Ojo de Toro, sirve a nuestras invitadas un vasito de leche por favor... ¡Oh, por la Vieja Boreus! No nos queda —fingió una tremenda pena—. Quizás prefieran batidos de fresitas de Dilaï... ¡Tampoco nos queda! ¡Qué contrariedad!

El aludido Ojo de Toro, el calvo, rió con fuerza.

—Beberemos lo que bebe la Casa del Norte —dijo Nimphia con orgullo.

—¡Uuuhh! —corearon los tres a la vez.

—¡Trae el ron de Benthu, Ojo! —gritó Äüstru dando un puñetazo sobre la mesa—. Las damas quieren beber de verdad.

Ojo de Toro se levantó y salió del camarote mientras Laila le lanzaba a su amiga una mirada de incredulidad. El tercer pirata puso varios vasitos de cristal sobre la mesa y luego les sonrió a todas enseñando todos sus dientes. Al rato, Ojo volvió con una botella oscura en las manos. La destapó y por el cuello de la botella salió un poco de humo. Al servirlo, el líquido ardió en los vasos de cristal formando llamitas danzarinas. Laila tragó saliva.

—¿Y cómo sabemos que no está envenenado? —tembló Cyinder mirando el fuego.

Los tres rieron groseramente. Äüstru alzó su vaso.

—Shilayitas temblorosas... ¡BEBED! —y clavó un cuchillo en mitad de la mesa saltando astillas.

Automáticamente todas cogieron los vasitos y lo vaciaron de un trago. El fuego les arrasó la garganta, pero era un fuego dulce, sabía a especias y a algo más. Los ojos de Laila se llenaron de chispitas azules y soltó una bocanada de vaho por la boca al respirar, tratando de contener la tos.

—Así se hace —Äüstru llenó todos los vasos otra vez—. Ahora, negociemos.

—Bien —contestó Aurige tras terminar su segundo trago—. Desde luego se acabó eso de shilayas o shilayitas. Si las amenazas van a base de insultos, mi amiga Laila aquí presente sabe uno que os pondrá la carne de gallina.

Los ojos de la muchacha se abrieron de par en par.

—Al menos no nos pondrá la piel de árbol, ¿no? —inquirió el pirata enclenque con un deje de temor.

—Venga, Laila, insúltales, para que vean de qué somos capaces.

Cyinder y Nimphia también se habían quedado a cuadros. La solarïe se tragó el ron de un golpe.

—Ehh…

—Venga, no seas tímida —la animó la lunarïe.

Los piratas aguardaban divertidos. Después de unos segundos en silencio, Laila susurró con temor:

—¡Estúpidos! —Y dio un paso atrás, hacia la salida del camarote.

—¡Por la Vieja Boreus! —gruñó Ojo de Toro—. ¿Eso es todo? No se me ha puesto la carne de gallina, pero quizás vomite.

La muchacha sintió que a pesar del calor, tenía un sudor frío en la espalda.

—Uh… ¿Malvados piratas hijos de un perro sarnoso? —preguntó inquieta, por si los piratas saltaban sobre ella y la degollaban en el acto.

Sin embargo aquello provocó una salva de risas.

—¿Bastardos puercos traficantes de esclavos? —intentó de nuevo.

—No, mujer, mejor aún —animó la lunarïe.

—Umm… ¿Sucios piojosos ladrones de caballos?

Cyinder bufó escupiendo fuego sobre la mesa.

—¡Venga, Laila! —se desesperó Aurige agitando las manos delante de ella—. ¡Nos lo dices constantemente!

La muchacha no sabía qué pensar. Miró a los piratas y después a su amiga.

—Te refieres a… ¿«hadas»?

Los tres piratas se pusieron en pie de golpe, derrumbando las sillas y sacando machetes de los rincones más ocultos. Äüstru estaba colorado como un tomate y era incapaz de decir una palabra debido a la congestión de furia. Aurige se rió con una voz tan cristalina como la de Titania y ella misma se sirvió otra ronda de líquido de Benthu.

—¿Qué os había dicho? —se jactó—. Y no sólo eso. Es capaz de decirlo delante de vuestros nemhiries.

—¡No se atreverá! —la daga en la mano de Ojo de Toro temblaba.

—Ahora es cuando de verdad empiezan las negociaciones —añadió Nimphia levantando las cejas.

—¿Pero… pero qué clase de degeneradas sois? —exclamó Äüstru, confuso y admirado—. ¿Y os lo dice constantemente?

—Constantemente —repitió Cyinder lanzando un bostezo.

—¿Y aún no está muerta? —quiso saber el tercer pirata rascándose la barbilla con el machete.

—Al que se acerque lo hago astillas —advirtió Laila echándose a reír.

De repente todo era divertido y nebuloso. Una vocecita de alarma le decía que estaban cayendo en una trampa, pero los tres piratas parecían muy simpáticos, incluso el delgaducho, que volvía a servir ron oscuro para todos.

—Queremos un bote que nos lleve de vuelta a Silveria —exigía Nimphia en aquel momento con una gran sonrisa.

—Claro, claro —afirmó Äüstru—. Diablo, prepara un bote para las damas.

—¡A la orden, capitán! —El pirata escuálido asintió con una reverencia.

—Con abrigos y comida —dijo Cyinder—. Muchos abrigos.

—Y ron —añadió Aurige.

—Y sombreros —la voz de Cyinder era pastosa y somnolienta.

—¿No nos estaréis emborrachando? —preguntó Laila sintiendo que los ojos se cerraban.

—¡Por la Vieja Boreus, no! —se escandalizó Äüstru—. Sólo estamos negociando.

—Sí, sí —Aurige apoyó su cabeza sobre el brazo—. Tenemos que irnos pronto…

Cyinder bostezó asintiendo.

—Sí, aquí tenéis nuestro rescate, para que no os quejéis… —y, agitando las manos, llenó la mesa con una montañita de monedas de oro. Entonces cerró los ojos y se durmió.

Äüstru cogió un puñado, rápido como el rayo, y miró a Cyinder con los ojos convertidos en rendijas.

—¿Es oro de verdad? —preguntó a Laila, la única que aún quedaba despierta.

A ella la vista se le volvió vidriosa. Intentó contestar pero todo era ya una nebulosa de voces y caras que se perdían en las sombras. Lo último que escuchó fue la voz de Diablo.

—¡Vamos a tirarlas por la borda!

10. La Casa del Norte

Aquella frase le martilleaba el cerebro continuamente. Tirarlas por la borda, tirarlas por la borda. Laila se agitó en sueños y al mover el cuello, la cabeza entera pareció estallar de dolor. Abrió los ojos y dio un respingo rebotando contra el suelo de madera. Entonces suspiró con enorme alivio. No estaba cayendo hacia la nada. Seguía viva y… sí, por el olor, seguía en el Narval.

Reconoció de inmediato los barrotes de la celda y suspiró. Volvían a ser prisioneras y mientras se incorporaba a duras penas, Laila estuvo segura de que ni los mayores gritos infernales las sacarían ya de allí.

Sus amigas aún dormían acurrucadas y envueltas en sus abrigos de pieles. Al menos los piratas no habían sido del todo crueles. ¿Pero por qué no las habían matado? La reunión con los piratas era una neblina distante pero por algún motivo ellas seguían vivas y a salvo. Recordaba algo muy vago sobre monedas de oro, pero no lograba concretar ninguna idea.

La luz de la mañana entraba por los ventanucos cuadrados y aunque apenas quedaban recovecos y sombras en la bodega, todo parecía aún más sucio y desaliñado.

Se palpó la nuca dolorida y entonces se dio cuenta de que estaba siendo observada. Se giró para descubrir al horrible silfo sentado tras la verja de hierros, mirándola sin pestañear. A su lado, dos nemhiries que debían estar vigilando, con hachas y cuchillos curvos en las manos, dormían silenciosamente. El silfo rió entre dientes.

—¿Qué quieres? —demandó Laila, molesta.

—Comida de shilayas —contestó el otro de inmediato.

—No hago comida para los que no son mis amigos —replicó ella, tajante.

—Pero Shamal es amigo, buen amigo. Shamal traer abrigos para que shilayas no morir de frío.

Laila no respondió. Se sentó con las piernas cruzadas y lo ignoró sin piedad. Entonces creó un bizcocho de frambuesas y se lo comió lentamente. Sentía nauseas en el estómago, pero estaba decidida a comerse aquello delante del silfo aún con su última voluntad.

—Shamal es amigo.

No hubo respuesta.

El silfo miró a los nemhiries un momento con los ojos entrecerrados, y luego pareció tomar una decisión.

—Shamal contará cosa importante a shilaya rara, si ella es amiga de Shamal y hace comida y pasteles.

—¿Qué cosa importante? —quiso saber Laila, dando un bocado a su bizcocho con lentitud deliberada.

Shamal volvió a mirar a los nemhiries.

—El tesoro —susurró acercándose a los barrotes con los ojos resplandecientes.

Laila se giró hacia él intentando no parecer interesada. Movió sus dedos haciendo aparecer un par de magdalenas con crema azul. El silfo se relamió.

—¿Dónde está ese tesoro? —preguntó ella con inocencia, acercándose una magdalena a los labios.

—¡No comer! Dar a silfo bueno —hizo una pausa en la que luchó desesperadamente contra la tentación, y perdió—. Shamal sabe que el amo tener plano de tesoro —dijo con urgencia, con los ojos fijos en el pastel.

—¿El amo? ¿Te refieres a Äüstru?

Le lanzó una de las magdalenas a través de la puerta y siguió jugueteando con la otra. El silfo pareció carcajearse.

—Shilaya boba —rió devorando el pastel—. Señor Äüstru no ser amo. El gran Lord Vardarac ser amo. Ser el Señor del Norte. Gran amo. Poderoso. Grande.

—Umm... ¿Y por qué no busca él el tesoro? No parece creíble que tenga el mapa y no lo haya encontrado ya.

El silfo miró a todos lados intentando descubrir a alguien oculto. Cuando estuvo muy seguro de que nadie más le oía volvió la cara a la muchacha.

—Amo no saber leer el mapa —rió con desprecio.

—¿Y tú? —preguntó Laila con un brillo de interés.

—Oh, no, no. Shamal no entender lengua de mapa. Pero Shamal sabe dónde está.

Laila y el silfo se miraron con intensidad unos segundos. Entonces la chica cerró los ojos concentrándose y una docena de bollos de crema, fresas y chocolate aparecieron cerca de la verja de hierros. El silfo introdujo su mano con delicadeza, sin tocar los barrotes, y cogió dos a la vez.

—¿Y dónde guarda Lord Vardarac el mapa? —preguntó la chica haciendo ademán de llevarse los dulces con ella.

El silfo abrió la boca y de repente el sonido de un cuerno retumbó en el aire, largo, grave, resonando por todos los recovecos del barco. Shamal levantó la cabeza, asustado, mientras los nemhiries salían aturdidos de su sueño.

—¡¡Benthu-Lü-En!! —gritó una voz profunda desde la cubierta.

Aurige, Cyinder y Nimphia se removieron inquietas y terminaron de despertar cuando varios cuernos más se unieron al primero, formando una algarabía de aullidos que parecía no tener fin.

—¡¿Dónde?! —gritó Laila mientras el silfo y sus acompañantes corrían hacia la trampilla.

Shamal se giró un momento y se agarró el cuello un segundo antes de desaparecer.

—¡Qué ocurre! —exclamó Cyinder, bostezando a la vez que se apretaba la cabeza con gesto de dolor—. ¡Oh! Estamos en la celda otra vez.

—¿Y todos esos pasteles? —preguntó Nimphia, parpadeando.

—Shhh, Shamal me ha dicho dónde está el mapa del tesoro —les contó Laila con una sonrisa.

—Perfecto —bostezó Aurige—. ¿Y dónde ha dicho ese enano traicionero que está?

En ese momento la trampilla se abrió de nuevo y por ella bajó Äüstru acompañado de Ojo de Toro y varios nemhiries. El pirata se apostó frente a ellas con la mano reposando sobre un enorme kris que llevaba al cinto.

—Buenos días, señoritas, damas shilayas —se burló haciendo una reverencia—. Tengan la bondad de acompañarnos a estos caballeros y a mí, sin hacer ninguna tontería, para un pequeño paseo matinal sobre cubierta.

Laila se estremeció. Ahora era cuando las iban a tirar por la borda.

Subieron por la escalerilla en fila india y al llegar arriba el sol les deslumbró la vista llegando incluso a ser doloroso. Cuando por fin se acostumbró a la claridad, de nuevo Laila sintió que la admiración le dejaba sin habla.

Delante de ellas, casi a una legua de distancia, unas inmensas verjas de hielo se hallaban suspendidas en mitad de la nada. Finas estalactitas que se entrecruzaban formando caprichosas filigranas hacia ambos lados, extendiéndose hacia más allá de donde alcanzaba la vista.

—¡Qué maravilla! —exclamó sin querer.

—¡Las puertas de Benthu! —dijo Äüstru, orgulloso—. El hogar de la Casa del Norte. ¡Nuestra casa! Donde el valor y la camaradería no tienen rival.

—¡Arriad las velas! —gritaba Diablo en ese momento, consiguiendo ser escuchado por encima del tumulto de los cuernos, que sonaban aún más fuerte.

Varios nemhiries apostados en las vergas trabajaban afanosamente y en pocos minutos el drakkar detuvo su avance frente a las verjas heladas. Las puertas comenzaron a abrirse hacia dentro lentamente, como si colosos invisibles las estuviesen empujando.

—Y ahora, damiselas —siguió el pirata con una gran sonrisa que hizo que Laila tragase saliva—, apostaos junto a las esferas de viento y empezad a soplar.

—¡Qué! —exclamó Aurige mientras Laila suspiraba de alivio.

—¿Qué esperabais? —rió Äüstru—. Elimináis a dos de mis hombres, uno herido y el otro medio loco, y ¿creéis que vais a andar de rositas? ¡Soplad ahora mismo hasta que os salgan los pulmones por la boca o gastaré mi látigo sobre vuestras espaldas! ¡Andando!

—Y mucho cuidado con intentar cualquier artimaña —añadió Ojo de Toro con sequedad—. Estamos más que prevenidos.

Sacó una daga de su cinto y después de voltearla con gran maestría, la lanzó clavándose certeramente en medio del timón.

—¿Y por qué has arriado las velas? —exigió saber Nimphia, caminando contra su voluntad hacia una de las esferas.

—¡Malditas shilayas!... quiero decir, damiselas. ¿Acaso tengo que explicarlo todo? A partir de ahora vais a notar el verdadero frío calando vuestros huesos —enseñó sus dientes rechinantes—. Las velas se congelan en Benthu, se vuelven rígidas como el cristal. Los mástiles se resquebrajan soportando el peso muerto. ¡Soplad o cortaré vuestras alas en pedazos!

E hizo restallar su látigo en el aire.

Laila se situó rápidamente al lado de un grupo de nemhiries que ya exhalaban su aliento sobre la esfera. Todos se apartaron de su lado, pero el sonido del látigo de Äüstru les hizo volver de inmediato. La muchacha inspiró sintiendo que el frío helado le arrasaba la garganta, y expulsó una bocanada de vaho sobre los cristales brillantes.

El drakkar avanzó limpiamente a través de las enormes puertas. Grandes témpanos de hielo flotaban por todas partes, pero Ojo de Toro, que pilotaba el Narval con gran maestría, esquivaba cada saliente afilado sin ningún sobresalto.

La respiración se volvía trabajosa. Salía vapor de la boca y con cada nueva bocanada, el pecho le protestaba horriblemente. Cyinder empezó a toser a la vez que se frotaba las manos, que ya estaban azuladas.

—¡Más fuerte! —exigió Äüstru dando largas zancadas por entre las tres esferas.

—¡Sopla tú entonces! —jadeó Aurige con una mirada de odio.

Los nemhiries rieron y el pirata acarició su látigo con cara de pocos amigos. La lunarïe se cruzó de brazos, retadora, y todos miraron a Äüstru esperando su reacción ante aquel desafío. El lugarteniente no se hizo esperar y levantó el brazo dispuesto a descargar un latigazo tremendo.

—¡Laila, insúltales! —gritó Aurige sin moverse ni cubrirse la cara.

Äüstru se quedó paralizado, pero Laila miró a su amiga sin comprenderla. En su cabeza sólo flotaba una nebulosa vacía de recuerdos.

—¡Allí! —gritó un nemhirie en ese momento desde el puesto de vigía, señalando con el dedo hacia el horizonte.

De golpe aquel grito hizo perder el interés general por el desafío y ellas miraron con curiosidad hacia donde señalaba el hombre. A lo lejos, envuelto en brumas heladas, un enorme iceberg brillaba como un diamante bajo el sol. Ojo de Toro meció el timón muy suavemente y el drakkar esquivó los últimos témpanos puntiagudos, directo hacia la gigantesca montaña invertida.

—¡Seguid soplando, perros de dos cabezas! —gritó Äüstru restallando su látigo en el aire—. ¡Esta noche comeremos caliente por fin!

A pesar de que el aire le hacía llorar y las lágrimas se congelaban al segundo, Laila siguió soplando en aquel último trecho con más fuerza aún. Ya era casi un milagro conseguir aspirar algo de aquel viento seco y todo el cuerpo le temblaba violentamente. Comenzó a nevar y Cyinder y Nimphia respiraban entrecortadas, con los labios morados y cristales de hielo en los pómulos. Aurige simplemente se había acercado a la borda para ver mejor y nadie la molestó.

La plataforma del iceberg estaba ocupada por pequeños edificios, rodeando a un castillo de piedra blanca que parecía una fortaleza bien defendida. Al acercarse aún más, pudieron comprobar que una gran flota de drakkars se mecía anclada en las dársenas, una maraña de palos y vergas desnudas cubiertas de hielo y escarcha. Sin saber por qué, Laila sintió tristeza al ver los barcos. Desde luego no habían sido usados en mucho tiempo, y aunque la flota era numerosa, daba la sensación de derrota y abandono.

Cuando Ojo de Toro terminó las faenas de atraque, la mayoría de los hombres se dedicaron a descargar los grandes fardos acumulados en la bodega, y Nimphia observó con pena y rabia cómo sacaban a su tío y al otro pirata convertidos en oro a través de un rústico sistema de sogas y poleas. Entonces Äüstru y Diablo se encargaron de indicarles, a punta de cuchillo, que podían bajar del barco.

Los muelles estaban desiertos, y no era de extrañar pues el

frío glacial era una auténtica pesadilla. Si el iceberg fue en algún momento un pedazo de tierra seca, ahora estaba completamente cubierto por capas de hielo de varios metros de grosor. Caminar sobre aquel suelo luchando contra la ventisca de nieve se hacía muy difícil, pero ambos piratas, escoltados por sus esclavos nemhiries, parecían no tener en cuenta aquel detalle. Incluso el silfo renqueante caminaba más rápido que ellas. Avanzaron deprisa por entre las casas despobladas hasta llegar a los muros del castillo.

Ante ellas se alzaba una muralla impresionante, construida con grandes bloques de piedra que brillaban congelados. Numerosos estandartes de color pardo y púrpura colgaban sin moverse, rígidos como planchas de metal, y desde las almenas varias figuras envueltas en montañas de abrigos hicieron sonar cuernos a su llegada.

Las verjas oxidadas de un rastrillo se levantaron lentamente, chirriando de una forma horrible, y entonces cruzaron enormes puertas tachonadas, adornadas con distintos escudos con hachas y espadas, llenos de escarcha. En el patio de armas, completamente desierto, estacas de madera con calaveras de animales se clavaban en la nieve, y al frente, el edificio principal del castillo blanco y macizo, sin apenas ventanas, les daba una tétrica bienvenida.

Salieron a recibirles dos nemhiries cubiertos de pieles que parecían osos polares, y al atravesar las puertas, una bofetada de calor les cruzó la cara.

Laila miró a todos lados con temor y curiosidad. Numerosas antorchas iluminaban un recibidor lóbrego que sin duda había visto tiempos mejores. Espadas y lanzas entrecruzadas en las paredes y algunas armaduras, formaban la escasa decoración. Tan sólo un jarrón lleno de edelweiss daba un toque inusual a aquel ambiente opresivo. Al frente, una enorme puerta doble con un dragón negro tallado sobre la madera; y a ambos lados,

dos grandes escalinatas de piedra partían hacia las dependencias superiores.

Äüstru tomó la iniciativa y abrió de par en par las puertas partiendo al dragón en dos. Pasaron a un amplio salón decorado nuevamente con armas, estandartes, escudos y antorchas ardientes, y tras una larga mesa llena de copas y platos, una enorme chimenea brillaba con un fuego de pesadilla. Al lado, como si no le afectase el calor en absoluto, un personaje oculto bajo varias capas de pieles se sentaba en un alto sillón mirando las llamas con indiferencia.

—Äüstru —habló con una voz ronca y distante—, mi buen Äüstru. Espero por tu bien que traigas buenas noticias.

El personaje se puso en pie y fue como si se levantase una montaña. Largas barbas de color violeta oscuro cayeron hasta la cintura y miró a las cuatro desconocidas y después a su lugarteniente con franca curiosidad.

—Muy buenas noticias, milord —contestó Äüstru haciendo una reverencia—. Yo diría que ha sido un golpe de suerte.

—¿Cuatro shilayas delgaduchas son un golpe de suerte? —tronó Lord Vardarac bajo una manta de pieles de lobos y osos que le colgaban desde la cabeza hasta los pies—. ¿Es que acaso crees que tengo interés en formar un harén?

Aunque parecía una pregunta jocosa, en el tono de voz del Señor del Norte se notaba un tinte de amenaza mal disimulado, y Äüstru se agachó aún más. Luego se incorporó con cuidado y agarró a Nimphia, atrayéndola hacia sí. La chica gritó aterrorizada.

—¡La hija de Zephira! —anunció, enseñando los dientes con una sonrisa cruel.

Lord Vardarac observó a Nimphia con un brillo de interés.

—Bien, bien —aprobó complacido—. ¿Y las otras? No parecen muy útiles ni para cocinar.

—Esta solarïe de aquí —señaló a Cyinder sonriendo—, es

capaz de hacer oro a manos llenas. Y estas otras dos deben ser importantes. Dudo que la hija de Zephira viaje en compañía del vulgar populacho, mi señor.

Laila se estremeció. Äüstru no tenía ni un pelo de tonto.

—¿Y qué habéis hecho con el traidor? —Lord Vardarac, de espaldas a la chimenea, se había cruzado de brazos, y toda su figura permanecía envuelta en sombras.

Äüstru rió.

—Su alteza se ha convertido en oro por un misterioso maleficio. Lo hemos traído junto a Sirbes, que también ha caído en la cruenta lucha.

Vardarac permaneció pensativo y Laila miró a su lugarteniente con desagrado.

—Está bien —dijo por fin el Señor del Norte—. ¿Dices que esta solarïe hace oro? Pues ponedla a trabajar enseguida. La nemhirie y la lunarïe a las cocinas. Fundiremos a su alteza y nos recuperaremos de las pérdidas que nos ha causado el Pimpollo. Luego negociaremos con Zephira el rescate por su preciosa hija... si es que la quiere volver a ver de una pieza.

—¡No! ¡Por favor! —suplicó Nimphia—. ¡Mi tío Zërh, no! Pedid lo que queráis, mi madre os lo dará.

—Por supuesto que nos lo dará, preciosa, pero por tu pellejo. Tu tío ya no nos interesa como rehén. ¡Buen trabajo, Äüstru! —se dirigió a su lugarteniente—. Yo lo hubiese hecho mejor, desde luego. Está claro que era demasiado fácil. Aún así, estoy orgulloso.

El aludido enfrió su mirada, pero nada en su rostro demostró el menor signo de enfado o de humillación.

—¿Qué hacemos con ellas, mi señor? —preguntó por fin.

—Daremos un banquete en honor a esta victoria. La princesa cenará con nosotros. La hospitalidad de la Casa del Norte es legendaria y nadie podrá acusarnos de ser malos anfitriones con tan prestigiosa invitada —rió entre dientes—. ¡Llamad a los hermanos del Norte y preparadlo todo!

Los nemhiries las agarraron por los brazos, pero antes de que ninguna pudiese impedirlo, Cyinder se desembarazó de su captor y dijo con orgullo:

—¡Nadie trata de esta manera a la princesa de Solarïe! Bajo ningún concepto permaneceré prisionera de un pir... ¡Ay! —exclamó al sentir que el codo de Aurige se le hundía en las costillas.

Lord Vardarac la miró con ojos de sorpresa y una amplia sonrisa que dejó al descubierto sus grandes dientes torcidos.

—La princesa de Solarïe —repitió con satisfacción—. Esto se pone mejor a cada segundo. ¿Y vosotras? —se volvió a Laila y a Aurige, rápido como una serpiente.

—Somos simples sirvientas —contestó Aurige al momento, haciendo una reverencia que intentaba parecer temblorosa y asustada.

Lord Vardarac se acarició la barba, calculando pensativo.

—Por supuesto, por supuesto —dijo por fin—. Bien. Llevad a las princesas y a sus... «damas de compañía» a las habitaciones de invitados. Esta noche cenareis todas con nosotros. ¡Äüstru, que se laven bien! ¡Huelen a malditas rosas de pitiminí!

El grupo de nemhiries las empujó hacia la salida amenazándolas con hachas y cuchillos.

—Diablo, averigua quienes son esas «simples sirvientas» —escucharon que decía Lord Vardarac antes de que las puertas se cerrasen tras ellas.

Aurige apretó los puños con rabia mientras subían por las escaleras de piedra. Äüstru condujo la marcha a través de un pasillo oscuro iluminado con escasas antorchas, lleno de habitaciones cerradas, hasta una gran estancia donde las obligaron a entrar.

—Lavaos y vestíos decentemente, o lo haremos nosotros —rió desde la puerta antes de cerrarla de golpe.

Echaron las cerraduras y todas escucharon el correr de cadenas y el cierre de candados. Cuando los pasos se alejaron Aurige corrió hacia la puerta e inspeccionó las planchas de maderas. Nimphia se sentó pesadamente sobre el suelo de piedra y se cubrió la cara con las manos.

—Los nemhiries han vuelto a poner cadenas y candados de hierro —les informó la lunarïe—, pero si nos alejamos de ellos lo suficiente podremos hacer una puerta y escapar como cuando huimos de Solarïe…

—No me importa —cortó Nimphia levantando la mirada con los ojos llenos de lágrimas—. No pienso huir y dejar aquí a mi tío.

Cyinder se sentó junto a ella y le pasó un brazo por los hombros. Laila se mordió una uña nerviosamente y se dedicó a curiosear por la habitación tratando de olvidar su propia angustia. Mientras Aurige se dedicaba a regañar a Cyinder por lo del oro y lo de haber descubierto su condición de princesa a los piratas, ella recorrió el gran dormitorio caminando sobre las alfombras de pieles que tapizaban los suelos.

Bajo su punto de vista, la estancia no era más que una gran cámara de tortura: un triste camastro de mantas raídas, arrinconado bajo una rendija en las piedras que hacía las veces de ventana, y paredes desnudas con algunas pieles de oso colgando bajo las llamas de las antorchas. Una corriente de aire helado silbaba continuamente y algunos copos de nieve conseguían colarse desde el exterior, haciendo que el ambiente fuese frío y desapacible. Al lado de la cama solo había un armario, el cual abrió, pero que tuvo que cerrar de inmediato por la horrible peste a pieles curtidas que se amontonaban en su interior.

Volvió junto a las otras, abatida. Ninguna hablaba y Cyinder estaba roja como un tomate tras el enfado de la lunarïe. Verdaderamente no había sido muy sabio por su parte revelar que era la princesa de Solarïe. Ahora su vida también estaba en peligro y pronto las de todas, porque sin duda el astuto Diablo averiguaría en poco tiempo quién era Aurige. Sólo Laila se salvaba de aquello, pero por otro lado, al no ser valiosa como sus amigas, a los piratas no les importaría deshacerse de ella sin compasión.

Vagueó la mirada intentando animar a sus compañeras de cualquier forma. Su mano se aferró a su medallón de los ithirïes, pero sus ojos se fijaron en la pulsera de araña de la lunarïe, que sobresalía y brillaba por debajo de los abrigos de pieles.

—¿Por qué no abres el mensaje de tu madre ahora, Aurige? —dijo con una pequeña corazonada—. Estamos bastante seguras y no sabemos qué nos puede ocurrir mañana, o dentro de unas horas. Dudo que haya ningún espía por aquí. Estamos en el rincón más perdido del infierno.

Cyinder la miró con un brillo de interés y hasta Nimphia dejó de llorar y levantó la cabeza. La lunarïe pareció que iba a negarse pero al final asintió. Se arremangó las pieles y la pulsera destelló misteriosamente bajo la luz danzante. Aurige rozó el dorso de plata y de pronto la joya pareció cobrar vida. Se estremeció extendiendo las patas lentamente y luego se descolgó de la muñeca hasta el suelo.

Todas la observaban sin pestañear mientras la araña trepaba por las paredes de piedra hasta llegar a una esquina del techo. Entonces comenzó a tejer una gran telaraña a velocidad vertiginosa, llena de celdillas cada vez más intrincadas, como un enorme laberinto de hilos. Cuando terminó, se colocó en el centro de la tela sin moverse.

—¿Y ahora, qué? —susurró Cyinder con los ojos muy abiertos.

Aurige miraba a la araña fijamente, como tomando una decisión.

—¡Revela el secreto de Lunarïe, araña! —exclamó por fin con tono imperativo.

El animal se frotó las patas delanteras y luego comenzó a

caminar por las celdillas, primero con lentitud y entonces cada vez más rápido, tejiendo hilos que brillaban sobre la tela. Rellenaba algunas celdillas y otras permanecían vacías. Cuando por fin se detuvo, desde abajo se podía ver perfectamente el dibujo de un ojo redondo.

—El Ojo de la Muerte —explicó Aurige en voz alta—. El objeto sagrado de Lunarïe. ¿Qué pasa con él?

La araña no se movió.

—¡Y si lo han robado también! —exclamó Cyinder con súbito terror—. Si lo que dice Tritia sobre el Agua de la Vida es verdad… ¡Sería el tercer objeto robado!

—Imposible —negó Aurige poniendo cara de superioridad—. Nadie se atrevería a algo así. Mi madre no permitiría jamás un fallo como ese.

—Ah, y mi madre sí, ¿verdad? —se enfadó la rubia.

—No empecemos otra vez —cortó Laila rápidamente—. Aurige, pregunta al bicho ese si han robado el objeto de Lunarïe y acabemos con las peleas. Solo nos faltaba perder el tiempo. Los piratas pueden aparecer en cualquier momento.

—Tienes razón —suspiró Cyinder.

Aurige obedeció de mala gana e hizo la pregunta en voz alta, pero la araña no se movió ni una celdilla. El dibujo del ojo fue desapareciendo poco a poco y la lunarïe permaneció pensativa unos segundos.

—¿Dónde está el Ojo de la Muerte? —preguntó por fin.

Entonces la araña sí se puso en movimiento. Con gran rapidez volvió a tejer celdillas sobre celdillas formando gruesos trazos brillantes. Al terminar, cinco esferas de seda blanca y resplandeciente formaban un arco perfecto.

—¡En Solarïe! —gritó la rubia tapándose la boca con las manos.

—¡No puede ser! —exclamó Aurige con los ojos que parecía que iban a salirse de sus órbitas—. Es… es imposible.

Se derrumbó sobre la alfombra de pieles incapaz de articular palabra. Por un momento Cyinder la miró como si hubiese ganado una pequeña victoria, pero como era incapaz de guardar rencor ni un segundo, en seguida se sentó junto a ella cogiéndole una mano.

—Espera, pensemos —trató de apaciguar Nimphia, que intentaba parecer animada—. Quizás no sea un hecho tan importante. Tampoco es tan grave, y te comportas como si hubiese ocurrido una tragedia. Probablemente, cuando robaron las Arenas de Solarïe, tu madre pensó que el Ojo de la Muerte podía estar en peligro y quiso esconderlo.

—Claro, eso ha sido —corroboró Laila al momento.

—¿Y lo escondió en Solarïe? —ironizó Aurige—. ¿En un reino que se estaba muriendo bajo la amenaza de desaparecer si los soles se estrellaban?

Laila se mordió los labios. Aurige tenía razón. Además había otra cosa, algo más que Titania había dicho…

—Bueno, ten en cuenta que Titania fue la que más insistió en que Solarïe debía ser salvado incluso a costa de la vida de mi madre —dijo Cyinder con voz tirante.

Durante unos segundos ninguna habló.

—De acuerdo, Cyinder, mi madre es una arpía, nunca lo he negado —contestó Aurige—. Pero deja de echarme las cosas en cara como si yo fuese ella. No sé qué trama ni por qué quiere que ahora conozca este secreto, pero una cosa es segura: ella escondió el Ojo de la Muerte en Solarïe antes de que las Arenas fuesen robadas.

Nimphia abrió la boca, incrédula.

—Pero, ¿por qué? —preguntó en un susurro.

—No lo sé. No sé cual es su juego. Pero desde luego, si Geminia o Bernicatte se enterasen de esto… Sería el fin de mi madre como reina de Lunarïe.

—¿¡Qué!? —exclamó Laila—. No puede ser para tanto. Sólo

tiene que explicar sus motivos y punto. Es más, no tendría que darles ni siquiera explicaciones, siendo la reina.

—Bueno, está claro que no conoces Lunarïe —rió Aurige con amargura—. Secretos y conspiraciones están a la orden del día. Geminia es una gata con las zarpas muy afiladas. Si reclamase la presencia del Ojo de la Muerte y mi madre no pudiese, o no quisiese, explicar su desaparición, esto sería puesto en conocimiento de Maeve de inmediato.

Todas empezaron a comprender.

—Aún así es la reina —insistió Nimphia.

—¿Qué es el Ojo de la Muerte? —preguntó Cyinder.

—No lo sé muy bien —suspiró Aurige—. Mi madre jamás habla de él. Sólo en una ocasión lo mencionó, pero no presté mucha atención. Al parecer quien lo posea puede controlar el tiempo, saber el futuro, alterarlo, y creo que incluso matar en el tiempo.

—¡Matar en el tiempo! —se asombró Laila—. Es decir, ¿que hoy se podría hacer que alguien muriese dentro de un mes?

—Peor. Se podría hacer que alguien con quien has hablado hoy, muriese hace un mes. Se alteraría el futuro. Todo cambiaría…

La muchacha tragó saliva.

—Con las Arenas de Solarïe y el Agua de la Vida robadas, si mi madre ha escondido el Ojo por algún motivo secreto que no quiere explicar, lo primero que van a pensar es que ella tiene algo que ver con los robos. Aunque sea la reina, sería considerada alta traición y Lunarïe caería en las garras del Reino Blanco.

—Eso es demasiado retorcido para ser cierto —negó Nimphia, horrorizada.

Por el rabillo del ojo, Laila vio que la araña volvía a moverse. Los soles tejidos habían desaparecido hacía tiempo y ahora estaba trazando otra vez el dibujo de una esfera con una pupila.

Después hiló una estela plateada y una gran circunferencia que llenó de seda blanca.

—Mi madre quiere que devolvamos el objeto a Lunarïe —comprendió Aurige.

—Claro, así puede ocultar el por qué lo escondió, y además librarse de las sospechas del robo de los otros objetos —dijo Cyinder.

Aurige puso cara de enfado.

—¡Y por qué! —se ensañó en su frustración con la pobre araña—. ¿Por qué lo escondió en Solarïe y no va ella a buscarlo? ¿Qué es lo que está tramando?

La araña no se movió y ella se encerró en un mutismo exagerado.

—Hay una cosa que no me quedó muy clara —dijo Laila entonces, con la vista prendida en el dibujo de la luna. Se esforzó por recordar mientras las demás permanecían en silencio—. ¿Hay más de un Ojo de la Muerte? La reina Titania dijo que tras el robo del objeto de Acuarïe, ella debía velar por «los Ojos de la Muerte». Lo dijo en plural.

—Y eso qué importa —contestó Aurige—. Quizás escuchaste mal, o ella lo dijo mal. Da igual.

Laila asintió sin estar muy convencida. No quería insistir. Su amiga lunarïe estaba demasiado enfadada.

—¡Vienen hacia aquí! —dijo Nimphia en ese momento mirando hacia la entrada del dormitorio.

Todas se sobresaltaron y la araña bajó rápidamente hasta la muñeca de Aurige, donde se convirtió de nuevo en una pulsera de plata. La telaraña desapareció. Se alejaron de la puerta escuchando los pasos y risotadas de un grupo de hombres que se acercaban, y se miraron entre ellas descubriendo con horror que ni se habían aseado ni se habían vestido tal y como se les ordenó. Aunque… ¿con qué? ¿Con pieles apestosas de un armario putrefacto?

—¡Van a vestirnos ellos! —chilló Cyinder aterrorizada.

—¡Ni hablar! —exclamó Aurige—. ¡A mí no me toca nadie!

Y chasqueó los dedos en el aire. Todo se llenó de chispitas brillantes y Laila abrió la boca asombrada. Los uniformes del colegio y las capas de pieles habían desaparecido y todas vestían suntuosos trajes de gasa adornados con joyas.

—¿Pero qué haces? —exclamó Cyinder, atónita, tiritando de frío.

Nimphia le dio un codazo pero ya no hubo tiempo para responder. Escucharon cómo retiraban las cadenas y abrían los candados, y segundos después, el grupo de nemhiries al frente de Äüstru acallaba de golpe las risotadas, al verlas a las cuatro llenas de sedas y piedras preciosas.

—¡Por la Vieja Boreus! —silbó el pirata con ojos brillantes.

—Sí, sí, lo que sea —contestó Aurige, altanera—. Pero vamos rápido. Tengo mucha hambre.

Y pasó entre ellos con la cabeza muy alta. La falda de su vestido negro cuajado de diamantes, apenas cabía por la puerta. Los hombres se apartaron a su paso, llenos de asombro, y las otras la siguieron deprisa con la cabeza agachada.

—Podías haber hecho unos abrigos —le cuchicheó Cyinder, frotándose las mangas transparentes de un vestido de oro que parecía un merengue, mientras ella bajaba las escaleras a toda prisa.

Entraron al gran salón y Laila agradeció con toda su alma el calor que despedía aquella gigantesca chimenea. Llevaba un vestido verdoso, de gasas, esmeraldas y escamas de serpiente, que sin saber por qué, le pareció muy apropiado. A pesar del fuego que crepitaba como si se estuviese quemando un bosque entero, tenía las manos azuladas.

El gran salón estaba lleno de gente. Grupos de piratas, enfundados en tres o cuatro abrigos de pieles que les daban un aspecto enorme y grotesco, charlaban y reían llenando la estancia de gritos ensordecedores. La mayoría llevaba gruesas cadenas de oro encima de aquellos abrigos, grandes anillos en los dedos y broches en los sombreros rusos. Casi todos lucían barbas de color violeta, largas y despeinadas, como si se esforzasen en parecer rudos y feroces. Si llevaban sables y espadas, estaban bien ocultas bajo las montañas de pieles.

El silfo Shamal deambulaba entre ellos, y aparecía aquí y allá como una sombra fugaz. De inmediato volvía al lado de Lord Vardarac y le susurraba cosas al oído. El Señor del Norte levantó la cabeza en cuanto entraron, y al momento se puso en pie e hizo una reverencia burlona.

—Altezas —exclamó mirando a Cyinder y a Nimphia—. Nos honráis con vuestras presencias.

La sala entera rió aquella supuesta broma y las cuatro fueron empujadas hacia las toscas sillas de madera dispuestas alrededor de la enorme mesa de banquetes. Cada una fue llevada a un extremo y Laila tuvo que sentarse entre dos señores piratas cuyos rostros quedaban ocultos bajo, al menos, tres capas de pieles de lobo que apestaban a mil demonios. El olor era tan fuerte que la muchacha luchó desesperadamente por contener las arcadas.

Sus amigas tampoco las tenían todas consigo. Cyinder y Nimphia habían sido obligadas a sentarse junto a Lord Vardarac, y Aurige, aunque permanecía fría y distante, tuvo que darle un manotazo a un pirata que intentó tocar la runa de oro de su cuello.

Las risotadas y la algarabía fueron silenciándose poco a poco, y Lord Vardarac se puso en pie, mientras Äüstru, tras él, reclamaba silencio con la mirada.

—¡Hermanos del Norte! —tronó la voz del Señor de los Vientos—. ¡Caballeros! Grata es vuestra presencia, vosotros, que habéis acudido tan rápido a mi llamada. Vosotros, cuya lealtad no conoce límites…

Laila notó que algunos de aquellos leales caballeros se removían inquietos.

—La lealtad es algo muy importante —seguía Lord Vardarac, que parecía no haberse dado cuenta de aquel desasosiego—. La lealtad es la distinción de la Casa del Norte. Nuestro honor y nuestro orgullo. No como esos afeminados del Este, o las mujerzuelas de Notos. ¡No! ¡Valor, sangre, muerte! Incluso en tiempos de penuria, esa es la Casa del Norte —paseó la mirada por todos ellos—. ¡Y ahora, queridos camaradas, vuestra lealtad va a ser premiada con creces!

Muchos asintieron y rumores de aprobación recorrieron la mesa. Varios nemhiries entraron con bandejas llenas de comida y grandes jarras de licores, vino y cerveza dulce. Inmediatamente comenzaron a servir las bebidas en los toscos cálices de metal, y los platos con aves y lechones cubiertos de azúcar y caramelo llenaron la mesa.

—¡Qué despilfarro! —gritó uno de los piratas sentados junto a Laila, dando un puñetazo en la mesa.

La sala enmudeció de golpe y todos miraron al caballero con desaprobación y tristeza. Parecía que acababa de firmar su sentencia de muerte.

—¿Despilfarro dices, Lord Roddïcus? —se asombró Lord Vardarac levantando las cejas—. ¿Acaso la Casa del Norte no puede permitirse celebrar grandes victorias? Quizás debería aumentar las tasas de las islas exteriores. Creo que en Hokuka, precisamente bajo vuestro dominio, los impuestos no se pagan con rigurosa puntualidad… ¡Diablo, trae las listas de impuestos!

El pirata enclenque de la tripulación de Äüstru salió como un rayo mientras el tal Lord Roddïcus contenía la respiración. Dio un trago a su copa de licor y aquello pareció envalentonarle.

—¿Grandes victorias dices, Vardarac? —dijo mientras algunos asentían dándole la razón—. Nuestros barcos caen en la ruina y el viento y el frío desvencijan flotas enteras, abandonadas a la intemperie —le señaló con el dedo—. ¿Dónde están esas grandes batallas? El Pimpollo nos gana terreno mientras nuestra bravura se queda en historias de salón. ¡La Casa del Este ha cosechado más victorias en un mes que nosotros en siglos!... Hokuka paga sus impuestos, desde luego. ¡Pero no para ser gastados en comida y ailorïas! —golpeó de nuevo con furia.

Volvió a beber de su copa y miró a sus compañeros buscando la aprobación general. Laila presentía que aquello tenía pinta de motín y se arrebujó en su vestido de piel de serpiente mirando fijamente a Lord Vardarac.

El Señor del Norte sin embargo no pareció entrar en aquel juego. Bebió de su cáliz, pero de repente, con sus propias manos lo estrujó reduciéndolo a un amasijo informe. Sacó una daga curva de dentro de sus abrigos y se puso a limpiarse las uñas allí mismo.

—No vuelvas a faltar el respeto a nuestras invitadas, Roddïcus —advirtió sin perder la calma—. La hija de Zephira y la hija de la reina de Solarïe, quien quiera que sea, no son ailorïas para tu diversión. Se merecen el mayor de nuestros recibimientos.

—¿Estas shilayas remilgadas? —repitió el otro, asombrado, mirando a Nimphia con más atención.

—Como ves, mi buen amigo —sonrió el Señor del Norte con ojos helados—, es una gran victoria. Hoy nos escondemos en tierras inhóspitas, en el confín de Airïe. ¡Mañana, toda Silveria será nuestra! ¡Y Solarïe también!

Cyinder se sobresaltó, pero antes de poder ponerse en pie para replicar, Aurige le lanzó una mirada intensa. Nimphia, al otro lado de Lord Vardarac, permanecía rígida, sin decir una palabra.

—Soy un señor justo y compasivo —decía Vardarac en ese momento—. Seré un buen rey de Airïe, ¿eh? —y le dio un codazo a la muchacha guiñándole un ojo.

Nimphia dio un pequeño gritito derramando su copa y la sala entera se echó a reír. De nuevo entraron los nemhiries llenando los cálices de todos. Mientras la algarabía regresaba, Laila se fijó en el silfo. Iba y venía por entre los comensales tratando de alcanzar un trozo de pan o un muslo de ave, y no recibía más que golpes y manotazos.

Su cara blanquecina y demacrada, con los cabellos níveos apelmazados, le daba un aspecto de culebra enfermiza. Cuando ella le dio a escondidas un trozo de algo que parecía un pavo real asado, el silfo sonrió agradecido, enseñando sus dientes puntiagudos.

Su figura voló junto a Vardarac y luego miró a Laila intensamente, requiriendo su atención. Movió los ojos hacia el Señor del Norte, que seguía con su discurso lleno de exaltaciones, haciendo un gesto minúsculo para que la muchacha se fijase en su cuello.

A través de las copas levantadas y los brindis, Laila observó las montañas de abrigos y los grandes eslabones de oro que lucía el Señor de los Vientos sobre las barbas. Por debajo de todo aquello había un fino cordón deshilachado del que pendía un pequeño rollo de tela. Cuando fue a confirmarlo con Shamal, el silfo ya había volado hacia un nemhirie que llevaba una bandeja llena de carne grasienta.

Volvió a mirar el cuello de Lord Vardarac. Eso era. ¡Allí estaba! ¡El mapa del tesoro de los ithirïes! Al alcance de su mano, pero tan lejos como la luna de la Tierra.

—¡Brindemos, hermanos del Norte! —exclamaba Vardarac en ese momento, levantando su copa—. Apuremos la última cosecha de licor de bayas de la tarde. Lo mejor de las islas Dilaï para un día glorioso.

—¡Por la Casa del Norte! —coreó Äüstru haciendo que todos se pusieran de pie.

Bebieron de golpe y tiraron las copas al aire entre gritos de victoria. El licor salpicó la mesa llenándola de manchas rojas como la sangre. Se hizo el silencio mientras todos paladeaban y de pronto Lord Roddïcus empezó a toser y a jadear.

—¿No te gustan las bayas de la tarde, Roddïcus? —comentó Lord Vardarac, jocoso—. ¿Se te han atragantado?

Pero el pirata se asfixiaba, jadeando y dándose golpes en el pecho delante de todos, haciendo esfuerzos por inspirar una bocanada de aire. Se agarró al filo de la mesa mirando al Señor de los Vientos con ojos desorbitados y Laila, aterrada, se apartó de su lado.

Todos se habían quedado rígidos como estatuas mientras el pirata se debatía entre gorgoteos y gruñidos. Al final gimió un estertor agónico y cayó al suelo. El silencio fue tal que parecía poder cortarse con un cuchillo y muchos de aquellos caballeros se llevaron las manos a cintos y pertrechos bajo los abrigos.

—Esas bayas son mortales —chasqueó la lengua el Señor del Norte, cogiendo un muslo de ave cubierto de gelatina de azúcar.

—Explica esto, Vardarac —exigió otro pirata con abrigos y pieles de color negro, sin dejar de mirar a su camarada muerto.

—¿Explicar qué? Además es una pena que Hokuka y sus islas no tengan dueño ahora —comentó el otro, como quien no quiere la cosa—. Había pensado precisamente en ti, Lord Kades, para hacerte cargo de ellas. Siempre has sido un adulador rastrero, pero algún día iba a llegar tu recompensa.

El pirata se quedó sin habla un momento y luego hizo una enorme reverencia.

—Será un honor para mí, Lord Vardarac —dijo tragando saliva.

A su lado, muchos otros hermanos del Norte se revolvieron inquietos. Un grupo de nemhiries acudió para hacerse cargo del desgraciado Lord Roddïcus.

—Arrojadlo al pozo de las alimañas —ordenó Diablo, que llegaba en ese momento con un grueso libro encuadernado en piel, con incrustaciones de oro.

Todos volvieron a las risas y al bullicio de la comida como si no hubiese ocurrido nada, mientras Lord Vardarac echaba un vistazo a las páginas de aquel tomo. Ellas cuatro permanecían rígidas y mudas, con las caras aterrorizadas ante lo que acababan de presenciar, y desde luego ninguna volvió a probar bocado o a beber de aquel licor de bayas.

De todas, la que peor lo estaba pasando era Nimphia, pues el Señor del Norte se dirigía a ella de vez en cuando para hacerle un comentario jocoso o contarle una historia brutal. Ella no abría la boca, y evitaba mirarle a cualquier precio, pero sus manos se crispaban sobre las sedas de sus vestidos, y Laila supo que estaba aguantando todo aquello con el único propósito de intentar llegar a un acuerdo para salvar a su tío.

Llegó un grupo de hombres con flautas, timbales y laúdes, y comenzaron a tocar mientras los esclavos servían platos de crema y frutas. Un pirata empezó a cantar una gloriosa batalla contra los vientos y todos se unieron formando un griterío espantoso. Todos menos Lord Vardarac, que estaba muy atento a las páginas del libro, y Laila, que no le quitaba ojo al trozo de tela colgando de su cuello.

—Mmm —gruñó él, levantando la vista mientras se hacía el silencio—. Quizás me he equivocado contigo, Kades —el aludido contuvo la respiración—. Llevas lustros sin contribuir a nuestra gloriosa causa. Aquí dice que tus islas de Sunwanda no han enviado ni una miserable piel de lobo con la que abrigar a tus camaradas.

—Eso es una infamia, majestad —gritó el otro con voz chillona—. Mis tierras producen tanto o más que las de ese ladrón de Roddïcus.

Varios de los antiguos hombres del recién fallecido se pusieron de pie a la vez. Y de todos lados surgieron dagas y machetes.

—¡Entonces eres tú el que está robando! —gritó uno de ellos—. ¡Como tu amigo, el bastardo de Hennuï, que vende las pieles a cambio de shilayas!

El tal Lord Hennuï se atragantó con la cuchara llena de crema en la boca. Y al momento se puso en pie, rojo de ira, mientras sus hombres dejaban a la vista espadones y cuchillos bajo los abrigos.

La sala entera pareció exaltarse y de pronto todo el mundo estaba armado hasta los dientes, vociferando amenazas mientras algunos lugartenientes llegaban a las manos entrechocando cuchillos. Laila se levantó de la silla y se movió despacio hacia Aurige tratando de pasar desapercibida. La lunarïe parecía haber tenido la misma idea y le hacía señas a Cyinder hacia la puerta de salida.

A pesar de la trifulca que había estallado, el Señor del Norte notó que la muchacha solarïe se ponía de pie, probablemente por tanta masa reluciente de vestido en movimiento, y rápidamente agarró a Nimphia de los cabellos y le puso un cuchillo en la garganta.

—De aquí no sale nadie, señoritas —exclamó enseñando los dientes.

Cyinder y Aurige no se movieron y el salón era ya una batalla campal. Sillas que volaban para estrellarse y hacerse añicos, gritos, golpes y puñetazos, y piratas que luchaban cuerpo a cuerpo tirándolo todo abajo, rompiendo platos y cristales en un caos de espadas y sangre.

—¡Se van a matar todos! —gimió Laila, desesperada.

Y en ese momento, por encima del griterío, comenzaron a sonar cuernos roncos, uno tras otro, llenando el ambiente como en sus pesadillas de los ithirïes.

El salón enmudeció de golpe y todos miraron hacia las puertas cerradas. El bramido profundo de los cientos de cuernos seguía martilleando el aire y, entonces, las puertas se abrieron y un nemhirie lleno de abrigos cubiertos de nieve entró jadeando a la carrera.

—¡El Pimpollo! —gritó por encima del espantoso retumbo—. ¡El Pimpollo está a las puertas de Benthu!

11. Batalla naval

La trifulca cesó tan bruscamente como había empezado y el salón entero pareció convertirse en un museo de estatuas de cera.

Aunque el sonido de los cuernos seguía sobrecargando el ambiente, pareció que a nadie le molestaba. Todos aquellos caballeros, hermanos y camaradas piratas que habían estado dándose puñetazos, estocadas mortales, partiéndose botellas en las cabezas y lanzando cuchillos segundos antes, miraron al nemhirie al unísono, y después a Lord Vardarac, con los ojos abiertos como platos.

—¡El Pimpollo, aquí! —gritó Äüstru por encima del retumbo.

—¡Qué osadía! —añadió otro.

—¡Una vergüenza! —exclamaba Lord Kades junto a los mismos que minutos antes estaban a punto de degollarlo.

Lord Vardarac se puso en pie mirando a todos y cada uno de sus invitados.

—¡Ese gallo emplumado ha cometido un gran error! —tronó—. ¡Nadie desafía a la Casa del Norte sin pagar las consecuencias!

Y rió con voz estridente, demasiado forzada. Sin embargo la sala se llenó de carcajadas violentas y gritos de guerra, y todos los caballeros se recompusieron los abrigos, colocándose gorros y joyas sobre las cabezas de pelos enmarañados.

—¡Dejadle pasar! —gritó Äüstru al nemhirie—. ¡Abrid las Puertas de Benthu!

El Señor del Norte avanzó al galope hacia la salida del castillo seguido de los demás, como una avalancha de osos a la carrera, hasta que el salón quedó desierto. Laila miró a sus amigas: los ojos de Aurige brillaban de interés y se dispuso a seguir a la comitiva, pero Cyinder y Nimphia se quedaron inmóviles.

—¡Vamos! —las animó la lunarïe intentando correr tras los piratas con su traje sedoso lleno de diamantes.

—¡No, Aurige, ahora es el momento de escapar! —exclamó Nimphia, nerviosa—. Busquemos a mi tío y huyamos en cualquiera de los barcos que hay en el muelle. Están abriendo las puertas de hielo y van a entrar en batalla. Es la ocasión perfecta.

Aurige puso los ojos en blanco.

—¿Y se puede saber cómo vamos a mover un armatoste de esos entre las cuatro? —se enfureció—. Luchando contra el frío, sin velas, sin viento... —se miró el vestido y se alisó las faldas—. Y además estropearía mi precioso traje de fiesta.

—Pues hacemos el portal ese que querías, y antes de que se den cuenta, estaremos lejos y a salvo con tu tío —replicó Cyinder.

—¿Y qué pasa con el mapa del tesoro de los ithirïes? —protestó Laila—. Lord Vardarac lo lleva al cuello y todas sabemos que podrían ser las Piedras de Firïe.

Aurige asintió con la cabeza exageradamente. Chasqueó los dedos y de repente las sedas y los diamantes desaparecieron transformándose en gruesos pantalones, largos abrigos y capas de pieles. Nimphia apretó los labios y Cyinder se apresuró a cambiar su propio vestido de oro por otras ropas igual de cómodas que las de la lunarïe. Después hizo lo propio con las de Laila, que sonrió agradecida intentando controlar el temblor de sus manos. Entonces todas miraron a Nimphia, esperando su decisión. La airïe tardó un momento, pero al final sonrió.

—Quiero escapar con mi tío —dijo con los labios azulados de frío—, pero parece que si no voy con vosotras, sois capaces de dejarme así, vestida de shilaya...

—¿Vestida de shilaya? —inquirió Aurige, extrañada—. ¡Pero si es un vestido precioso!

Nimphia cerró la boca, y Cyinder y Laila se miraron un segundo sin que la lunarïe se percatase. Definitivamente algo le estaba ocurriendo por culpa de aquella runa de oro. Y ni siquiera se daba cuenta.

—Bueno, tengo frío —contestó Nimphia cambiando las faldas y las gasas por abrigos y jerséis—. ¡Vamos!

—¡Pfff! ¡Shilayas, qué tontería! —repitió Aurige, altanera, apresurándose hacia el vestíbulo.

El gran patio estaba desierto, y un torrente de huellas en la nieve cruzaba por entre las estacas de calaveras, y seguía más allá del rastrillo hacia el poblado de casas en el exterior. La ventisca había amainado, pero el frío helado cortaba como un cuchillo.

El grupo de caballeros piratas bajaba por la pendiente a gran velocidad. Se diría que estaban ansiosos por enfrentarse a sus rivales, y corrían como una marabunta peluda, lanzando gritos a diestro y siniestro.

«Esas son las gráciles y delicadas hadas del aire» —pensó Laila, notando que la mandíbula le temblaba de risa.

Al llegar a las dársenas se detuvieron casi al borde del iceberg, apostadas tras Vardarac, y aguardaron expectantes, mirando hacia el horizonte.

Por fin apareció un punto en la lejanía, y el punto se convirtió en tres, luego en cinco, diez, quince barcos que fueron agrandándose conforme se acercaban, hasta que apareció ante sus ojos una flota que hizo que Laila abriese la boca de incredulidad.

Todos eran blancos, finos y delicados como la espuma, pero el casco del más grande parecía el cuerpo de un enorme cisne, y aunque las velas estaban recogidas, parecía que desplegaba alas de plumas. En el castillo de popa, un gran abanico de pavo real brillaba bajo la luz del atardecer despidiendo destellos de colores, cabezas de querubines dorados adornaban los barandales y bajo el casco, cintas de color azul colgaban congeladas en lugar de ondear como la estela de un ave del paraíso. En definitiva, era el barco más cursi y hortera que jamás se había visto.

El bajel avanzaba majestuoso escoltado por los otros, y de pronto, aunque no había nadie asomado a la cubierta, ni aquel barco sugería remotamente una amenaza, algo inquietante las asaltó a todas…

¡El olor! Un tufo dulzón a rosas y violetas inundó sus fosas nasales como si hubiesen recibido una bofetada, y se incrustaba en el cerebro haciendo que, de pronto, el olor del Norte pareciese encantador.

Muchos piratas hicieron sonidos y arcadas como si fuesen a vomitar, gruñendo con asco. Lord Vardarac arrugó la nariz y, sin pensárselo dos veces, gritó hacia la cubierta de aquel cisne gigantesco.

—¡Pimpollo! ¡Sal de esa madriguera, apestoso bastardo! ¡Enseña la cara si eres hombre!

—O hada —susurró Laila en voz baja.

Nimphia se rió. Por primera vez desde el secuestro, parecía más animada.

Lanzaron amarras desde el cisne y después se extendió un puente flotante hecho de baldosas doradas. Varias figuras enfundadas en pieles muy caras y selectas aparecieron en la borda y al momento surgió otra que destacaba entre las demás por ir vestida con un abrigo púrpura, como si fuese un emperador de la antigua Roma. Su cabeza estaba cubierta por una capucha también púrpura con un ribete de oro.

El Pimpollo, el Barón de Tramontana, pisó las baldosas doradas lentamente, y al llegar a tierra se apostó frente a Vardarac e hizo una profunda y complicada reverencia. Lord Vardarac gruñó y se inclinó con torpeza. A Laila le dio la sensación de ver a un oso frente a una muñequita de porcelana.

—¡Qué haces aquí, rata con lazos! —tronó el Señor del Norte mientras los hombres de Tramontana se agrupaban alrededor de su señor.

El Pimpollo se permitió el lujo de tardar en contestar.

—Obviando tan sutiles florituras, dignas de vuesas mercedes —dijo por fin con un acento fino y educado—, hemos nos considerado dignos de acudir a este interludio a bien de participar la venturosa oportunidad de un antiguo acuerdo…

—¿Qué ha dicho? —gritó uno de los piratas del Norte.

—¡Que hable más claro! —añadió otro.

—¡Y que se lave! —sonó otra voz que hizo reír al grupo de osos.

Lord Vardarac había levantado las cejas intentado poner cara de inteligencia sin conseguirlo.

—Vamos al grano —dijo finalmente.

—¿No me invitáis a cobijarme del glacial desconsuelo? —se sorprendió su contrincante notando el frío en las entrañas.

Vardarac pareció estar descifrando aquello como el que lee un jeroglífico egipcio. El Barón suspiró con engreída superioridad.

—Que si me lleváis a vuestro humilde palacio —aclaró impaciente.

—¡Ah!… ¡Ni hablar! Sólo me faltaba que esa peste a mujerzuela se incruste en mis piedras para toda la eternidad.

—¿Os referís a vuestra embriagadora esencia? —respondió Tramontana en el acto, olisqueando el aire—. Quizás muy… embriagadora, desde luego.

—Decid de una vez a qué habéis venido —exigió Vardarac—.

Antes de que vuestras preciosas alas de shilaya se congelen. La mitad de vuestras nenazas… quiero decir, vuestros caballeros, están a punto de caer al suelo como témpanos.

El Barón de Tramontana ni se molestó en comprobar si aquello era cierto. Sonrió con desprecio bajo su capucha y se cruzó de brazos. La temperatura descendió varios grados y el aire se llenó de copos de nieve danzando entre ráfagas de ventisca.

—Hemos nos aquí, en tan recónditos lares —dijo por fin—, a bien de tomar posesión de nuestra nueva hacienda allende los hielos, al parecer unos páramos asaz coloridos que responden al bello y sugerente nombre de Hokuka…

—¿Qué queréis decir? —preguntó el Señor del Norte a las claras, entrecerrando los ojos.

Tramontana levantó una mano y al momento uno de sus hombres le entregó un papiro enrollado, sellado con lacre rojo. El Barón se lo entregó a su contrincante, que rasgó el sello de inmediato y lo leyó con avidez. Acto seguido levantó la mirada, incrédulo.

—Como este manuscrito atestigua —dijo el Pimpollo—, mi muy estimado colega, Lord Roddïcus, ahíto ya de las inclemencias y los ominosos azares de su luenga vida, ha cedido a cambio de doradas viandas y placeres mercantiles, ese singular paraje a la muy benevolente, pero férrea, mano de ego.

—¿A la mano de ego? —repitió Vardarac, aún atónito.

—¡A mí! —aclaró de nuevo Tramontana con voz aguda.

El silencio de la comprensión se fue abriendo paso lentamente.

—¡Roddïcus ha vendido Hokuka! —exclamó Äüstru en voz alta.

Un murmullo de agresiva incredulidad recorrió la marabunta de pieles de osos. A pesar de la agitación, la nieve cubría ya los hombros de todos.

—¡Imposible! ¡El muy traidor!

—¡Hijo de mala nemhirie!

—¡Hokuka es mía! —gritó la voz áspera de Lord Kades.

—Sin duda alguna—siguió Tramontana, calmado y sonriente—, si Lord Roddïcus se dignase a confirmar la validez de este documento, podríamos desfacer este entuerto de inmediato…

Laila sospechó que Lord Roddïcus no tendría ya la posibilidad de «desfacer» nada. De hecho se hallaba, muy poco vivo, en algún lugar conocido como pozo de las alimañas.

Lord Vardarac no dijo nada, pero con gestos lentos y decididos partió el papiro en pequeños trozos y luego se los tiró a Tramontana a la cara, en una lluvia de papel que rivalizó con la nieve.

—Hokuka no se vende a mariposas emplumadas —dijo con voz ronca—. Marchaos por donde habéis venido, antes de que perdáis algo más que tanta retórica de pitiminí…

Los del Este se quedaron quietos como estatuas, con la nieve calando sus abrigos. De repente, en un instante, Tramontana perdió los nervios.

—¡Vil bellaco! —exclamó en el colapso de su máxima furia, y entonces abofeteó a Lord Vardarac tres veces seguidas.

Un silencio de muerte se apoderó del paisaje e incluso pareció que la nieve se quedaba congelada en su descenso. Laila pensó que aquel desdichado moriría bajo un simple puñetazo de Lord Vardarac, que le aplastaría la cara y después lo arrojaría por el borde del iceberg.

—Esto, señor mío, es un duelo —dijo Tramontana con desprecio—. Mi honor ha sido agraviado y exijo una satisfacción.

Los puños del Señor del Norte estaban temblando y todo él resoplaba como un toro embravecido. Chorros de vaho salían de sus fosas nasales.

—¡Batalla naval! —exclamó con voz profunda—. ¡Duelo a muerte por Hokuka!

—¡A muerte! —coreó Äüstru y en seguida se le unieron todas las voces de los caballeros del Norte clamando venganza.

Lord Vardarac se dio media vuelta y echó a andar de nuevo hacia el castillo, seguido por todos sus hombres. La nieve arreciaba y los pies se hundían hasta las rodillas, pero las hadas de la Casa del Este parecían flotar sobre el camino, y siguieron a la horda de guerreros sin hacer ni un solo ruido.

Para cuando llegaron a las puertas de la fortaleza, Laila estaba convencida de que la idea de Nimphia de escapar hubiese sido, sin lugar a dudas, mejor que lo que les aguardaba. Las Casas de Norte y del Este iban a destrozarse sin miramientos, y ella no estaba segura de que pudiesen salir de aquella situación sanas y salvas. Aurige, por el contrario, estaba entusiasmada y casi coreaba gritos de guerra. Cyinder volvía a temblar de frío y caminaba en silencio junto a Nimphia.

Atravesaron el patio, cuyas estacas con calaveras de animales dejaron muy sorprendidos a las hadas del Este, y entraron en el edificio principal rumbo al salón. Los nemhiries, bajo el mando de Shamal, habían recogido todos los destrozos de la batalla campal, y la enorme sala aparecía ahora limpia y ordenada.

El calor de la chimenea resultó asfixiante de inmediato, y el grupo del Este en pleno comenzó a sentir nauseas, tanto por la temperatura, como por el aroma del Norte. El Barón se desentendió de su precioso abrigo púrpura, dejando ver un rostro suave, casi femenino, de ojos alargados, y los cabellos azules llenos de tirabuzones. Llevaba una casaca de oro y diamantes, y largos sables con empuñaduras tan retorcidas que resultaba imposible usarlos.

Tramontana y su grupo permanecieron juntos a un lado del salón y Lord Vardarac y los suyos, se apostaron frente a ellos.

—¡Aloysius, trae el Aguamuerta para nuestros honorables invitados! —gritó el Señor del Norte a un nemhirie, que corrió raudo a cumplir el encargo.

A pesar de su brutalidad, Lord Vardarac se conocía todos y cada uno de los nombres de los hombres bajo su mando. Luego se volvió de soslayo a los piratas que le acompañaban y susurró casi inaudible:

—Al que no resista el brindis en pie, lo mato.

Varios de sus hombres tragaron saliva y muchos susurraron que se encontraban indispuestos, pero ya el tal Aloysius y otros nemhiries entraban con botellas negras con el dibujo de una calavera y dos tibias cruzadas.

Se repartieron vasos y copas entre todos, incluidas ellas cuatro, y se escanció un licor turbio de color anisado.

—Sois un exótico —rió Tramontana agitando sus bucles azules—, pero dudo que poseáis algo asaz valioso que el singular maná que se destila en mis ínsulas de Dilaï.

—¿Dilaï? —se carcajeó Vardarac—. Eso es para damiselas y mariposas —tosió—. Hay un lugar en el mundo nemhirie, un mar donde la concentración de sal es diez veces superior a la del resto de los mares…

Todas las hadas del Este se volvieron al unísono hacia las botellas negras.

—Exacto —siguió él con cara divertida—. Sólo los valientes, los hombres de verdad y no los gusanos, son capaces de resistir el Aguamuerta sin llorar. Ahora comprobaremos, ratita presumida —dijo enseñando los dientes—, quién tiene valor de verdad. ¡Por la Casa del Norte!

Entonces cogió una copa con dedos crispados y después de tragar aire, la alzó delante de todos y de un solo trago se bebió todo el contenido de golpe.

El silencio era impresionante, y los ojos de Tramontana estaban abiertos como platos. Vardarac se tambaleó, pero se mantuvo de pie sin moverse, y miró a sus hombres fulminándolos con los ojos.

—¡Por la Casa del Norte! —tembló Äüstru haciendo el mayor sacrificio de su vida.

—¡Por la Casa del Norte! —gritó Laila de repente bebiendo

su vasito de golpe, sintiendo que un sabor tan salado le arrasaba la garganta.

Las otras la miraban aterradas y ella estaba a punto de vomitar, pero aquello sirvió para envalentonar a los piratas, que gritaron enardecidos y bebieron el licor de Aguamuerta. A Lord Kades se le doblaron las rodillas y tropezó con Cyinder, que le sostuvo justo a tiempo.

—¡Sois unos animales! —gritó Tramontana, espantado, perdiendo la compostura.

Luego arrojó su vaso al suelo sin siquiera probarlo.

—¡Gallinas emplumadas! —rió Vardarac, todavía tembloroso.

—Basta de bobadas, pardiez —contestó el otro, nervioso, y entonces extendió la mano y en su palma apareció una bola azul, brillante, de la que salían pequeños rayos.

—Caballeros, las reglas habituales —ofició Äüstru—: nada de trampas, nada de armas, ni gritos sospechosos. Cada uno a su lado. Esto es un duelo de honor.

Todos los hombres se apartaron, agrupándose tras sus respectivos señores, y Lord Vardarac se acercó en solitario hasta quedar frente al Pimpollo. Las luces del salón bajaron de intensidad hasta quedarse a oscuras. El Señor del Norte levantó la mano y una esfera roja brillante surgió de la nada, chispeando y crepitando.

«Ahora es cuando se matan» —pensó Laila, atemorizada.

Las esferas flotaron en el aire unos segundos, y de repente, ambas explotaron de golpe con un resplandor que obligó a todos a cerrar los ojos. Cuando los abrieron, líneas de luz se estaban entretejiendo en medio de la penumbra. Azules frente a Tramontana y rojas frente a Vardarac. Aquellas redes crecían, enormes, en tres dimensiones y entonces, en la parte de la Casa del Norte, varios barcos pequeñitos flotaron en la maraña de hilos hasta situarse en puntos determinados, donde ya no se movieron. Una masa de nubes rojizas ocultó a algunos de aquellos barcos.

Laila lo miraba todo muy asombrada. Cuando ambos contrincantes estuvieron dispuestos y el salón en silencio, Lord Vardarac exclamó con voz potente:

—¡Pimpollo, tú tiras primero, gallinita!

—¡Primero vuesa merced! —le contestó el otro con voz aflautada detrás de su red, donde no se apreciaba ninguna flota voladora, solo celdillas de luz vacías.

Lord Vardarac se rió.

—Veamos —exclamó aquella mole rascándose la barba—. ¡¡D-57-π!!

Un rayo rojo cruzó la red de luz hacia el otro lado, con un sonido de silbido, y luego nada. Ninguna explosión, ni nadie muriendo ensangrentado.

—¡Aire! —gritaron al unísono todos los piratas del Este.

—¡¿Pero esto qué es?! —exclamó Laila sin poder evitarlo. Ninguna de sus amigas supo responderle.

—¡Avast! —exclamaba el barón en aquel momento—. ¡H-13-ϕ!

Un rayo azul llegó hasta ellos y se perdió justo tras la popa de uno de los barcos rojos.

—¡Aire! —contestaron los piratas del Norte carcajeándose.

—¡Pero esto es el juego de la guerra de barcos! —volvió a exclamar la muchacha.

—Batalla naval, shilayita —le dijo Ojo de Toro, a su lado—. Es muy serio. Hay mucho en juego: honor, tierras, barcos…

—Pero… ¿dónde están la lucha a espadas y el combate a cañonazos…?

Ojo de Toro la miró asombrado.

—Los nemhiries sois unos bárbaros —le espetó con desagrado, volviendo su atención al tablero de luz.

La muchacha se quedó atónita, y también un poco decepcionada. Había esperado una cruenta lucha llena de estocadas y mandobles, con los piratas fintando mientras saltaban por las mesas esquivando cuchilladas. Y sin embargo, allí estaban: dos supuestos feroces Señores de los Vientos, lanzándose bombas de mentira en un juego infantil.

Sus amigas, por el contrario, parecían estar disfrutando y cuando Vardarac falló de nuevo, Cyinder y Aurige lanzaron un grito de disgusto. Una hora más tarde, el Pimpollo había destruido ya dos acorazados del Norte y había rozado un esquife sin llegar a tocarlo.

—Milord —decía Nimphia en ese momento—. Prueba A-108-λ.

—¡A-108-λ! —gritó Vardarac haciéndole caso, a pesar de que su humor se estaba volviendo terrible.

El destello rojo cruzó hacia la red azul y de repente surgió una pequeña explosión que les hizo a todos gritar de alegría. Varios piratas palmearon a Nimphia en la espalda.

—¡Avast! —volvió a exclamar Tramontana—. ¡Por fin uno, mi querido milord!

Laila se aburrió de inmediato. Aquello parecía interesante, pero ella nunca había podido jugar con nadie en su colegio de pequeña, principalmente porque nadie quería jugar con ella. Sus amigas, sin embargo, parecían cada vez más animadas. Aurige estaba insistiendo en disparar ella, pero Nimphia se había convertido, de golpe, en la favorita de Lord Vardarac.

Aún sentía nauseas tras el trago de Aguamuerta, y el calor de la chimenea la estaba haciendo sudar. Además había otra cosa peor: dentro del castillo, el aroma de rosas se estaba volviendo insoportable, y chocaba con el olor del Norte de forma brutal.

Los piratas del Este permanecían serios y fríos, con una pose distante a pesar de que estaban ganando con una aplastante superioridad. De repente Laila ya no pudo más. Se le había levantado el estómago porque cada vez que el Pimpollo acertaba, sus hombres estrellaban frascos de perfume contra el suelo en señal de victoria. La algarabía de peste, sudor, violetas y rosas fue demasiado para ella.

Caminó a trompicones hacia la salida, justo detrás de las hadas del Este, cuando Diablo la detuvo.

—No se puede ir al otro lado —le dijo con voz grave y un machete en la mano—. Son las reglas. Podrías contarles nuestras posiciones.

—No lo haré —dijo Laila conteniendo las arcadas a duras penas—. Lo prometo, pero necesito irme. Tengo que salir de aquí.

Su cuerpo tembló violentamente y se llevó una mano a la boca, apretándola con fuerza. El pirata se apartó con asco.

—De acuerdo, shilaya —contestó soltando el machete—. Pero ellos no te dejarán volver.

Laila levantó los hombros con desdén. Todo le daba vueltas y si no respiraba pronto aire puro se iba a desmayar. Bordeó la sala a oscuras y corrió hacia las grandes puertas sin poder evitar fijarse en el Pimpollo y sus hombres.

El Barón de Tramontana estaba absorto en el juego, y se ponía y se quitaba constantemente un monóculo de color verde. Luego lanzaba sus disparos con prodigiosa puntería. La muchacha se paró un momento pensativa, mirando aquel monóculo.

—¡Qué haces aquí! —le increpó de repente uno de aquellos piratas, agarrándola de los hombros y arrastrándola hacia el grupo de figuras en sombras—. ¡Has venido a espiar! ¡La Casa del Norte ha roto las reglas!

—¡No, no! —exclamó ella, de pronto muy asustada, sintiendo que las nauseas acababan de desaparecer de golpe—. Lo prometo. No me envía nadie. Sólo quiero tomar el aire…

Una daga apareció de la nada apretándose contra la piel de su garganta.

—¡Tomar el aire! —dijo la voz apretando el filo—. Estás en

presencia del mejor olor que jamás puedas respirar, nemhirie. Incluso fuera el viento es hediondo. ¿Para qué ibas a necesitar oler otra cosa? ¿O es que acaso conoces algún perfume mejor que el nuestro? ¡Responde o te mato!

Pero ella no podía hablar de terror. El cuchillo se le clavaba en la piel y un solo movimiento bastaría para degollarla. Cerca de ella, el Barón no se molestó en detener la escena. Se frotó el monóculo en la manga y después se lo volvió a ajustar sobre el ojo.

—¡F-97-θ! —exclamó, y un rayo azul voló a estrellarse contra uno de los pocos barcos de Vardarac que aún resistían.

«Hace trampas» —pensó Laila con absoluta certeza.

—No quiero molestar, de verdad —exclamó con voz penosa, hasta pareció que iba a llorar—. Necesito salir de aquí, me estoy mareando —insistió forzando las arcadas—. Sólo soy una simple nemhirie, por favor, por favor...

—Nadie te echará de menos entonces —rió el otro.

Tras otro fallo de Lord Vardarac, Tramontana hizo estallar la última goleta. Ya sólo quedaba un pequeño esquife escondido en una nube.

—De verdad que sólo quería tomar el aire. Volveré con mis amigas y no diré nada, lo prometo...

—Ni hablar. La Casa del Norte ha hecho trampas y el castigo es la muerte. Lo sabe todo el mundo. Además, no le gusta nuestro olor, y eso es abominable.

—Me gusta, me gusta —aseguró ella tratando de no respirar—. Para que veáis cuánto me gusta os puedo decir la posición su barco oculto —susurró temblando, sin saber cómo salir de aquel atolladero.

El Pimpollo se giró de inmediato hacia ella con interés.

—Decidnos las coordenadas, joven humana —musitó guardando el monóculo en un bolsillo discretamente—. Y si a bien son ciertas, conservaréis la vida y volveréis con Lord Vardarac, puesto que la sangrienta batalla en la que, por cierto, me alzo victorioso, llegará a su ocaso.

A pesar de aquellos modales, a Laila el Barón le cayó mal. Le disgustaba tanta presunción y sobre todo, el hecho de que fuese un tramposo. Sintió de nuevo el filo de la daga contra su piel.

—B-25-β —dijo ella arrastrando las palabras lentamente. Sin saber por qué, no quería traicionar a la Casa del Norte, solo que no le quedaba más remedio.

—Es su último bajel, milady nemhirie —rió el Barón—. Si es cierto, Hokuka es de nos. A posteriori de esta, vuestra declaración, ellos mismos os arrebataran vuestro último encantador aliento. Eso sí, nos os obsequiaremos con un simpar recipiente de fragancias del Este.

Laila tragó saliva.

—¡B-25-β! —gritó al momento y ella cerró los ojos mientras un destello azulado atravesaba las redes de luz y hacía saltar al último esquife en mil pedazos.

El silencio fue espantoso. Las luces del salón volvieron a brillar y los tableros tridimensionales desaparecieron. El Barón de Tramontana caminó despacio, pavoneándose, hasta llegar frente a Vardarac.

—Mi Hokuka, por favor, milord —exigió.

El Señor de Norte temblaba y no podía levantar la vista del suelo. Se atusó las barbas de color violeta y entonces, en lugar de sacar un pistolón y fulminar a Tramontana allí mismo, hizo girar uno de sus dedos y un papiro apareció en el aire, escribiéndose unas frases con letras de fuego. Luego Vardarac puso su dedo sobre el documento y el papiro se enrolló sobre sí mismo y voló a manos del Barón.

Los piratas del Este empujaron a Laila contra sus amigas y entonces Tramontana hizo una graciosa reverencia.

—Gracias, milady nemhirie —exclamó en voz alta—. Sin vos, nada de esto hubiese habido a lugar.

Y caminó hacia atrás inclinándose de vez en cuando hasta llegar a las puertas. Los piratas del Este les saludaron con grandes aspavientos y sus rostros burlones resultaron odiosos. Se marcharon en silencio sin volver la vista atrás y, como un rayo, Äüstru aprisionó a Laila apretándole las manos en la espalda. La muchacha gimió de dolor y Aurige, Cyinder y Nimphia se pusieron en guardia a la vez.

—¡Perra nemhirie! —exclamó Diablo sacando varios cuchillos de su cinto—. Vas a pagar por esto.

—¡Dejádmela a mí! —gritaba Lord Kades, que acababa de perder sus nuevas posesiones—. Me haré un sombrero con su pelo.

—¡Al pozo de las alimañas con ella! —gritaron otros.

Laila temblaba con el corazón disparado, y era incapaz de decir una sola palabra.

—¡Soltadla de inmediato! —gritó Aurige con aspas negras girando entre sus dedos.

—Dejadla en paz —tronó en ese momento la voz del Señor del Norte, y todos volvieron la vista hacia él.

Lord Vardarac se había sentado en su enorme sillón y miraba a un punto indeterminado, marchito y cabizbajo.

—¡Pero milord! —protestó Äüstru, que ya tenía su kris en la mano, dispuesto a usarlo sin vacilación.

—Ya nada importa —susurró Lord Vardarac, hundido en una repentina miseria—. El Pimpollo me ha vencido aquí, en mi propia casa… Ya nada importa.

—¡Pero ha sido ella! —insistió el lugarteniente—. Al menos permitidnos saborear una pequeña venganza.

—Era el último barco —dijo Vardarac, con la mirada triste—. Todo estaba perdido. ¿Creéis que si las alimañas se la comen el último barco va a volver?

Se produjo un silencio y el desánimo los invadió de golpe. Laila no pudo evitar suspirar de alivio. Se desembarazó de

Äüstru y corrió junto a sus amigas. Nimphia le apretó la mano, pero Aurige le volvió la cara.

—Hokuka perdida —seguía él en una retahíla de depresión—. Dentro de poco, vendrá a por más… Es el fin del Norte…

Varios piratas se derrumbaron sobre el suelo, algunos incluso lloraban. Laila, todavía temblando, pensó que si tuviese una cámara a mano, la foto de unos piratas llorones sería increíble.

—Hace trampas —susurró entonces, ya segura, junto a las otras.

—Vendrá a por Sunwanda —gemía Vardarac sin escucharla—, y luego Noohwus o Lur-En…

Todos lloraron escuchando aquello.

—¡Hace trampas! —volvió a exclamar ella en voz alta.

Los piratas del Norte la miraron y Vardarac levantó la cara, despacio.

—Nemhirie traidora —la insultó Äüstru rechinando los dientes—. Cierra esa boca mentirosa o te corto la lengua. Mereces morir.

—No es mentira —se defendió ella con aplomo, en medio del silencio general—. Hace trampas, por eso no me importó descubrir la última coordenada. Iban a matarme pero vi que el Barón de Tramontana usaba un truco, así que iba a destruir el barco de todos modos.

—¡Miente! —gritó Diablo lleno de rabia.

—¿Y cómo lo hace, nemhirie? —preguntó Lord Vardarac con repentino interés.

La expectación se abrió paso. Todos los ojos estaban fijos en ella.

—Tiene… tiene una especie de gafas… un monóculo —balbuceó la muchacha—. Cada vez que se lo ponía, acertaba…

—¡Maldito tramposo! —gritó Vardarac poniéndose en pie con el rostro contraído por la furia.

—¿Vais a creer a la nemhirie? —preguntó Äüstru, boquiabierto.

Lord Vardarac pareció pensárselo unos segundos.

—¿Alguien puede acertar tantas veces seguidas de forma normal? Destruyó dos goletas y un acorazado sin fallar ni un tiro. El Pimpollo es listo, pero eso es demasiada suerte.

Äüstru se rascó las barbas recordando la batalla. Su cabeza parecía echar humo por el esfuerzo de pensar.

—¡Bastardo apestoso! —dijo por fin empuñando el kris con violencia.

—¡Nos vengaremos! —exclamó Lord Hennuï, presa de la histeria.

—¡A las armas! —gritaron los hombres de Lord Kades.

El salón se convirtió en una algarabía de gritos y amenazas. Todos parecían grandes osos histéricos dispuestos a desgarrar y destruir sin piedad.

—Vaya lío has montado, nemhirie —le susurró Aurige al oído.

Pero Laila no la escuchaba. Se mordía las uñas con nerviosismo mientras su cabeza daba vueltas. Todavía recordaba la escena patética con todos los piratas llorando.

—¡Preparad la flota! —gritaba Lord Vardarac a los cuatro vientos—. Marcharemos sobre la Casa del Este y no pararemos hasta que les cortemos las alas a todos esos cerdos devoradores de violetas…

—Hay otra posibilidad —dijo Laila en un susurro que, misteriosamente, resonó por encima del tumulto.

—¿Degollarlos? —preguntó Lord Vardarac cada vez más entusiasmado—. ¿Ver cómo cae su sangre por la borda de nuestros barcos?

Laila no contestó de inmediato. Miró a Nimphia y luego al cuello del Señor del Norte, donde colgaba aquel sucio rollo de tela.

—Hay varias condiciones —dijo ella al momento.

—Eres muy osada, nemhirie, teniendo en cuenta que tu vida

puede acabar junto a las alimañas en menos de lo que canta un águila de la noche.

—A cambio… —siguió ella sin miedo—, la victoria eterna.

—¿Victoria eterna?

—Sí. Para siempre.

Los ojos de Lord Vardarac brillaban de emoción.

—¿Y si no es así? —quiso saber, rascándose la barba con un cuchillo.

—Todas al pozo de las alimañas —contestó Aurige de inmediato—. Si la nemhirie ha tenido una idea, aunque sea descabellada, no podrá fallar.

Todos los caballeros permanecían expectantes. La tensión podía cortarse.

—¿Y cuáles son esas condiciones? —preguntó Äüstru, ya, sin poder esperar.

Laila miró a Nimphia, indicándole que había llegado el momento.

—Liberar a mi tío —dijo ella de inmediato.

—Hmm…

—Y a todas nosotras —agregó Aurige.

—Y abrigos de pieles —intervino Cyinder, ignorando la mirada de la lunarïe.

—Bueno, todo eso se puede arreglar —contestó Lord Vardarac después de meditarlo—, aunque su alteza es un rehén demasiado valioso como para desprendernos de él tan fácilmente.

—Pues las condiciones son esas —insistió Laila sin dar su brazo a torcer.

—Has dicho victoria eterna, ¿no? —quiso asegurarse el Señor del Norte.

Laila asintió.

—Hmm…

—¡Ah! Y otra cosa —dijo ella—. Tenemos que volver al mundo nemhirie.

—Imposible —contestó Lord Vardarac de inmediato—. Los drakkars no flotan sobre el agua. Son barcos de viento. No os podemos llevar hasta allí sin que esos nemhiries pusilánimes nos vean. Ya nos hemos arriesgado muchas veces capturando esclavos y no merece la pena el sacrificio...

—No hace falta ir en drakkars —interrumpió Laila con una sonrisa, tratando de ignorar aquello de «captura de esclavos»—. Solo tenéis que llevarnos al Reina Katrina.

Lord Vardarac seguía pensativo, con los ojos entrecerrados.

—Solo hasta el Reina Katrina, ¿eh? —repitió.

—Sí. Dejáis al tío de Nimphia allí y a cambio, la victoria eterna.

El Señor del Norte siguió acariciándose la barba, haciéndose rizos con los dedos. Luego se volvió hacia sus hombres, que aguardaban expectantes.

—¡En marcha! —exclamó levantando una espada por encima de su cabeza.

—¡A la victoria! —gritaron todos, creando ecos que rebotaron contra las piedras heladas.

12. Sir Richard

El taxi recorría los caminos más apartados bajo la lluvia torrencial. A lo lejos habían quedado por fin los ruidos, los atascos y las conglomeraciones de Londres, con su caos habitual en el aeropuerto y las colas interminables. Al frente, el campo abierto y la paz solitaria que Sir Richard añoraba. Atrás, la visita a Lomondcastle.

Amaba a Laila como si fuese su propia hija, y le dolía hacer lo que estaba haciendo, pero por encima de todo, Sir Richard era un hombre de honor.

Todavía quedaba un largo trecho hasta Wiltshire. Le daba tiempo a prepararse. A Laila le había dicho que era una reunión de asuntos del consulado, su tapadera perfecta. Además, ser cónsul honorario le había abierto muchas puertas, quizás más de las deseadas. De todas aquellas puertas diplomáticas, Wiltshire era la que menos le gustaba.

Había encontrado a Laila más retraída de lo habitual. Más callada. Se guardaba secretos que ya no le contaba ni a él, y en sus ojos había descubierto una sombra que desde luego no tenía nada que ver con su padre, ni con el romance con Monique. Era ese medallón. De inmediato Sir Richard había bromeado sobre novios para quitarle hierro al asunto, pero nada escapaba a sus ojos de halcón. Se sintió violento, pero no porque ella se hubiese negado a entregarle aquella alhaja. Más bien era por la remota posibilidad de que Laila sospechase que era él quien estaba tras la agresión del hombre de negro a principios de verano, o que era el propietario de las perlas mágicas del reino de los soles. Si Laila llegase siquiera a intuirlo, Sir Richard no podría soportarlo.

Solo que había algo más fuerte que Laila, más fuerte que su honor y que su vida. Algo por lo que Sir Richard sería capaz de cometer traiciones y asesinatos.

El paisaje verdoso se había vuelto gris bajo la lluvia, y el ronroneo monótono del automóvil le aburría. En su cabeza volaban los recuerdos y aquella calma sosegada le estaba hundiendo en el sopor de los sueños. Viajaba atrás, muy lejos en el tiempo, y cuando sus ojos se cerraron, de nuevo volvía a ser joven. De nuevo tenía el mundo en sus manos.

Estambul podía ser una ciudad maravillosa, llena de misterios y tradiciones, y el Gran Bazar, un espectáculo digno del comerciante más osado. Pero a la caída de la tarde, pasear a solas por entre los domos podía resultar, cuanto menos, peligroso.

El bullicio se iba sosegando y muchos tenderetes comenzaban a cerrar sus puertas, a pesar de que todavía patrullaban las calles grupos de turistas despistados en busca de una última ganga. O lo que ellos creían que era una ganga.

Richard Armand Brown sonrió con superioridad. Disfrutaba viendo cómo aquellos incautos eran engañados una y mil veces con maravillosos collares de turquesas auténticas tan falsas como el vendedor, con la legendaria copa de cualquier sultán de pacotilla o con la reliquia sagrada de Santa Sofía.

Él estaba muy por encima de todo aquello. A sus apenas treinta años ya se había labrado una importante fama en los círculos arqueológicos e históricos más selectos de Londres, y su innata capacidad diplomática, sumada a ciertos contactos burgueses, hacían de él uno de los candidatos favoritos a ocupar un cargo de renombre en el consulado inglés de Turquía.

No podía pedir más. Ambición, juventud y un futuro brillante. Y Marie, desde luego. Fue perfecta desde el principio, la única mujer que se resistió a sus encantos de caballero. Bella e inteligente, había colmado sus expectativas con la llegada de su primera hija y un varón tres años después. Y en el Gran Bazar esperaba encontrar un regalo digno para su sexto aniversario de bodas. Nada extravagante, y desde luego ninguna quincalla de las que abundaban para vaciar los bolsillos de cualquier iluso. Marie era perfecta y él necesitaba el regalo perfecto.

Anduvo por entre las callejuelas estrechas mientras las luces se apagaban a su alrededor y el ambiente se volvía más siniestro. No importaba. Nadie se atrevería a atacar a un caballero inglés, y aunque leía el desprecio en los ojos de los comerciantes, aceptaba gustoso beber el té de manzana cuando realizaba negocios a puerta cerrada.

Sin apenas darse cuenta paseó por recovecos empinados por donde las ratas husmeaban entre los desperdicios, internándose cada vez más en las oscuridades del bazar. Un mercader limpiaba el suelo de su tenducho y arrojó el agua sucia a sus pies en el momento en que pasaba por la puerta. Luego le miró con cara de pocos amigos. Richard Brown no entró al juego. Sabía por experiencia que un solo gesto, una palabra más alta que otra, y el extranjero —en ese caso él—, tendría todas las de perder. Pidió disculpas automáticamente y siguió sin mirar atrás. En la creciente penumbra del callejón se escuchó una risa cascada.

Unos pasos después descubrió que se había perdido. Tenía que reconocer que no sabía cómo había llegado hasta allí y además, la única persona viva parecía aquel tendero con ánimos de pelea. Avanzó con la cabeza muy alta. Los escaparates apagados mostraban viejas alfombras enrolladas y cachivaches llenos de telarañas. No había ni un alma y la atmósfera era húmeda y opresiva. Se había hecho muy tarde. La noche caía a toda prisa y en el cielo brillaba una luna llena fantasmal.

Dobló la esquina con la esperanza de encontrar la salida a aquel laberinto de calles sucias. Tampoco tenía que ser tan exigente y menos a aquellas horas. Podía buscar una joya estupenda en cualquier boutique selecta. Para su disgusto, el callejón terminaba allí. El frontal de un cuchitril escasamente iluminado era el final de su aventura. Se iba a dar la vuelta pero sus piernas no le obedecieron. Parecía que la luz del rótulo le atraía como una mariposa a una vela. Bueno, qué importaba un último vistazo antes de salir a escape.

Caminó con cautela escuchando ruidos y susurros siniestros a sus espaldas, que bien podían ser los ecos lejanos de la ciudad, o los latidos de su corazón resonando en sus oídos. La tienda estaba abierta y el escaparate empañado apenas mostraba nada más que sombras y basuras acumuladas. El anuncio estaba escrito en un idioma desconocido. Por un momento las letras parecieron bailar ante sus ojos y Richard se los frotó pensando que era el cansancio.

Al volver a leerlo ponía claramente:

«*Recuerdos de Sïdhe*»

Entró haciendo sonar una campanita de plata y de inmediato le asaltaron olores intensos, algo como almizcle concentrado y especias. Encima del mostrador, un palillo de incienso se quemaba sobre una bandeja de cobre. El humo era denso y subía en volutas azules que enturbiaban la atmósfera. Una vieja dormitaba sentada en una mecedora. Tenía una venda mugrienta que le cubría los ojos, sin duda ciegos, y sus ropas negras raídas le daban todo el aspecto de una bruja de cuentos. Richard decidió echar un vistazo rápido con la intención de salir de allí cuanto antes, y mejor sin despertarla.

Anduvo por entre los estantes examinando toda aquella porquería. Cuentas de cristal de colores, zapatitos de porcelana, una muñeca vestida de hada dentro de una botella, un cesto lleno de ojos de la suerte y mil trastos más que harían las delicias de cualquier basurero.

Era curioso. Los estantes parecían no tener fin, y daba la sensación de que la tienda era más grande por dentro que por fuera. Sin duda el aire viciado le aturdía. Deseando terminar con aquello cogió un objeto al azar, una lámpara de aceite, y volvió al mostrador.

La dueña de la tienda se había incorporado en la mecedora al escuchar sus pisadas, y parecía mirarle a través del vendaje raído. Richard creía notar unos ojos intensos leyéndole el alma. Tragó saliva y puso la lámpara sobre el mostrador.

—¿Cuánto por esto? —carraspeó incómodo, ni siquiera pensaba regatear.

—Usted no lo compró. No creo que a él le gustará —respondió la inquietante vieja, y él se sintió aturdido por aquella confusión espantosa de tiempos verbales.

—¿A quién no le gustará? —balbuceó, todavía sin saber cómo demonios sabía ella qué objeto estaba ante sus narices. Se suponía que era ciega.

—Al genio, ¿a quién si no?

Richard la miró con cara de pasmo, pero ella mantenía una seriedad extrema.

—El genio —repitió decidiendo que a aquella loca le había afectado demasiado tanto incienso quemado.

—No le gustará que le compren —dijo ella acertando los verbos—. Busque otra cosa.

—¿Hay un genio en la lámpara? —insistió él sintiendo que estaba a punto de soltar una carcajada.

Tosió intentando ocultar la risa. Él era un caballero por encima de todo. Antes de que pudiese darse cuenta, la vieja había guardado la lámpara de aceite bajo el mostrador. Iba a protestar porque de repente, y tan sólo por llevarle la contraria a aquella loca, quería la lamparita sobre todas las cosas.

—Usted compró esto —dijo ella con una sonrisa torcida, poniendo ante sus ojos un zapato de cristal que destellaba.

—Claro, el de Cenicienta, cómo no —se mofó él—. ¿Y qué tal una manzana envenenada?

—¿Quiere una? —se sorprendió ella—. Yo creeré que busca un regalo de aniversario. ¿Va a matarla?

Richard se puso serio. La broma no le gustaba y además, aquella vieja parecía mirar más allá de su interior. Como si leyese cosas desconocidas. ¿Había intuido que buscaba un regalo de aniversario, o sólo era una vieja charlatana?

—La matará —afirmó la bruja señalándole con un dedo afilado—. Cuidado con ellos.

—Mire, no me interesa nada, gracias por su tiempo —replicó él con la cara estirada, dirigiéndose a la salida.

—¡Sí le interesa, sí le interesó! —gritó ella a sus espaldas, tratando de retenerlo—. Mirará esto. Regalo perfecto.

Él se volvió enfadado. Ya estaba harto de que aquella vieja rara supiese lo que él quería. Las pitonisas metomentodo le crispaban los nervios. Para su sorpresa, en las manos tenía un objeto redondo. Una especie de disco, y parecía de oro.

Se acercó muy a su pesar para echarle un vistazo. Efectivamente era de oro con gemas incrustadas, pero sus ojos expertos se dieron cuenta en seguida de que aquello era muy antiguo. Verdaderamente antiguo. Ni con toda su sapiencia arqueológica podía fecharlo a primera vista. Aquella joya era digna de exponerse en el mejor de los museos y él acababa de descubrirla en un antro miserable. Intentó que sus manos no temblasen ante tan increíble hallazgo y observó a la anciana sin llegar a ninguna conclusión. Si era una estafadora, era muy buena. O quizás sólo estaba ante una vieja demente. Lo más probable era que lo hubiese encontrado en cualquier baúl perdido de la mano de Dios. No tendría ni idea de su precio real. Aquello era el regalo perfecto.

—¿Cuánto pide? —preguntó con una nota de indiferencia. Se lo iba a arrancar de las manos por una miseria, en venganza del mal rato que le estaba haciendo pasar.

—Ya me ha pagado.

—¿Cómo ha dicho? —se sobresaltó él, pensando si en algún momento le podía haber desaparecido la cartera en un burdo juego de manos.

—Me gustará su hijo. Para mi sobrina, sí. Ya está pagado.

Richard se quedó petrificado. ¿Cómo sabía aquella bruja que tenía un hijo? A su cabeza acudieron mil ideas horribles. Era muy tarde y había dejado sola a Marie y a los niños en el hotel. ¿Qué era aquello, una broma? ¿Un secuestro y la vieja era la mensajera del rescate? ¿Pero cómo sabían que él se iba a perder en el Gran Bazar e iba a entrar precisamente en aquel tugurio?

—¿Qué ha querido decir con eso? —balbuceó con el corazón paralizado—. ¿Qué sabe de mi hijo?

—Falta poco para Solarïe —le contestó la vieja golpeando una de las gemas del disco, una piedra amarilla—. Le concederán todo lo que usted pidió, pero…

—¿Pero qué? —exigió él, angustiado—. ¿Qué pasa con mi hijo?

—No las encerró mucho tiempo porque la pena las mata —fue la enigmática respuesta.

—¡Oiga! Qué…

—Un ataúd de cristal es lo mejor, sí —rió ella enseñando los dientes amarillos.

—Mire, voy a llamar a la policía…

—Se marchó ya —le contestó la vieja, perdida en su mundo interior—. Ellos vinieron… ellos vienen ahora de visita. No quiero que se encuentren.

—¡No me voy a ningún sitio! —gritó él—. Quiero un teléfono ahora mismo.

—Está bien —suspiró ella con paciencia—. Me fui yo. Cuidado con ellos, joven. No serán de fiar.

De repente Richard se encontró gritando y gesticulando ante un muro de piedra. La tienda había desaparecido como por arte de magia y se quedó boquiabierto. Cubos de basura y ratas correteando a sus pies eran todo lo que quedaba de una especie de sueño. Sí, había tenido una alucinación, pero la angustia persistía.

Corrió por las callejuelas a trompicones. De inmediato se encontró en avenidas populosas que conocía, como si aquel laberinto estrecho del bazar jamás hubiese existido. La gente lo miraba al pasar pero no importaba. Llegó al hotel a punto de perder la respiración y su mujer se asustó al verlo llegar de aquella forma. Los niños dormían tranquilamente y Richard cogió el auricular del teléfono. No pasarían ni un día más en aquella ciudad. Compró los billetes en el primer vuelo de vuelta a Londres y sólo cuando pisó su casa del Soho comenzó a pensar que tal vez se había precipitado.

No había sido más que un sueño extraño. De hecho ni siquiera recordaba haber estado en ninguna tienda ni quedaban imágenes de viejas horripilantes. Todo lo más, sombras vagas en la memoria. Y ahora el puesto en el consulado turco estaba perdido. Durante días Marie le acosó con preguntas acerca de su comportamiento en Estambul, pero él fue incapaz de contestar. Simplemente no lo sabía. Le había asaltado una sensación de peligro inminente y él había optado por proteger a su familia.

Un mes después, recién entrado el verano, casi había logrado solucionar el escollo de Turquía, y de nuevo su nombre estaba en boca de todos como candidato a la embajada inglesa en Italia. Nada mejor que una preciosa mansión con viñedos frente al mar en la costa Liguria.

Volvió a su casa lleno de esperanzas. Marie había salido de paseo con los niños y él decidió cocinar una cena maravillosa para celebrar su posible ascenso. Cuando se iba a quitar la chaqueta sintió de repente un peso muerto en uno de los bolsillos. Metió la mano descuidadamente y tocó algo frío y metálico. No recordaba haber guardado nada y sacó el objeto muy sorprendido. Era un disco de oro con piedras preciosas.

De inmediato, vagos recuerdos de peligro asomaron a la superficie de su memoria, pero aquello era tan extraordinario que durante unos minutos se quedó mirando al disco con la mente en blanco. Desechó la idea de que algún compañero de trabajo le hubiese puesto el objeto allí con el ánimo de gastarle una broma. Apenas había hablado con nadie en todo el día, solo papeles y burocracia aburrida. Se acercó el disco a los ojos para verlo mejor. Una de las piedras relucía con un suave tono dorado.

«Falta poco para Solarïe» —resonó una voz misteriosa en su cabeza.

Pero, ¿qué demonios era Solarïe? Se olvidó de la cena y bajó a la bodega dispuesto a estudiar el objeto minuciosamente. Era antiguo. Casi imposible de datar, y las gemas incrustadas estaban pulidas como botones redondos. Rozó la que parecía más limpia de todas, la amarilla, y le pareció que la gema se desplazaba un poquito. Como un pulsador.

Sentía el corazón latiendo fuertemente. Ahora, cuando apretase la joya, el artefacto se abriría dejando al descubierto un hueco. Y en el hueco un mapa, y en el mapa un tesoro. Seguro.

Empujó la gema suavemente y la piedra destelló. Durante un segundo no ocurrió nada, pero de repente el aire se llenó de chispitas doradas cargadas de electricidad estática. Antes de que se diese cuenta, una voz chillona junto a su oído le estaba increpando cosas en una lengua desconocida.

Meses después el aspecto de la bodega había cambiado radicalmente. Ahora parecía un laboratorio secreto lleno de redomas, tubos de ensayo, recipientes de experimentos, microscopios, y estanterías llenas de libros. Paredes abarrotadas de enciclopedias, hileras de volúmenes, documentos antiguos, cuentos y leyendas, y todo lo que había podido recopilar… sobre hadas.

Aquella noche había sido un shock que cambió toda su vida para siempre. A pesar del aturdimiento inicial, con unos reflejos sorprendentes, Richard encerró al ser debajo de un cuenco de cristal, y se quedó mirándolo absorto lo que parecieron horas.

Aquella cosa, una especie de hada diminuta, que luego sabría que se les llamaba pixis, chilló y gritó enfurecida, golpeando las paredes de su prisión hasta que cayó sin fuerzas. Richard no podía creer lo que sus ojos estaban viendo. Cuando escuchó que su mujer regresaba, tapó el cuenco con un paño y salió de allí a toda prisa cerrando la bodega con llave.

No durmió en toda la noche, y al día siguiente, en cuanto estuvo a solas, bajó raudo con la seguridad de que todo había sido una simple alucinación. Sin embargo sobre la mesa había un cuenco de cristal con una tela por encima. La destapó de golpe, con el corazón latiendo a mil por hora. No había duda. El ser, aquella hada pequeñita, estaba recostada en el suelo con aspecto abatido. En cuanto le dio la luz, echó a volar tratando de escapar, pero se golpeó repetidamente contra el cristal como una mosca zumbona.

Richard descubrió en ese instante que no sabía qué hacer. No podía dejarla libre, pero tampoco podía destapar el frasco un poquito para darle de comer… y tampoco sabía qué comían esas cosas. Empezó a agobiarse, y más cuando el hada se sentó sobre la madera y comenzó a llorar.

Salió a escape a la primera librería que encontró y compró todo lo existente sobre hadas, bajo la sorprendida mirada del librero. Un cuadernito de aspecto cursi decía que las hadas tomaban ambrosía y otras estupideces. Bueno, era un comienzo y un nuevo problema: encontrar ambrosía. Cuando regresó a casa y volvió a la bodega, el hada parecía dormir. Golpeó el cristal para despertarla pero el ser no se movió. Richard se asustó porque, de repente, la pequeña carita estaba pálida y cenicienta, y las alas parecían haber perdido el brillo. Hizo mil ruidos pero al poco rato tuvo que darse por vencido.

«La pena las mata» —pensó, triste pero orgulloso de aquella idea tan extraordinaria que no sabía de dónde había salido.

Retiró el cuenco y examinó al ser a conciencia. No descubrió mucho y se sintió de repente muy vacío. Y en esa negrura interior, advirtió un destello por el rabillo del ojo. El disco de oro con gemas relumbraba a la luz de la bombilla mortecina.

El tiempo pasaba, y ahora era un experto. No se dio cuenta de cuándo su vida familiar comenzó a deteriorarse. De hecho, no se daba cuenta de nada a su alrededor. Se pasaba los días y las noches encerrado en la bodega, y la extrañeza inicial de Marie se fue convirtiendo en verdadera preocupación. A su marido ya no parecía importarle su trabajo ni su fulgurante carrera diplomática. Descuidaba sus amistades, sus contactos, y hasta sus hijos. Vestía como un ermitaño y, aunque su situación económica mejoraba por días —Richard le traía regalos cada vez más caros, diamantes, joyas nunca vistas, muebles lujosos—, su propio aspecto se deterioraba. Y todo el día huraño, como si viviese en un mundo interior al que ella no tenía acceso. Marie no iba a consentirlo más.

Aquel día, Richard volvió de mal humor a casa. Sus amigos no querían darse cuenta de que a él ya no le interesaba la embajada en Italia, y se habían empeñado en encumbrarlo a un trono político del que no quería saber nada. Las hadas, ese era ahora su verdadero mundo. Era tan fascinante que el tiempo volaba cuando estaba con ellas. Había descubierto miles de cosas nuevas, y destruido mitos que se describían en los cuentos de toda la vida. Podía publicar todo un tratado que le llevaría a la gloria de la ciencia, hasta el premio nobel se le aparecía en sueños.

Pero aún no estaba preparado, todavía no. Y sus amigos le fastidiaban, le hacían perder su preciado tiempo con banalidades. De camino a casa compró lo habitual: polen, miel, gelatinas de colores… Había descubierto sus gustos y las mimaba a conciencia, pero no las dejaba escapar. Según las llamaba con el disco de oro, las encerraba en cajas que había ideado, como casitas cerradas, algunas con pequeñas camitas y doseles, muebles pequeñitos, vestiditos de muñecas y mil cosas más.

La mayoría de las hadas respondían a sus pequeños tesoros brillantes, pero otras lloraban sin consuelo y morían al poco tiempo. Las que estaban contentas le concedían cosas, las otras guardaban un brillo asesino en la mirada que daba miedo.

Y el parloteo que mantenían le parecía cada vez más habitual, casi le sonaba de manera coherente. A veces creía entender que hablaban de su mundo, cinco o seis reinos de hadas, tal vez más. Y de reinas de nombres imposibles, pero luego la conversación se volvía tortuosa y le daba dolor de cabeza.

Pero hoy estaba decidido a dejar libre a una. Una de las que le parecía más dócil. A ver qué tal se comportaba. Si huía o desaparecía, no importaba, el disco de oro le traería más. Pero era un ensayo necesario en sus experimentos.

Abrió la puerta de la casa. Todo estaba en silencio. Perfecto. Marie se habría ido de paseo con los niños y el momento era suyo. Dejó las compras en la cocina y de inmediato sintió que algo iba mal. La puerta de la bodega estaba abierta y él no solía tener aquel descuido. La piel se le llenó de agujas cuando escuchó un sonido de cristales rotos y corrió escaleras abajo temiendo mil cosas.

Marie estaba allí, y en el momento en que él se quedaba congelado en medio de la escalera, ella estrellaba una caja contra el suelo. El cristal se hizo añicos y la pixi voló libre chillando grititos de alegría. La bodega estaba llena de hadas liberadas, y Richard se volvió loco de furia.

—¡Qué haces! —gritó abalanzándose hacia ella.

Marie dio un respingo, y se volvió asustada, con otro recipiente en la mano.

—¿Qué es esto, Richard? —balbuceó con su acento francés, la caja de cristal temblando entre sus manos y el miedo en los ojos.

—¡Deja eso, estúpida! —gritó Richard, sin control sobre sus palabras—. ¡Se están escapando!

—¿Las encierras como si fueran animales prisioneros…?

Ya no pudo hablar más. Richard la empujó violentamente contra la pared intentando arrebatarle la preciada casita. En su interior, una pixi reía enseñando los dientes. Forcejearon y Marie sintió pánico. Jamás había visto así a su marido y trató de escapar escaleras arriba. Las hadas zumbaban a su alrededor. Parecían reírse cruelmente, y el aire estaba lleno de chirridos que crispaban los nervios. Quizás, si hubiese reinado el silencio, tal vez las cosas no hubiesen acabado así, pero aquellas risas…

Richard voló en su persecución sin escuchar otra cosa que susurros y carcajadas. Se estaban riendo de él, de sus esfuerzos y de sus sueños. Las pixis le atacaban como una banda de avispas furiosas, le picaban y tenía sangre en las manos. Tiró de la caja y Marie intentó protegerse el pecho con ella, llorando y negando con la cabeza una y otra vez. La luz de la cocina brillaba tras la puerta, como una salida imposible de alcanzar.

—Richard, no… —susurró.

Todo ocurrió en un segundo. Él le golpeó un brazo y tiró de ella hacia atrás. En ese momento, Marie trastabilló en el filo del escalón y su tobillo cedió. La casita de cristal voló por los aires y ella cayó golpeándose en los escalones con un grito de miedo, en medio de las risas interminables.

—¡Marie! —aulló él, espantado.

De repente toda la neblina y la furia habían desaparecido y en la bodega se hizo un silencio de muerte. Bajó a trompicones desesperado, sin saber exactamente por qué. Su mujer solo tenía unas contusiones y en cuanto se le pasara el miedo, le aclararía todo, le pediría mil perdones y solucionaría aquel desastre.

La llamó por su nombre moviéndole el hombro, pero ella no contestó.

«Está inconsciente, está inconsciente» —se dijo a sí mismo recogiendo el cuerpo inerte entre sus brazos, solo que sabía, lo supo desde el principio, que aquello no era verdad.

Marie miraba al techo sin verlo, sin luz en los ojos, y su mano cayó dando un golpe sordo contra el suelo. Richard gritó desgarrándose la garganta abrazado a su mujer, con las lágrimas arrasándole los ojos, sintiendo que no era capaz de respirar una bocanada más de aire, que su corazón dejaría de latir, que ya nada tenía sentido. Era el castigo que se merecía. El castigo de las hadas.

«La matará —surgió una voz recóndita en medio de aquellas tinieblas—. Cuidado con ellos».

Ellos.

Richard miró las filas de cajas de cristal aún intactas y lleno de rabia y de odio las hizo añicos, una a una, estrellándolas contra el suelo. Las pequeñas pixis revoloteaban en silencio, algunas parecían velitas flotando alrededor del cadáver de Marie.

—¡Devolvédmela! —les chilló con la voz quebrada cayendo de rodillas junto a su mujer—. ¡Sólo está dormida! Por favor, haré todo lo que me pidáis, malditos. ¡Por favor! —lloró.

—¿Mamá? —le sobresaltó una voz arriba, en lo alto de la escalera—. ¿Papá?

Richard sintió que se le partía el corazón en mil trozos. Sus dos hijos contemplaban la escena como fantasmas blancos.

—¡Marchaos! —atinó a decir lleno de miedo—. Mamá está bien, sólo está dormida.

Pero la niña bajaba los escalones lentamente, cogida de la mano de su hermano pequeño. Sus ojos helados parecían analizar la escena con una sabiduría demasiado adulta.

—Monique, llévate a tu hermano —suplicó él—. Mamá se pondrá bien, sólo está dormida. Papá la despertará.

Ella se agachó junto a su madre y le acarició los cabellos con su manita suave. Las pixis revoloteaban a su lado y Monique no parecía sorprenderse.

—¿Le harás un ataúd de cristal como el de Blancanieves? —preguntó con su vocecita infantil, mirándole a los ojos con una intensidad dolorosa.

—Claro que sí, princesa —respondió él de inmediato, incapaz de soportar su mirada—. Y le traeremos flores y vendremos a verla siempre, hasta que se despierte.

La niña asintió, conforme.

—Ven Jack —llamó a su hermano, que parecía encantado con las hadas pequeñas volando por el aire—. No hagas ruido, mamá está dormida.

Y se lo llevó con ella escaleras arriba.

Richard se dobló sobre sí mismo cuando la puerta se cerró. El dolor del corazón era tan intenso que no podía pensar. No podía vivir. Lo daría todo. Vendería su alma si era necesario, pero no podía resistir aquella horrible amargura ni un segundo más.

El disco de oro brilló misteriosamente en las penumbras y él lo observó con la boca seca. Se acercó como en un sueño y cuando rozó la superficie llena de gemas, todo su cuerpo temblaba.

«Cuidado con ellos» —susurró por última vez aquella voz anciana dentro de su cabeza.

La angustia fue tan fuerte que Sir Richard despertó. Por un momento no supo dónde se encontraba, pero en seguida el ronroneo del motor del taxi tuvo la virtud de despejarle de aquella pesadilla. Con manos temblorosas sacó un pequeño frasco de píldoras de un bolsillo y se tomó dos seguidas. Necesitaba tranquilizarse. Las cosas estaban yendo medio bien, y aunque no había cumplido todas las órdenes, se sentía preparado para un ultimátum.

Consigo llevaba un objeto extraordinario rescatado del reino de las hadas del agua, pero las perlas del reino de los soles estaban bien seguras en su mansión. Sólo las entregaría si «ellos» cumplían su promesa. Se podía decir que eran una de sus bazas para jugar.

—Estamos llegando, milord —murmuró el taxista mirándole desde el espejo retrovisor.

Sir Richard asintió de manera automática. A lo lejos se alzaban las grandes piedras milenarias de Stonehenge y él sonrió con cinismo. Muchas explicaciones se habían intentado dar a aquellos megalitos a lo largo de los siglos. Calendarios lunares, monumentos a los dioses y estaciones de ovnis. Todo estupideces. No era más que una sencilla puerta… ¡Una maldita puerta para encontrarse con ellos!

Recordó el medallón de Laila y volvió a sentirse como un canalla, pero ya no le quedaba tiempo. Sir Richard era un experto en ajedrez y sabía que tenía que jugar muy fuerte, solo que guardando siempre en secreto su última pieza.

13. Una compañía inesperada

Amanecía por todos lados. Era el amanecer más bonito que Laila había visto en su vida. El cielo estaba lleno de soles que volaban hacia ellos, pero a su alrededor solo se sentía pánico, llanto, gritos. Carreras hacia lo profundo del bosque. La dama de largos cabellos verdes trenzados le soltó la mano y caminó con gran dignidad hacia un caballo que habían dispuesto para ella. Entonces todo se volvía nebuloso. La oscuridad lo llenaba todo, y los gritos y el dolor se alejaban en la distancia.

Ahora flotaba en un vacío negro. A lo lejos, una figura dorada resplandecía haciendo algo a la luz de unas velas, pero le daba la espalda y ella no podía ver quién era. Se acercó en silencio y la figura se dio la vuelta. La cara era una máscara de oro, pero tras ella se escondía alguien terriblemente conocido. El corazón le palpitaba doloroso, y Laila no quería saber de quién se trataba. No quería. La figura de oro apagó las pequeñas velitas que flotaban a su alrededor y las volutas de humo se dispersaron en la oscuridad. Entonces, la idea misteriosa que se le escapaba por entre los dedos, se abrió paso hasta su cabeza y le sonrió. Allí estaba. Iba a descubrir el secreto. Algo verdaderamente importante que lo solucionaría todo…

—¡¡Silveria a la vista!!

Abrió los ojos sobresaltada. Por un momento se quedó ciega

en medio de la oscuridad, y su mente luchó, desesperada, por alcanzar aquel misterio que corría hacia el olvido una vez más. Se incorporó en el camastro del camarote sintiéndose muy frustrada, mientras los gritos anunciando la proximidad de Silveria se sucedían sin parar.

El olor del Norte se le metió por la nariz, mezclado con el olor de la madera y la pintura. Aunque llevaban dos días navegando en la flota de drakkars de Lord Vardarac, no conseguía acostumbrarse, y más ahora que llegaba el calor y los olores se hacían más intensos.

En cuanto salieron de Benthu y el frío quedó atrás, Ojo de Toro y Äüstru ordenaron navegar a todo trapo y aunque las velas estaban hinchadas a punto de reventar, los grupos de nemhiries seguían soplando, día y noche, sobre las esferas del viento.

Laila le había contado el plan al Señor del Norte, y aunque Lord Vardarac no entendía nada de todas aquellas cosas nemhiries que ella quería, la palabras «batalla, victoria y humillación» le habían sonado a gloria. Lo único que no le había gustado era aquello de disparar contra el Pimpollo a cañonazos.

—¡Los nemhiries son unos animales! —había exclamado Äüstru con la boca abierta.

Laila tuvo que prometer mil veces que ningún barco sería destrozado. Todo lo más… un poco de daño. Al final, con muchas reticencias sobre el honor, Lord Vardarac había aceptado y comenzó a planear el modo de interceptar al Barón de Tramontana de manera exitosa.

Durante aquella última noche en el castillo, piratas de Airïe y nemhiries habían entrado en una actividad frenética, y a la mañana siguiente estaba todo dispuesto para zarpar. Aurige y Cyinder se morían de sueño, pero Nimphia no paraba de dar vueltas, nerviosa, hasta que por fin embarcaron la estatua de su tío en el drakkar de Lord Vardarac.

Viajaron todo el tiempo en un modesto camarote, aunque sin duda, un palacio en comparación con las bodegas del drakkar de Äüstru. El Señor del Norte se pasó el viaje haciendo cálculos con brújulas y compases sobre una carta de navegación llena de líneas, y apenas le vieron aparecer por cubierta. El silfo Shamal iba y venía por todos lados, como una ráfaga de viento, vigilando a todo el mundo, y luego desaparecía durante un tiempo sin que nadie supiera qué estaba haciendo. Laila suponía que informaba constantemente a Lord Vardarac, y se alegró de no ver su horrible carita y sus dientes puntiagudos en casi todo el viaje.

Y ahora Silveria a la vista.

Cuando se incorporó de la cama, tras aquel momento de desasosiego, se dio cuenta de que Nimphia no estaba con ellas. No se sorprendió. La encontraron en la baranda de proa mirando al horizonte. Caía la noche y la isla de Silveria brillaba bajo las estrellas como una masa de luciérnagas.

—No veo la hora de llegar —susurró temblorosa—, aunque no me gusta nada eso de que Cyinder y yo tengamos que quedarnos aquí.

Lord Vardarac había sido tajante en ese punto. Dejaría que Laila y Aurige marchasen al mundo nemhirie, acompañadas por Äüstru y sus hombres —como guardaespaldas, había agregado—, pero las princesas de Airïe y Solarïe se quedarían allí, «por si acaso algo fallaba en el último momento».

Laila protestó pero no hubo nada que hacer. Ya la flota de drakkars se acercaba a Silveria lentamente, en silencio, y la muchacha temió que Lord Vardarac ordenase un asalto sorpresa al palacio y que todo se viniese abajo.

Sin embargo todo transcurrió según lo planeado. Los barcos cercaron al Reina Katrina como un pequeño enjambre de mosquitos, y allí se quedaron flotando mientras ellas desembarcaban sobre la cubierta de madera del enorme trasatlántico.

Äüstru, Diablo y Ojo de Toro se reunieron con ellas y varios nemhiries se encargaron de desembarcar la estatua de Zërh con gruesas sogas y poleas.

Bajaron a oscuras por las escalinatas del salón de recepciones, y en el aire rancio sonó el gong del Big Ben de la isla de Londres. Laila sintió una tremenda nostalgia, y más ahora que estaba a punto de regresar. Por primera vez se dio cuenta de que apenas había echado de menos a su padre, ni a Daniel Kerry, ni nada de su vida cotidiana, y aquello le dejó mal sabor de boca.

Caminaron en silencio por los pasillos mohosos, sin ninguna lamparita que los guiase, aunque Äüstru parecía conocerse el camino de memoria. Llegaron a la sala de maquetas del tío de Nimphia, que permanecía tal y como la habían dejado: el suelo y las paredes llenos de manchas de oro, pinceles y utensilios desperdigados por todas partes, y la maqueta de Lunarïe destrozada tras aquella pelea, tan lejana ya que parecía que hubiese ocurrido un millón de años atrás.

Los nemhiries depositaron a Zërh sobre un sofá, y allí se quedó en una actitud grotesca, con las manos extendidas y la cara vuelta a un lado, defendiéndose de las gotas que habían volado sobre él en aquel momento trágico.

—¿Y bien, shilayita? —preguntó Äüstru con cara jocosa al tiempo que encendía algunas lámparas.

Laila ignoró su burla y buscó por entre los desperfectos y los muebles caídos por el suelo. Al fin lo vio. Tirado sobre una alfombra estaba el libro de Hirïa de Zërh. Lo recogió con ansiedad y miró la cubierta. Las dos piedras: la amatista y el topacio, brillaban con una luz suave. Abrió el libro pasando las hojas, casi todas en blanco. Casi al final del todo había una página con una sola palabra:

AIRÏE

Pasó la página sintiendo que el corazón le palpitaba con fuerza. Allí empezaba de nuevo todo un capítulo de palabras incomprensibles, casi conocidas, siempre al filo de ser descifradas. El último párrafo era lo que estaba buscando.

Idsitas nu Nansah.
Portie danu ahadïan ast Spheris Nemhiria.

Leyó cada palabra en silencio, tratando de memorizarlas, y después tomó aire. Todos los ojos estaban fijos en ella cuando comenzó a pronunciar la frase en voz alta. Entonces un punto de luz malva brillante surgió delante de todos y empezó a estirarse hacia las alturas. Los tres piratas estaban asombrados y alguno se llevó la mano al cinto involuntariamente. Después la luz se ensanchó dejando ver un espacio resplandeciente que dañaba la vista.

—Volved pronto —susurró Nimphia, temblorosa, deseando correr hacia aquella puerta junto a sus amigas—. No me gusta nada todo esto.

—No te preocupes —contestó Aurige—, estaremos aquí antes de contar hasta tres.

—Vos primero, milady —ordenó Äüstru a Laila haciendo una reverencia burlona.

Ella se volvió a Cyinder y a Nimphia para intentar transmitirles confianza.

—No nos tocarán ni un pelo, te lo aseguro —le dijo Cyinder en respuesta a su mirada.

Laila sonrió. Cuando Cyinder se enfadaba, era mejor estar lejos. Caminó con decisión hacia aquella puerta fantasmagórica y se perdió en la luz que la envolvió hasta hacerla desaparecer.

De repente una algarabía de chillidos y arañazos se ensañó con ella y la muchacha gritó por el susto. De nuevo iba a ocurrir lo mismo que cuando llegó a Solarïe. Se cubrió la cabeza con las manos preparada para recibir aquellos golpes, aquel dolor…

—¡Ya basta! —escuchó de pronto la voz de Aurige a su lado.

La maraña de aullidos cesó de momento y ella abrió los ojos muy sorprendida. Todo a su alrededor estaba en penumbras y en el aire se percibía un suave aroma a madreselvas y a dama de noche. Largos velos oscuros caían desde un techo donde giraban pequeñas constelaciones.

Un revuelo de alas y gritos la hizo saltar de nuevo y una figura negra pasó volando cerca de su cara. Entonces abrió un pico afilado soltando otro chillido.

—¡Monique, cállate! —ordenó Aurige, tajante.

¡La arpía! Laila apenas se había acordado de ella y de pronto la habitación de sus amigas cobró consistencia. Estaban en Lomondcastle y la realidad la inundó de golpe, como una ola gigantesca estrellándose contra las rocas.

Se tambaleó unos segundos, mareada, pero en seguida el olor del Norte arrasó con todo. A sus espaldas la puerta de luz desaparecía rápidamente, y junto a Aurige, Äüstru, Diablo y Ojo de Toro lo miraban todo con ojos muy abiertos.

La arpía Monique seguía chillando presa de la excitación, y se había encaramado al hombro de la lunarïe. Aunque ella le daba manotazos para quitársela de encima, se había aferrado a su abrigo como una rémora.

—Déjame a mí —dijo Diablo sacando una daga.

Aurige se plantó frente a él sin decir nada, lanzándole una mirada demasiado sonriente. El pirata permaneció quieto unos segundos y luego guardó el puñal con un carraspeo nervioso. Laila sonrió. Por mucha runa en el cuello, Aurige seguía siendo Aurige.

—¿Qué hacemos ahora, shilayitas? —dijo Äüstru inspeccionando las cortinas raídas de Lunarïe. Luego entró en la parte de Airïe y lanzó una exclamación de regocijo.

—Bueno... —titubeó Laila—, debemos salir de aquí sin que nadie nos vea. Buscaremos un supermercado en Stirling para comprar todo lo que he apuntado en mi lista. Luego volveremos tratando de pasar desapercibidos.

No sabía exactamente cómo diablos iba a sacar a tres piratas del colegio sin que nadie les viera, y se mordió los labios con nerviosismo mientras descorría las cortinas de las ventanas. La luz de la mañana entró a raudales destrozando la penumbra eterna.

—De acuerdo —escuchó que decía Äüstru—. Si alguien se interpone le rebano el cuello y asunto concluido.

—¡No! —gritó ella horrorizada—. Quizás sea mejor que vayamos Aurige y yo. Vosotros quedaos aquí cuidando de la arpía.

—¡Ni hablar! —se enfadó Aurige—. Monique viene con nosotras. La pobrecita debe estar muerta de hambre... Pobrecita mía... Bonita...

Y se puso a acariciarle las alas con suavidad. Laila no daba crédito. La antigua Aurige nunca hubiese hecho algo así. Si es que parecía que iba a ponerle lazos y a peinarla...

Como si le hubiese leído el pensamiento, un lazo de terciopelo negro apareció sobre la cabeza de la arpía, y a pesar de todo, Monique no chilló ni protestó, y se dejó acariciar por ella mansamente.

Laila negó con la cabeza. Su amiga estaba cambiando demasiado. Para colmo de males, mientras ella volvía a inspeccionar por la ventana, Aurige rebuscó en un cajón de su cómoda de madera de ébano y sacó una varita mágica que lanzó pequeños destellos en el aire.

—¡Shilayas! —exclamó Ojo de Toro, despectivo.

—¿Pero de dónde has sacado eso? —exclamó Laila, que presentía que había que quitarle esa runa de oro cuanto antes.

—Del disfraz de shilayas cuando rescatamos a Cyinder —sonrió ella.

—¿Y para qué demonios la quieres? ¿Te vas a convertir en shilaya o qué?

Aurige torció la boca en una mueca de enfado.

—Desde luego que no —replicó—. Pero es muy cómoda y la echaba de menos. Y además, no tengo que darte explicaciones, nemhirie.

Y se dio media vuelta, enfadada. Laila volvió a menear la cabeza. A ver qué decían Cyinder y Nimphia cuando se enterasen de aquello.

Caminó hacia la puerta de la habitación y abrió una rendija con cuidado. En el pasillo no había nadie y todo permanecía en penumbras. Salió despacio mirando a todos lados con mil ojos y luego hizo una señal para que la siguieran. Los piratas obedecieron en silencio y caminaron en fila india sobre la alfombra. Un solo ruido, una sola alumna que les descubriese y sería el desastre.

Cuando Laila llegó al corredor de su habitación les hizo a todos un gesto para que aguardasen. Luego echó a correr y entró en su dormitorio. Todo seguía igual que siempre. El armario estaba cerrado y no había nada revuelto. Suspiró tranquila. No sabía cuánto tiempo había transcurrido en el mundo nemhirie desde que se marcharon a Lunarïe con Puck, pero no había rastro de investigaciones policiales encargadas por su padre, aniquilando sus pertenencias en busca de pistas de algún secuestro.

Abrió el armario y cogió su propio libro de las gemas. Sus ojos tropezaron con la chaqueta de Daniel allí colgada y de pronto se sintió torpe, temblorosa, de nuevo titilando entre dos mundos opuestos. Se aferró a la cubierta de su libro de Hirïa para no desfallecer y volvió sobre sus pasos sin mirar atrás.

Bajaron por las escaleras hasta el vestíbulo desierto. Junto a las cabinas de teléfonos había guías de tiendas y Laila echó un vistazo hasta encontrar lo que quería. En Stirling había grandes almacenes. Uno de ellos tenía que servir.

De nuevo caminaron sigilosamente hasta la entrada del colegio. Era un milagro que nadie les hubiese visto y de nuevo las dudas la asaltaron. ¿Y si era domingo y las tiendas estaban cerradas? Sin embargo, al llegar al rellano descubrió otro problema. No había ningún coche aparcado y la muchacha se desesperó. No podía llamar a un taxi para meter a tres piratas apestosos y a una chica con una arpía al hombro.

Su mirada nerviosa reparó de golpe en los autobuses escolares y se quedó quieta mirándolos. ¡Ahí estaba la solución! Corrió hacia uno de ellos y comprobó que la portezuela estaba cerrada. Le hizo una señal a Aurige, que se acercó con una sonrisa de superioridad y tocó la puerta con la varita mágica, abriéndose de momento.

—¡Lo ves! —le dijo victoriosa—. Es muy útil.

—Sí, sí, pero todos dentro —exclamó ella sin dejar de vigilar las ventanas ni la entrada del castillo georgiano.

Los piratas no se hicieron de rogar. Subieron al autobús inspeccionando con perplejidad las filas de asientos y la maquinaria junto al volante.

—Hermoso barco —exclamó Ojo de Toro, impresionado.

—Extraño —añadió Äüstru—. ¿Dónde está la esfera del viento?

—Funciona con gasolina, no con esclavos —contestó Laila secamente—. Aurige, arranca ya, por Dios.

La lunarïe se sentó frente al volante y tocó el contacto con la varita mágica. Las chispitas destellaron y el autobús se puso en marcha de golpe. Los piratas trastabillaron cayendo contra los asientos.

—¡Por la Vieja Boreus! —tronó Diablo agarrándose como pudo a un respaldo.

Aurige sonrió. Cambió las marchas de manera brutal y maniobró sin ninguna delicadeza. Luego apretó el acelerador a fondo y los tres caballeros volvieron a caer, golpeándose y rodando sobre el pasillo. Laila se tapó la boca para no soltar una carcajada. Ahora iban a vengarse del viaje a Benthu.

La verja del castillo quedó atrás y el armatoste, que en algún momento del trayecto se volvió de color rosa chillón, ganó en velocidad hasta que los piratas comenzaron a gemir exclamando que tenían mareos. Ojo de Toro amenazó con vomitar, apretándose el estómago con las manos, y la mirada fija en el techo.

—¡Detén el barco, shilaya! —gritaba Äüstru tratando de ponerse en pie para volver a caer sobre otro asiento.

Aurige no obedeció. Al revés, tomó una curva muy cerrada y se oyeron tres lamentos y varios «¡Ooooh!» mientras el autobús volaba sobre los estrechos caminos que conducían a Stirling. Laila llegó a sentir cierta lástima porque el espectáculo era verdaderamente delirante: un autobús rosa y tres sanguinarios piratas lloriqueando y gimiendo como corderitos. La arpía chillaba y aleteaba sobre el hombro de Aurige; parecía estar disfrutando de lo lindo, pero cuando Stirling apareció a lo lejos, Laila lanzó un suspiro de alivio. Estaba segura de que si el viaje seguía un poco más, los piratas, en cuanto se recuperasen, degollarían a su amiga.

—Tuerce por ese camino —le indicó, agarrándose al respaldo cuando el autobús pasó por encima de un bache a propósito.

Cuando llegaron a la explanada del aparcamiento del supermercado, Äüstru tenía la cara verde, aunque trataba de mantener su dignidad a duras penas. Se levantó con las piernas temblorosas y dio varios pasos inseguros hacia la puerta.

—Maldita shilaya, juro que como salgamos de esta…

Aurige se rió en su cara, pero al menos tuvo la sensatez de dejar a la arpía dentro del autobús. Por fortuna en la explanada apenas había coches aparcados; debía ser muy temprano, pero algunas personas pasaban con carritos de compra y les miraban con caras de profunda incredulidad. Caminaron hacia el gran supermercado tratando de ignorar aquellas miradas, y al entrar, los tres caballeros se quedaron tan sorprendidos que apenas podían moverse: ¡Largas hileras llenas de cosas, allí, al simple alcance de la mano!

—¡Esto es el paraíso! —exclamó Ojo de Toro dirigiéndose a los estantes llenos de licores.

—No tenemos tiempo —susurró Laila agachando la cabeza al cruzarse con un dependiente que los miraba atónitos.

Luego se dirigió a toda prisa a un mostrador. Una señorita con gafas, que se limaba las uñas, levantó la cabeza con aire de suficiencia.

—¿Sí? ¿Le puedo ayudar en algo? —preguntó reparando por primera vez en tres rusos enfundados en abrigos raros. De pronto, el olor se había hecho irrespirable y la chica arrugó la nariz.

—Necesitamos todo esto —dijo Laila exponiendo una hoja de papel frente a ella.

La chica echó un vistazo superficial. El olor la estaba mareando y el estómago se le había levantado de asco. Sin duda uno de aquellos rusos escondía un animal muerto debajo de los abrigos.

—Tendrán que hablar con el encargado —respondió conteniendo las arcadas.

—¿Dónde está? —preguntó Laila de inmediato.

La señorita no podía hablar sin respirar la peste. Miraba a aquella chica con el pelo verde en una nebulosa. ¿Pero cómo era posible que no vomitase allí mismo? Si ella estaba a punto de desmayarse…

—Contesta, nemhirie —dijo uno de los rusos.

Para su horrible sorpresa, el ruso, con barbas de color violeta, había sacado un sable como los de los piratas antiguos y comenzaba a blandirlo. Su mano temblorosa se acercó al botón de alarma bajo el mostrador.

—Guarda eso —oyó que decía la chica del pelo verde—. Vamos a dejarnos de tonterías de una vez.

Luego se volvió hacia ella con una sonrisa culpable.

—Sólo necesitamos comprar estas cosas y nos marcharemos —le dijo.

La muchacha intentó prestar más atención a la lista.

—La pintura... la pueden encontrar... en la sección de bricolaje —jadeó—. El resto en alimentación... para el abono deberán... preguntar al encargado... de jardinería.

Después de eso salió corriendo hacia un reservado privado con las manos en la boca.

—¡Infundimos temor! —exclamó Diablo.

—Yo creo que no es temor —gruñó Aurige entre dientes.

Laila aguantó la risa mientras caminaba hacia el interior del supermercado. Los piratas la seguían embobados. Antes de haber terminado el primer corredor, Ojo de Toro tenía las manos llenas de cosas: botellas, latas, galletas... hasta un bote de suavizante de lavadora.

—Una garrafa de licor azul —exclamaba muy contento—. Estoy deseando probarlo.

—Es delicioso —le dijo Laila tratando de sonar convincente.

Cargaron con varias latas de pintura en carritos de mano, huevos, fruta, lejía, harina y una almohada de plumas. Tras varios paseos arriba y abajo llegaron junto al encargado de jardinería que de inmediato miró por todos lados, sospechando que algún bromista había lanzado una bombita de olor. Laila le enseñó la lista.

—Sí —dijo tratando de contener la respiración, y de no mirar a aquellos tres personajes que parecían salidos de un circo—. Tenemos lo mejor de la comarca. ¿Cuántos sacos se van a llevar? Tenemos unos cincuenta en stock...

—¿Cincuenta? —gruñó Äüstru—. ¡Necesitamos cincuenta mil!

—¿Perdón? —se sorprendió el dependiente.

—No importa —cortó Laila de inmediato—. Nos llevaremos sólo uno. Si fuesen tan amables de llevarlo hasta nuestro vehículo, junto con estas compras...

—Por supuesto —contestó el hombre, que comenzaba a sentir nauseas—. Ninguna cosa más, ¿verdad?

—No —le alivió Laila—. Nuestro vehículo está fuera, es el rosa.

El hombre asintió a toda velocidad, marchándose hacia el almacén como alma que lleva el diablo.

—¡Necesitamos mucha más pólvora! —gritaba Äüstru mientras caminaban hacia el departamento de imagen y sonido—. ¡¿Qué crees que podemos hacer con un solo saco, shilaya?!

La muchacha no le hizo caso. Se detuvo un rato buscando por entre los mp3 y las cámaras de video hasta encontrar lo que buscaba. Sonrió triunfante y caminó hacia la fila de cajas registradoras. Al llegar frente a una de las cajeras se quedó paralizada con las facturas en la mano.

—No tenemos dinero —le dijo a Aurige en un susurro.

—Y Cyinder no está aquí para hacer monedas —se contrarió la otra.

—¿Qué pasa ahora? —gruñó Äüstru, enfadado ante aquella pausa—. Estamos perdiendo mucho tiempo aquí. Si el Pimpollo ha abandonado ya Hokuka, deberíamos estar zarpando de Silveria en estos momentos para interceptarlo.

La cajera les miraba con una expresión crispada. Sentía fatigas y maldecía su suerte. De todas las cajas, aquel grupo de chiflados la había elegido a ella precisamente.

—Estamos sin dinero —le contestó Laila haciendo gestos para que bajase la voz.

—Pues nos vamos sin pagar —respondió el otro, como si fuese lo más natural—. Dile que le damos un esclavo a cambio del botín...

—¡Ni hablar! En mi mundo las cosas se hacen como yo digo —se enfadó ella, cansada ya de tanto despropósito.

Estaba verdaderamente harta de los piratas. Por un momento quiso huir. Se marcharía a Winter Manor olvidándose de ellos, del tesoro, de los Señores de los Vientos... Sintió que estaba a punto de gritar.

—Bueno, bueno, shilayita —la calmó Ojo de Toro, que había visto su expresión—. Yo tengo algo en los bolsillos.

Y rebuscó por entre sus abrigos. Con un gesto altanero lanzó un puñado de diamantes sobre la cinta de la caja registradora. La cajera abrió los ojos como platos.

—Esto... esto es muy irregular —titubeó tocando las piedras con cuidado—. Solo aceptamos libras y euros, a veces dólares...

—¡¿Acaso los diamantes del Norte no son dignos de una pocilga como esta?! —tronó Äüstru perdiendo la paciencia.

Sacó el kris y lo hundió de golpe en la cinta de goma. La cajera chilló aterrada y Laila aprovechó para salir corriendo, seguida de Aurige, en dirección al autobús. Dos muchachos estaban junto al armatoste, con caras de pasmo, y un carro con las pinturas y los alimentos. Aurige chasqueó los dedos y la puerta se abrió.

—Gracias, nemhiries —dijo Ojo de Toro lanzando otro puñado de diamantes al suelo. Luego cargó los fardos sobre sus hombros y subió al autobús tan tranquilo.

Los dos chicos contemplaron los diamantes con la boca abierta pero Laila no quiso ver nada más. Se sentó en el asiento con la cabeza baja mientras Aurige ponía en marcha el motor.

—Sería mejor que yo llevase el timón —sugirió Äüstru.

—Ni lo sueñes —contestó ella arrancando de golpe.

Esta vez los piratas estaban preparados. Todos sentados en los sillones, el viaje de regreso transcurrió sin más incidencias que algún grito ahogado y alguna maldición esporádica.

Ahora quedaba lo peor. El sol estaba ya alto en el cielo. Sin duda las iban a descubrir. Si antes habían tenido una suerte milagrosa, Laila estaba segura de que no se volvería a repetir dos veces.

Cruzaron los muros del colegio y la lunarïe derrapó el autobús justo en la entrada. Laila bajó despacio. No había nadie en las inmediaciones y aquel parecía el momento perfecto. Corrió por las escalinatas hasta el vestíbulo y tras cerciorarse de que todo seguía desierto, les hizo un gesto a los otros.

Atravesaron las grandes puertas acristaladas, todo iba a las mil maravillas. Estaban en medio de la mañana escolar y nadie se atrevía jamás a ausentarse de clase. Cuando el corredor hacia los dormitorios se vislumbraba al frente, ocurrió el desastre.

—¡Señorita Winter! —dijo una voz horrible a sus espaldas, la peor de las voces.

Los piratas se ocultaron raudos en las sombras del pasillo y Laila se dio media vuelta con el corazón a mil por hora. Su peor pesadilla acababa de hacerse realidad. Mrs. Peabody estaba allí plantada, con los brazos en jarras y una sonrisa horrible tras las gafas de culo de vaso.

—Faltó usted a clase ayer, y hoy la encuentro haciendo novillos junto a la señorita Smith… —de repente cerró la boca, muda por la sorpresa.

Acababa de descubrir tres figuras masculinas ocultas en la penumbra. Además, la señorita Smith llevaba un cuervo raro sobre el hombro y en el colegio no se permitían animales. Se ajustó las gafas sobre la nariz, torciendo los labios.

—¡Por fin, señorita Winter! —rió con crueldad—. Oí rumores sobre la presencia de un joven en su dormitorio, pero no tuve pruebas para expulsarla. Ahora lo he podido comprobar con mis propios ojos, y me alegro tanto de ser yo quien…

De nuevo se quedó paralizada en medio de la frase. Una de las figuras, una especie de oso ruso, se acercó a ella rápido como el rayo, le tapó la boca y le puso un cuchillo en la garganta. Los ojos de Mrs. Peabody se desorbitaron.

—¿Me la cargo? —le preguntó Diablo a Laila.

—¡NO! —chilló ella, histérica.

De golpe la situación se había descontrolado. Mrs. Peabody las había visto, a ella, a la arpía y a los tres piratas. Y no sólo eso. Ahora amenazaban de muerte a la profesora y todo dependía de ella. Por un momento el mundo se quedó paralizado y la mente de Laila se puso en blanco.

—Vamos a la habitación —susurró Aurige—. Podemos dejarla allí hasta que volvamos.

Los ojos abiertos de la profesora estaban llenos de miedo, y miraban a Laila y a Aurige con total incredulidad. Diablo la arrastró a la fuerza por el pasillo. Las piernas de Mrs. Peabody temblaban y por sus ojillos miopes corrían las lágrimas. Llegaron a la habitación de Aurige y el pirata empujó a la mujer contra el sillón de cuero.

—Y ahora, calladita, nemhirie, o si no...

Y se pasó el cuchillo por delante de la garganta. La profesora asintió, desquiciada, mirando aquella extraña habitación llena de cosas sin sentido.

—¡Esto es un desastre! —exclamaba Laila, dando vueltas sin parar.

—¿Pero cuál es el problema? —preguntó Diablo, sorprendido—. La matamos y la escondemos debajo de ese camastro —señaló la cama con doseles de la lunarïe.

—¡Que no!

—Se... señorita Winter —se atrevió a balbucear Mrs. Peabody. De repente se había dado cuenta de que lo que Aurige llevaba al hombro, no era un cuervo.

—Tenemos que liberarla y llevarla a un sitio bien lejos para que no dé la alarma —dijo Laila intentando pensar a toda velocidad.

—No tenemos tiempo —anunció Äüstru—. Lord Vardarac debe estar impaciente. La flota saldrá hacia el Desfiladero de los Matanusks en cuanto lleguemos.

—¡No sé nada de ningún desfiladero, no me agobiéis! Necesito pensar con tranquilidad —siguió ella, dando grandes pasos.

—Pues entonces le borro la memoria —dijo Aurige tranquilamente, y Laila la miró incrédula—. No hay más remedio. Ha visto muchas cosas. No podemos dejarla marchar así como así.

—No, por favor —balbuceó la profesora atropelladamente, creyendo que iban a hacerle algo horrible—. Señorita Winter, por favor, señorita Smith, no diré nada a nadie. Sólo soy una pobre maestra, y siento tanto haberme portado…

—¡Calla ya! —gritó Äüstru, cansado de tanto lloriqueo—. Shilaya, lee el libro de una vez. Lord Vardarac decidirá la suerte de esta bruja. Nos la llevamos como rehén. Ya que tanto la aprecias, procurarás obedecernos sin rechistar.

Aurige levantó las cejas, divertida, pero Laila no le veía la gracia. Si confesaba que odiaba a la profesora, los piratas podrían matarla al instante, además como si le estuviesen haciendo un favor.

Con gran resignación tomó el libro de Zërh y lo abrió por las páginas escritas de Airïe. La frase parecía derramar viento sobre su cara y sus cabellos, y ella la leyó en voz alta. Una luz, como un delator violeta, apareció delante de su cara y luego voló hasta el piso de piedra. Entonces dibujó un cuadrado brillante en medio de la habitación y de golpe, aquel cuadro de suelo desapareció, dejando ver un cielo azul.

—¿Tenemos que saltar? —preguntó horrorizada, asomándose al borde de aquel precipicio abierto.

Abajo, a mucha distancia, el Reina Katrina parecía mecerse bajo ráfagas de viento y Laila sintió un nudo en el estómago.

—Mejor que no lo pienses —le reprochó Aurige—. Vámonos de una vez.

Y sin esperar más, la agarró de los brazos y saltó hacia abajo. Laila no pudo evitar soltar un alarido que se perdió entre las ráfagas de aire. El corazón le latía a mil por hora y miró hacia arriba para evitar un vértigo espantoso. Ojo de Toro, cargado con todas las bolsas y sacos, las seguía con un vuelo discorde. A veces se balanceaba sin control, cayendo a plomo, y otras veces flotaba despacio, como si fuese un elefante que vuela por primera vez.

Y luego Diablo, con el fardo de Mrs. Peabody cargado al hombro. Laila cerró los ojos tratando de no imaginar el espanto que tenía que sentir aquella mujer. La odiaba con todo su ser, pero no se alegraba en absoluto por todo lo que le estaba ocurriendo.

Tras aquel salto de pesadilla, Aurige se posó suavemente sobre la cubierta del barco y Laila trastabilló sintiendo sus pies seguros sobre la madera. Por un momento quiso tumbarse sobre el suelo hasta que desaparecieran las nauseas, pero Ojo de Toro, que también había llegado y se secaba el sudor de la frente, les hizo gestos para que caminasen hacia el salón de recepciones.

Bajaron a toda prisa por las escalinatas hacia el interior del barco, recorriendo los pasillos hasta llegar al camarote de las maquetas. Para su sorpresa, además de Cyinder y de Nimphia, el propio Lord Vardarac se encontraba presente.

Laila vio que Mrs. Peabody temblaba y lloraba de miedo, y más ahora que se hallaba rodeada de muchos rusos gigantescos, envueltos en montones de abrigos, y todo inmerso en un olor espantoso.

—¡¿Y esto qué es?! —tronó el que le parecía el jefe de todos aquellos portentos de circo.

—Una rehén —contestó Äüstru sin vacilar—. Al parecer la nemhirie le tiene mucho aprecio. He pensado que puede venirnos bien en caso de que todo sea una trampa de estas shilayas.

Lord Vardarac meditó sobre aquello.

—Bien hecho —dijo por fin, asintiendo—. Llevadla a mi nave y encerradla en las bodegas.

—¡Señorita Winter! —gritó ella con desesperación mirando atrás, mientras un grupo de nemhiries la arrastraba por los pasillos del Reina Katrina.

Cyinder y Nimphia se habían reunido con ellas al momento, y después de abrazarlas, las acosaron con miles de preguntas. Sí, lo habían conseguido todo. No, los piratas no las habían maltratado, quizás todo lo contrario. En cuanto a lo de Mrs. Peabody, había sido un grave error y tendrían que encontrar una solución.

Nimphia se alegró mucho de ver a la arpía sana y salva, y Monique aleteó y chilló al escuchar tantos gritos a su alrededor.

—¿Y ese lazo? —preguntó Cyinder, extrañada.

—Está más guapa así —contestó Aurige sin dejar lugar a réplicas.

Cyinder y Nimphia miraron a Laila, que les hizo un gesto señalando que aún tenía que contarles otra cosa acerca del comportamiento de la lunarïe.

—¡Zarpamos hacia el Desfiladero de los Matanusks! —exclamó en ese momento Lord Vardarac, con voz profunda.

Todo el mundo gritó y los piratas sacaron sables que blandieron en el aire, produciéndose un gran alboroto. Inmediatamente abandonaron el gran trasatlántico, embarcando en el enjambre de drakkars que se mecían bajo la brisa del amanecer.

Nimphia miró con pesar hacia el lejano palacio de Silveria y la Torre de los Vientos. Nadie, ni su hermana, ni su madre, se habían dado cuenta de su desaparición.

El sol ascendía tras el horizonte de las islas, y pequeños barcos iniciaban ya sus rutas hacia lugares desconocidos. Ojo de Toro dio la orden de soltar amarras y el drakkar se balanceó violentamente en medio de las corrientes. Grupos de nemhiries soplaban sobre las esferas de cristales azules, y pronto el barco ganó velocidad hasta que el mismo viento hinchó las velas, dejándoles descansar.

—Lord Vardarac reclama vuestra presencia —les sobresaltó uno de ellos mientras todas veían Silveria y las tres islas ancladas, alejarse en la distancia.

Caminaron con desgana hacia el camarote principal. Sobre la mesa, llenas de trazos, descansaban varias cartas de navegación, brújulas y sextantes, y muchos artefactos raros que no parecían tener ninguna utilidad conocida. Líneas recientes parecían indicar que se dirigían a algún punto concreto.

—Mi fiel lugarteniente me ha informado que solo has traído un saco de pólvora, shilaya —dijo él con fiereza, levantando la vista de la carta.

—Pesaban mucho —contestó Laila con descaro, sin sacarle del error de que no era pólvora lo que había comprado—. Además, vosotros podéis multiplicarlos con vuestros poderes…

Lord Vardarac dio un respingo, rojo como un tomate.

—Os lo advertí —cuchicheó Diablo a su lado—. Esta nemhirie insulta de una forma muy… insultante.

—Yo lo haré —dijo Nimphia rápidamente, tratando de evitar un enfrentamiento—. Yo fabricaré toneladas de pólvora.

—Y yo —se unió Cyinder.

El Señor del Norte tragó aire, intentando calmarse.

—Está bien —gruñó—, pero rápido. Mañana llegaremos a los Matanusks. Todos los drakkars deben tener las santabárbaras repletas. ¡Por la vieja Boreus, si voy a perder mi honor destrozando los barcos del Pimpollo, al menos que sea algo grande!

—Si me permitís, milord —dijo Ojo de Toro—, quizás sea más conveniente cargar sólo nuestro barco y el Narval de Äüstru.

—¡Explícate! —Lord Vardarac golpeó la mesa con su puño y la madera crujió.

—El Desfiladero de los Matanusks es muy estrecho. Tres naves caben a duras penas, borda con borda, por la senda de la calma chicha. Cuando viremos para enfrentar los cañones, hay que mantener las popas bien lejos de los ríos de viento o nos destrozarán en menos de un minuto. Solo habrá sitio para dos barcos.

El Señor del Norte contempló la carta de navegación mesándose la barba. Luego cogió un compás y marcó varios puntos.

—Tienes razón, como siempre —asintió sin despegar la vista del mapa—. Está bien. Shilayas, no necesitaremos cincuenta mil sacos de pólvora, solo la mitad.

—¡Sólo veinticinco mil! —exclamó Aurige con sorna—. Nos sobra el tiempo. ¿Queréis también que limpiemos las bodegas y planchemos las velas?

Lord Vardarac la miró sorprendido, como si aquella posibilidad fuese una idea grandiosa.

—¡Por los dioses, calla ya, lunarïe! —la regañó Cyinder—. A veces me pregunto si fue buena idea convertir la runa en oro.

—¿Y qué vais a hacer con Mrs. Peabody? —cortó Laila a toda velocidad, tratando de desviar la conversación antes de que Aurige dijese alguna barbaridad.

—Aún no lo tengo decidido, nemhirie —contestó él—. Depende de cómo os comportéis. Si las cosas salen mal, las alimañas siempre estarán hambrientas.

—Ya, ya, muchas alimañas —soltó Aurige con cinismo—. Apuesto a que esa bruja las pone firmes a base de verbos franceses y en menos de una hora, ella sería la reina de esos bichos. Yo de vosotros, la pondría a fregar las letrinas, no vaya a ser que os encontréis un motín de alimañas.

Los piratas se quedaron confusos sin saber qué decir.

—Vamos —dijo Nimphia queriendo salir de allí cuanto antes—. Tenemos mucho trabajo que hacer.

Salieron del camarote a toda prisa y bajaron a las bodegas. Las bolsas de la compra estaban apiladas junto a cientos de cajas de víveres, balas de heno, ristras de hachas y espadones, garfios, y un sinfín de objetos de aspecto horrible. Cyinder inspeccionó las bolsas sin mucha convicción.

—Comida nemhirie —exclamó torciendo el gesto.

Nimphia abrió el saco de abono y dio un paso atrás arrugando la nariz.

—¡Esto no es pólvora, son excrementos de animales!

—Y aquí hay más cosas —añadió Laila sin inmutarse, sacando la almohada de plumas y los botes de limpieza.

La de Airïe lo miraba todo con gran interés, y olía cada frasco o desmenuzaba el abono en pequeños fragmentos. Entonces hizo aparecer en el aire varias redomas de cristal, y las botellas de lejía y aguafuerte bailaron en el aire, mezclando gotitas, echándose en los recipientes y luego en filtros de papel de donde salía humo de distintos colores. Dos horas después, la bodega estaba llena de frascos danzando, mezclándose entre sí, y el aire se había vuelto irrespirable, saturado de vapores sulfúricos.

Nimphia parecía encantada con todos aquellos experimentos, pero Cyinder, que estaba agotada de multiplicar sacos de abono, huevos y pintura, lanzó mil protestas cuando una botella se cayó al suelo y el aire se llenó de nubes verdes.

—¡Ya estoy cansada! —exclamó pegándole una patada a un saco—. Prefiero mil veces un vestido de Aurige que seguir aquí asfixiándome y apestando a cloacas.

—¿Un vestido mío? —dijo la lunarïe levantando una ceja.

—Bueno, creo que ya es suficiente —cortó Laila a toda prisa—. Le diremos a Lord Vardarac que puede llenar las bodegas del Narval. De todas formas la batalla no durará mucho y nos merecemos un descanso.

—He inventado un olor putrefacto horrible —rió Nimphia tapando varias redomas burbujeantes—. No se puede quitar, ni lavar ni nada. Y esta pasta de aquí —señaló un caldero lleno de una masa grisácea—, es un explosivo silencioso. El Pimpollo no podrá saber que le disparamos hasta que no tenga encima las bombas.

—Pues todo esto es justo lo que necesitamos. Solo nos queda liarlo todo en paquetes que se puedan meter en los cañones y se puedan disparar.

—¿Algo como esto? —dijo Aurige sacando su varita escondida, moviéndola en el aire.

En medio de todas apareció una sencilla bola de cristal del tamaño de una bala de cañón, y varias plumas, abono, huevos llenos de pintura, redoma apestosa y pasta grisácea volaron y se introdujeron en ella formando un amasijo caótico. La idea era perfecta, pero Cyinder y Nimphia solo podían mirar la varita mágica con los ojos muy abiertos. Laila apretó los labios.

—De acuerdo —dijo Cyinder por fin, levantando los hombros—. Haz lo que quieras, pero vámonos. Esto es peor que cuando robamos los diamantes de la guarida de aquel fauno, ¿os acordáis?

—¿Qué ocurrió? —preguntó Laila, interesada.

—Fue asqueroso —dijo Aurige haciendo aparecer cientos de bolas de cristal—. No quiero recordarlo.

—Los diamantes se convirtieron en gusanos en cuanto les dio la luz del sol —contó Nimphia mientras subían por las escaleras hacia cubierta.

—Déjalo, por favor —suplicó Cyinder arrugando la nariz.

Aurige iba a insistir, sonriendo malévolamente, pero todas cerraron la boca cuando descubrieron la triste figura de Mrs. Peabody encogida junto a uno de los mástiles del drakkar. Parecía haber estado llorando y toda ella mostraba infelicidad por todos sus poros. Laila sintió la necesidad de acercarse y tratar de decirle algo amable, pero al final desistió. De hecho, la veía como una nemhirie horrible que se merecía lo que le estaba pasando, y de pronto recordó cuando cogió a aquel hombre de la mano y él empezó a convertirse en árbol. Por un momento no había querido parar, y aquel sentimiento de crueldad la asustaba.

Informaron a Lord Vardarac que todo estaba dispuesto, y Ojo de Toro maniobró acercándose al drakkar de Äüstru, desde donde lanzaron amarras para aproximar las naves. Cuando las bodegas estuvieron repletas de bolas de cristal, el piloto volvió a dar orden de aumentar la velocidad, y todo el enjambre de drakkars voló hacia el cielo abierto, navegando durante horas eternas, sin cruzarse con ningún barco o trozo de tierra flotante por el que guiarse.

Al caer la noche cenaron en el camarote de Lord Vardarac. Para sorpresa de todas, Mrs. Peabody también se hallaba sentada a la mesa, y era presa de continuos temblores y gemidos. De inmediato el ambiente se volvió seco y cortante, y durante un buen rato nadie dijo una palabra. Varios nemhiries trajeron bandejas de comida, pero la profesora ni siquiera levantaba la vista.

—¡Come, nemhirie! —exclamó Vardarac de golpe, provocando un sobresalto general.

La mujer dio un respingo y acercó su mano temblorosa a una fuente de pan de miel. Al momento la retiró y él soltó una risotada.

—¿Qué es el Desfiladero de los Matanusks? —preguntó Cyinder, siempre política, intentando animar la cena.

Nadie contestó de inmediato, pero después de masticar un trozo de ave gelatinosa, Ojo de Toro se aclaró la garganta.

—El Desfiladero es una senda de calma total que transcurre justo por en medio de las fuerzas encontradas de los vientos del Norte y del Este —explicó—. Riadas de galernas que chocan y se enfrentan eternamente, y explotan hacia arriba como geiseres, con una fuerza y una velocidad endiabladas. Ninguno de los vientos quiere ceder en la lucha, y arrastran todo lo que encuentran a su paso. Mañana los veréis, shilayitas, y rezad para que no sea lo último que veáis en vuestras vidas.

Se produjo un silencio incómodo y Laila tragó saliva.

—¿Y qué razones tendría el Barón de Tramontana para tomar una ruta tan traicionera? —preguntó Nimphia con cinismo—. Ese desfiladero es una trampa tan obvia que sólo un estúpido se aventuraría en ella…

—Princesa Nimphia —dijo Lord Vardarac—, será mejor que a partir de ahora os dediquéis a presidir regatas y concursos, porque vuestro concepto de la alta navegación roza la ignorancia.

Nimphia sintió que se sonrojaba.

—Seguramente el Pimpollo espera que, si vamos tras él, le ataquemos desde el Norte, pues no sabe que hemos venido hasta Silveria —siguió él, apartando su plato de golpe y extendiendo una carta de navegación por entre las bandejas de comida—. Se ha enseñoreado en Hokuka y vuelve tranquilo y confiado, cual pavo real, e igual de tonto, por cierto. Atravesará los Matanusks en dirección a Dilaï —señaló varios puntos con el dedo—, porque es la ruta más corta y porque evita enfrentarse a los vientos del Este de cara. He ahí el porqué, milady.

—Y nosotros aguardaremos aquí —indicó ojo de Toro un punto en medio del dibujo de dos nubes de aire enfrentadas—. Cuando lo tengamos a la vista no tendrá escapatoria, pues virar en redondo en medio de los Matanusks es la muerte segura, y su propia flota navegando tras él le cortará la retirada.

Nimphia iba a protestar, pero de repente un gemido ahogado les sorprendió a todos.

—Dios nos coja confesados —lloró Mrs. Peabody—. Con esa estrategia horrible, lo más sencillo para el enemigo será embestirnos y…

—¿Perdón, señora? —dijo Lord Vardarac, rojo como un tomate ante aquella intromisión.

La profesora tembló de espanto y se encogió sobre sí misma lloriqueando.

—¡Lo último que necesito es lecciones de batalla naval!

—gritó Vardarac poniéndose en pie—. ¡Diablo! ¡Llévate a esta cotorra a los fuegos del Quebrantahuesos y que jamás salga de ahí!

—¡No, por favor! —exclamó Laila, espantada, sin saber qué iban a hacerle a la maestra.

—¡Silencio todo el mundo! —gruñó él con la mano en el mango de un hacha, mientras su lugarteniente arrastraba a una aullante Mrs. Peabody fuera del camarote—. Seguid comiendo, shilayas, o juro por el viento del Norte que acabaréis todas en el mismo lugar.

Nimphia, que se había puesto en pie, volvió a sentarse lentamente, y Laila tragó saliva mirando a cada una de sus amigas. Definitivamente aquello estaba volviéndose muy peligroso, y el frágil pacto con el Señor del Norte tenía toda la pinta de acabar en una tragedia sangrienta. Y aunque odiaba a su profesora de francés con toda su alma, aquel destino desconocido al que la habían condenado le había puesto la carne de gallina.

14. La venganza de Lord Vardarac

Durmió mal toda la noche. Las pesadillas inquietas iban y venían, y veía el rostro de Mrs. Peabody, descompuesto de terror, arder en llamas infernales en medio de un griterío insoportable. Se despertó varias veces sudando sin saber dónde estaba, y aunque aguzó el oído, no escuchó aullidos lastimeros de azotes y cadenas. Sólo el rugido del viento, que cada vez se hacía más fuerte.

Cuando por fin comenzó a clarear, saltó de la cama a toda prisa y salió del camarote sin despertar a sus amigas. Se sentía horriblemente culpable, y necesitaba saber qué desdichado final había tenido la profesora.

La luz de la mañana aún era pobre y cenicienta, ensuciada por una neblina gris que amenazaba lluvia, y aunque la flota de drakkars navegando a través del cielo todavía la impresionaba, sus ojos se abrieron como platos al contemplar el grandioso espectáculo ante su vista.

Gigantescos ríos de viento los arrastraban en medio del rugido ensordecedor hacia lo que, en la distancia, parecían grandes acantilados oscuros que se perdían en las alturas. La humedad se le pegaba a la piel y la tromba de ruido era insoportable. Los gritos de Ojo de Toro al timón, animando a los hombres a recoger las lonas, apenas se escuchaban en medio de la monumental ventisca. Algunos cabos de una de las velas cuadradas se habían soltado, y la tela aleteaba sin control, amenazando con rasgarse en mil pedazos y desaparecer arrastrada por las corrientes.

Laila avanzó tambaleante, con los cabellos enmarañados flotando hacia arriba, sorteando a los nemhiries que pasaban corriendo junto a ella para obedecer las órdenes del piloto, hasta llegar a la puerta del camarote del capitán. Aquel caos de viento le crispaba los nervios y se sentía asustada por enfrentarse a Lord Vardarac sin sus amigas, pero demasiado enfadada como para pensárselo dos veces. Golpeó con fuerza y entró sin esperar la contestación.

El Señor del Norte estaba sentado tras su mesa de caoba, a la luz de las velas, sin más compañía que sus mapas y sus brújulas, y levantó la vista sorprendido ante aquella intromisión. Al momento se enfureció al ver que esa falta de respeto imperdonable era causada por una de aquellas shilayas revoltosas.

—¡Qué haces aquí, nemhirie! —tronó—. Por menos de esto, valiosos hombres han perdido sus cabezas…

—¿Qué habéis hecho con Mrs. Peabody? —respondió ella a su vez sin amilanarse. Si iba a perder el cuello, por lo menos que fuese a gritos.

Sus ojos estaban llenos de ira, y por un momento sus cabellos pegajosos relumbraron demasiado verdes a la luz de las velas. Lord Vardarac la contempló un segundo y se acomodó en su asiento mirando hacia la puerta para comprobar que estaban a solas. Sonrió para sí mismo y se acarició las largas barbas de color violeta durante lo que pareció una eternidad.

—Siéntate, por favor —le indicó con un gesto calmado—. No me gusta discutir con gente del reino maldito si no estamos en igualdad de condiciones…

Laila abrió la boca como si hubiese recibido un calambrazo,

perdida de pronto en una nebulosa, y miró al pirata sin reconocerlo, sin poder articular palabra. Los vellos se le habían puesto de punta.

—¿Sorprendida, ithirïe? —rió él—. Pensabas que el viejo Vardarac era un palurdo ignorante, ¿verdad? Un bruto sin cerebro, una bestia asesina, una máquina de matar, un coloso despiadado... —se calló un segundo ante tanta exaltación de virtudes—. Pues te equivocas. No en vano soy el Señor del Norte, y tan viejo como los vientos que nos arrastran hacia esos condenados Matanusks.

—Pero… ¿desde cuándo lo sabéis? —musitó ella, temblorosa, sentándose a duras penas en la silla de madera.

—Los vientos hablan, y yo los escucho —respondió Vardarac—. Hace meses que susurran cosas y mis hombres andan inquietos sin saber por qué. Claro, ellos no entienden qué pasa, pero yo sí. Es más, sé qué es lo que buscas en verdad…

La mano que acariciaba la gruesa barba rebuscó por entre sus collares de oro y sacó despacio la cuerda sucia con el rollo de pergamino. Laila lo miraba, incrédula, con el rubor encendido. El corazón le latía a punto de estallar.

—¿Ves? —dijo él levantando las manos en el aire—. Conozco tu juego y no me importa jugarlo.

—Pero, ¿por qué? —logró decir ella por fin.

—Quiero esa victoria eterna, shilaya —respondió con fiereza golpeando la mesa—. Quiero derrotar al Pimpollo de una vez por todas y asegurar el Norte para cuando ocurra lo que ha de venir.

—Lo que ha de venir —repitió ella, despacio.

—Sí, esto —contestó Vardarac levantando el pequeño rollo de pergamino a la altura de sus ojos—. El secreto de las Seis Lunas. El tesoro maldito de los ithirïes. Durante años lo he buscado, pero nunca encontré nada. Este pergamino está en blanco, apenas unos trazos visibles. He perdido flotas enteras y siglos de mi tiempo tras ese maldito tesoro, y ya estoy cansado. Te daré mi mapa sin dudar si veo a Tramontana de rodillas, aunque dudo que tú resuelvas el misterio. Si lo haces... bueno, creo que todos nosotros deberemos estar preparados.

—Si lo que ha de venir es tan malo, ¿por qué no lo destruís? Así nunca ocurrirá —dijo Laila ligeramente molesta, desafiante.

Lord Vardarac se rió.

—Es el destino —respondió—. No se puede acabar con él. Desconozco las respuestas, pues no soy tan viejo como para saber la historia maldita de tu gente, pero el viento del Norte, que fue el que me entregó este papiro, me advirtió sobre la gran desgracia que caería sobre aquel que encontrase el tesoro de los ithirïes. Tiene el poder de destruir mundos.

—¿Y aún así lo buscasteis? ¿Sabéis en qué consiste? —preguntó la muchacha con un cosquilleo.

—No —la desilusionó él—. Sólo quiero estar preparado. Notas a tu alrededor las embestidas salvajes de los vientos —miró a cada rincón de su camarote—. Nos aproximamos a los Matanusks y todo mi barco cruje y llora de dolor... Pues eso no es nada en comparación con los alisios, los vientos de la tierra. Tú hueles igual que ellos, shilaya.

Laila tragó saliva. De repente su cabeza era un cúmulo de desasosiegos. Lord Vardarac tenía los ojos puestos en ella sin pestañear y luego, lentamente, cogió una pluma y comenzó a trazar nuevas líneas sobre una carta de navegación. Al parecer, la conversación había terminado.

—¿Y qué ocurre con Mrs. Peabody? —susurró ella con la garganta seca, recordando entonces el motivo que le había traído al camarote de Lord Vardarac.

—No tocaré un solo pelo de esa bruja nemhirie —respondió él sin apartar los ojos del mapa—. Pero ahora mismo, su sitio está en las cocinas... quiero decir... ¡en los fuegos del Quebrantahuesos! Allí permanecerá hasta que deje de lloriquear.

—¡¿Las cocinas?! —gritó la chica sin poder contener un suspiro de alivio—. ¿Me he pasado la noche en vela porque ella está en las cocinas?

Lord Vardarac soltó una carcajada y de nuevo pareció el rudo y grosero pirata que las atemorizaba a todas. Sin embargo, aquella chispa de inteligencia oculta ya nunca pasaría desapercibida a los ojos de ella. De hecho, el temor, había dejado paso a una secreta admiración.

En ese momento, la puerta del camarote se abrió de golpe y un nemhirie sofocado entró jadeando. Sus ojos tropezaron con Laila, pero no tuvo tiempo para asombrarse.

—¡Milord, las Columnas de Aulios están ya delante! —gritó a la carrera.

—¡Por el Gran Barbacoa! —tronó él poniéndose en pie enseñando los dientes—. ¡Charles, te he dicho mil veces que llames antes de entrar! La próxima vez te pasaré por la plancha y me comeré tus hígados.

El tal Charles tembló hasta el tuétano, pero Laila ocultó una carcajada.

—¡Y tú, shilaya! ¡Márchate y deja de lloriquear con tus protestas o te colgaré del palo mayor! ¡Fuera!

Ella no se hizo de rogar. Salió de allí a toda prisa tratando de parecer asustada, y al momento la tromba de viento se ensañó con su figura. Miró al frente por entre los cabellos arremolinados, para descubrir con horror que el drakkar, ahora un juguete insignificante, se dirigía sin remisión a un verdadero vendaval de viento donde dos colosales riadas se enfrentaban salvajemente. Tan intensas eran aquellas fuerzas de la naturaleza que, si entrecerraba los ojos, parecían tener color propio. Las riadas del viento del Norte se abalanzaban sobre su enemigo, el viento del Este, con un color azul helado, frío, traslúcido como una gasa, y aquel respondía, sin ceder un ápice, en oleadas verdosas como el agua de los pantanos.

El corazón de Laila palpitaba furiosamente viendo acercarse aquellas columnas infernales, y las fuerzas opuestas, luchando sin fin, estallaban hacia arriba creando paredes densas, como cataratas invertidas que volaban hacia lo alto, llenas de rabia y frustración. Y en medio de aquellos gigantes, un pequeño camino. Un sendero estrecho, tan frágil, que con que uno de los vientos avanzase siquiera un segundo con más fuerza que el otro, la furia los destrozaría de inmediato.

Se sintió estremecer de pavor y corrió al camarote en busca de sus amigas. Nimphia estaba ya despierta, pero Aurige y Cyinder seguían medio amodorradas como si el bramido de los vientos no fuese más que una brisa de primavera. La arpía dormitaba en lo alto de una de las vigas de madera, lanzando pequeños grititos al compás de su respiración.

—¿Dónde has estado? —preguntó la de Airïe, extrañada.

—Por ahí —divagó ella. De repente no quería contar lo que Lord Vardarac había dicho acerca del tesoro maldito—. El espectáculo fuera es increíble. Los vientos chocan y se repelen, y saltan hacia arriba como cascadas...

—Las Columnas de Aulios —sonrió Nimphia—. Nunca las he visto, y si mi madre supiese que estoy aquí, me desheredaría.

—Yo sí que os voy a desheredar a las dos como sigáis con los gritos —gruñó Cyinder bostezando—. ¿Y qué es ese ruido horrible?

—¡Las puertas de los Matanusks! —exclamó Nimphia con los ojos brillantes—. Nunca verás nada igual, solarïe.

—Pues será mejor que comamos algo —le contestó ella tapándose la cara con la almohada—. No nos vayamos a desmayar de tanta admiración.

Nimphia puso los ojos en blanco, pero en ese momento escucharon la suave risa de Aurige, que por fin se dignaba a dar señales de vida. Laila se encargó de hacer bollos de mermelada y galletas de crema y entonces Aurige sacó su varita mágica, y con un movimiento les añadió chispitas brillantes. Cyinder se atragantó.

—¿Pero qué pasa? —preguntó la lunarïe con cara ofendida.

—Nada, nada —replicó Laila engullendo una de las galletas.

Ella torció el gesto y agitó la varita de nuevo. Los abrigos de pieles malolientes desaparecieron, cambiándose por un vestido azabache de sedas y gasas, un collar de diamantes y una coronita en la cabeza.

—De verdad, Aurige… —empezó Cyinder.

—Hoy es un día importante —cortó la otra sin inmutarse, conjurando un gran espejo de la nada—. Hay que saber vestir adecuadamente.

La solarïe arrojó su bizcocho a un lado y salió del camarote con el rostro contraído. Laila y Nimphia la siguieron a toda prisa mientras la lunarïe se miraba el vestido, dando vueltas en busca de algún sitio donde añadir encajes.

—¡Voy a romper esa varita en dos! —murmuró la rubia entre dientes, echando chispas.

—No es culpa de ella —susurró Laila—. Es esa maldita runa.

—¡Pero es que parece que le gusta! No es nuestra Aurige. Está cambiando…

—No pasa nada porque se vista de shilaya —añadió Nimphia—. Tampoco es tan malo. Solo algo… colorido.

—¿Ninguna de las dos os dais cuenta? —se volvió Cyinder con lágrimas en los ojos—. Llegará un día en que querrá marcharse a las Montañas Shilayas. Se irá y no volveremos a verla.

—No digas eso —se entristeció Nimphia subiendo por las escalerillas de madera.

Siguió hablando, pero ninguna pudo escucharla. Las ráfagas de viento y lluvia se ensañaron con ellas de golpe, empujándolas en todas direcciones. Ojo de Toro agarraba el timón como si estuviese ahogando al diablo con las manos, vociferando órdenes en medio de aquel huracán, y al frente, tan cerca que daban miedo, las altas columnas azules y verdosas restallando hacia arriba, bramando su furia en una cacofonía espeluznante.

La tormenta de viento era tan salvaje que el resto de los drakkars parecían barquitos de papel bamboleándose a merced de un mar embravecido. Los hombres que recogían las velas luchaban contra las embestidas y el aguacero, tratando de afianzar los cabos, saliendo despedidos de un lado a otro, y el vigía se había agarrado al mismo mástil atándose con sogas para no ser lanzado al vacío.

Cuando Aurige subió, parecía la reina de un pase de modelos, y durante un segundo, Cyinder sonrió traviesamente al ver sus suntuosos vestidos empapados y que su coronita de diamantes volaba por los aires para nunca más volver.

Sin embargo, solo duró eso: un segundo. De repente, de una forma tan violenta que todo el barco crujió con un estertor agónico, la tormenta cesó por completo, y se encontraron casi parados en medio de las colosales cataratas de los Matanusks. Laila sintió los oídos atronados, la cabeza embotada y unas nauseas espantosas.

—¡A las esferas de viento! —gritó Diablo con toda la fuerza de sus pulmones, viendo aterrado cómo el drakkar comenzaba a desestabilizar su vuelo.

Al momento varios nemhiries dejaron las amarras y corrieron hacia los pilares llenos de cristales azules. Poco después, el Quebrantahuesos recuperaba el equilibrio y avanzaba lentamente, en medio de la calma absoluta, por entre los gigantes del Norte y del Este estallando hacia las alturas, repeliéndose eternamente en una lucha sin fin. Un silencio sobrenatural los invadió como un zumbido, y la quietud hizo que el ambiente comenzase a ser agobiante.

—¡Avante toda! —gritó Ojo de Toro—. ¡Desplegad las velas!

—¡Soplad! —rugía Diablo a los grupos de hombres en las esferas azules—. ¡Soplad, malditos perros de solana!

Poco después, el Narval de Äüstru conseguía entrar en el desfiladero, y tras él, la flota entera del Norte alcanzaba la mortal calma chicha de los Matanusks. Lord Vardarac se había apostado junto a Ojo, y su figura gigantesca enfundada en abrigos, contemplaba pensativa el estrecho camino ante ellos.

El calor se volvió sofocante. Las grandes murallas de viento evitaban que la más mínima brisa refrescase la cubierta, y una densa calima llena de vapores recorría el barco de proa a popa haciendo que en poco tiempo todo el mundo estuviese bañado en sudor.

Laila envidió el traje de Aurige, sin mangas, de fresca seda, y por un momento deseó tener a mano su propia varita mágica. Estaba segura de que tan sólo con pensarlo, vería su deseo hecho realidad, pero le daba vergüenza lo que dirían de ella Cyinder y Nimphia. Miró a la lunarïe odiando su propia inseguridad. A pesar de la runa, a pesar de su vestido de shilaya y de todas las opiniones en contra, Aurige seguía haciendo lo que le daba la gana. Exactamente igual que siempre.

—Ordena a los esclavos que se aposten junto a las esferas en grupos de tres —dijo Vardarac a Ojo de Toro, con un vozarrón que sacó a Laila de sus pensamientos—. Va a ser una larga espera.

Efectivamente el tiempo transcurría muy despacio, y los minutos se convirtieron en horas poco a poco. El calor hacía mella en el ánimo de todos y la humedad les pegaba las ropas a la piel. Constantemente vigilaban el horizonte, aunque apenas se vislumbraba nada más allá de la niebla serpenteante. Los nemhiries jadeaban por el esfuerzo de mantener el drakkar estable y sin moverse un ápice.

—¡Esa shilaya podría hacernos un barril de refresco bien helado! —gritó entonces el nemhirie llamado Charles en medio del tedio, y Aurige se volvió hacia él, rápida como una serpiente.

«Empieza la fiesta» —pensó Laila, segura de que aquel hombre sería convertido en cucaracha, o que una daga de plata le atravesaría el corazón, o cualquier cosa horrible. Sin embargo, Aurige sonrió.

—¿De fresa o de limón? —preguntó agitando la varita.

Cyinder bufó con rabia, pero ningún nemhirie se atrevió a contestar. La sonrisa de la shilaya vestida de princesa resultaba demasiado peligrosa, y todos volvieron a resoplar, malhumorados. Además, aquella varita tenía toda la pinta de una espada afilada.

Seguía pasando el tiempo y la cabeza de Laila divagaba. La dichosa runa de Aurige le llevaba al tío de Nimphia, y eso al tesoro de los ithirïes. Su madre, su padre, Monique, Jack Crow... Demasiadas incógnitas sin respuesta. Cansada de tanto dar vueltas a este asunto, sus ojos vaguearon por la cubierta hasta las figuras de Lord Vardarac y Ojo de Toro, con las manos fijas sobre el timón. Un solo fallo y el Quebrantahuesos se desplazaría sin remedio hacia una de las riadas de Matanusks, siendo destrozado en el acto.

Aurige se paseaba arriba y abajo, dando saltitos y giros sobre sí misma para hacer flotar su falda de gasas, y por un momento, Nimphia tuvo que ocultar una carcajada.

La curiosidad por ella hacía tiempo que había desaparecido, y los grupos de nemhiries que la habían contemplado antes con recelo, descansaban ahora sin prestarle atención a la sombra de las velas lacias, sentados junto a los aparejos, dispuestos a reemplazar a sus camaradas al menor signo de fatiga, solo que el cansancio y la apatía iban calando cada vez más profundamente en el ambiente.

—¡Allí! —gritó el vigía desde la cofa en ese momento.

Todo el mundo se puso en pie como un resorte y ellas cuatro corrieron hacia la proa. Los nemhiries se reunieron al completo en los pilares de cristales azules y la flota de drakkars se puso en movimiento.

Desde donde ellas estaban apenas se divisaba gran cosa: sólo el camino de calma chicha y jirones de neblina blanca flotando por entre las dos colosales paredes de viento, cada vez más oscuras y tétricas. Sin embargo los gritos desde el puesto de vigía se repetían sin parar: «¡Ave del Paraíso a la vista!, ¡Pimpollo a proaaaa!»

—Diablo, dile a Äüstru que avance en paralelo con Kades —gruñó Vardarac—. No quiero que esa golondrina perfumada se escape, pero la maniobra va a ser muy arriesgada. Si nos embiste, Äüstru y Kades le cercarán, y juro por el viento del Norte que esta noche nos encontraremos todos en las calderas de Firïe.

Laila tragó saliva mirando a sus amigas. Las calderas de Firïe... Sonaba como el infierno. El Señor del Norte estaba dispuesto a arriesgarlo todo en una batalla final, y su gruesa figura se afianzaba en la atalaya mirando a través de un catalejo.

Corrió hacia el camarote mientras Diablo lanzaba señales luminosas al resto de naves y rebuscó entre sus pertenencias. De entre todas las cosas compradas en el supermercado de Stirling, había guardado una en secreto sin enseñársela a nadie. Era una solución estúpida para una guerra estúpida.

Se colgó el objeto alrededor del cuello y salió otra vez a cubierta. Aurige daba saltitos danzando y de repente, ella sintió una enorme tentación. Una tentación que no pudo resistir. Apretó un botón y luego se metió una cartulina en el bolsillo olvidándose de ella. Mucho tiempo después, quizás aquella cartulina le salvó la vida.

—¡Ya son nuestros! —gritó Vardarac en ese momento.

Al frente, fantasmales figuras de cisnes blancos surgieron por entre los filamentos de niebla y Laila vio cómo aquella monstruosa nave de plumas de pavo real, que lanzaba destellos bajo los rayos del sol, frenaba su avance como si el barco mismo se hubiese quedado paralizado de asombro.

—¡Virad a estribor! —siguió el Señor del Norte, rojo de excitación—. ¡Enseñadle a ese pájaro nuestras troneras! ¡Vamos a desarbolarlo y lo mandaremos al abismo como un gallo pelado!

Los hombres rieron y soplaron sobre los cristales con más entusiasmo, tratando de contentar a Lord Vardarac en todos sus deseos. Frente a ellos, el gran cisne multicolor comenzó a virar despacio, con gran maestría, hasta mostrar su afinada baranda llena de querubines. Sobre la cubierta, numerosas figuras aladas las miraban con el ceño fruncido y la tensión se podía palpar en el ambiente.

Laila buscó un lugar apartado. No quería que nadie la molestase en el momento en que iba a jugarse el todo por el todo, y además, necesitaba ver la escena de cerca, a pantalla completa. Las otras la acompañaron y Nimphia miró aquel objeto cuadrado con gran curiosidad.

Las hadas del Este se apartaron dejando sitio a la figura del Barón de Tramontana. Llevaba los bucles violetas recogidos en una cola llena de lazos y vestía un kimono de color naranja tornasol que refulgía como oro candente. Lord Vardarac podía haberlo pillado desprevenido, sin arreglarse, pero sus dos espadas de empuñaduras laberínticas colgaban a cada flanco como si durmiese con ellas.

—¡Cuán grata fascinación nos depara la fortuna! —exclamó mientras una plancha blanca se extendía ante él, justo ante sus pasos—. No alcanzo a augurar el venturoso motivo de tan singular despliegue —señaló a la flota del Norte con un gesto vago.

Lord Vardarac permaneció en silencio unos segundos y bajó las escaleras de la atalaya lentamente, acercándose a la borda.

—¡Devuélveme Hokuka, tramposo! ¡Y las islas del Noreste que has rapiñado durante siglos!

Tramontana se volvió de perfil con una media sonrisa. Se diría que estaba presentando su lado elegante.

—Sin embargo, yo os conmino a retornar por la angosta senda, que no ya huir, antes de que vuelva a socavar vuestra prez, y vuestra ridícula existencia zozobre en las galernas de los tiempos.

—¿Qué ha dicho que va a hacer? —preguntó Diablo, atónito.

—Ni idea —gruño Vardarac en un susurro—, pero apesta.

El Señor del Norte echó a Laila un vistazo rápido y ella asintió. Los dedos de la muchacha temblaban.

—Nimphia —musitó a su amiga—. Recoge todo lo que salga de esta ranura y guárdalo en un bolsillo.

La otra asintió con los ojos muy abiertos.

—¡Por el Norte, Pimpollo, que hoy tu suerte te va a abandonar! —exclamó Lord Vardarac enfrentándose a su contrincante sobre la pasarela de madera.

Levantó el grueso brazo mostrando su esfera de destellos rojizos y Tramontana se carcajeó con aires de suficiencia.

—¡Avast, mi querido advenedizo! —respondió extendiendo la mano. Una esfera azulada brilló entre sus dedos—. Hoy tan solo me conformaré con los dominios de Benthu. Seré inmune a los sollozos vertidos por vuestros lagrimales y…

—¡¡Fuego!! —gritó Lord Vardarac con toda la fuerza de sus pulmones, haciendo que nadie supiese ya nunca qué iba a ocurrir con sus lagrimales—. ¡¡Fuego a discreción!! ¡¡Destruid sin piedad a ese loro del tres al cuarto!!

—Co… ¿Cómo? —logró balbucear Tramontana con los ojos muy abiertos, pero aquel susurro se perdió en medio de la avalancha de cañonazos y el estruendo de las troneras escupiendo balas sin piedad.

Por un momento se quedó paralizado viendo, como en un sueño, que de la borda del Quebrantahuesos surgían nubes de humo negro y los estampidos le dejaron sordo de golpe. Reculó por la pasarela blanca pero entonces comenzó su pesadilla de verdad. Lord Vardarac seguía chillando, histérico, pero ya nada importaba. Bombas de humo estallaban por doquier, pero no estaban destruyendo nada... ¡estaban manchándolo y ensuciándolo todo con un olor espantoso!

Un proyectil cayó justo delante de sus narices y el aire se volvió negro, lleno de plumas que se le pegaron a la cara y a los cabellos. Chilló de horror cuando comprobó que su preciada cubierta de ébano blanco de Epheirus estaba llena de estallidos verdes, naranjas, plumas horribles... una nueva bomba cayó explotando junto al mástil, y le salpicó entero de un líquido que hizo que su preciado kimono de seda nemhirie comenzase a desteñirse.

Se volvió hacia el drakkar de Vardarac como un dragón enfurecido. Las riadas de balas demoniacas estaban impactando contra su preciado Ave del Paraíso, volviéndolo de mil colores espantosos, apestándolo con algo que revolvía las entrañas, y toneladas de desperdicios caían sin parar como una lluvia abominable de excrementos sin fin.

—¡Todo a estribor! —chilló presa de la histeria—. ¡Embestidlos! ¡Embestidlos!

Pero sus hombres corrían por la cubierta como ratas asustadas sin control. Levantó los brazos y una aureola recorrió su cuerpo cubierto de abono y plumas. Se produjo un estallido de poder y el Ave del Paraíso resplandeció, limpio y blanco como la nieve. Corrió hacia el timón solitario mientras una nueva oleada de bombas arreciaba sobre la cubierta inmaculada, y de un golpe lo hizo girar a gran velocidad, sin darse cuenta del fatal error.

—¡¡Fuego sin cuartel!! —gritaba Lord Vardarac a punto de quedarse afónico.

Levantaba su hacha de guerra por encima de la cabeza, pero tampoco entendía nada de lo que estaba sucediendo. Los mástiles no caían hechos añicos, ni volaban astillas por todas partes. Las nubes de pólvora y el rugido de los cañones sobrecargaban el desfiladero, y sus troneras seguían escupiendo fuego sin parar. El barco del Pimpollo era una masa infame de color y suciedad, pero no lo estaban mandando al abismo. Vardarac estaba perdiendo su honor en una especie de tontería sin sentido.

Miró a aquella maldita nemhirie, o ithirïe, o lo que fuera, que se cubría la cara con una caja de la que salían destellos constantemente y su furia se le atragantó. Las mataría a todas en el acto. Para colmo de males, el Pimpollo acababa de limpiar todo su barco de golpe, y el cisne brillaba más ofensivo y blanco que nunca.

—¡¡Fuego!! —se desgañitó a la vez que se debatía entre tirarlas a todas al vacío o trocearlas en miles de pedazos y dar de comer a los cuervos.

—¡Mirad! —le sobresaltó Diablo señalando al barco de su enemigo—. Ese desgraciado está virando a estribor demasiado rápido. No va a poder corregir antes de alcanzar el Matanusk del Este…

Lord Vardarac siguió la trayectoria del cisne con los ojos muy abiertos.

—¡¡A babor!! ¡¡A todo trapo!! —gritó a los cuatro vientos—. ¡Diablo, que Äüstru prepare los garfios y avante toda!

El Quebrantahuesos crujió bajo el dominio de Ojo de Toro, y ellas fueron zarandeadas cuando la nave se estremeció de arriba abajo por la brutal orden. Los cañonazos cesaron y los nemhiries apostados en las bodegas corrieron a las esferas de viento, escupiendo bocanadas hasta quedar exhaustos.

—¿Pero qué va a hacer? —exclamó Cyinder mientras se incorporaba del suelo, mirando al frente con ojos muy abiertos.

—Creo que va a rescatar al Pimpollo —respondió Nimphia observando toda la escena—. Su barco está girando y creo que quiere huir, pero el resto de su flota está detrás y le corta el paso. Además va demasiado rápido…

—¡¡Soplad, perros!! —gritaba Diablo en ese momento—. ¡Más fuerte o desayunaré vuestros ojos!

El Quebrantahuesos avanzó a través de los restos de nubes verdosas y pólvora que invadían el desfiladero. Las velas estaban a punto de reventar, pero el cisne blanco parecía escurrírseles de entre los dedos. La flota de naves blancas se había puesto en movimiento, y ellas vieron con horror que los primeros barcos habían logrado virar y avanzaban sobre la segunda línea de naves sin contemplaciones. Cuando trataron de esquivarlos, dos de los barcos se acercaron demasiado a las paredes de viento y de inmediato fueron succionados hacia arriba, volando miles de astillas entre lejanos aullidos de horror, hasta desaparecer de la vista.

—¡Por la Vieja Boreus, soplad! —chillaba Vardarac cercano al colapso.

Se había aproximado a la baranda y parecía que estaba a punto de saltar. La popa del cisne estaba ya frente a sus narices y todas vieron la figura del Barón de Tramontana, agarrado al timón, paralizado de terror cuando su barco enfiló el muro del Matanusk del Este. De inmediato la nave voló hacia arriba empezando a resquebrajarse, hundiéndose en las riadas verdosas, y en ese momento, decenas de garfios atravesaron el aire enganchándose en los rieles de madera como garras de acero.

—¡¡Ahora!! —aulló Vardarac con las manos crispadas, y Diablo lanzó luces al aire que brillaron un instante y fueron absorbidas por el muro rugiente.

El barco se movió hacia atrás violentamente, crujiendo todas y cada una de las maderas, y Laila sintió que el corazón se le salía por la boca. Desde la popa, docenas de garfios lanzados desde el Narval, tiraban de ellos tratando de sacarlos de la horrible atracción del Matanusk, y los cables tensos parecían a punto de romperse y restallar en latigazos. La lucha contra el viento se convirtió en una batalla titánica, y por un momento pareció que todo estaba perdido sin remisión. La nave del Pimpollo se hundía cada vez más en los torrentes salvajes, y su figura aparecía y desaparecía a intervalos por entre las cortinas del huracán, como una estatua viendo su final. Y entonces, de repente, la voluntad del viento del Este cedió, y los barcos comenzaron a retroceder lentamente, paso a paso. Laila comprobó que Kades se había unido a Äüstru, y entre ambos remolcaban al Quebrantahuesos de vuelta al desfiladero, y con él, al Ave del Paraíso, que parecía ahora una sucia rata mojada.

—Y ahora, shilaya, dame un solo motivo para no descuartizarte y pedir a Mary Rose… quiero decir, a la bruja nemhirie, que te guise de cena.

Todas se hallaban sentadas en el camarote de Lord Vardarac. Aún tenían los oídos atronados por la lucha contra los huracanes de viento, pero ahora la batalla no era más que un lejano recuerdo, y la flota del Norte avanzaba rumbo a Silveria a gran velocidad. El Pimpollo estaba allí también, mustio y silencioso, con pelo greñoso, envuelto en toallas y mantas apestosas del Norte. Le habían servido una jarra de ron caliente y de vez en cuando probaba un sorbo sin atreverse a levantar la vista.

—¿Pero qué tipo de batalla deshonrosa es esta? —gritaba el Señor del Norte golpeando la mesa—. Pinturas, basura… ¿Y la victoria eterna? Nos has puesto a todos en peligro para nada.

Laila arrojó una cartulina sobre la mesa. Lord Vardarac la recogió con un gesto de desconfianza y le echó un vistazo. De inmediato tuvo que acercársela y abrió los ojos enormes mientras su cara se ponía roja como un tomate. Entonces comenzó a reír. Lanzó una carcajada que duró una eternidad. Su mano temblaba y toda su figura se convulsionaba en espasmos.

—¿Qué es? —preguntó Cyinder cogiendo la cartulina.

—Una foto polaroid —contestó Laila—. La victoria eterna.

La rubia echó un vistazo. Sobre una cubierta llena de desperdicios y manchas de pintura, una figura envuelta en plumas, basura y alquitrán, chillaba descompuesto de asco, con un gesto tan grotesco que la solarïe no pudo por menos que echarse a reír también. Lord Vardarac volvió a coger la cartulina misteriosa y se la entregó al Pimpollo.

—Milord, devolvedme Hokuka ahora mismo...

Tramontana cogió la foto lentamente y después de mirarla con horror, hizo un último gesto de osadía y la partió en mil pedazos. La cara de Vardarac se puso verde y por un momento el tiempo pareció detenerse.

—No importa —dijo Laila arrojando cinco fotos más sobre la mesa—. Esa era la peor de todas.

El Señor del Norte miró a la muchacha como el niño que ve a un hada madrina y en el momento en que Tramontana, rápido como el rayo, alargaba el brazo para agarrar aquel tesoro, le aplastó la mano con su propio puño, y sacó de entre sus dedos doloridos las cinco cartulinas, a cada cual más espantosa.

—He dicho Hokuka, por favor —repitió con una sonrisa enorme—. Y ahora que lo pienso... quizás me apetecería descubrir vuestros archipiélagos de Maussana, donde según he oído, hacen un vino excepcional...

El Pimpollo palideció aún más si era posible, pero permaneció orgulloso, con el gesto altivo sin dirigirle la palabra. Los segundos pasaron en silencio.

—Shilayas, ¿creéis que este dibujo le gustaría a Lady Notos? —preguntó Vardarac al aire, sin dejar de mirar a su contrincante.

Todas permanecieron mudas por la sorpresa y el Pimpollo se sobresaltó.

—Oh, sí —exclamó Nimphia al momento—. Y además lo puedo agrandar. Mirad.

Chasqueó los dedos y una de las fotografías creció hasta convertirse en un póster de dos metros de altura. Las manchas chillonas de la cubierta del malogrado Ave del Paraíso dañaban la vista, pero el Barón, cerrando los ojos en el momento en que le caían salpicaduras de abono y lejía, era lo peor de todo. Tramontana se derrumbó y comenzó a sollozar.

—Basta —lloriqueó sin consuelo—. Os retornaré vuestros preciados páramos neblinosos si así lo estimáis. Inclusive capitularé Dilaï —gimió—, mas no mancilléis mi decoro, no vituperéis a un enemigo ahinojado y pardiez, no aludáis esta desventura simpar a la sublime perla del Sur...

—De acuerdo, trato hecho —respondió Vardarac.

—¿Qué? —se asombró Diablo—. ¿Habéis entendido lo que ha dicho?

Lord Vardarac tosió y carraspeó.

—¡De ninguna manera! —contestó tajante—. ¡Hablad claro, Pimpollo! ¿Sí o no?

Tramontana asintió con gruesos lagrimones recorriendo sus mejillas.

—¡Victoria! —gritó Ojo de Toro con la garganta ronca. Levantó su puño al aire y de inmediato salió al exterior—. ¡Victoria!

Diablo le siguió al momento, chillando a los nemhiries que abriesen los barriles de ron de Benthu. Desde la cubierta les llegaron los aullidos y vítores de los hombres y pronto comenzó un griterío de fiesta que se prolongó hasta bien entrada la noche. El Señor del Norte se levantó de su asiento y cerró la puerta con cuidado.

—Y ahora, hablemos claro, Pimpollo —dijo sentándose despacio—. No me interesa Dilaï, solo quiero lo que es mío. Os dejaré marchar, a vos y a vuestra tripulación, e incluso os entregaré estas cosas —jugueteó con las fotos—. Siempre y cuando no volváis a poner los pies en el Norte.

El Barón de Tramontana le miró con la sorpresa pintada en el rostro cuando el otro le acercó las cuatro fotos y el póster. Las tomó tembloroso y miró a su antiguo enemigo sintiendo que le brotaban las lágrimas.

—¡Avast! Sois un hombre de honor, milord, y me habéis salvado la vida —exclamó con el rubor tiñéndole la cara—. Antaño oí las legendarias gestas de las tierras del hielo, pero hoy, sin duda que nos, hemos comprobado a fe mía, la veracidad de tan prestigiosos relatos —respiró profundamente—. Permitidme sin embargo que falte a la promesa de no pisar el Norte, pues deseo visitaros, no ya como un amigo, sino como un hermano.

Y se abrazó a Vardarac de golpe. El Señor del Norte contuvo la respiración sin saber qué hacer. Parecía que una mariposita se había agarrado a los pelos de un oso gigante. Vardarac lo apartó, azorado, carraspeando.

—¡Ejem, esto hay que celebrarlo!

Se levantó y abrió una pequeña alacena llena de botellas extrañas, y se demoró más de lo habitual para que nadie notase que las palabras de Tramontana le habían calado hondo. Puso vasitos sobre la mesa y escanció un licor de especias azules.

—Por ti, shilaya —brindó—. Por haber sido capaz de hermanar las Casas del Norte y del Este. Un milagro que nadie logró jamás.

—Y ahora nos devolveréis a Silveria —exclamó Nimphia, emocionada, mientras todos bebían el licor de un trago.

—Por supuesto —bramó él.

—Y más cosas —dijo Laila con los ojos brillantes.

El Señor del Norte se desabrochó los gruesos abrigos rebuscando entre los collares de oro y desató el preciado cordón deshilachado con el rollo de pergamino. Lo puso sobre la mesa mirando a Laila, pero entonces, el Barón de Tramontana tosió, dándose golpes en el pecho.

—¡Es igual que el mío! —exclamó con los ojos muy abiertos.

Todas lo miraron boquiabiertas en medio del silencio, y el Señor del Este rebuscó por entre las mantas de lana que cubrían su kimono, y se arrancó de golpe una cinta negra y ajada, con un pequeño rollo de papel atado. Lo puso sobre la mesa y miró a Lord Vardarac sin pestañear.

Durante un segundo nadie habló. Tramontana desenrolló su papiro y Vardarac hizo lo mismo. A la luz de las velas se apreciaban trazos antiguos, letras casi desaparecidas, ininteligibles. Laila temblaba de emoción.

—¡Son papiros distintos! —tronó el Señor del Norte—. ¡Por eso estos signos de arriba no tenían sentido!

Acercaron los pergaminos, pero no encajaban de ninguna manera.

—Faltan piezas —concluyó Tramontana con pesar.

—El Oeste y el Sur —musitó Vardarac rascándose la barba.

Ambos Señores de los Vientos se miraron con una gran sonrisa.

—Pero me prometisteis el pergamino a mí —dijo Laila entonces, cortando de golpe tanta camaradería.

Lord Vardarac tragó saliva y la miró como si fuese una perfecta desconocida.

—Me temo que las cosas han cambiado, shilayita —sonrió enseñando los dientes—. Esto abre nuevas posibilidades, y el tesoro de los ithirïes es algo demasiado poderoso para dejarlo escapar.

—¡Cómo! —exclamó ella, atónita—. ¡Lo prometisteis!

—¿Y qué? ¿Vas a llorar? Me partes el alma... Alégrate de seguir viva. Mi barco está destrozado, la nave de mi amigo, el Barón de Tramontana, es un vertedero de basuras, y todo por tu culpa. No os arrojo a los cuervos porque soy magnánimo.

—¡Esto es una vergüenza! —se atrevió a exclamar Nimphia, temblando.

—De todas formas —añadió Vardarac con astucia—, ¿de qué te sirve? Ahora sabemos que hay cuatro piezas del mapa. Aparte de las nuestras, aún os faltarían dos. No le voy a dar a una shilaya por las buenas el regalo que me hizo el propio viento del Norte. Sería una ofensa.

—Pero yo cumplí mi parte, y os he dado la victoria eterna —se ofuscó Laila, dejando que una neblina de rabia le invadiese la mente—. No sois más que un vulgar tramposo.

Lord Vardarac se puso rojo como un toro resoplando y su mano se aferró a uno de sus múltiples puñales. El Pimpollo le dio unas palmaditas, tranquilizándolo como si fuese su camarada de toda la vida. El otro respiró hondo hasta que sus barbas se calmaron.

—Os dejo a todas sanas y salvas en Silveria —dijo, como si aquello fuese un gran sacrificio—. Todavía no te das cuenta de la gran baza que es tener a la princesa de Airïe como rehén y aún así la estoy liberando —tragó aire—. Sin embargo no quiero que nadie piense que el Señor del Norte es un villano. Juro solemnemente que os entregaré mi mapa el día que los cuatro vientos estén de acuerdo. Si logras ese milagro imposible, entenderé que los dioses están de tu parte y esto será tuyo —le dijo poniéndole el pergamino en las narices.

Laila apretó los labios. Se sentía dolida y traicionada. Precisamente cuando Lord Vardarac estaba empezando a caerle bien. Miró al Pimpollo estudiando su reacción. Su pergamino estaba en la mesa, extendido.

—Inquiero que ambicionáis mi posesión, joven doncella —dijo él enrollándolo con gran cuidado, de forma deliberada.

Laila miró a sus amigas y asintió.

—Podríamos alcanzar un acuerdo —siguió él con su media sonrisa—. Vos ansiáis esto, y mi corazón ansía la dulce fragancia de los legendarios bucles de la joya que puebla mis sueños, cuando el sol, humillado, cae en su ocaso para esconder su derrota ante el rostro de la divinidad...

—¿Qué? —preguntó Cyinder, embobada por tal lirismo.

—Que quiere un mechón de pelo de Notos —aclaró Vardarac tras comprobar que en el camarote no había nadie de su tripulación.

—Tenéis clase, milord —se maravilló él—. Tenéis clase.

—¡Y cómo vamos a conseguir los pelos de otro pirata! —exclamó Laila muy enfadada, sintiendo de golpe el cansancio y la desesperación—. Estamos hartas de viajar a todas partes. ¡Quiero irme a mi casa!

Cyinder le pasó un brazo por el hombro, tratando de reconfortarla. Ella se sentía igual, deseando regresar junto a su madre, volviendo a su reino para dejar atrás tanta locura. Parecía como si los vientos caprichosos les estuviesen enredando todas sus vidas.

—Jóvenes doncellas, no dejéis que el desasosiego os invada —susurró el Barón de Tramontana—. La perla de mis anhelos alegra la capital en estos días aciagos. Mis espías conocen cada uno de sus pasos, y pronto partirá hacia el lejano Sur mas, en estos momentos, embellece las ensenadas de la ciudad de plata y azur, ignorando a los humildes, torturando a sus pretendientes, como si de una cruel diosa se tratara.

—Total, que está en Silveria —resumió Aurige.

El Barón torció la boca, contrariado ante tan escasa sensibilidad.

—Llegaremos dentro de poco —dijo Vardarac—. Las corrientes han sido muy propicias y probablemente al alba avistemos la Torre de los Vientos…

—¡Por fin! —exclamó Nimphia, radiante a pesar de todo.

—Y si la tal Notos tiene otro plano, se lo robamos y punto —concluyó la lunarïe, bostezando.

—Hablad con cuidado de ella —dijo Tramontana—. No quisiera equivocar vuestras palabras, sin duda corteses, imaginando que proferís un insulto.

—En absoluto —contestó Cyinder a toda prisa—. Ni en nuestros más... ejem, poblados sueños.

Cuando por fin llegaron al camarote, Laila dio rienda suelta a su frustración. Lord Vardarac le había mentido y le odiaba.

—Yo hubiese hecho lo mismo en su lugar —la sorprendió Aurige, tumbada en su camastro.

—Desde luego —rabió ella—. Tú sí.

—Y tú también. No te hagas la inocente. De repente tienes la posibilidad de encontrar el tesoro de los ithirïes de una vez por todas, ¿y le vas a dar tu fragmento a una nemhirie? No me lo creo.

—¡Pues créetelo!

Luego cerró la boca. Con gusto le habría soltado mil improperios sobre el honor y las promesas que se debían cumplir, pero en el fondo de su alma sabía que Aurige tenía razón, como siempre. Si ella tuviese el pedazo de mapa, no lo entregaría ni con sangre.

Desde fuera les llegaba la algarabía formada por los piratas del Norte, y aunque estaban celebrando su aplastante victoria con risas y canciones, las hadas del Este se habían unido festejando una camaradería que nunca habían conocido antes.

El poder de destruir mundos —había dicho Lord Vardarac sobre el tesoro. Pero Laila no quería saber nada de eso. Sólo quería encontrar algo que le llevase a su madre, para bien o para mal.

Definitivamente necesitaba ese mapa, fuese como fuese. Bostezó con los ojos borrosos y pronto descubrió que tenía que dormir y aclarar las ideas. Lo que había dicho en el camarote de Vardarac era cierto: deseaba volver a su casa, pero en verdad, el tesoro de los ithirïes empezaba a convertirse en una obsesión.

Se tumbó sobre el camastro sintiendo que las fuerzas le abandonaban, y durmió toda la noche en una pesadilla de aullidos de viento arrastrándola hacia un destino desconocido.

Al día siguiente, muy temprano, salió de la cama y subió a cubierta a contemplar el horizonte. No se sorprendió al descubrir a Nimphia apostada en la proa, y aparte de Ojo de Toro, siempre al timón, ningún otro tripulante las molestó.

—Ya hemos dejado atrás el faro del Este —comentó su amiga sin dejar de mirar el cielo teñido de malva—. Dentro de poco estaremos en casa, y si quieres, volveremos al colegio, o a ver a tu padre, antes de cortarle la cabellera a esa… «Perla del Sur».

Laila rió, pero el estómago se le había hecho un nudo pensando en su padre. Y además en el colegio, todo el mundo andaría buscando a Mrs. Peabody como locos. Aquel era otro problema que tenía que solucionar de inmediato. La voz del vigía las sobresaltó anunciando la proximidad de Silveria, y ambas miraron hacia adelante, sin descubrir otra cosa que el sol refulgiendo como una columna de fuego.

Sin embargo, poco después, los rayos dorados se volvieron de plata, y mientras la nave recuperaba el bullicio, el enorme iceberg incandescente apareció ante sus ojos, con sus tres islas ancladas y el gran trasatlántico flotando como una cometa gigantesca.

—Vira tres grados a estribor —decía en ese momento Lord Vardarac a su piloto, con los ojos somnolientos, heridos por la luz del día.

De repente abrió los párpados y su semblante risueño se volvió tenso. Cogió su catalejo y lo desplegó de golpe.

—¡Pimpollo! —tronó frenético—. ¡Tramontana, ven aquí!

Al rato apareció el otro, tambaleante, aún mareado por la cantidad de alcohol que habían seguido bebiendo en aquella celebración de hermandad. Vardarac le puso el catalejo en las narices y él lo agarró con temblores imprecisos.

—¡Avast! —exclamó cuando por fin acertó en un ojo—. Mal asunto.

—¡Toda a babor! Atracamos en Londres —ordenó a Ojo.

—¿¡Qué!? —exclamó Nimphia, mirándolos desde abajo.

—Lo lamento, princesa —respondió Vardarac volviendo a mirar por el catalejo—. Ni por todo el oro de Airïe me enfrentaría a la flota imperial de Tirennon.

—¿La flota de Tirennon? —repitió Laila, sin comprender, mirando hacia lo lejos.

Nimphia se volvió a ella con los ojos muy abiertos.

—Quiere decir que Maeve, la Reina Blanca, está aquí.

15. Londres

—*Creo* que deberíamos presentarle nuestros respetos y tratar de parlamentar —repitió Cyinder por enésima vez, mientras el Quebrantahuesos iniciaba las maniobras de atraque por entre los numerosos buques que atestaban el puerto de la singular isla.

—Pues yo creo que te equivocas del todo —contestó Nimphia, malhumorada—. ¿Tú qué dices, Aurige?

La lunarïe movió su varita creando una estela violácea llena de destellos, y la arpía en su hombro dio un gritito.

—Creo que me voy a cambiar el nombre —dijo perdida en su propio mundo—. Aurige suena muy rígido. Creo que Aura de Luna es mucho mejor... o Aura de Luna de Marfil, incluso más bonito...

—No me toques más las narices, lunarïe —respondió Cyinder apretando los puños—. Estamos decidiendo cosas muy importantes aquí. Se trata de política pura y dura, no podemos comportarnos como crías.

Laila dejó de prestar atención. Las discusiones con la solarïe acerca de Maeve se volvían eternas. Ninguna quería decirle a las claras lo que sospechaban: que mientras estuvo en Solandis antes de volver a Lomondcastle, la vieja Mab le había cambiado la mente. Sin poder hablar y aclarar las cosas, Cyinder les parecía una espía metida en el grupo. Discutir con ella era como hablar con un muro blanco.

—No somos niñas —la corrigió Nimphia—. Pero en cuanto Maeve nos descubra, los albanthïos nos arrestarán. Recuerda que Tritia nos la tiene jurada. Tenemos que permanecer lo más lejos posible de ella.

—Algún día lo entenderéis —replicó Cyinder, rabiosa, ignorándolas a todas.

El ánimo decayó de inmediato. Cuando Cyinder se enfadaba, la tristeza las invadía a todas. Era como si los días maravillosos del verano, cuando reían comiendo pasteles mientras planeaban el asalto a la Torre de Cálime, hubiesen quedado atrás para siempre. Laila echó de menos aquella vieja camaradería. Aquel verano había dejado paso al otoño, y ahora, el invierno estaba cerca.

La flota de drakkars sorteó las últimas balizas hacia el fondeadero, y con las velas arriadas, pasaban perfectamente desapercibidos entre la multitud de esquifes, yates de recreo, veleros, bergantines, góndolas venecianas, y el sin fin de buques amarrados formando una selva de mástiles y jarcias por donde apenas se vislumbraba nada.

—Bien, de todas formas, necesito saber qué está ocurriendo en el palacio —decidió Nimphia aspirando aire—. Si Maeve ha llegado, el cónclave con la corte de astrónomos ha tenido que terminar, y podré ver a mi madre.

—¿Pero cómo vamos a ir? —se inquietó Laila—. En cuanto Maeve nos vea, todo se habrá acabado y nos llevarán al Reino Blanco.

—Escondeos aquí —dijo la otra con ojos brillantes—. Yo volveré en cuanto sepa qué pasa.

—¡Ni hablar! —exclamó Cyinder—. No te dejaremos sola. Si tú vas, yo voy.

—Pues yo me quedo —intervino Aurige—. El Reino Blanco

es muy aburrido. Todo blanco... y Monique se queda conmigo, ¿verdad, bonita? —le acarició el pico.

—¡Quedaos en el barco! —insistió Nimphia desesperada—. Así estaréis seguras hasta que yo vuelva. Le pediremos a Lord Vardarac que os esconda mientras la flota de Tirennon está en Silveria...

—Me temo que eso no va a ser posible —las sobresaltó Ojo de Toro y todas dieron un respingo—. Partimos hacia las islas Dilaï en cuanto anochezca.

Todas se quedaron mirándolo como si hubiesen recibido un jarro de agua fría en la cara.

—¿No regresáis a Benthu? —se asombró Nimphia.

—Lord Vardarac y el Pimpollo están estrechando lazos de amistad —sonrió el piloto—. El Pimpollo... quiero decir, el Barón de Tramontana, nos ha invitado a conocer los archipiélagos del Este, y mi señor ha aceptado gustoso. Gracias a ti, shilaya —le dijo a Laila—, vamos a dejar de guerrear y realizaremos grandes proyectos en común. Quién sabe, quizás algún día miremos Silveria con otros ojos.

Nimphia y Laila se atragantaron.

—Pero... pero necesitamos todavía muchas cosas —se horrorizó Laila dando vueltas, pensando deprisa—. ¿Y el Barbero? Hay que quitarle la runa a Aurige, y es el cirujano que viaja con el Barón...

—¡A mí nadie me quita mi runa! —contestó la lunarïe con cara de pocos amigos, cubriéndosela con la mano.

—Y los mapas —siguió ella sin hacerle caso, pensando que podría darle una buena bofetada—. Si conseguimos el pelo de Lady Notos no sabremos cómo llegar a las islas esas, como se llamen...

—No sé nada de ningún mapa —contestó Ojo—, pero el silfo Shamal os acompañará. Lord Vardarac quiere estar seguro de que os encontráis bien en todo momento. Ese enano le informará con mensajes de viento, y si nos necesitáis, volveremos de inmediato.

Laila sintió un mordisco en el estómago. Ya había olvidado la siniestra figura del silfo, pálido y cojeante, con aquellos dientes puntiagudos y la sonrisa torcida. Sólo de pensar que les iba a acompañar, se le ponían los vellos de punta.

—No le hemos visto en todo este tiempo —musitó Nimphia, igual de dudosa.

—Le tuvimos que encadenar —explicó Ojo—. Cuando nos acercamos a los Matanusks empezó a aullar como un loco y trataba de arrancarse el brazalete para escapar. La proximidad de los Aulios lo estaba volviendo salvaje. Pero no os preocupéis, ahora vuelve a estar bien, y es un mensajero perfecto.

—Bueno, es muy agradable —Laila se mordió los labios—, pero creo que... que no lo necesitamos.

Miró con temor en todas direcciones, temiendo que el silfo estuviese allí mismo.

—Es un regalo del Señor del Norte —dijo Ojo, contundente—. No se puede despreciar.

Todas permanecieron en silencio imaginando la horrible carita sonriente, pidiendo comida sin parar. Laila pensaba deprisa. Sin duda, más que un regalo, Shamal informaría a Vardarac si ellas conseguían cualquier otro pedazo del mapa del tesoro. Ojo de Toro asintió satisfecho ante lo que consideraba un silencio de agradecimiento y se volvió para marcharse.

—¿Y qué pasa con Mrs. Peabody? —gritó Laila, a la desesperada.

—La nemhirie se queda aquí —concluyó el piloto—. Mi señor le ha tomado aprecio a sus comidas. Dice que son... espeluznantes.

—¡Pero no se le puede retener aquí en contra de su voluntad!

—¡Es nuestra esclava! Hará lo que se le diga hasta que nos cansemos de ella. Después la devolveremos a ese edificio siniestro del que procede.

—¿Sana y salva?

—Por el viento del Norte que así será —juró el piloto, solemne.

Y sin más explicaciones, se alejó perdiéndose por entre los aparejos hasta desaparecer en el castillo de proa. Las cuatro permanecieron en silencio sin saber qué hacer. Entonces escucharon un molesto sonido discordante, trip trap, y la figura del silfo hizo su aparición con una sonrisa radiante.

Parecía aún más pálido y demacrado y su espalda se encorvaba como si sus huesos no pudiesen sostenerlo erguido. La arpía en el hombro de Aurige aleteó inquieta, dando chillidos.

Salieron del camarote sin despedirse de los piratas. Laila todavía estaba demasiado molesta como para poder decir algo agradable y no quería volver a ver el trozo de pergamino que la desquiciaba.

Bajaron por la pasarela sin poder saborear su recién conseguida libertad y de inmediato se mezclaron con el gentío humano que inundaba las dársenas de la isla. Gruesas estructuras de piedra y eslabones, casas y edificios que en nada se parecían a las delicadas torres de las ciudades de las hadas, con un vago recuerdo a los dominios de Blackowls, pero poco más. Oficinas y tiendas rodeadas de contenedores apilados, griterío portuario y el olor a humanidad, tan intenso como el de la propia Casa del Norte. Sin querer, Laila arrugó la nariz. Aunque todo le resultaba agradablemente familiar, estaba ya muy acostumbrada a otro estilo más delicado. Más etéreo.

Caminaron abatidas por entre la muchedumbre de vendedores y comerciantes, pescadores de águilas, marinos, usureros, gente normal que paseaba, viejos que jugaban a las cartas, sentados a las afueras de las tabernas... Por un momento, Laila miró hacia atrás, hacia los drakkars ocultos entre la maraña de mástiles, y de repente, sin querer, sintió una terrible nostalgia.

Aurige se dedicó a curiosear por los puestos que mostraban sus mercancías, y la gente la miraba frunciendo el ceño. Al parecer no les gustaba que las hadas rondasen por sus dominios, pero se deshacían en mil atenciones creyendo que ella les compraría algo. Por distraer su mente, Laila se entretuvo inspeccionando los collares de marfil colgados en un tendedero, tratando de olvidarse de la figura del silfo renqueante junto a ellas.

—¡Mirad! —las sobresaltó el grito del tendero, señalando al cielo con un dedo extendido.

Laila siguió su brazo con la vista. En lo alto, volando por encima de la isla, toda una flota de barcos blancos surcaba el espacio aéreo de Londres, con un vuelo lento y parsimonioso, ganando velocidad poco a poco hasta que de pronto se convirtieron en estelas plateadas que desaparecieron en el horizonte.

Nimphia los siguió con la vista mucho más tiempo que cuando las otras dejaron de verlos, y a su alrededor, el puerto, que había quedado silencioso, volvió a la rutina y al griterío.

—Se ha marchado —dijo Nimphia con la vista prendida en el horizonte.

—¿La reina Maeve? —preguntó Laila—. Pues mejor.

—Pero ha pasado algo —se revolvió su amiga, inquieta, observando a los nemhiries que paseaban a su lado, intentando descubrir si alguno sentía lo mismo que ella—. Es como un susurro. ¿No lo oís?

—Sí, sí, sí, shilayitas —intervino el silfo por primera vez, haciendo que todas se sobresaltaran—. Vientos van y vienen.

—¿Qué quieres decir? —preguntó Cyinder.

—Vientos hablan. Vientos son libres —jadeó loco de contento.

Ellas se miraron entre sí.

—¿Es que antes no eran libres? —insistió la rubia.

—Ahora más —sonrió el silfo con su cara fantasmal.

Nimphia murmuró algo, despectiva, y siguió caminando

perdida en pensamientos. Cruzaron toda la zona portuaria adentrándose por los barrios de casas adosadas y jardines bien cuidados. Laila observó con asombro que toda la comunidad humana estaba bien organizada, aunque faltaba el ruido de los coches, el tráfico y la polución de cualquier ciudad nemhirie. Familias enteras vivían en Airïe desde... ¿décadas? ¿Acaso siglos? Y los niños que jugaban, no reconocerían ya otra forma de vida que aquella, llena de barcos volantes y hadas que eran sus dueños y señores.

Las gentes las miraban con actitud hosca, casi hostil, y algunos de ellos les lanzaron improperios, pero nadie levantó una mano contra ellas. Laila echó un vistazo rápido a Nimphia, que seguía con la cabeza muy erguida apretando el paso.

—Esos nemhiries no son felices —dijo Aurige, pensativa.

—Sí que lo son —contestó Cyinder de inmediato—. Son tan felices que no necesitan nada, ni regalos, ni deseos ni nada.

—Podría preguntarles...

—¡No hay tiempo! —chilló la otra casi histérica—. Tenemos que llegar al dichoso palacio, resolver todo esto y marcharnos de una vez antes de que nos pongas enfermas a todas.

Aurige pareció molestarse de verdad. Incluso sus ojos relampaguearon como antiguamente. Apretó con furia la varita y torció el gesto. Cuando disponía a darse media vuelta para alejarse de allí, el silfo le dio un codazo a Nimphia.

—Mmm, umm —olisqueó el aire levantando su naricilla—. Gran dama aquí, cerca.

—¿Gran dama? —susurró Laila sintiendo la garganta seca. Quizás la reina Mab no se había marchado con la flota y les había tendido una trampa.

El silfo asintió correteando en dirección a un grupo de mansiones victorianas más apartadas de las casas unifamiliares. Todas protestaron pero Shamal no les hizo caso y Laila intentó tranquilizarse pensando que la vieja Mab no se dignaría a recorrer barrios nemhiries ni aunque fuese para exterminarlos. De pronto, sin saber por qué, aquel pensamiento de masacre le produjo un dolor intenso en el corazón.

Siguieron al silfo casi a la carrera, pues a pesar de la cojera, parecía volar a ras del suelo, y cambiaba de dirección aquí y allá como una mosca zumbona. Entonces se detuvo oculto tras los setos de un palacete de piedra, sin dejar de mirar a las ventanas, como si pudiese ver el interior de la mansión.

—¿Se puede saber qué estamos haciendo aquí? —se enfadó Cyinder, dispuesta a regañar al silfo por aquella pérdida de tiempo.

—¡Calla! —susurró Laila de repente, con todos los vellos de punta.

Las puertas del palacete se habían abierto y por entre ellas apareció una figura alta, felina, terriblemente conocida. La muchacha parpadeó incrédula tragando saliva mientras Jack Crow, el hombre de negro, bajaba las escalinatas y se apostaba en el sendero en espera de alguien. Los recuerdos del verano volvieron de golpe: la Torre de Cálime, las Arenas de Solarïe robadas...

Todas se acurrucaron tras el seto, pero Aurige se quedó mirando al hombre un segundo más y Nimphia tiró de ella obligándola a agacharse. La arpía se desprendió de su hombro y voló hasta la rama de un árbol.

—¿Qué significa esto? —susurró Cyinder, mirando a sus amigas con temor.

—No lo sé, pero no me gusta —dijo Nimphia levantando los hombros con impotencia.

—Ni a mí —dijo Laila, escudriñando con cuidado por entre las hojas—. Insisto que fue ese hombre quién robó las Arenas de Solarïe.

—Eso no puede ser —negó Aurige, sin apartar los ojos de la figura masculina.

Sin embargo, la duda y el temor se pintaron en los ojos de Nimphia.

—El Agua de la Vida robada en Acuarïe… —susurró.

En ese momento, de la mansión surgieron varias mujeres vestidas a la usanza de los piratas del siglo XVII, y tras ellas, otra mujer de largos rizos, con una cinta azul en la cabeza, aros en las orejas y un sable curvo colgando del cinto. Todas eran hadas de Airïe, por el color de los cabellos y sus ojos algo separados como los de los pájaros, pero ninguna tenía alas. La mujer de la cinta azul se despidió de alguien dentro de la casa, haciendo una breve reverencia, y las puertas se cerraron.

—¡Gran dama! —exclamó el silfo, y Aurige le tapó la boca en el momento en que alguna de sus acompañantes se volvía en dirección a ellas y miraba a los setos con suspicacia. Shamal se revolvió tratando de morder la mano de la lunarïe.

—¡Calla, enano, o nos descubrirás a todas! —su voz fría como el cristal resonó igual que un látigo cortante, y por un momento Cyinder sonrió mirando a su amiga con respeto.

La mujer se reunió con Jack Crow en actitud muy cariñosa y confidencial, y el hombre de negro le besó la mano. Luego la comitiva se alejó en dirección al puerto y a las marañas de barcos fondeados en la distancia.

—Olor de Pali —olfateó el silfo—. Olor de Sumatra…

—Los vientos del Sur —tradujo Nimphia observando la figura de la desconocida con gran admiración.

—Así que entonces, esa es Lady Notos —dijo Cyinder levantándose sin dejar de mirar al camino por el que aquel grupo misterioso había desaparecido—. Tampoco es tan impresionante como para poblar los sueños de alguien, ¿no crees, Aurige? —le dijo dándole un codazo risueño.

Su amiga no contestó de inmediato. Tenía los nudillos blancos de apretar la varita.

—¿Te ocurre algo? —insistió la rubia.

—Nada. Vámonos de aquí.

Y echó a andar sin esperar ni un segundo más. De inmediato Monique voló junto a ella pero Aurige la espantó con mal humor, y en un momento cambió su vestido de seda de shilaya por su viejo traje negro de la escuela de Popea. Cyinder dio un gritito de alegría al verla pero la arpía, dolida, se refugió en el regazo de Nimphia.

—¿Qué le pasa? —susurró Laila a las otras, caminando más rezagadas.

—Ni idea —contestó Nimphia acariciando a Monique—, pero me preocupa más lo que haya ocurrido en palacio. Y no me gusta nada que ese nemhirie esté aquí. Tengo un mal presentimiento.

—¿También tú crees que robó las Arenas? —siguió la rubia, en susurros.

—Son muchas casualidades, y además, ¿qué hace Notos en Silveria? ¿Y de quién era esa casa de la que salía?

Ninguna supo qué contestarle, y siguieron caminando silenciosas, cada una perdida en pensamientos. Jack Crow en Airïe. La mente de Laila se nublaba de recuerdos y confusión. Monique junto a su padre y el hombre de negro allí. Con gusto le hubiese interrogado hasta arrancarle aquellos secretos aunque le tuviese que transformar en árbol para sonsacárselos.

De pronto el silfo se detuvo y se agarró al filo del abrigo de Laila. Respiraba con dificultad y su aliento se transformó en un gruñido jadeante. Las cuatro lo miraron con aprensión mientras su figura se encogía al borde del colapso.

—¿Qué diablos pasa ahora, por todos los dioses? —le increpó Aurige.

Pero la respuesta les llegó de golpe. Fue un sentimiento conocido que les revolvió las entrañas, porque de repente todas se sintieron mareadas, con las nauseas y el vértigo metidos en el estómago. Exactamente igual que en el desfiladero de los Matanusks.

—¡No hay viento! —exclamó Nimphia lo que todas habían notado.

Laila se giró en todas direcciones esperando hallar una respuesta a aquella brusca calma chicha, pero en las calles y barriadas nemhiries nada había cambiado, y los transeúntes paseaban y charlaban como de costumbre. Nimphia apretó el paso hasta convertirse casi en una carrera.

El silfo renqueaba y Aurige tiró de él, obligándolo a seguir y arrastrándolo por el suelo empedrado. Aquel ser jadeaba que algún día le arrancaría el aliento a aquella bruja lunarïe, pero así, en una marcha desquiciada, alcanzaron uno de los numerosos puentes colgantes que anclaban la isla de Londres a la gran masa de Silveria.

Al frente, tras un cartel que anunciaba «Puente de Dover», filas de hombres y mujeres pasaban el control de dos nemhiries vestidos de policías londinenses. Las mujeres llevaban cestos del mercado que eran registrados minuciosamente, haciendo que el paso por el puente fuese lento y cargante.

—¿Por qué no cruzamos volando? —susurró Cyinder, observando con aprensión que los grupos de gente se arremolinaban en torno a ellas con caras de hostilidad.

Antes de que ninguna pudiese responder, Laila notó un empujón intencionado. Cuando se giró para descubrir al culpable, todo eran miradas de inocencia. La situación no le gustaba nada, y menos cuando dos mujeres se pusieron a hablar en voz alta con claros ánimos de ofenderlas.

—...Y yo le dije: ¡querida, ni se te ocurra ir a esa peluquería horrible, a no ser que prefieras parecer un hada!

Cyinder se volvió hacia ellas con el rostro agrio y las dos mujeres la miraron con descaro.

—¿Ocurre algo? —preguntó una de ellas con una sonrisa, dándole a la otra un codazo significativo.

—Nada —contestó Nimphia tirando de la rubia.

—Pues mi hija quiere ir disfrazada de hada —siguió la otra su conversación en voz alta, para que todos la oyesen—. Ya sabes que en el colegio no se permiten comportamientos ridículos. No sé de dónde sacan esas ideas los niños hoy en día.

—Mientras solo sea un disfraz…

La solarïe sentía la cara ardiendo y muchos otros transeúntes se habían acercado, divertidos. Laila temió que si su amiga abriese la boca, se formaría un tumulto allí mismo. Afortunadamente estaban llegando ya a los aduaneros, que las miraron de arriba abajo con rostro neutro.

—Sello de Londres —pidió uno de ellos.

—¿Qué sello? —preguntó Nimphia sorprendida, y el guardia la miró con cara de pocos amigos.

—Sin sello no se sale, son las normas —respondió el otro haciendo gestos con la mano para que la cola avanzase.

—¿Pero de qué sello habla? —gritó Cyinder sintiendo que la empujaban para que se apartase del camino.

El policía levantó su mano airada mostrando un anillo con un águila azul.

—¡El sello de la isla! El sello que te permite, señorita, estar en tierras humanas. El visado que demuestra que vienes en actitud pacífica, y no invadiendo nuestros derechos —sonrió con orgullo—. ¿Te crees que puedes cruzar la frontera sin pasaporte? ¿Pero de dónde sales, hadita?

—¿La frontera? —Nimphia se quedó con la boca abierta—. ¿Desde cuándo hay fronteras en Airïe?

—Bueno, ya está bien —exclamó Aurige—. Estoy harta de todo esto. Shilayitas, haditas… hoy se van a acabar las bromas.

—¿Sí? ¿Y qué vas a hacer? —dijo el otro guardia mientras la gente comenzaba a animarse, arrimándose hasta formar un corro que las rodeaba por todos lados.

—Dejadlo, por favor —suplicaba Nimphia con la cara descompuesta y la arpía chillado en su hombro.

—Mirad, yo soy nemhirie como vosotros —dijo Laila, alzando la voz desesperada—. Ellas son mis amigas, son buenas personas...

—¡Tú qué vas a ser como nosotros! —le espetó una de las mujeres, con cara agria, haciendo un ademán de tirarle de los pelos verdosos y demostrarle las diferencias.

Laila se apartó, chocándose con otra mujer.

—¡No me empujes! —le gritó la otra, dándole un empellón y provocando un murmullo colectivo de agresividad.

—¡Me parece intolerable que ataquéis a la princ...! —gritó Cyinder en el momento que alguien le estrellaba un tomate en la cara.

Aurige había formado un aspa de luz negra que giraba despacio delante de ella, y Laila veía, horrorizada, que la gente se estaba enfureciendo ante lo que consideraba un claro acto de violencia. Solo que la lunarïe no se iba a andar con remilgos si cualquiera de aquellas personas le ponía la mano encima. En medio de aquella pesadilla acalorada, el silfo parecía a punto de desmayarse y la arpía chillaba con un berrido que no ayudaba en nada a calmar el ambiente.

Nimphia trataba de explicar algo a los dos guardias, que asistían a la escena tan tranquilos, cuando notó que una mano se deslizaba por uno de sus bolsillos y dio un brinco, asustada. Cuando se dio la vuelta, solo acertó a descubrir una figura encapuchada que se alejaba de ellas perdiéndose entre el gentío. Tanteó su bolsillo frenéticamente y sus dedos toparon con un aro de metal. Lo sacó, asombrada, en medio de la marea humana creciente, contemplando un anillo con un águila hecha de pequeñas amatistas.

—¡Tengo el sello! —gritó de inmediato, todavía anonadada, por encima del resto de voces, mientras oteaba entre las cabezas nemhiries esperando descubrir al misterioso encapuchado, pero todo fue en vano.

—¿Tienes el sello? —dijeron a la vez Cyinder, limpiándose la cara con los ojos dorados centelleando de furia, y Laila, cada vez más enfadada por el comportamiento de sus «hermanos nemhiries».

—¡De dónde lo has sacado! —la increpó uno de los agentes mirando la joya sin pestañear.

—¡Lo ha robado! —gritó alguien en la muchedumbre.

—Lo tengo y punto, y ahora vamos a pasar.

—Solo puedes pasar tú —le dijo el aduanero con aires de suficiencia.

—Espera, Tom, es el sello de Ohagär —susurró el otro agente, señalando el águila violácea.

Los dos observaron a Nimphia en silencio y entonces, sin más preámbulos, empezaron a pedir calma a la multitud. Incluso uno de ellos sacó una porra, amenazando con resolver la situación de manera contundente.

—¡Pasad de una vez! —les increpó y luego susurró en voz baja—: Malditas hadas…

Ellas no se hicieron de rogar, y avanzaron hacia el puente colgante a toda prisa, sin mirar atrás. El griterío se fue perdiendo en la distancia y ninguna dijo una palabra hasta que pisaron el suelo firme de Silveria. En cuanto llegaron, el mundo a su alrededor pareció cambiar, y todas se dejaron invadir por el armonioso paisaje lleno de torres elevadas, grandes avenidas de árboles azules, esbeltas columnas flotantes, y a lo lejos, el palacio de bóvedas acristaladas con la afilada Torre de los Vientos dominándolo todo.

Laila miró atrás, hacia el Puente de Dover, como si abandonase una pesadilla horrible. En lo alto flotaba el Reina Katrina, pero ahora no le parecía tan maravilloso. De hecho, todo Londres le resultaba aborrecible.

—¿Tenías el sello? —repitió Cyinder su pregunta, limpiándose los restos de tomate de la cara—. Nos han insultado, nos han llenado de verduras nemhiries… ¿y tú tenías el sello?

—Alguien lo puso en mi bolsillo —contestó la otra, a la defensiva—. Noté un empujón y luego un encapuchado se escurrió entre la multitud.

Cyinder siguió mirándola con profunda incredulidad.

—Ha podido ocurrir una desgracia allí, Nimphia —le advirtió—. Sólo por respeto a Laila no les he castigado como se merecían.

—¡Oye! Creo que no era para tanto —dijo Laila, aunque en su interior sentía la misma furia que su amiga solarïe.

—¿No era para tanto? —dijo Aurige con su voz aterciopelada—. Claro, tú estás acostumbrada a que te insulten los nemhiries.

Laila miró a sus amigas sintiendo un frío en su interior. Sabía que algún día tendría que elegir entre dos mundos, pero temía que aquel momento se estaba acercando demasiado rápido. Y ellas no ayudaban en nada.

—Vamos a calmarnos —dijo Nimphia—. Laila no tiene la culpa de esto. Está claro que existe un gran malestar nemhirie al que nunca hemos dado importancia. Nunca nos hemos preocupado de sus necesidades en palacio, ni mi madre ni yo. Quizás vaya siendo el momento de empezar a pensar en un cambio importante.

—Pues tu hermana Eriel no parece inclinada a seguir ese razonamiento —siguió Laila, aún herida por la actitud de sus amigas, aunque no podía evitar pensar que tenían parte de razón.

—Eriel ya no es un problema —sonrió Nimphia—. Vamos a ver a mi madre y le hablaremos de todo lo que nos ha ocurrido en Londres. Ella lo solucionará, estoy segura.

—Eso espero —deseó Laila de corazón.

—Hay algo que me intriga —dijo Aurige.

—Sí, lo de esta calma horrible —confirmó Nimphia—. Tiene que ver con la vieja Mab. Enseguida lo averiguaremos.

—No. No es eso —respondió la lunarïe—. Es esa peluquería que ha dicho la nemhirie. Me gustaría probarla.

Cyinder abrió la boca y la cerró de golpe, dejando escapar un farfullido airado.

—Me gusta este anillo —dijo Nimphia contemplándolo y poniéndoselo en un dedo para tratar de desviar la conversación—. El guardián del puente lo llamó el sello de Ohagär.

—¿Te dice algo ese nombre? —preguntó Laila cuando subían las escalinatas de esfinges.

—Ohagär significa «Dos Amatistas» —aclaró la otra—, pero el cuerpo del águila tiene muchas piedras, no sólo dos. Debe ser el nombre de alguien.

—Un salvador misterioso —se burló la rubia—. El admirador secreto de Nimphia.

—Últimamente estás odiosa, chica —rió ella, ruborizándose—. Vamos, estoy deseando ver a mi madre.

Y apretó el paso en los últimos tramos. Las otras la siguieron con la duda pintada en sus caras, pero Nimphia volaba ya hacia la entrada sin puertas. Los muros de cristal brillaban ante ellas, cambiantes, formando mil riachuelos y filigranas de flores, y las altas cúspides redondas se erguían orgullosas alrededor de la Torre de los Vientos. Muy arriba, titilaban luces encendidas.

—¡Mamá! —gritaba su amiga en ese momento, creando ecos que volaron hacia las alturas—. ¡Mamá!

Atravesaron el umbral siguiéndola en silencio. Ya no había corrientes caprichosas que las molestasen, ni el viento silbaba por los corredores. Shamal seguía respirando con dificultad, pero parecía haberse acomodado un poco mejor e inspiraba grandes bocanadas a cada momento.

Nimphia corrió hacia la sala real sin que, de nuevo, nadie saliese a recibirlas, como si el viento, al desaparecer, se hubiese llevado a las hadas con él, convirtiendo Silveria en un palacio embrujado.

El gran salón del trono era una enorme cámara circular de altas cristaleras en movimiento por donde la luz del sol entraba a raudales. A lo lejos, rodeado de columnas espirales, un trono de oro dominaba la estancia en lo alto de cinco escalones de piedra, y sentada en ese trono, una chica que las miraba con un atisbo de crueldad. A su lado, la figura del aya, impasible, sin despegar los labios.

Nimphia avanzó con el rostro contraído y los ojos muy abiertos, incrédula, como si todo aquello no fuese más que un mal sueño.

—Pasa hermana —dijo Eriel con un tono de burla mal disimulada—. ¿Cómo estás? Diría que te he echado de menos, aunque claro, no sería verdad.

—¿Qué es esto? —exigió Nimphia llegando a la base de los escalones—. ¿Dónde está mamá?

—Reunida, por supuesto —se extrañó la otra con cara de inocencia—. ¿Dónde iba a estar si no?

Nimphia tragó saliva intentando calmarse aunque sus ojos echaban chispas.

—Es decir, ¿la vieja Mab viene a Silveria y a ti no se te ocurre interrumpir el conclave?

—¿La vieja Mab? —divagó la otra—. Oh, ¿te refieres a la reina Maeve? Tenle más respeto, hermana. Para eso es la reina de todo Ïalanthilïan. No es cualquier amiga tuya.

—Entonces, mamá no sabe que ha estado aquí. Se lo has ocultado.

—No se lo he ocultado —se levantó la otra del trono, creciendo su ira—, simplemente no la he interrumpido. Los asuntos que tiene que tratar son muy importantes, y te recuerdo que yo soy la reina en su ausencia. Puedo tratar temas diplomáticos perfectamente.

—¿Y qué temas diplomáticos han sido los que han traído a la vieja Mab —repitió con intención— a visitarte, querida hermana?

Eriel sonrió.

—Podría decir que no son de tu incumbencia, Nimphia, pero me siento muy halagada por la deferencia que ha mostrado su alteza, la Reina Blanca…

—¡Dime de una vez qué quería!

—¡Ayudarnos, Nimphia! —estalló ella bajando los escalones como si estuviese poseída de furia—. ¡Salvar Airïe de una hecatombe que se avecina! ¡Y ese engendro que te acompaña será la responsable!

Nimphia se quedó con la boca abierta. Su hermana estaba mirando a Laila directamente, con tal odio acumulado que no parecía real. Aurige y Cyinder también se habían quedado sin habla, con los ojos puestos en Eriel como si estuviesen en presencia de una loca.

—¿Eso te ha dicho? ¿Qué Laila será la responsable de una… hecatombe? ¿Pero es que has perdido el juicio? —desvió la vista hacia Raissana, que seguía sin decir palabra.

—¡Sus palabras tenían mucha coherencia, hermana! —chilló Eriel, perdida ya la compostura—. Ella vino a Ïalanthilïan y Solarïe fue destruido. Me ha dicho que fuisteis a Acuarïe, y ahora Cantáride es una ciudad en ruinas y el Agua de la Vida ha desaparecido… ¿qué quieres que piense, Nimphia? Esa humana, o ithirïe, o lo que sea, es un peligro.

Laila tragó saliva, horrorizada. Tenía los vellos de punta, pero se sentía mucho peor al pensar que cualquiera de sus amigas pudiese dar crédito a aquella loca.

—Ahora Airïe está completamente a salvo de ella —siguió Eriel alzando la barbilla—. He entregado el Arpa de los Vientos a la reina Maeve. Tu amiga ya no tiene nada que hacer aquí.

—¡¿Qué has hecho qué?! —gritó Nimphia sintiendo que le temblaban las manos.

Su cara estaba roja como un tomate, y toda ella parecía despedir relámpagos. Laila pensó que iba a abofetear a su hermana.

—Nimphia… —les llegó la suave voz de Raissana, instando a la chica a calmarse.

—No te metas, aya —dijo Eriel, cortante—. Ya es hora de que alguien le corte las alas y le diga cuál es su sitio. Te has convertido en una degenerada, hermana —siguió con aires de superioridad—, robas, tratas con nemhiries y mira —señaló al grupo de sus amigas—: una arpía, un silfo y un engendro ithirïe…

Nimphia ya no pudo más y entonces ocurrió lo que Laila había temido. Con un gesto demasiado rápido cruzó la cara de Eriel con dos bofetadas que sonaron en medio del salón y crearon ecos. El mundo pareció congelarse un segundo, y Eriel permaneció atónita mirando a su hermana mayor, con la piel ardiendo y los ojos abiertos como platos. Abrió la boca pero Nimphia estaba fuera de sí.

—¡Ni te atrevas a decir una palabra! —gritó mientras Cyinder le cogía de una mano para intentar calmarla—. No tienes ni idea de lo que has hecho, estúpida engreída. ¡Le has dado a esa vieja la llave de Airïe en bandeja y ni te das cuenta!

—Nimphia, por favor —suplicaba el aya, con lágrimas en los ojos.

—¡Ni te imaginas lo que va a ocurrir! —seguía la otra gritando—. Los vientos se han ido y la calma reina en Silveria. ¿Crees que los nemhiries van a aguantar esto? ¿Crees que van a mantener nuestros barcos y los viajes a base de sus soplidos?…

—No sé qué tiene que ver… —siguió Eriel, herida pero temblorosa.

—¡Venimos de Londres y nos han atacado! ¿Sabes qué es Londres, o nunca te has dignado a poner los pies allí? ¿Sabías que ahora Silveria tiene fronteras y que para salir de aquí necesitas pasaporte? ¡El malestar nemhirie ronda por todas partes y sólo falta una chispa para que se levanten contra nosotras!

—Pediré ayuda a la reina Maeve —dijo Eriel, intentando mantener su orgullo.

—¡Pero es que no te das cuenta de que ese es precisamente su propósito! —le increpó Nimphia a gritos—. En cuanto lleguen los albanthïos, Airïe se acabó. ¿Te ha quedado claro, o tengo que hacerte un esquema? ¡Habrá una rebelión nemhirie y tú habrás provocado una guerra interna, estúpida insensata!

Laila sentía las nauseas crecer mientras Nimphia atacaba a su hermana sin piedad. Aunque sabía que sólo se lo decía víctima del enfado, sus palabras eran las más certeras que había oído jamás. Sin viento, los nemhiries se negarían a mantener los barcos a costa de su aliento en trayectos interminables, y si encima aparecían patrullas de albanthïos, la guerra de los humanos contra las hadas sería inmediata. Y ella… ¿de verdad era la responsable del desastre en Solarïe y en Acuarïe? Las palabras de Eriel le dolían, pero sobre todo le asustaban porque tenían un rasgo de verdad.

—Si pides a la vieja Mab que envíe albanthïos, me rebelaré contra ti, Eriel —seguía Nimphia—. Y me encargaré personalmente de levantar a los Señores de los Vientos en tu contra, no te quepa duda.

Eriel, que por un momento se había venido abajo, levantó una mirada acerada y llena de orgullo.

—Haz lo que creas, Nimphia —dijo con el porte erguido—. Te enfrentarás a mamá y a Silveria. Por mi parte, ya no puedo considerarte mi hermana. Vete, o haré que te arresten de inmediato.

Raissana sollozaba y entonces, en ese momento, sonó en el aire el tañido de unas campanas de plata, y dos estelas entraron volando a ras del suelo hasta detenerse frente a Eriel, donde tomaron forma de hadas que se arrodillaron frente a ella.

—Mi señora… —dijo una de ellas.

—¡Qué ocurre! —exigió Eriel, respirando profundamente para recuperar su dignidad real.

—Su alteza, el príncipe Árchero de Blackowls solicita audiencia.

—¿Árchero? —exclamó Aurige, pero Eriel la ignoró.

Los labios de Eriel estaban crispados, y sus mejillas abofeteadas del color de la grana, pero aún así se irguió elevándose del suelo un palmo.

—Hacedle pasar —ordenó recomponiéndose los velos de su vestido.

Con el asombro de Aurige pintado en la cara, todas se dieron media vuelta y momentos después aparecía una comitiva de duendes engalanados de forma estrafalaria. Caminaban atropelladamente y algunos chocaban con otros haciendo piruetas traviesas. Se veía que tratar de mantener el orden les resultaba un esfuerzo sobrehumano, pero aún así, llegaron ante el trono e hicieron una graciosa reverencia.

Tras ellos apareció un joven alto y delgado, de piel blanca como todos los lunarïes, increíblemente guapo, con largos cabellos oscuros recogidos en una cola, ojos negros chispeantes y el mismo hoyuelo de Oberón en la barbilla. El joven miró a Aurige un segundo sin parecer sorprendido. Luego hizo un aleteo con la mano y se inclinó en una reverencia provocadora.

—Bella Eriel —sonaron sus primeras palabras, graves, profundas.

—¡Árchero! —exclamó ella, coqueta—. ¡Me alegro mucho de verte!

—Lo sé —respondió él con picardía echando un vistazo rápido al resto de la concurrencia—. Siempre es un placer encontrarte, mi señora.

Laila se dio cuenta de que la hermana de Nimphia se ruborizaba, pero no era para menos. Si Oberón causaba estragos en Lunarïe, Árchero lo hacía en todo Faerie.

—¿Acudes para las regatas de invierno? Te he invitado miles de veces... ¿o acaso vienes por otro motivo? —sonrió de nuevo ruborizándose.

Árchero la miró con una sonrisa encantadora, pero con ojos helados.

—Las regatas serían deliciosas en tu compañía y lo sabes, pero es otro el motivo que hoy me trae a Silveria, desgraciadamente.

—Oh.

—He sabido de la presencia de mi prometida en Airïe, y he venido sin tardanza a terminar un asunto que hiere mi corazón.

Eriel miró a Aurige con un destello de odio. En la Universidad Blanca era bien conocido el chismorreo de un supuesto noviazgo entre los dos príncipes de Lunarïe. Árchero se volvió hacia Aurige, y sacando un pequeño legajo de cartas de color violeta, se las tendió de manera solemne.

—Querida, sé que nuestros padres siempre habían soñado con una unión entre Nictis y Blackowls, pero me temo que, dadas las circunstancias, no puedo mantener por más tiempo tan nefasto compromiso.

Todas miraron a Aurige, cuyo rostro de marfil estaba congelado en un rictus de incredulidad.

—Os devuelvo todas vuestras cartas —siguió él sin pestañear—, y os dejo libre para tomar un marido que más se adecúe a vuestros encantos.

—¿Mis cartas? —balbuceó ella cogiendo el montón de misivas sin saber a qué atenerse, en medio de toda la expectación.

—Sí, todas —respondió Árchero—. Y os ruego que también me deis libertad para gobernar mi propio destino, ya que parece que nuestro matrimonio jamás se celebrará.

Aurige le miró a los ojos durante lo que pareció una eternidad, y Árchero volvió a hacer otra reverencia, con el claro ademán de marcharse.

—¿Ya te vas? —preguntó Eriel, entre encantada y divertida, sin poder ocultar su regocijo.

—Me temo que así es, querida —le dijo él componiendo tal mirada de tristeza que todas fueron capaces de sentir el dolor de su corazón vagando por paisajes vacíos—. Me siento como un pobre viudo, y necesito el consuelo del vino dulce y las ninfas para quitarme esta hiel de los labios.

—Oh, pero en Airïe podrías encontrar ese consuelo...

—Cierto —sonrió él—, y sería muy grato, pero también necesito soledad, y escribir poemas con mi alma desgarrada, hasta que deje de verter lágrimas. Lo comprendes, ¿verdad, bella Eriel?

—Desde luego, desde luego —asintió la otra de inmediato, sentándose en el trono.

—Sin embargo —siguió él—, contaré los días hasta tu regreso a Tirennon.

Sonrió graciosamente y echó un vistazo rápido a cada una de las chicas allí reunidas. Sin poder evitarlo, sus ojos se detuvieron dos segundos más de lo necesario en la figura de Cyinder. Luego se volvió a Aurige inclinándose con cortesía.

—Adiós, querida, siento que todo haya terminado así.

Ella no despegó los labios y Árchero se inclinó de nuevo ante todas, y caminó hacia la puerta seguido de su cortejo de duendes.

—Me ha encantado ver esto —rió Eriel después de unos momentos en silencio, cuando la algarabía de la comitiva hubo desaparecido—. Vuestras caras de bufonas y tu humillación, lunarïe. No puedo esperar para ver a Núctuna y contárselo. Creo que le escribiré de inmediato.

—Cállate ya, Eriel —le regañó Nimphia—. No seré tu hermana, pero al menos haz el favor de demostrar algo de respeto.

Eriel se levantó del trono y caminó hacia la salida sin que sus pies tocasen el suelo. Raissana la acompañó y miró a Nimphia un solo instante antes de agachar la cabeza.

—Tienes razón, Nimphia —concedió Eriel volviéndose un último momento—. Me habéis divertido con este espectáculo patético y por ello os doy una hora para abandonar Silveria. Después daré orden de busca y captura por traición. Espero no volver a verte jamás.

Y dicho esto, desapareció en la oscuridad de las galerías. Laila miró a sus amigas sin saber qué hacer o cómo comportarse. Parecía que el mundo entero se venía abajo sin remisión.

—Siento mucho lo que te ha ocurrido, Aurige —decía Cyinder en ese momento—, aunque te lo tenías muy calladito.

La lunarïe seguía mirando el fajo de sobres de color malva, pero entonces levantó la vista con un brillo en los ojos.

—No lo sientas. Yo jamás le he escrito a Árchero ni una de estas cartas. Es más, ni siquiera vienen de él. Llevan el sello de mi madre.

16. Recuerdos de Sïdhe

Nimphia había decidido ocupar sus habitaciones durante la hora que su hermana le había concedido, antes de que, supuestamente, alguien viniese a detenerla. Echaba chispas y apretaba los puños con rabia mientras daba grandes zancadas de un lado a otro. Laila la miraba con un asomo de pena, pero lo que más le intrigaba era el fajo de cartas que Árchero había depositado en manos de Aurige.

Ahora estaba claro que todo había sido una estratagema de la reina Titania para hacerle llegar un mensaje importante, y su amiga lunarïe abría un sobre tras otro, desechando y rompiendo papeles en blanco. Por fin pareció dar con algo, y se quedó leyendo aquella carta en silencio durante a lo que todas les pareció un milenio.

Rasgó el papel en mil trozos y luego agitó su varita y les prendió fuego, chamuscándolos hasta que solo fueron cenizas calcinadas. Entonces levantó la vista hacia sus amigas con ojos helados.

—Bien, Maeve ha invadido Lunarïe —anunció con la boca seca, y todas la miraron al unísono, con las caras desencajadas, esperando ver cualquier signo de que aquello solo fuese una burla pesada.

—No es momento de bromas —tembló Nimphia, sintiendo que iba a echarse a llorar.

—No es ninguna broma —cortó ella—. Mi madre está retenida en Nictis, bajo la custodia de los albanthïos. La mayoría de las ninfas y los duendes han huido hacia Blackowls, pero ella cree que la ciudad de Oberón caerá dentro de poco.

—¿Pero cómo es posible? ¿Nadie presentó resistencia? ¿Y las duquesas? —quiso saber Cyinder, con el terror en los ojos.

—Geminia se ha unido a Maeve —siguió contando Aurige con la voz cada vez más oscura—. Probablemente sea ella quien se sienta en el trono en estos momentos, aunque mi madre no menciona detalles.

La rubia se tiró sobre un diván, abatida, con los ojos fijos en la luz del sol que entraba a raudales desde las grandes cristaleras vivientes de los aposentos de Nimphia. Parecía debatirse en dudas internas que la carcomían, y Laila se preguntó qué diablos pasaba por su cabeza.

—Esto es el fin —exclamó Nimphia con la voz rota—. ¿Se puede saber qué excusa ha puesto esa bruja para semejante despropósito?

Aurige cerró los labios convirtiéndolos en una fina línea roja. Tras un momento en silencio, suspiró.

—Mi madre se ha negado a entregarle el Ojo de la Muerte —contó por fin.

—¡Bien hecho! —gritó Nimphia enseñando los dientes—. Mi propia hermana debería aprender de tu madre.

—Todas sabemos que el Ojo no está en Lunarïe, Nimphia —susurró Cyinder, pesarosa.

—¿Y qué vamos a hacer ahora? —preguntó Laila, presintiendo que el tiempo se les echaba encima—. Podríamos volver con Vardarac. Ahora que no hay viento, deben seguir atracados en el puerto de Londres. Creo que es el sitio más seguro…

—Mi madre quiere que lleve de vuelta el Ojo de la Muerte a Lunarïe, ya nos lo dijo con el mensaje de la araña y ahora lo repite —terminó Aurige con voz tenebrosa.

—¡Pero por qué! —exclamó Nimphia sin comprender—. ¿Acaso también lo va a entregar a la vieja Mab? No tiene sentido… Se niega, invaden Lunarïe, ¿y ahora quiere dárselo?

—Yo tampoco lo entiendo —negó Aurige, sin mudar su rostro helado—. Sus últimas palabras decían que lo hacía por nosotras. Nada más. Eso era todo.

—¿Por nosotras? No me lo creo ni en sueños.

—Bueno, ¿y dónde está? —inquirió Laila, deseando evitar cualquier malestar—. La araña de plata dibujó los cinco soles de Solarïe, pero Solarïe es muy grande.

—Despierta a la araña otra vez —dijo Cyinder con los ojos brillantes.

Aurige negó con la cabeza un segundo, pero vio que todas sus amigas tenían la mirada puesta en ella. Con un gesto de hastío se descubrió la manga dejando ver la figura plateada agarrada a su muñeca, y tocó la cabeza con la varita mágica.

Al momento la araña volvió a la vida y extendió y encogió las patas sobre la piel de la lunarïe, como si se despertara de un pesado letargo y estuviese inspeccionando el terreno. Luego bajó hasta el suelo y corrió hacia una pared ante la atenta mirada de todas. Comenzó a tejer los hilos concéntricos, cada vez más intrincados, llenos de celdillas, y cuando estuvo lista, se situó en el centro y esperó.

Aurige dudó un momento, pero Nimphia le dio un codazo, apremiándola.

—El Ojo está en Solarïe —dijo la lunarïe en voz alta y autoritaria—, pero queremos saber dónde exactamente, bicho. Revélanoslo.

La araña se frotó las patas delanteras y corrió hacia arriba de la tela. Luego empezó a rellenar celdillas sin concierto alguno: una aquí, otra más lejos, hasta llenar toda la telaraña de puntos luminosos. Volvió al centro y comenzó a tejer un dibujo más grande. Cuando terminó, desde abajo se podía ver con claridad la forma de una corona rodeada de estrellas.

—Es precioso —se admiró Laila.

Pero ya no hubo tiempo para más. Una figura alada se lanzó en picado soltando un chillido agudo y, en pocos segundos, la arpía Monique destrozó aquella suculenta presa, y la telaraña brillante se convirtió en una maraña deshilachada.

—¡No! —gritaron Laila y Nimphia a la vez.

—¡Arpía mala! —exclamó Aurige.

Le iba a dar un golpecito en la cabeza con la varita cuando todas escucharon la risa susurrante del silfo y se sobresaltaron. ¡Se habían olvidado de él por completo!

—Pájaro raro come a bicho —se carcajeó de manera desagradable—. Shamal también quiere comida, shilayas.

Laila estuvo a punto de desear hacer un bizcocho envenenado, pero al final respiró profundamente y en sus manos aparecieron un par de magdalenas de chocolate. Se las arrojó a aquel ser, lejos de ellas, y el silfo corrió como un perro para devorarlas.

—¡Pues estamos bien! —dijo Nimphia, fastidiada.

—Y yo me he quedado sin pulsera —añadió Aurige acariciando las plumas de Monique, acurrucada en sus manos como un pajarillo travieso.

—Bueno, pudimos ver que era una corona rodeada de estrellas —recordó Laila con voz soñadora—. Así que es sencillo. El Ojo de la Muerte debe estar en Solandis.

Las tres se volvieron a Cyinder, que había permanecido callada todo el tiempo.

—Al final, tú ganas, solarïe —se rió Nimphia—. No nos queda más remedio que cumplir tu maldito deseo y volver con tu madre.

Cyinder no sonrió. Seguía tumbada en el diván sin querer mirarlas.

—Que nos vamos a tu casa —le insistió su amiga, asombrada ante su silencio.

—Creo que no es buena idea —contestó Cyinder por fin—. Después de las noticias de Lunarïe, voy a tener que aceptar que Solandis está bajo el poder de Maeve, así que me parece muy arriesgado volver. Voto por la idea de Laila de irnos con Vardarac, o en todo caso volver a Lomondcastle.

Todas se quedaron mudas por la sorpresa.

—Mientes fatal, solarïe —dijo Aurige después de observar su rostro un segundo.

Cyinder se puso colorada como un tomate.

—¿Qué es lo que ocurre? —preguntó Laila con un tinte de angustia.

—Nada, que no me gusta la idea. Eso es todo.

—Pero si vas a ver a tu madre —insistió Nimphia.

—¡No voy a verla! —exclamó la otra con ojos furiosos y de nuevo cerró la boca. Después de un silencio interminable, Cyinder se decidió por fin—. Esa corona rodeada de estrellas no es Solandis —susurró con un hilo de voz.

—¿Cómo que no? —se asombró Laila.

—El símbolo de la casa real de Solarïe es una mariposa, ya os lo conté —explicó la rubia—. Sin embargo hay otra reina... vamos, que se hace llamar reina, y no es más que un payaso ridículo...

—¿Otra reina? —la apremió Laila, devorada por la intriga.

Cyinder apretó los labios.

—Esa corona representa a la reina de Sïdhe, el reino de las estrellas, como ellas lo llaman.

—¿Ellas? —repitió Aurige levantando una ceja.

—¡Porque son unas estúpidas cursis! —gritó Cyinder, todavía roja—. ¡No es ni más ni menos que las Montañas Shilayas!

Laila sintió que iba a vomitar sin remedio. Nunca en su vida había experimentado algo tan espantoso como el viaje de vuelta a Solarïe.

Nimphia, prácticamente había tenido que suplicar a Cyinder para que aceptase ir de vuelta a Solarïe y viajar a las Montañas Shilayas, o Sïdhe, o como se llamase, y mientras la rubia seguía refunfuñando y poniendo mil excusas, Laila sentía que se le crispaban los nervios.

Otra vez de viaje. Otra vez sin volver a su mundo normal, ni al colegio ni a su casa. Su padre, Daniel, incluso Monique, apenas eran ya sombras vagas que de vez en cuando destellaban en algún lugar de su cabeza para luego perderse. Su vida había cambiado y ahora lo normal era bella gente con alas, intrigas misteriosas, hechizos, barcos voladores y piratas. Pero muchas veces echaba de menos la tranquilidad de tomarse una taza de té.

Nimphia había dirigido la marcha hacia la salida del palacio. No tenían ni idea de cómo iban a abandonar Airïe, pero antes de alcanzar la salida, Raissana se hizo la encontradiza para abrazarla y colmarla de mimos infantiles. Nimphia sintió que le brotaban las lágrimas.

—No sé si algún día podré volver, aya —exclamó con la voz rota.

—Claro que sí, mi niña —le dijo ella acariciándole los cabellos—. Deja que los vientos cambien y todo volverá a la normalidad.

—Ya no hay viento, Raissana —insistió ella, terca, sin dejarse consolar—. Eriel…

—Los vientos van y vienen, niña mía —sonrió el aya—. Son caprichosos y salvajes, pero volverán. Igual que tú.

Nimphia hundió la cara en el pecho de Raissana. Se encontraba muy sola y perdida. Ella no tenía la fortaleza de Aurige ni la determinación de Cyinder, ni el valor de Laila. Sintió que no tenía nada. El aya notó su tristeza.

—Algún día, Eriel se dará cuenta de lo equivocada que está —le dijo—. En el fondo de su corazón te admira, pero ha convertido la admiración en envidia, y el aprecio en odio. Sólo necesita madurar y quererse a sí misma...

—Nunca había escuchado nada tan bonito —interrumpió Aurige con los ojos muy abiertos, y Laila se tapó la boca conteniendo la risa, porque no sabía si la lunarïe lo estaba diciendo de verdad, o si estaba siendo horriblemente cínica.

Nimphia carraspeó con una sonrisa avergonzada.

—Nos tenemos que ir, Raissana.

—Lo sé —contestó ella—. El cacharro ese está listo.

Todas la miraron sin saber a qué se refería.

—El barco con ruedas —les intentó aclarar el aya—. Esa cosa nemhirie que ruge...

—¡Mi coche! —se sobresaltó Aurige como si le hubiesen dado un calambrazo—. ¿Dónde está?

—He ordenado que lo dispongan en la entrada...

—¡Vamos, vamos! —gritó la lunarïe, corriendo sin esperar más.

Las otras la siguieron a la carrera y Nimphia se volvió un momento para mirar a Raissana una última vez. Su figura anciana y descolorida quedó en penumbras hasta que se perdió por entre los corredores silenciosos.

Cruzaron los muros de cristal que se transformaban en filigranas de flores y enredaderas una y mil veces, y allí, perfecto y pulido, estaba el Mustang rosa, tan chillón y violento como siempre. Laila dio un gritito de emoción y Aurige se abalanzó sobre él, abrazándolo y dándole besos como si fuese alguien querido. Abrió la portezuela y comprobó el interior con gran satisfacción.

—¡Adentro todas! —gritó mientras se acomodaba frente al volante, acariciando los botones y la caja de cambios.

No se hicieron de rogar, pero fue una sensación muy desagradable acomodar al silfo, que se negó a sentarse en el asiento y decidió que el suelo era más seguro, y a la arpía, que chillaba sin parar en un sitio tan cerrado y estrecho.

—¿Cómo vamos a salir de Airïe? —preguntó Laila, presintiendo que aquello no le iba a gustar nada.

—Hay que saltar —contestó Nimphia cuando el motor inició su alegre ronroneo.

—Saltar —repitió ella tragando saliva—. Saltar es la palabra.

Pero ya el Mustang tomaba carrera bajando a trompicones por las extensas escalinatas, y Aurige pisó el acelerador mientras las estatuas de grifos y esfinges pasaban zumbando, cada vez más deprisa. Laila crispó las manos sobre el asiento. El borde de la isla se acercaba a velocidad fantasmagórica, y las grandes plazoletas con sus arcos flotantes quedaron atrás. Al frente, el cielo azul con el sol a lo lejos. Cerró los ojos para no ver lo que se avecinaba y entonces sintió que el coche salía despedido. Notó perfectamente cuándo dejaba de tocar el suelo, y abrió los ojos sin querer.

El coche empezó a caer hasta ponerse vertical en un precipicio sin fin y Cyinder lanzó un alarido que parecía una risa histérica. Ella estaba a punto de unirse, con los ojos saliéndole de las órbitas, cuando de pronto, tan brusco que pareció un hachazo salvaje, se encontraron rodando a trompicones sobre el suelo firme y dorado de Solarïe.

El cambio de vertical a horizontal fue espantoso. Todo el contenido del estómago se le subió a la boca de golpe, y el mareo hizo que se le nublase la vista. Pidió a gritos que Aurige parase el coche y abrió la portezuela cuando todavía estaba en marcha. Cayó de bruces sobre la alfombra de corpúsculos dorados y escupió saliva y bilis en una tormenta de sudor y vértigo.

—A veces los nemhiries sois asquerosos —oyó que decía la lunarïe saliendo del Mustang para inspeccionar el terreno.

—Asquerosos no —jadeó ella tumbándose boca arriba sobre la hierba—. Esto se llama sobrevivir.

En el cielo dorado, el gran Solandis iniciaba su descenso, seguido de cerca por Luthus y luego Quentris, y a lo lejos se vislumbraban los primeros rayos de Cálime, el cuarto sol.

De repente sintió una tremenda alegría. Realmente estaba de nuevo en Solarïe, y entonces se dio cuenta de cuánto lo había echado de menos. Casi era como estar en casa. Y Cyinder, aunque trataba de parecer enfadaba, brillaba como un faro resplandeciente, con sus ojos encendidos abiertos de par en par.

«Aquí, nada malo puede pasarnos» —pensó Laila, deseando retroceder en el tiempo y olvidar todos los sinsabores del otoño.

Los corpúsculos dorados y los vilanos flotaban en una suave corriente danzante y a lo lejos, en el horizonte azulado de la distancia, brillaban las torres de la ciudad de Solandis.

—Vale, iremos a ver a esas pesadas —exclamó Cyinder sin ocultar ya su felicidad—. Pero a cambio me tenéis que prometer que no estaremos allí más de un día, y que me llevareis a Solandis para ver a mi madre.

—Por mí de acuerdo —aceptó Nimphia, que seguía dentro del coche cuidando del silfo y de que la arpía no se ensañase con la tela de los respaldos.

—¿Estás ya mejor? —le dijo Cyinder a Laila ayudándola a levantarse.

Ella asintió y volvió al coche. No podía dejar de mirar el paisaje de Solarïe que tantos recuerdos le traía, y aunque sentía la boca amarga y la cabeza dándole vueltas, estar allí era mejor que un sueño.

Aurige condujo de nuevo por las suaves colinas doradas, y aunque los campos parecían brillar en un verano perpetuo, por todos lados se descubrían manchas de tierra marchita, y los delgados árboles de oro estaban secos, sin hojas ni frutos colgando de sus ramas.

Se alejaban de Solandis en dirección suroeste y Cyinder miraba hacia atrás desde su asiento, viendo cómo la ciudad se volvía más pequeña, hasta que incluso los muros de luz se perdieron en la distancia.

La arpía dormitaba en las manos de Nimphia, y Shamal parecía perdido en pensamientos oscuros. Laila se volvió a preguntar para qué diablos necesitaban al siniestro silfo con ellas.

Pasaron las horas y el viaje se convirtió en un paisaje monótono de campiña y colinas doradas, con la eterna luz de los soles aumentando o disminuyendo de intensidad según descendían al ocaso o nacían por el este. Cuando Nur estuvo bien alto, en el horizonte crecieron cadenas montañosas azules, que sin embargo, según se acercaban, no cambiaron de color. Siguieron siendo violáceas incluso cuando llegaron a los pies de las laderas.

—Aquí es —anunció Cyinder con el gesto torcido.

Laila observó la formación montañosa que se les venía encima con gran curiosidad. La tierra era azul y el sendero por el que viajaban se convertía en un camino serpenteante que conducía hacia la cima. Las Montañas Shilayas abarcaban ya toda la vista, y parecían grandes bloques que cerraban el paso a ojos curiosos.

—Nunca hemos pasado de aquí —confesó Nimphia mirando los altos picos.

—Ni ganas —añadió la rubia con desdén.

—Es decir —las intentó picar Laila—, que no tenemos ningún objeto «shilayo» en nuestra colección privada, ¿no?

Todas cerraron la boca y a Nimphia se le iluminaron los ojos.

—No dirás que no es un buen motivo para venir, ¿eh, Cyinder?

La otra gruñó y Aurige condujo despacio por el camino hacia arriba. A mitad del recorrido el sendero terminaba abruptamente, y una especie de grieta abierta en medio de la montaña parecía ser la única senda. La lunarïe se bajó del Mustang para comprobar si su coche pasaba por aquella hendidura en la roca y luego volvió meneando la cabeza negativamente.

—Hay que seguir a pie —les dijo—. Y no me hace gracia volver a dejar mi coche sin nadie que lo cuide.

—Pues eres tú la que tiene interés en ver a las shilayas —repuso Cyinder—. Por mí, nos marchamos ahora mismo.

—Venga ya —dijo Nimphia—. ¿no sentís la emoción de la aventura? Parecéis viejas refunfuñando todo el día.

Y sin esperarlas más, echó a andar hacia aquella caverna con la arpía en las manos. Laila la siguió sin mucho convencimiento y pronto Cyinder y Aurige se les unieron sin rechistar. La cueva se adentraba en el corazón de la montaña, y en las paredes brillaban lucecitas fantasmagóricas que iluminaban las sombras del camino. El sonido de una corriente acuática llegaba de lejos y la atmósfera era fresca y húmeda.

—¿Y el silfo? —preguntó la muchacha al ver que el misterioso ser no iba con ellas.

—Se ha quedado en el coche —dijo Aurige—. Lo va a vigilar y yo a cambio le he puesto los ventiladores y el aire acondicionado. Creo que estará más a gusto que aquí.

—Se morirá de hambre —comentó Nimphia bordeando formaciones de estalactitas por donde discurría un reguero de agua luminiscente.

—Cyinder le ha hecho pasteles —declaró la lunarïe—. Ha sido la única forma de convencerlo.

Laila rió imaginando la escena y su risa formó ecos que se repitieron por las paredes.

—No vuelvas a hacer eso, nemhirie —susurró la morena.

—Solo es el eco —se defendió ella, aunque la oscuridad azulada de la gruta le ponía los pelos de punta.

—Pues haz caso de Aurige —bajó Nimphia la voz—, porque ahí delante hay algo.

Todas se quedaron quietas como si hubiesen recibido un calambrazo. El corazón de Laila se disparó de golpe y de nuevo, desde los recovecos de la memoria, le llegó la imagen de las siniestras figuras de los monstruos hienas persiguiéndolas por Lunarïe. Caminaron en silencio sorteando los grupos de rocas y estalactitas. El ruido de la corriente de agua era cada vez más fuerte y al frente, un nuevo pasadizo las condujo a una cueva mayor.

Allí, a unos pasos, la plataforma del suelo terminaba en el borde de un precipicio, y tan sólo un puente de piedra que parecía caerse a pedazos conectaba con el otro lado. Luego el camino se perdía en otra gruta. Muy abajo, al fondo de aquel cortado, pasaba la corriente serpentina de un río plateado.

—¿Veis algo? —susurró Laila observando aquel puente de piedra.

Nimphia le dio un codazo para que se callase. Sus ojos estaban fijos en uno de los pilares del puente, un poste que no parecía más que un montón de rocas amorfas, apiladas unas sobre otras bajo las sombras azuladas. Entonces, en las rocas, se abrieron unos ojos rojos convertidos en rendijas. Laila dio un salto de terror, pero Cyinder estaba ya conjurando una enorme bola de luz electrizante, y toda la caverna se iluminó de claridad grasienta.

Un gemido ahogado retumbó en toda la cueva, y fue como el sonido de una lija al raspar una piedra. La extraña figura se encogió sobre sí misma y una especie de mano se tapó los ojos rojos, malheridos por la luz cegadora.

—¡Dolorrr! ¡Aul mousss! —gritó pareciendo alargar las sílabas.

—¡Un troll! —exclamó Nimphia, pasmada de asombro—. ¡Cyinder, apaga eso, le estás haciendo daño!

—¿Que le estoy haciendo daño? —protestó la otra con la bola titilando en sus manos—. ¡Como estemos a oscuras, el daño lo vamos a recibir nosotras!

Pero la de Airïe no le hizo caso. Se acercó a aquella figura encogida mientras Cyinder reducía la esfera al tamaño de la llama de una vela, y Laila volvió a preguntarse cómo era posible que su amiga fuese tan inconsciente.

La figura amorfa se irguió lentamente hasta alcanzar una estatura de más de dos metros, y aquellas rendijas rojas volvieron a aparecer en un rostro que parecía esculpido en piedra, alargado y picudo. Mechones de pelo ceniciento caían a ambos lados de la cara, y cerca de sus pies cerúleos había un bastón enorme con forma de arma asesina. El ser permaneció frente a ellas, inmóvil, sin dejar de mirarlas.

Nimphia levantó una mano en señal de saludo y entonces el troll cogió el garrote lleno de pinchos, y lo sostuvo indicando que por allí no se pasaba con tanta facilidad. Laila se dio cuenta de que el suelo de la caverna estaba lleno de pequeños huesecillos y restos de alimañas, y miró al troll con espanto renovado.

—¡Aul mousss! —repitió con aquella voz rasposa.

—¿Qué ha dicho? —susurró Cyinder, con la lucecita en las manos, dispuesta a convertirla en un torrente de energía a la mínima amenaza.

—Ni idea —respondió Nimphia.

La arpía en sus manos aleteó inquieta dando pequeños chillidos, y entonces todas se dieron cuenta de que el troll no las miraba a ellas. Miraba a Monique.

—Garrrne —pareció esforzarse en decir algo coherente, y luego señaló al puente de piedra tras él—. Aul mouss.

—¡No sé qué quiere pero ni hablar! —exclamó Aurige cogiendo a la arpía y resguardándola en su regazo.

—Quiere un pago —comprendió Nimphia—. Un pago por pasar el puente.

—Pues que Laila le haga galletas.

—¡Oye! —se enfadó ella—. Estoy hasta las narices de ser la cocinera del grupo.

El troll pareció encogerse, pero más como posición de ataque que como defensa. El garrote en su mano parecía haber crecido, y los pinchos relumbraban en las sombras azules. Dio un paso hacia Aurige, con los ojos rojos perdidos en una nebulosa de hambre, y la lunarïe no dudó en invocar aspas de luz negra que giraron a su alrededor. De repente el ser se quedó quieto y olisqueó el aire.

—Sssïdje —susurró, e hizo algo que parecía una reverencia primitiva.

Se apartó un poco sin dejar de mirar a la arpía, y le hizo un gesto brusco para indicar que tenía acceso libre al puente. Laila suspiró de alivio e inmediatamente se colocó detrás de su amiga y las aspas flotantes, como si se resguardase tras un escudo protector.

—¡Sssïdje! —aulló el troll levantando el garrote al tiempo que caminaba hacia la muchacha abriendo una boca llena de dientes.

Laila gritó y Cyinder volvió a aumentar la bola de luz haciendo que el ser se encogiese de dolor. Se arrastró por el suelo hasta la entrada del puente y allí se quedó hecho un ovillo.

—A mí me dejaba pasar —dijo la lunarïe, confundida.

—Te ha llamado Sïdhe —dijo Cyinder—. Bueno, o lo ha intentado.

—¿Y eso qué significa? —gruñó la otra haciendo girar las aspas cada vez más deprisa—. Este va a ser el primero y el último troll que me insulta.

—Significa que tú sí puedes pasar —dijo Nimphia rápidamente, comprendiendo que el troll creía que Aurige era una shilaya—. No le hagas daño, por favor. Nunca había visto uno en mi vida...

—¿Y cómo pasamos nosotras? —se desesperó Laila—. Y además parece que tiene mucha hambre.

—Tendrás que hacerle comida, nemhirie, te guste o no —dijo

Aurige, pensativa—. Haz lo que puedas y lánzasela lejos. Cuando vaya a por ella, correremos por el puente y nos perderemos en las cuevas. Tú, Cyinder, ten preparadas esferas de luz y tú, Nimphia —suspiró—, por mucho que desees quedarte con todos los bichos que te encuentras, haz el favor de razonar un poco.

Cyinder sonrió. Allí estaba la vieja Aurige, gruñona y dando órdenes. Disminuyó la intensidad de la esfera hasta hacerla soportable y el troll volvió a mirarlas con sus ojos enrojecidos. En aquella mente brilló un destello de astucia.

Laila intentó concentrarse deprisa. El corazón le latía muy rápido y aquel ser le recordaba muy vívidamente al monstruo hiena. Las piernas le temblaban viendo aquellos dientes. El pánico le embotaba el cerebro, y el primer donut que apareció, era una masa informe de harina y azúcar. El olor del pastel revolvió al troll.

—Date prisa —susurró Cyinder con los ojos muy abiertos—. Me temo que los bollos sólo van a ser el postre, por mucha Sïdhe que sea Aurige.

El miedo le dio alas, y de repente, en sus manos comenzaron a brotar cascadas de galletas, bizcochos y bollos de mermelada que cayeron a sus pies. Cyinder los lanzó de un puntapié al otro extremo de la plataforma y el troll se puso de pie, olisqueando aquellas cosas que jamás había visto. Sin dejar de vigilarlas, se alejó renqueando, arrastrando el garrote por el suelo, hasta llegar a la primera galleta.

—¡Ahora! —gritó Aurige en el momento en que el troll se agachaba por fin, y aquel grito les puso en marcha como un resorte.

Corrieron hacia la pasarela de piedra, pero el troll se volvió de inmediato, más rápido de lo que ellas habían calculado. Lanzó un grito de rabia en el que asomaba un tono salvaje de cacería, y salió disparado hacia ellas.

Laila corrió tan deprisa como le permitieron las piernas. El puente parecía estar a punto de derrumbarse bajo sus pies y al frente, la abertura a una cueva que podía perfectamente no tener salida. Cyinder lanzó una de sus bolas de luz y la claridad estalló en el aire. El troll rugió de ira, blandiendo aquella vara horrible, mientras gritaba su «aul mouss» una y otra vez.

El resplandor de la esfera fue desapareciendo y de inmediato les envolvió la oscuridad. El camino se volvió angosto, bajando en una pendiente peligrosa sobre piedras húmedas y charcos que hacían resbalar. Las columnas de estalactitas pasaban a ambos lados, mientras el camino retorcido parecía dar vueltas sobre sí mismo sin alcanzar ningún final. Tras ellas, zarpazos y gruñidos acortaban las distancias. El chapoteo del troll se escuchaba justo a sus espaldas.

—¡Invisibles! —jadeó Cyinder lanzando una nueva bola de luz hacia atrás, sin mirar ni apuntar.

—¡Nos vería! —gritó Nimphia—. ¡Nos huele a leguas!

La solarïe lanzó una tercera bola de luz y muchos murciélagos huyeron espantados, revoloteando cerca de sus caras. Laila dio un chillido al notar el paso de uno cerca de sus cabellos, pero ni en su más negra pesadilla pensó en detenerse un sólo segundo. Aurige y Nimphia parecían volar, y ambas se alejaban ya por la pendiente hacia lo que parecía un punto de luz salvador en la distancia.

El sudor le bañaba la frente y en un momento, Laila trastabilló con unas losas mojadas. De inmediato Cyinder chocó con ella y ambas cayeron al suelo dando un grito. El dolor de las rodillas arañadas restalló con miles de lucecitas y la oscuridad se abatió sobre ellas. El troll aulló su victoria. Ya no había nada, solo dos ojos rojos que se acercaban y el sonido de una tremenda estaca partiendo el aire. Cyinder se abrazó a Laila temblando de pánico.

—Aul mouss —aquello pareció reírse bajito—. Garrrne.

El troll se irguió en toda su estatura y en ese momento una

forma oscura y chillona cargó sobre él, volando desde lejos como una flecha. El ser chilló de dolor al notar los picotazos de Monique, y sus pequeñas garras arañándole la cara. Blandió el garrote en el vacío, dando golpes ciegos, mientras la pequeña arpía esquivaba para volver a atacar de inmediato.

—¡Corre! —chilló Cyinder a la desesperada, poniéndose en pie y tirando de Laila hasta casi arrastrarla.

Laila miró atrás una última vez. Monique luchaba sin descanso en una batalla desigual, como un pájaro contra un gigante, y sintió que el corazón se le encogía. Cyinder la empujó y ambas corrieron los últimos tramos de la pendiente mientras atrás quedaban los chillidos de la pequeña arpía mezclados con los rugidos del troll, creando ecos que rebotaban una y otra vez.

Al final del camino había una cascada de luz. La salida de la caverna destellaba como si fuese una cortina de color malva brillante, y remolinos de estrellas giraban lanzando chispitas. Allí mismo, Aurige y Nimphia las esperaban con la ansiedad pintada en sus caras.

—¿Estáis bien? —preguntó Nimphia, jadeando—. ¿Qué ha pasado?

—El troll… y Monique —consiguió decir Laila, con la respiración cortada.

—¿Qué pasa con Monique? —se alarmó Aurige dando un paso hacia el interior de la cueva—. Ha salido volando de repente y…

—¡Vámonos de aquí! —gritó Cyinder al borde del colapso, sin dejar de escudriñar en las sombras.

—Yo no me voy sin la arpía —contestó Aurige, testaruda, cruzándose de brazos.

—Encontrará el camino, estoy segura —susurró Nimphia intentando calmar el ambiente, pero con una urgencia llena de pánico—. Es muy lista, Aurige. Es tan lista que parece lunarïe —la intentó engatusar.

Aurige la miró un segundo con los labios apretados y luego echó un último vistazo al interior de la cueva. Ya no se escuchaba nada y ella se dio media vuelta con el rostro congelado, caminando hacia la extraña cortina brillante.

Laila siguió sintiendo un extraño dolor en el corazón. Jamás se le hubiese ocurrido pensar que echaría de menos a aquel bichejo. Sin darse cuenta, Monique se había metido en sus vidas y ahora parecía ser una más del grupo. Por un momento creyó que iba a llorar.

Atravesó la luz llena de remolinos brillantes intentando contener una lágrima. Apenas notó que era más fina que una pompa de jabón. Como si cruzase a través de una gasa de mercurio brillante, y de repente el resplandor del sol le hirió los ojos, y los cerró, contenta por poder disimular aquella tristeza.

Cuando los abrió, se quedó atónita ante lo que se desplegaba ante su vista.

Toda una ciudad llena de cúpulas blancas y doradas se abría ante ella. Cientos de torres, tan altas y estilizadas que parecían agujas de oro sobresaliendo por entre las copas de un bosque de árboles azules. Alamedas y veredas luminosas, y riachuelos cruzados por puentes de mármol y nácar. En el aire danzaban estrellitas que daban vueltas al son de una música lenta. El rumor del agua y la brisa en los árboles sonaban como una melodía serena que acariciaba la piel.

—¡Es el país de las hadas! —exclamó boquiabierta y maravillada, sin poder creer todo lo que sus ojos veían.

—¿Cómo dices? —gruñó Cyinder, malhumorada.

Laila se volvió para pedirle disculpas y entonces descubrió que sus amigas, y ella misma, se encontraban vestidas con unos trajes brillantes de seda y gasas. Sobre la cabeza de Nimphia había aparecido una corona de estrellas y Cyinder llevaba diamantes engarzados en sus cabellos.

Abrió la boca, pasmada, solo para comprobar que ella misma se adornaba con brazaletes de rubíes, collares y cintas sobre un precioso vestido rosa que parecía flotar a su alrededor.

—Lo primero que voy a hacer es presentar una queja —decía Cyinder con desdén, alisándose la falda de aquel vestido mágico.

—Pues estás guapísima —le dijo Nimphia con una gran sonrisa—. Y necesitabas arreglarte el pelo, estabas hecha una porquería.

Laila rió. En el fondo de su corazón estaba encantada y parecía que todo el peso que llevaba dentro, como una piedra de mil toneladas, se estaba esfumando. Sus amigas llevaban ahora las alas al descubierto y ella sintió una envidia terrible. Las suyas reposaban secas y marchitas en una caja de cristal. Iba a odiar a su padre cuando Aurige, que no había dicho una palabra, lanzó una exclamación de alegría.

Miraba con ansiedad hacia la cortina de luz malva a sus espaldas y entonces, una flecha brillante salió disparada de ella, y flotó un segundo en medio de los torbellinos de chispitas antes de caer en un vuelo torpe y descontrolado.

—¡Monique! —gritó corriendo hacia aquella forma que parecía un pájaro de fuego.

La arpía chilló un segundo y se estampó contra la hierba dorada, quedando completamente inmóvil. Aurige voló hasta ella y la recogió con sus manos, acariciándola y dándole besos.

—¡Está malherida! —exclamó angustiada.

Todas pudieron comprobar con horror que Monique, cuyas plumas eran ahora doradas como si fuese un ave fénix, estaba cubierta de sangre que manchaba las briznas de hierba. Abría y cerraba los ojos de su carita de niña, pero no movía el pico ni emitía ningún sonido. Su mirada era turbia y cansada.

—¡Hay que buscar ayuda! —gritó Cyinder, con el rostro descompuesto.

Y echó a correr hacia la ciudadela de torres. Nimphia fue tras ella y Laila, sin ningún miramiento, rompió la seda de su falda e improvisó unas vendas.

—Podrías dormirla —le dijo a Aurige—. Así no sufrirá hasta que la curemos.

—¿Y si se muere? —contestó la otra con el pánico reflejado—. No me lo perdonaría nunca si no me diese cuenta... ¡Monique, bonita! —le acarició las alas tan suave como si fuese el tacto de una araña.

Laila se agachó para ponerle las vendas y entonces notó algo por el rabillo del ojo: por el camino de oro venían Cyinder y Nimphia, seguidas de toda una cohorte de hadas a la carrera. Parecían un grupo de novias abandonadas en el altar y ella sintió ganas de soltar una carcajada.

—¿Qué ha ocurrido?... ¿Quién está malheridoooo? —cantó literalmente una de aquellas hadas de cuento.

Por un momento Laila se quedó de piedra. Parpadeó varias veces sin saber si había escuchado de verdad un cántico con rima y todo, pero ya Aurige se levantaba y señalaba a la pequeña arpía con cara de angustia.

—Monique —les dijo—. Creo que tiene un ala rota...

—¡Qué precioso pajarito! —entonó otra haciendo aletear sus dedos—. ¿Dónde tendrá su niditoooo?

Acabó en un agudo perfecto y Laila miró a Cyinder y a Nimphia con los ojos muy abiertos. La solarïe hizo un gesto claro con el dedo en la sien: estaban ante un grupo de locas.

—Necesitamos ayuda —intervino Nimphia, presurosa—. Una sanadora o alguien de Lunarïe que entienda de heridas...

—Os llevaremos gustosas... —empezó una y entonces se quedó callada. Miró a sus compañeras con la duda en sus ojos, temblando—. Gustosas... gustosas...

—¡Por el camino de las rosas! —terminó otra la rima, y todas dieron un suspiro de alivio.

—¡Oye, ya está bien de chorradas! —gritó Cyinder sintiendo que la ira le consumía.

Las jóvenes shilayas se estremecieron pero ninguna perdió su sonrisa feliz. Echaron a andar hacia la ciudad como si fuesen danzando un vals y alrededor de ellas, los arbustos se llenaron de rosas blancas. Aurige envolvió a Monique con las vendas de gasa y las siguió a toda prisa.

Caminaron por entre las torres blancas y doradas, llenas de pequeñas ventanitas y altos tejados en forma de cono. De hecho eran tan estrechas que no parecían ser muy útiles para vivir, y las ventanas no debían aportar mucha claridad a las habitaciones. No había casitas bajas ni un gran palacio señorial. Todo eran torres y más torres, separadas por maravillosos jardines por donde revoloteaban pixis y mariposas. Se cruzaron con muchas otras shilayas, y la mayoría se unió a la comitiva, formando al final un enorme tumulto de gasas y sedas bordadas.

Al cruzar un puente de cristal labrado iluminado con farolitos, un hada de aspecto más elegante que paseaba en dirección contraria, las detuvo en seco. Todo el grupo de shilayas se puso rígido.

—¿Qué ocurre aquí? —dijo con tono neutro, sin rimar.

—Llevamos a estas doncellas, a la Torre de las Estrellas —le contestó una de las jóvenes que encabezaba la comitiva.

El hada endureció sus rasgos. Reparó entonces en las cuatro desconocidas por primera vez y puso cara de sorpresa. Cuando vio a la arpía moribunda, asintió.

—Yo me haré cargo —les dijo—. Volved a vuestros quehaceres.

—Gracias, magistra —dijo otra de las chicas en un descuido, sin rimar ni cantar, con el alivio reflejado en su cara.

Al momento la tal magistra sacó su varita mágica y le golpeó en la cabeza.

—Por muy agradecida que estés, jamás olvides tus modales,

Flor de Primavera. Como castigo verás tus manos, inundadas de gusanos —cantó agitando la varita—. Ve a plantar champiñones en el lodo hasta el amanecer.

La otra se puso pálida y se alejó apresuradamente por el vado hacia el nacimiento del río. El grupo de shilayas comenzó a dispersarse a toda velocidad hasta que se quedaron solas. Laila observó a la recién llegada. Parecía un hada estricta y severa, con los cabellos plateados recogidos en un tocado lleno de bucles, bajo un pañuelo de seda a juego con un vestido verde pomposo. Las escudriñaba a todas sin saber a qué atenerse ni qué decir.

—¿Podemos atender a la arpía? —la instó Nimphia a tomar una decisión.

—Por supuesto, seguidme, por favor.

Y se dio media vuelta guiándolas por el camino de oro que se alejaba del puente en dirección a otro cúmulo de torres. En el cielo brillaba un gran sol único de camino al ocaso, aunque si Laila entrecerraba los ojos, le daba la sensación de percibir las sombras de los otros cuatro soles, escondidas tras una especie de burbuja rosa. Por el este parecía empezar a anochecer.

Muchas shilayas se cruzaban con ellas, a cada cual más engalanada y estrafalaria, y todas se inclinaban ante aquella magistra en actitud de devoción y respeto. Algunas llevaban varitas mágicas y otras no, pero todas parecían sacadas de un gran concurso de disfraces.

«Miss Horterada» —pensó Laila sin saber si podría elegir el vestido más espantoso de entre todos ellos.

La magistra se detuvo frente a una torre blanca de mármol. En las paredes estaban grabadas miles de estrellas que parecían brillar. Tocó una campanita y tras unos segundos la puerta se abrió. Salió a recibirlas un hada anciana, vestida con una sencilla túnica gris, sin más adornos que un cinturón de cuero trenzado. El hada se quedó perpleja unos segundos, pero en seguida se recompuso.

—Magistra del Sol, siempre es un placer —canturreó—, ver que trabajáis al atardecer.

La aludida se quedó rígida pero luego inclinó la cabeza apretando los labios, y por un momento, Laila pensó que la nueva anciana acababa de largarle un insulto con la mejor de sus sonrisas.

—Violeta, deja los sarcasmos para el desayuno. He venido a tu casa con estas desconocidas que, al parecer, tienen un problema urgente. Soluciónalo cuanto antes —ordenó con aires de superioridad.

La anciana reparó en las cuatro chicas apostadas tras la magistra, y las invitó a pasar cordialmente, luego se encaró con la otra sin dejarla avanzar más allá del dintel de la puerta.

—Si no requerís más nada, os ruego abandonéis mi morada —le dijo, con la clara intención de acortar la visita lo más posible.

La Magistra del Sol pareció que iba a responder pero la anciana le cerró la puerta en las narices de golpe. Luego se volvió con una gran sonrisa victoriosa y canturreó unos versos mientras se dirigía a una pequeña cocinilla apostada en el muro, que era el único mobiliario de toda la torre. Sacó una cacerola y la llenó con agua. Parecía haberse olvidado de ellas. La arpía lanzó un gemido lastimero.

—Oiga… —susurró Cyinder queriendo llamar su atención.

—Sí, sí, sí —cortó la anciana con un gesto de la mano—, pero primero una tisana.

—No necesitamos infusiones —protestó Nimphia—. Nuestra arpía está malherida. Si no puede ayudarnos, nos marcharemos de inmediato, pero por favor, indíquenos a alguien que sí pueda…

—Estas jóvenes de hoy en día, siempre con prisas —murmuró ella trabajando en los fogones—. Nunca escuchan. Lo quieren todo rápido, así —chasqueó los dedos en el aire.

—Es que se muere…

—Pues entonces una tisana le vendrá fenomenal —contestó sin dejar de preparar la infusión.

Cyinder dio pataditas de impaciencia en el suelo pero no hubo nada que hacer. Miró a Aurige señalando a la anciana con la cabeza, para ver si ella le amenazaba con alguna frase contundente, pero la lunarïe permanecía en un silencio respetuoso.

—Sentaos, por favor —dijo la anciana abriendo una alacena que antes no estaba, sacando platitos y tazas—. En seguida estaré con vosotras.

Laila iba a comentar en voz baja que en aquella torre no había ni un taburete, pero de repente apareció ante ellas una mesa llena de dulces y cinco confortables sillas de terciopelo. Abrió la boca, admirada.

—Me llamo Violeta —les dijo, llegando con una bandeja y cinco tazas humeantes, además de un embudo—. Antes me llamaba de otra forma pero esa corte de soberbias me amargó la vida. Y no digo poemas, a no ser que esté de mala leche.

—¿Qué le ocurrió? —preguntó Nimphia mostrando interés educado mientras tomaba una de las tacitas.

—Bueno, bueno, no es cortés preguntar ni cotillear si ni siquiera os habéis presentado, ¿no es cierto, querida? —le sonrió la anciana.

—Tiene usted razón, le suplicamos nuestro perdón —dijo Aurige de golpe y las otras la miraron incrédulas. Cyinder se atragantó con la tisana y empezó a toser.

Violeta se volvió a Aurige con sorpresa y pareció inspeccionarla de arriba abajo.

—No hace falta que rimes en mi presencia —le dijo—. Además, ha sido un ripio espantoso, querida.

Luego tomó el embudo con mucho cuidado y abrió el pico de la arpía. Monique intentó revolverse pero estaba muy débil, y la anciana consiguió hacerle beber una pequeña cantidad de tisana. Al momento pareció más tranquila y cerró los párpados en un sueño reparador.

—¡Ya no sangra, está curada! —gritó la lunarïe al comprobar que la herida del ala cicatrizaba a gran velocidad—. ¡Ya no me siento apenada!

—Déjate de bromas, Aurige —dijo Cyinder con cara de pocos amigos.

—Me temo que no es ninguna broma, querida —dijo Violeta sirviendo de nuevo infusión en cada tacita—. Creo que no lo puede evitar. Aún así, le prohíbo que vuelva a atacar mis oídos con esas rimas de poca monta —terminó, chasqueando los dedos.

Aurige parpadeó un segundo como si se hubiese mareado.

—Es por la runa —contó Nimphia tocándose su propio cuello.

—La he visto, la he visto —afirmó la anciana—. Una runa poderosa, y además... mezclada con elixir de los deseos. Una combinación letal. Me pregunto qué circunstancias os han llevado a ese desastre.

—Bueno, anciana, os agradecemos mucho vuestra ayuda, pero nos tenemos que marchar —dijo Cyinder de sopetón, resuelta a no dar explicaciones.

Violeta la observó despacio, moviendo sus alas, y luego dirigió la vista al lejano techo de su torre. Laila siguió su mirada. Arriba brillaban estrellas que giraban despacio, igual que en la habitación de Aurige en Lomondcastle.

—Princesa Cyinder, vaya, vaya —soltó la anciana de repente sin dejar de observar las constelaciones.

—¿Cómo lo sabes? —se asombró ella.

—Mis estrellas me cuentan todo lo que necesito saber. Tampoco tengo que darte más explicaciones, ¿verdad? —le guiñó un ojo.

La rubia se sonrojó pero al momento intervino Nimphia, apaciguadora.

—Le debemos mucho, señorita Violeta. Tampoco es tan importante quienes somos. Mi amiga Cyinder no ha querido molestarla.

—Claro que ha querido, Nimphia de la Casa de Silveria. La princesa de Solarïe aún tiene mucho que aprender, pero su futuro llegará muy pronto. No me gustaría estar en su piel.

—¿Qué quieres decir con eso? —preguntó la rubia, temblando.

La anciana la miró y luego volvió la vista a Laila y de nuevo a las estrellas.

—En realidad no me gustaría estar en la piel de ninguna, aunque debería sentirme muy halagada. Tanta realeza junta, visitando mi humilde morada.

—¿Puedes saber el futuro en las estrellas? —inquirió Nimphia dando un sorbito a su infusión, que se estaba quedando fría.

—Puedo. Un corto espacio de tiempo, pero puedo. Sin embargo, me interesa más el pasado —sonrió Violeta—. Tal vez si me aclaraseis cómo y por qué habéis llegado hasta aquí, yo podría dar algún consejillo de anciana, de esos que las jóvenes jamás escucháis, pero que al final siempre vienen bien, como las tisanas.

Nimphia miró a las otras y tragó saliva.

—Mire, es una historia muy larga, pero le puedo decir que por una serie de malentendidos, nuestra amiga Aurige acabó con esa runa pegada al cuello. Mi tío Zërh —suspiró con voz ahogada—, tenía un poco de ese elixir que convierte las cosas en oro y…

—No convierte las cosas en oro —la interrumpió la otra—. Convierte lo que toca en lo que uno más desea. Es un elixir de deseo.

—¿Está usted sugiriendo que Aurige quiere ser shilaya? —soltó Cyinder con la cara como la grana.

—Aurige es la hija de la reina Titania, ¿verdad? —preguntó la otra con un destello en los ojos.

—Sí, desde luego.

La anciana pareció perderse en su propio mundo. Volvió a servirse infusión y la bebió entera de golpe.

—Ella no quiere ser shilaya, ni ese señor Zërh, a quien también queréis salvar, quiere ser una estatua —contestó Violeta con la mirada puesta en la solarïe—. Pero el propietario original sí que tenía el anhelo del oro. Al mezclarse con la runa de poder ha debido ocurrir algo extraordinario. El resultado es que cuanto más tiempo permanezca en la piel de la princesa de Lunarïe, más deseará ella pertenecer a Sïdhe, eso os lo aseguro. Es como si la runa tuviese ahora voluntad propia y quisiera estar en este lugar.

—¡Pues tenemos que salir de aquí como sea! —exclamó Cyinder.

—Bueno, tranquilas todas —dijo Violeta intentando calmarlas—. No creo que sea tan grave. Cuando una verdadera hada madrina habla, de su boca salen perlas y diamantes, y eso no ha ocurrido, ¿verdad?

Todas guardaron un silencio mortal. Cyinder se puso en pie dispuesta a sacar a Aurige de allí de inmediato.

—¿Y cómo podríamos quitársela? —preguntó Nimphia obligando a la rubia a sentarse de un tirón.

Violeta volvió a mirar a las estrellas un buen rato, pensativa. Luego paseó sus ojos por las cuatro amigas.

—Aún no —contestó, misteriosa—. Pero pronto exigirá un sacrificio pequeño, y más tarde, un gran dolor que durará mucho tiempo.

—¿Un gran dolor? —se espantó Laila.

—Por fin escucho la voz de la reina Serpiente —se volvió ella dejándola muda—. Necesitaba oírla para que mis estrellas fuesen más claras.

—¿La reina Serpiente? —repitió Nimphia con los ojos muy abiertos—. ¿Ella es la reina de los ithirïes? ¡Lo sabía! El olor era inconfundible…

—No es la reina —rió Violeta—, pero lleva su sangre. ¿O acaso prefieres que la llame «Princesa de los traidores»? A mí me suena un poco feo y además, muy grosero por mi parte.

Laila sintió que se ahogaba. Todo le daba vueltas y se aferró a su medallón con la cabeza llena de las imágenes de sus pesadillas: la dama de largos cabellos trenzados que le soltaba la mano, el sol amaneciendo por todos lados en medio del caos…

—Mi madre —susurró—. Ethera…

—La reina Serpiente llegará pronto —anunció la anciana como quien proclama una maldición—. Pero todo es muy confuso. Las constelaciones ya no giran como es debido. El futuro y el pasado se confunden. Poco más puedo deciros. Tenéis que visitar a la bruja.

—¿La bruja? —se inquietó Nimphia—. ¿Qué bruja?

—Los destinos de todas vosotras convergen en ella. A ella es a quien estáis buscando. Yo ya no os puedo ayudar más.

—¿Y la reina de Sïdhe? —preguntó Cyinder torciendo el gesto—. ¿Acaso sólo es reina de nombre? ¿No tiene poder para hacer algo con esa runa? Además, es ella quien posee un objeto que venimos a buscar.

Violeta la miró sintiendo una gran tristeza.

—Nimue, nuestra reina, duerme dentro de la Torre Encantada —les reveló—. Su enfermedad ya no tiene cura, pues el nemhirie mortal del que se enamoró murió hace tiempo, y no podrá rescatarla del hechizo en el que ella misma se metió por culpa de un capricho insensato, pero esa es otra historia que no viene al caso…

—Yo sé la historia de una princesa que durmió cien años hasta que su príncipe la despertó con un beso —intervino Laila, acordándose de un cuento de su infancia.

—No me lo recuerdes, por favor, querida —le dijo la anciana—. Por culpa de las tres hermanas Vela de Otoño, sufrimos cien años de ansiedad y muchas de nosotras aún no nos hemos recuperado. Estar esperando todo un siglo a ver si llega o no llega un príncipe, puede provocar histeria colectiva.

—¿Quieres decir que…? —se asombró ella.

—¿Y quién gobierna las Montañas Shilayas, si puede saberse? —interrumpió Cyinder, cansada de tantas fábulas—. Con esas estrellas charlatanas, ya debéis saber que venimos en busca del Ojo de la Muerte. La gobernadora en funciones tiene que saber de su paradero.

La anciana asintió.

—Los Ojos no volverán jamás a Lunarïe, pero para eso está mi dulce niña, ¿verdad? —le rozó la cara a Aurige, que sonrió, confundida. Luego siguió acariciando las plumas doradas de Monique—. Visitad a la bruja. Ella tiene todas las respuestas. Aquí, la corte de magistras no sabría ni de qué les estáis hablando. Sólo cuidan y protegen Sïdhe, y a veces ni eso.

—¿Nos llevareis ante ella? —preguntó Nimphia poniéndose en pie.

Violeta dudó.

—Os acompañaré hasta la puerta de su torre —dijo por fin, haciendo desaparecer los platos, las tazas y la mesa—. Aunque quizás…

De la alacena sacó dos botellitas misteriosas. Una la guardó en un bolsillo y la otra se la entregó a Nimphia.

—Para tu tío —le dijo—. Úntasela en los labios y cuando los abra, házselo beber. La pena es que no sirve para la runa de hierro. Si le quitas el elixir, volverá a recuperar su antiguo poder y ella se quedará muda. Se le tiene que caer de otra forma…

Guardó silencio un segundo, absorta. Sin embargo Nimphia estaba emocionada y le dio un abrazo tan fuerte que Violeta se quedó sin resuello. Luego se atusó la toga carraspeando y se retocó el cabello plateado.

—¿Nos vamos ya? —inquirió Cyinder abriendo la puerta.

Ella asintió y todas salieron hacia un anochecer lleno de estrellas. Cuando la anciana pasaba por la puerta, tomó el brazo de Cyinder, aprisionándolo como una garra de acero, y le habló al oído.

—Tú serás la última luz, mi niña —le dijo sin que las otras pudiesen escucharla—. Y a pesar de todo lo que nos odias, las shilayas estaremos a tu lado cuando todo Ïalanthilïan caiga en la negrura. Recuérdalo para siempre.

Entonces la soltó y caminó delante de todas con paso presuroso.

—¿Qué te ha dicho? —le cuchicheó Nimphia, bajito.

—Estupideces —contestó la otra, nerviosa, con los ojos fijos en la anciana que parecía haber caído víctima de una prisa frenética, y parecía correr sobre el camino de oro, bordeando altas torres resplandecientes bajo la luz de la falsa luna de Solarïe.

La acompañaron en silencio a través de los extensos jardines alumbrados por los candiles de colores. Las ventanitas de las torres estaban iluminadas, y apenas ninguna shilaya se cruzó con ellas en la noche oscura. Laila aún se maravillaba de observar la luna y las estrellas en pleno Solarïe, pero estaba segura de que aquello no era más que un encantamiento dentro de las montañas, y que fuera de allí, los cinco soles seguían cruzando el cielo dorado en un arco perfecto.

Al final se detuvieron frente a una torreta gris, tan llena de sombras y grietas que parecía a punto de venirse abajo. Nidos de cuervos se apelotonaban en la cornisa, y la luna se ocultaba tras aquella mole dándole un aspecto siniestro. En lo alto brillaba una luz solitaria.

«Verdaderamente es la torre de una bruja» —pensó Laila, estremeciéndose.

Violeta dio unos golpecitos en la puerta de tablones de madera mal colocados y esperó mirándolas con seriedad. En el interior se escucharon gritos que les pusieron a todas los pelos de punta. Laila dio un paso atrás de manera inconsciente.

Al rato se escucharon unos pasos cansinos, y la puerta se abrió dejando pasar una rendija de luz. Una figura horrible, encorvada y cubierta de harapos, con una venda mugrienta tapándole los ojos, las atisbaba desde aquel resquicio.

—¡Quienes fuisteis! —chilló con voz enloquecida, golpeando el suelo con un bastón torcido—. ¿Quién se atreverá y me molestó? ¿Quién?

Laila tragó saliva. De inmediato se dio cuenta de que aquella hada decrépita vivía y hablaba en un delirio incoherente de locura, y aquellas manos huesudas se afianzaron sobre el cabezal del bastón como si lo estuviese ahogando.

—Calla, Ojos —le susurró Violeta chistando bajito, mirando a todos lados con precaución—. Tienes invitadas. Tu sobrina ha venido a verte.

17. Los Ojos de la Muerte

Las palabras de Violeta cayeron como una bomba en medio de todas. ¿Sobrina? ¿Y por qué esa mujer se llamaba «Ojos»? Laila buscó respuestas en las caras de sus amigas pero todas estaban igual de perplejas. Violeta las empujó al interior de la torre y luego levantó una mano en señal de despedida.

—Pasa tú también. Pasarás —rió aquella hada con una risa que helaba la sangre—. No creerás que te fuiste de rositas.

Violeta pareció pensárselo pero al final acabó por ceder. La puerta se cerró tras ellas con un ruido siniestro y Laila se arrebujó junto a Nimphia al contemplar el interior del torreón.

Todas las paredes estaban llenas de velas consumiéndose, y estrechos peldaños se clavaban en el muro circular hacia arriba, hacia la única ventana que existía. Las vigas estaban recubiertas de telas de arañas y por el suelo correteaban bichos que se ocultaban en las sombras. La suciedad y el abandono lo impregnaban todo, y un olor a moho rancio se les incrustaba en la nariz haciendo que sintiesen nauseas. En una mesita, montañas de frascos vacíos se apilaban en un desorden caótico.

—¿Traes mi jarabe, Violeta? ¿Lo traerás? —dijo con un tinte de ansiedad, rascándose la cabeza llena de mechones blancos. Un extraño temblor la recorría de arriba abajo.

—Lo he traído —afirmó la otra sacando el frasquito que había cogido en su Torre de las Estrellas.

La bruja estiró sus manos llenas de callos hacia la anciana. A pesar de llevar la venda puesta en los ojos, parecía verla perfectamente. Le arrebató la botellita con violencia y se la llevó a los labios dando un buen trago. Luego suspiró y pareció serenarse. Los temblores desaparecieron. Dejó el frasco medio vacío junto a los otros y se volvió a Violeta y a las cuatro recién llegadas.

—Mi sobrina —dijo, contemplándolas de una en una—. Mi sobrina no existe... ¿o existirá mañana? ¿Quién de ellas fue? —canturreó acercándose con pasos vacilantes.

Laila quiso acercarse a la puerta para huir, pero Violeta estaba apostada en ella, con la cara muy seria. La bruja se acercó a Cyinder, y después de mirarla un segundo, le dio un empujón. La solarïe abrió la boca para protestar.

—Tú no serás, no —cantó la bruja—. No, no, no.

Se acercó a Laila hasta quedar a pocos centímetros de su cara, y la muchacha contuvo el aliento al ver aquel rostro marchito que olía a cosas antiguas, podridas. Intentó no cerrar los ojos de asco.

—¡Tú! —gritó con la sorpresa marcada en las arrugas de la cara—. ¿Qué haces aquí? ¡Tienes que estar allí! ¡Vete, vete, estúpida ithirïe! Corre y sálvale...

—Ojos —interrumpió Violeta, con una mirada de advertencia.

—¡Pero es que está aquí! —chilló la otra, presa de una oscura angustia, con las manos tocando el rostro de la muchacha, que se esforzaba por apartarse de su lado.

La bruja corrió de nuevo hacia el frasquito y lo vació por completo de un trago. Luego se volvió hacia Laila y se llevó la mano a la venda de la cara, con intención de levantársela.

—Espera un momento —dijo Violeta con voz imperiosa—. ¿De verdad quieres hacer eso?

Los dedos de la bruja temblaron un momento tocando la tela y luego, muy despacio, bajó el brazo.

—¡¿Por qué estuvo aquí?! —gritó enseñando los dientes—. Es mala y le odio. Ella le ha visto. Sabe qué va a pasar y no le salvó… ¡Y ahora no va a hacer nada por salvarle! ¡Dejará que se lo lleven! —añadió con un tinte de amargura.

De repente se puso a llorar con gritos histéricos y Violeta acudió a consolarla. Chasqueó los dedos y una confortable mecedora apareció de la nada. Obligó a la bruja a sentarse y le acarició los cabellos hasta que la otra se quedó dormida.

—¿Nos podrías decir qué es lo que ocurre? —susurró Nimphia, temblorosa, sin dejar de mirar el lento balanceo de la mecedora.

Violeta no contestó de inmediato. Sacó su varita y la agitó en el aire. Dos escobas de paja surgieron en medio de la estancia y se pusieron a barrer el suelo como si estuviesen poseídas, y un trapo de polvo volante comenzó a limpiar la mesita de las botellas. En pocos segundos la torre parecía otra y las escobas saltaron a los peldaños de la pared en busca de las telarañas de las vigas. Violeta hizo aparecer una mesita pequeña y varias sillas, y les indicó que se sentasen.

—Me temo que os debo una disculpa —dijo Violeta con los ojos puestos en la bruja dormida—. Os tenía que haber advertido antes de venir.

—¿Pero quién es? —preguntó Cyinder, con un susurro que danzó a la luz de la velas.

—Cuando yo la conocí, hace mucho tiempo, se llamaba Miranda —respondió ella echándole un vistazo rápido a Aurige.

Laila se fijó con más detenimiento en la figura dormida. Su rostro estaba lleno de arrugas, algunas de la edad, pero muchas por causa del sufrimiento y la demencia. El cabello plateado conservaba trazos grises y oscuros, y su piel blanquecina y pálida indicaba, tras una observación minuciosa, que aquella hada pertenecía a Lunarïe. La muchacha miró a Aurige también, pero su amiga daba muestras de estar tan perdida como las otras.

—¿Nunca te ha hablado tu madre de ella? —preguntó Violeta con los ojos puestos en la lunarïe.

—No, jamás —se sorprendió Aurige.

Violeta asintió para sí misma.

—Quizás sea mejor así. Miranda... Mi amiga que veis aquí, fue en otro tiempo la hermana de tu madre, la reina Titania —empezó a contar.

Se hizo un silencio grave y Laila movió la cabeza sin darse cuenta, confirmando las sospechas que tenía.

—¿Ya no lo es? —preguntó Nimphia.

—Ahora es otra cosa —contestó la anciana—. Una historia muy desgraciada, que por lo visto, aún no ha terminado... Pero no dejéis que os aburra con viejas historias, queridas niñas.

—Yo creo que sí quiere aburrirnos con viejas historias —le espetó Cyinder de malos modos—. Si no, no nos hubiese traído a esta torre, ¿verdad?

La anciana shilaya tragó saliva.

—Por favor, continúe —la instó Nimphia, fulminando a la rubia con la mirada.

Violeta pareció indecisa, pero sólo unos segundos. Se diría que estaba deseosa de soltar todo lo que llevaba dentro.

— Dejadme que os cuente lo poco que sé. Tened paciencia, por favor, mi memoria ya no es buena. Hace ya tanto tiempo...

Todas asintieron, terriblemente intrigadas. Aurige, con la cara congelada, pensaba quizás en su madre y en las barbaridades que le diría cuando volviese a verla. Violeta pareció perderse en el pasado unos segundos.

—Hace mucho tiempo —comenzó como si contase un cuento—, tanto que hasta da vergüenza acordarse, yo era la Magistra del Invierno. Ahora me da risa pensarlo, pero por aquel entonces, las que vinimos a vivir a Sïdhe, teníamos la cabeza llena de ideales: cuidar de la naturaleza, respetar la armonía de las cosas, y sobre todo, ayudar a los humanos del pueblo de Hirïa, que no habían sido bendecidos por los dioses con nuestros dones.

—El pueblo de Hirïa —repitió Laila con los ojos muy abiertos, recordando que de allí venía el libro que su madre le había regalado a través de su padre.

—El pueblo elegido —explicó Violeta—. Una raza de mortales que fue destruida justo antes del Nuïtenirïan. Firïe, con el consentimiento de todo Ïalanthilïan, arrasó la ciudad, y con la ayuda de los ithirïes, la sepultó en un remolino de arena para que su existencia se perdiese para siempre.

Laila permanecía embobada escuchando. Además el corazón le latía muy deprisa. Sir Richard le había contado exactamente aquella misma historia cuando le regaló el papiro por su cumpleaños. Al acordarse del anciano caballero, sintió una profunda nostalgia.

—¿Por qué? ¿Qué hicieron los de Hirïa? —preguntó, temblando.

—Eran malvados. Aunque el verdadero motivo lo desconozco y es un misterio. Hirïa desapareció poco antes del Nuïtenirïan, pero yo era una simple shilaya de Sïdhe por aquel entonces. Ni la política ni las grandes decisiones fueron mi fuerte jamás.

—¿Y qué ocurrió? —la animó Nimphia a continuar.

—Algunos humanos pudieron escapar —pareció hacer memoria—, muy pocos. Se escondieron y se mezclaron con el resto de los mortales, que aún vivían en cavernas. La memoria de Hirïa se perdió, y desde entonces llamamos nemhiries a todos los humanos: no elegidos, los que no son de Hirïa. Nemhiries.

—Hablas como si fuésemos seres inferiores —terció Laila, un poco molesta.

—No lo digas por ti, querida —se sorprendió la otra—. Tú no eres nemhirie. Ni tampoco ithirïe, claro... Tú eres como mi querida Miranda: otra cosa.

Laila se sintió palidecer.

—No he querido insultarte —se disculpó al momento—. No tengo la capacidad de visión de ella ni aún mirando mis constelaciones, y aunque eres parte del linaje de los traidores de Ithirïe, no sé qué te depara el futuro. Ojalá no sea el mismo que el de Miranda. No se lo deseo a nadie.

—¿Pero qué le pasó a Miranda? —preguntó Nimphia, deseando desviar el rumbo actual que tomaba la conversación.

—Sí, eso. Yo era la Magistra del Invierno. Nos implicamos en el destino de los de Hirïa pensando que eran criaturas desgraciadas: morían pronto, enfermaban, no podían cumplir sus deseos. Con el tiempo nos dimos cuenta de que ellos tomaban sus propias decisiones, y tenían sus cualidades... y sus defectos también —hizo una pausa perdiéndose en el pasado—. De todas formas, seguimos ayudándolos. Nos parecía muy bonito y nos hacían sentir bien. Luego llegaron los vestidos, las varitas y toda la parafernalia. Los humanos se quedaban maravillados cuanto más brillantes eran nuestras apariciones. El pueblo de Hirïa nos veneraban como si fuésemos dioses. Ellos nos adoraban y nosotras los destruimos para siempre.

«Entonces ocurrió el desastre del Nuïtenirïan. La causa la desconozco pero desde entonces ya nada fue igual, y la guerra nos hizo desgraciados. Como ya sabéis, el reino de Ithirïe fue exterminado y todos sus habitantes condenados a muerte o encerrados para siempre. «Traidores de Ithirïe» les llamamos a los últimos que abandonamos en una prisión para que muriesen en el olvido, todos somos culpables de aquello. Poco después, la reina Nemaïn de Firïe se arrepintió de aquella atrocidad que había causado, y se cuenta que lloró lágrimas de fuego que destruyeron Tir-Nan-Og...

—Entonces el reino de Firïe destruyó a los ithirïes —interrumpió Laila, con los ojos muy abiertos—. La historia que contó Zërh era verdad, mi gente eran traidores. Robaron las Piedras de Firïe.

Violeta permaneció en silencio unos segundos. Parecía viajar y perderse en el tiempo, y los recuerdos la arrastraban.

—Los motivos que tuvieron los ithirïes para aquel acto los desconozco, pero la reina Nemaïn les otorgó una tregua antes de enviar a los gigantes de fuego a arrasar Eirdain. Todos los reinos de Ïalanthilïan se aprestaron a ayudar, pues todavía era muy reciente el desastre de los humanos de Hirïa, y como símbolo de paz y reconciliación, se envió una delegación a la ciudad de Tir-Nan-Og para devolver las Piedras, pero nadie salió vivo de la gran meseta de Nan-Og. Ocurrió un misterioso incidente que hasta hoy nadie ha desvelado. Sólo se salvó una persona y las Piedras desaparecieron. Después de aquello, los legendarios fénix volaron más allá de los límites de Firïe y el reino de Ithirïe desapareció bajo una lluvia de fuego.

Laila recordaba claramente el diario del viaje que el tío de Nimphia tenía guardado como un tesoro. Los últimos momentos que aquella joven ithirïe contaba y luego se perdían en renglones borrosos. Y ahora todo encajaba con su pesadilla: el valle de las pirámides y los miles de soles amaneciendo por todos lados.

—Si Miranda es mi tía —dijo Aurige en ese momento—, ¿qué tiene que ver con toda esta historia?

La anciana miró a su amiga dormida con tristeza.

—Su historia es la historia de un amor prohibido —suspiró—. Lo mejor sería que ella misma os lo contase, pero como habéis adivinado, es incapaz de cuidar de sí misma, y vive perdida en el pasado y el futuro, hasta el punto en que ya no distingue la realidad. El láudano boreal alivia su sufrimiento, y yo le traigo un poco de vez en cuando, y es cuando aprovecho para limpiar esta pocilga donde vive.

Chasqueó los dedos, y las escobas y el trapo, que seguían limpiando sin parar, desaparecieron.

—Las princesas de Lunarïe tenían sus destinos marcados desde el momento en que nacieron —siguió—. Titania, la mayor, se casaría con el entonces príncipe Oberón y reforzarían la estabilidad de Lunarïe dentro de Ïalanthilïan. Cuando Titania se casó, a Miranda le prepararon un matrimonio más trágico, pero muy ambicioso: unir Lunarïe con el reino Tenebrii, el reino de las sombras.

Todas se sobresaltaron un segundo. Laila recordó muy intensamente aquella misteriosa estantería llena de libros oscuros en la biblioteca de Silveria.

—Sin duda su destino era funesto, pero Miranda sería la soberana absoluta del reino oscuro, con un poder similar al que hoy tiene Maeve. Al fin y al cabo, tampoco parecía tan malo dentro de las ambiciones que los lunarïes soléis tener.

Aurige no sonrió y Violeta pareció incómoda.

—Sin embargo, las cosas nunca salen como uno quiere, y Miranda hacía tiempo que estaba enamorada de un ithirïe. Para colmo de males, ni siquiera pertenecía a la nobleza. Era un destacado general de Eirdain que había tenido la suerte, o la desgracia, de conocer en las bodas de Titania. De inmediato aquella relación fue prohibida al extremo, de tal forma que Miranda lloró y pataleó sin que su dolor causase el más mínimo interés. La encerraron en sus aposentos de Nictis, y juraron que sólo saldría para casarse con el rey de Throagaär...

—Está claro que salió de allí —dijo Aurige con voz helada—, pero no para casarse.

La anciana tragó saliva.

—Miranda y yo éramos amigas hacía mucho tiempo. Yo era joven, y además, estaba acostumbrada a ser adorada por los humanos de Hirïa. Fui una inconsciente, tenía que haber entendido que los designios de la reina de Lunarïe eran más importantes que el enamoramiento de una niña...

—¿Qué ocurrió? —preguntó Nimphia, devorada por la curiosidad.

—La ayudé a escapar —dijo Violeta con la voz entrecortada—. Quise hacer de shilaya, el nombre que nos dio el pueblo de Hirïa, de hada madrina. Quise sentirme adorada y en mi orgullo le concedí un deseo… Estúpida de mí —sollozó—. Pero yo no sabía que Miranda había forjado sus propios planes. Jamás se casaría con el rey de los tenebrii, y decidió ocultarse en el tiempo. Nunca la encontrarían, y cuando el señor de Throagaär se diese por vencido, volvería al momento presente y se casaría con Fahon…

—¡Fahon! —gritó Laila poniéndose de pie sin querer.

Violeta ni siquiera la miró, completamente hundida en sus recuerdos.

—Corrió en busca del Ojo de la Muerte, que se hallaba oculto en la cámara del tesoro de Nictis. El Ojo era capaz de controlar el tiempo, y ella lo usaría para esconderse. Yo me asusté y avisé a Titania… Aún recuerdo la espantosa pelea que sucedió en las entrañas del palacio. Llovían los insultos y las recriminaciones. Tu madre —miró a Aurige—, no tuvo piedad de ella hablándole de su inconsciencia y de su egoísmo, y al final, ambas forcejearon por la posesión del Ojo de la Muerte. No recuerdo bien qué ocurrió, pero de repente, la esfera que era el Ojo, se hizo mil pedazos en manos de Miranda y ella cayó al suelo, inconsciente.

La anciana lloraba ahora, con los ojos muy abiertos, y narraba la historia para sí misma sin verlas a ninguna de las cuatro.

—Cuando despertó en sus habitaciones, Miranda era otra persona. Sus primeras palabras fueron gritos de delirio y cuando su madre, la reina Umbriel, quiso ir a consolarla, cayó al suelo a los pies del lecho de su hija, muerta. Aquello fue una tragedia espantosa. La muerte de la reina de Lunarïe conmocionó a todo Ïalanthilïan, y poco tiempo después, aunque era muy joven, Titania se convertía en la nueva reina Araña.

«La corte entera parecía vivir en el luto, y Miranda se pasaba los días dando chillidos y contándoles a todos que se avecinaba un gran desastre. Además, reía de forma macabra y les decía lo bien que se lo iba a pasar viendo morir al reino entero. Pronto descubrieron algo terrible: la muerte de la reina Umbriel no había sido un accidente. Miranda era capaz de matar a su antojo sólo con mirar a una persona, y Titania temió por su vida. La encerró en una mazmorra y le obligó a llevar esas vendas.

«Todos los días iba a visitarla, pero el odio de Miranda se acrecentaba a cada segundo. Cada día le vaticinaba mil desastres y le juraba venganza eterna por lo que le había hecho. Titania, desesperada por conseguir su perdón, mandó llamar a Fahon.

«Cuando el ithirïe llegó, Miranda estaba como loca. La peinaron y la adecentaron, pero ella ya no reconocía a nadie. Reía y babeaba viviendo cosas del pasado y del futuro. Sin embargo, en cuanto Fahon estuvo a su lado pareció recobrar la lucidez, y tuvieron una entrevista privada que duró varias horas. Nadie sabe qué se dijeron ni de qué hablaron, pero el general de los ithirïes salió de allí muy conmocionado. Se dice que intentó visitarla más veces en Nictis pero que siempre le prohibieron volver a verla.

«Pasó el tiempo. Titania retrasaba el compromiso del rey tenebrii con su hermana, pues el estado mental de Miranda era caótico y ella temía que el señor de Throagaär anulase la boda al descubrir que la novia era una loca desquiciada. Fahon fue enviado a la guerra contra Hirïa, y volvió victorioso, como gran general lleno de honores, casi con los privilegios de casarse con la realeza. Justo en contra de los deseos de Titania. Miranda parecía más calmada por aquel entonces. Casi una muñeca de trapo sin vida propia, pero al menos su locura parecía haber menguado.

«Poco después se produjo el juicio contra los ithirïes por el robo de las Piedras de Firïe, y a Fahon se le encomendó la misión de portar una de las cinco Piedras robadas a Tir-Nan-Og.

Probablemente Titania tuvo algo que ver en la elección, e influiría en la reina de los Ithirïes para mandarlo como emisario y así librarse del pretendiente de su hermana de una vez por todas. Creo que mientras tanto, volvía a ultimar los preparativos de la boda de Miranda con el rey tenebrii.

—Dudo que mi madre sea capaz de cometer tal atrocidad —dijo Aurige muy seria, sacándola de su ensoñación—, porque tú estás sugiriendo que mi madre sabía lo que iba a ocurrir en la meseta de Nan-Og y le mandó a la muerte. Tus palabras dicen que mi madre estaba implicada en el robo de las Piedras de Firïe.

Violeta dio un respingo al ser interrumpida.

—Tienes razón, me he dejado llevar. Lo último que he dicho es una opinión personal y te pido mil disculpas. No hay nada que lo pruebe, pues Fahon desapareció en las mesetas de Firïe y nunca más regresó para confirmar o desmentir mi historia. Después de la Noche de las Seis Lunas, todo Ïalanthilïan vivió en el caos largo tiempo. Ningún reino volvió a recuperarse y la desaparición de Ithirïe y de Firïe desestabilizó todo nuestro mundo.

«Miranda pareció volverse una estatua. No comía ni dormía, hablaba despierta de cosas incomprensibles y vivía en perpetuos claroscuros. El Ojo de la Muerte la había poseído por completo, pero ya no representaba un peligro. Deambulaba aquí y allá y parecía una vieja siniestra a quien nadie hacía caso. El tiempo la estaba consumiendo y se convirtió en una anciana senil que hacía reír a cuantos la escuchaban.

«Un día fui a visitarla a Nictis. Al principio chilló y rió en medio de la locura, pero de repente pareció recuperarse. Me miró a través de sus vendas y me pidió que la sacase de Lunarïe. Yo dudé. Sïdhe no era un buen sitio. Teníamos una academia de hadas madrinas muy importante y floreciente, y aunque yo había dejado de ser magistra, todavía se me respetaba y las novicias venían a consultarme.

«Lloró y suplicó. Me exigió ser su shilaya por última vez y cumplir sus deseos. Yo no quería volver a cometer el mismo error, pero entonces me dijo algo extraño. Dijo que su amor moría en vida en una torre, y que ella tenía que vivir en una torre de tinieblas. Así sus corazones estarían juntos. Juntos hasta el día en que se cumpliese la profecía...

—Estarás muy charlatana hoy, Violeta —las sobresaltó Miranda a todas, despierta, balanceándose en la butaca.

—¡Qué sorpresa, Ojos! Creía que estabas dormida —la aludida tragó saliva.

—Me ha gustado ese nombre que dirás... ¿Cuál fue?... Ojos, sí. Ese fue mi nombre—. Arrastró la mecedora al borde de la mesa y miró a la arpía que dormitaba—. ¿Qué tuvimos aquí? Un precioso pajarito.

Le acarició las plumas y la arpía bostezó. Entonces Monique la miró con sus ojitos infantiles y después de aletear y desperezarse, dio un saltito y se acurrucó en su hombro.

—Monique, ven aquí —la regañó Aurige.

—Ta, ta, ta, el pajarito es mío —rió la otra—. Yo soy la princesa, ¿verdad, Violeta? Tú no, niñata, tú no.

Miranda se comportaba como una niña mimada, y el ambiente general era de temor.

—Ojos, esta chica es tu sobrina. Es la hija de... de...

—¿De quién Violeta? ¿De quién? —preguntó con una sonrisa, acariciando a la arpía tan suavemente que daba miedo.

—De... tu hermana... De Titania.

Se hizo un silencio espantoso y ella pareció congelarse. La mano que acariciaba a Monique se había crispado como una garra y la arpía dio un gritito de miedo. Entonces, Miranda se arrancó de golpe la venda de la cara.

—¡Titania! —gritó—. ¡Nunca había deseado verte tanto como hoy! Ooooh, sí. Vas a morir ahora mismo. ¡Tú y todas!

De repente Laila sintió un dolor espantoso y se agarró al

borde de la mesa. Los ojos de aquella desquiciada eran negros, brillantes, sobre su superficie bailaban puntitos rojos. Mirarlos era hipnótico. No se podía apartar la vista a pesar del vértigo y la agonía.

—¡No digas tonterías, Miranda! —gritó Violeta llena de pánico, levantándose de golpe y apartando a Aurige de la mesa—. Ella no es Titania. ¡No es Titania!

—No lo es, y no lo será —canturreó la otra con una sonrisa cruel.

—¡Mi madre quiere que vuelvas a Lunarïe! —exclamó Aurige, que se derrumbaba de dolor bajo aquellos ojos—. ¡Quiere pedirte perdón!

Ella se revolvió con la cara congelada en un rictus.

—¡Quiere pedirme perdón! ¿Has oído, Violeta? ¡Mi perdón! ¡Nunca!

Y entonces comenzó a reír como una histérica, y su risa cruel y cortante voló por la torre como alas de murciélagos. El dolor de cabeza cedió y Laila pudo parpadear antes de levantarse de la silla de un brinco y correr hacia la puerta para escapar. Miranda seguía farfullando incoherencias. Dos lágrimas resbalaron por sus mejillas. La mujer pareció sorprenderse y se quedó en silencio una eternidad.

—Mira esto, Violeta —dijo cogiendo las gotas con la punta de sus dedos. Al momento se transformaron en dos pequeños diamantes—. Hace tanto que no lloraba…

—Es una señal —le contestó la anciana con voz dulce y tranquilizadora, obligándola a sentarse de nuevo en la butaca—. Cúbrete los ojos, querida, estás asustando a las niñas.

Le tendió las vendas pero ella las apartó.

—Quiero verlas. A todas. Es la profecía y ya se cumplió. Pronto se cumplirá otra vez.

Violeta la observó detenidamente.

—Es… es muy agradable verte bien, vieja amiga.

—No durará. Por eso tengo que verlas —contestó Miranda acercándose a Nimphia, que estaba justo a su lado, rígida como una estatua.

Se puso frente a ella y la miró con sus ojos negros, profundos, hasta que Nimphia se apartó de pánico.

—Nunca serás la reina de Silveria —le dijo—, pero todo Airïe estará a tus pies.

La muchacha se quedó anonadada con aquellas palabras, pero ya la bruja caminaba con pasos cansinos hacia Cyinder. La rubia contuvo el aliento.

—Tú serás reina mañana —le anunció después de fijar su mirada misteriosa en sus ojos—. Y después que yo haya muerto, tendrás que tomar una decisión.

—Pero si no vas a morir —sonrió Violeta, intentando aliviar el ambiente a duras penas.

—Claro que sí, y muy pronto. En cuanto se abra la cerradura mis días estarán contados —dijo, misteriosa.

Violeta protestó pero ella no le hizo caso. Siguió rodeando la mesa hasta llegar a Aurige.

—Ah, sí, mi propia sangre —dijo cuando la hubo mirado de arriba abajo—. Podría quererte, pero es mejor que no. No te odio tanto como para quererte. Para ti tengo un regalo especial, sobrina. Mi amiga Violeta concede deseos, ¿lo sabías? —se rió de nuevo como una bruja—. Ella te va a dar mi regalo.

—Yo no... —empezó Violeta, de repente muy asustada.

—Tú sí, shilaya. Lo harás porque no puedes evitarlo. Porque lo he visto, y tú también, en esas estrellas apestosas que guardas en tu torre. Y estás condenada a cumplirlo.

—¿Pero qué va a pasar? —susurró Nimphia, llena de miedo, cogiendo la mano de su amiga lunarïe.

—¡Hazlo! —chilló Miranda—. Quiero que le quites esa runa a mi sobrina. Y con la varita, por favor. Que sea divertido. Hazlo como una buena hada madrina de los cuentos nemhiries.

Violeta tembló. Su mirada estaba fija en los ojos de la otra, sin pestañear siquiera. Lentamente, a la fuerza, sacó su varita mágica de un bolsillo de la túnica y la agitó en el aire.

—Esta runa perderá el fulgor —entonó despacio, temblando—, con el primer beso de amor.

Chispitas brillantes inundaron la torre y luego cayeron al suelo como una cascada. Miranda empezó a reírse con la risa de una vieja desquiciada y las cuatro amigas se miraron sin comprender.

—¿Eso es todo? —dijo Cyinder parpadeando—. Creí que iba a ser una maldición.

—«Es» una maldición, majestad —se carcajeó ella—. Todo llegará.

—Yo nunca me casaré —contestó Aurige, altanera—. Jamás me voy a enamorar.

Miranda sonrió y siguió caminando hasta Laila.

—Me gustas, ithirïe —le dijo cogiéndola de las manos. De repente pareció que su tacto se volvía de cristal—. Mis ojos te quieren, pero querrán más a Nïa. Algún día se lo tendrás que agradecer.

Laila sintió la garganta seca. Le daba la sensación de que aquella bruja estaba a punto de partirse en mil pedazos, y además, ¿quién demonios era Nïa?

—Tú no le salvarás, pero te perdono —le anunció pareciendo que perdía la cordura por momentos—. Te perdono porque le has salvado y él lo sabe.

—¿Él es Fahon? —se atrevió a hablar la muchacha, con los ojos negros mirándola intensamente.

—Dulce nombre —saboreó ella—. Ya no me acuerdo de cuándo lo escuché. Ni dónde… Murió en una torre, ¿sabes? Él te dio esto —puso un dedo afilado en el medallón de los ithirïes sin dejar de mirarla—. Aquí se esconde la verdad. Cuando le veas, dile que me reuniré pronto con él.

—Pero yo…

—Tú abrirás la caja —le dijo poniendo en sus manos los dos diamantes que habían sido sus lágrimas—. Una lágrima es para ir, y la otra para volver. No las pierdas pues ya no voy a llorar nunca más.

—No sé de qué caja habla —balbuceó la muchacha sintiendo la garganta seca—. Y no puedo ver a Fahon. Desapareció en la Torre de Cálime…

—Abriste la cerradura de las sombras —la interrumpió la otra—. Los tres hermanos te ayudaron. Son listos, pero tu madre es más lista aún. Abrirás la otra cerradura y cuando duermas, no sueltes la alhaja que mi amor te regaló. Eso te mantendrá unida a nuestro mundo. Si no, nadie te podrá salvar.

Todas se quedaron calladas tras aquellas palabras. Laila se estremeció intentando resolver aquel enigma que tenía tintes de fatalidad. ¿Nadie la podría salvar? ¿De qué? ¿Cuándo?

—Creo que debemos irnos, Miranda —tosió Violeta, todavía nerviosa—. La noche ha caído hace rato y estás cansada.

—¿Le dirás que me espere? —insistió la bruja agarrando a Laila de su vestido, con las manos crispadas por la ansiedad.

—Se lo diré —afirmó ella, temblando, sin saber qué otra respuesta podría decir.

—Está bien —respiró Miranda, soltándola—. Podéis iros.

Y se dio media vuelta con la arpía al hombro. Violeta se encaminó hacia la puerta desvencijada.

—¡Monique! —chistó Nimphia, llamando a la arpía.

—Ella se queda conmigo —dijo la bruja, de espaldas, poniéndose las vendas en los ojos.

—De eso nada —exclamó Aurige, disgustada.

—Se queda porque ella quiere —se volvió la vieja, con su sonrisa siniestra—. Me hará compañía hasta que llegue el final. Entonces volveréis a verla.

—¿Pero qué quiere decir con eso? —protestó Nimphia—. ¿La está secuestrando?

Miranda volvió a reír con aquella carcajada espantosa y Monique saltó al regazo de Aurige un momento y le dio un picotazo cariñoso. Luego volvió al hombro de la bruja.

—Llévatelas, Violeta —le dijo a su amiga—. Noto mi enfado crecer y pronto no fui… no seré dueña de mis actos.

La otra no se hizo de rogar. Abrió la puerta y las sacó prácticamente a rastras de allí.

—¡Pero oiga, que es nuestra arpía! —exclamó Cyinder oponiendo toda la resistencia de la que fue capaz.

—Ha dicho que la volveréis a ver, con eso es suficiente. Ahora debemos irnos sin tardanza.

La puerta de la torre se cerró tras ellas con un crujido seco y al momento la luz de la ventana se apagó, permaneciendo toda la mole envuelta en sombras tan siniestras que nadie en su sano juicio querría visitarla.

Caminaron abatidas hacia la Torre de las Estrellas, mirando atrás continuamente por si acaso Miranda cambiaba de opinión y les devolvía a Monique en el último momento.

La torre de la bruja se perdió en el cúmulo de edificios y llegaron al torreón de Violeta en silencio, cada una perdida en sus pensamientos. La anciana hizo aparecer cuatro camas con sábanas frescas y agradables y les preguntó si querían alguna cosa más. Ninguna respondió y ella voló hacia arriba, hacia un improvisado dormitorio cerca de sus estrellas para dejarlas a solas.

—¿Ninguna va a decir nada? —preguntó Nimphia al ver que pasaba el tiempo y el silencio se apoderaba de la torre.

—¿Y qué quieres que digamos? —susurró Cyinder—. Ha sido espantoso. ¿Qué ha querido decir con que seré reina mañana? ¿Es que mi madre va a morirse?

—Hablaba con enigmas todo el tiempo —dijo Laila—. Si le hacemos caso, yo he abierto cerraduras por todos lados y voy a ver al tal Fahon ese, que ya estoy completamente segura de que era el gran espectro de la torre de Cálime.

—Sí —rió Nimphia bajito—. Y le tienes que dar un mensaje cuando le veas.

—Ha perdido más de un tornillo, está claro —añadió Cyinder dándose media vuelta en la cama—. Al menos hemos conseguido el remedio para tu tío.

—No me gusta que habléis así de mi tía —dijo Aurige.

—Venga ya, lunarïe —la recriminó la rubia—. Antes de hoy ni siquiera sabías que existía, y encima se ha quedado con Monique por toda la cara. A saber si la va a disecar o algo.

Aurige no contestó. De nuevo las invadió el silencio. Por mucho que intentasen trivializar la visita a Miranda, Laila sabía que lo que les había dicho les había calado profundamente. Su mente viajaba hacia la Torre de Cálime, hacia el gran espectro atacando a Atlantia con un odio infinito, y luego señalándole la fuente de sal con su dedo cadavérico hasta desaparecer.

Era incapaz de dormir. Algo se avecinaba, y escapaba a su comprensión en todos los sentidos. Abriría una caja, una cerradura. Quizás fuese la del tesoro de los ithirïes. Ese debía ser el secreto. Y cuando la abriese, se dormiría. Podría ser una trampa narcótica como en las películas de aventuras. Estaría preparada.

Siguió divagando mientras ya su cabeza se embotaba por el sueño. Princesa de los ithirïes. Lizzel y Sandy se morirían de envidia si lo supiesen. Imágenes del colegio se mezclaban en una maraña confusa de shilayas, pirámides y soles naciendo por todo el horizonte. Y el espectro señalando la fuente de sal caída. Solo que ya no era el gran espectro. Era alguien misterioso con una máscara de oro en la cara. A su alrededor había velitas encendidas y el hombre las fue apagando una a una. Cuando ya solo quedaron volutas de humo flotando en el aire, Laila abrió los ojos, sobresaltada.

Las estrellas de Violeta brillaban en lo alto, y la oscuridad invadía toda la torre. Por un momento había tenido una idea increíble, algo que lo solucionaba todo, pero se le olvidaba a gran velocidad, se le escurría como arena entre los dedos. Intentó retenerla en la memoria pero fue inútil. La idea desapareció mientras su corazón latía a gran velocidad. Permaneció despierta, mirando las constelaciones en lo alto hasta que el sueño la venció.

Al día siguiente, un sonido estruendoso las despertó a todas de golpe. Laila abrió los ojos sin saber dónde estaba. Miró a todos lados hasta que reconoció la Torre de las Estrellas, mientras en el exterior sonaban truenos de bombas que ensordecían el ambiente como si hubiese estallado una guerra.

—¡Qué ocurre! —exclamaba Nimphia tapándose los oídos desde su cama.

En ese momento sonaron en la puerta golpes insistentes, con la violencia intolerante de las prisas frenéticas. Violeta, que estaba preparando un desayuno en su cocinilla, se aprestó a acudir. De momento entraron tres hadas con caras serias. Una de ellas era la Magistra del Sol.

—¡Explícanos esto, Violeta! —exigió, señalándola con el dedo—. Y sin tonterías de rimas.

—¿Explicar qué? —dijo la otra con tono neutro mientras el sonido de las bombas arreciaba.

—No te hagas la tonta —la increpó la Magistra del Sol con la cara ofuscada—. Sabías perfectamente que la reina Hellia venía de visita y no informaste al consejo.

—¿Perdona? —se extrañó la otra a la vez que Cyinder se levantaba de un brinco, con los ojos muy abiertos.

—¡Por los dioses, Violeta! La princesa Cyinder está aquí, lo sabe todo el mundo. Ahora llega la reina Hellia y desde que salió Solandis no han dejado de explotar fuegos artificiales…

—Yo no tenía ni idea…

—¡Claro, tus estrellas no te lo cuentan! Se guardan los secretos cuando les conviene.

Cyinder corrió hacia la puerta pasando como una exhalación por en medio de las magistras. Laila, Aurige y Nimphia la siguieron de inmediato, dejando allí a las otras enfrascadas en fuertes discusiones.

Desde lejos, atravesando la vereda de oro y puentes de nácar, una comitiva de hadas de Solarïe avanzaba despacio, parsimoniosa, con el sol refulgiendo en sus cabellos y en sus ropajes dorados. Al frente de la cabalgata, una fantástica carroza tirada por cuatro unicornios blancos. Grupos de shilayas se habían apostado junto al río, sobre los puentes, para aclamar a la reina con canciones y flores, y miles de corpúsculos luminosos estallaban por todas partes haciendo que todo brillase de una forma cegadora.

La carroza iba a pasar cerca de la Torre de las Estrellas, pero sin duda se dirigía hacia otro lugar, quizás hacia la Torre Encantada de la reina Nimue, y antes de que pudiesen detenerla, Cyinder voló a su encuentro en medio de la muchedumbre. Sus amigas no se hicieron esperar, y ninguna vio la cara de horror de Violeta, que apartó a las magistras de golpe y se lanzó en su persecución.

—¡Mamá! —gritó la rubia por encima del tumulto.

La reina Hellia sacaba una mano por fuera de la carroza saludando a su público, y pareció quedarse muy sorprendida. Cyinder repitió sus gritos avanzando hacia los unicornios, metiéndose por en medio del cortejo de Solarïe, dispuesta a detenerlos con sus propias manos.

El carruaje se paró en seco y por un momento el tiempo pareció detenerse. Hasta los fuegos artificiales cesaron. La reina Hellia abrió la portezuela y bajó los peldaños uno a uno, con cara de gran sorpresa. De inmediato una shilaya chasqueó los dedos y una alfombra de flores blancas cubrió la hierba justo antes de que la reina la pisase.

—¿Cyinder? —exclamó, atónita—. ¡Hija mía!

Cyinder corrió hacia sus brazos y en el aire estalló una algarabía de vítores y aplausos. Nevaron chispitas doradas más fuertes que nunca.

—¿Pero qué haces aquí, mamá? —reía atropelladamente, mientras las preguntas iban y venían haciéndose todo una maraña confusa.

—He venido de vacaciones —le contestó la otra, con una sonrisa radiante que no lograba ocultar las arrugas de su piel—. Necesitaba descansar y organizar mis ideas.

—¿De vacaciones? —se sorprendió Cyinder separándose de ella con el rostro congelado de golpe.

Violeta llegaba junto a Laila en ese momento pero ya era demasiado tarde. El mal estaba hecho.

—¿Cómo que de vacaciones? —seguía Cyinder, notando que se enfadaba por momentos—. ¿Y qué pasa con Solandis y todo Solarïe? ¿Quién se ha quedado al cargo de la ciudad?

—Nadie —sonrió Hellia acariciándole los cabellos a su hija—. El pueblo se basta y se sobra para saber lo que tiene que hacer. Ahora estoy de vacaciones y es maravilloso que estés aquí conmigo. En cuanto presentemos nuestros respetos a la reina Nimue nos iremos de tiendas…

—Mamá —le dijo Cyinder muy seria—, no entiendo que estés de vacaciones cuando hay tanto por hacer. Y menos aún que tu principal preocupación sea ir de tiendas. Además, la reina Nimue está dormida, o es un cuento de niños…

La algarabía de shilayas se estaba enfriando, y muchas de ellas se habían retirado tras una reverencia cortés. La nieve de chispitas doradas había dejado de flotar y el paisaje parecía de repente triste y otoñal. Las tres magistras llegaron junto a la carroza a toda prisa.

—¡Majestad! —empezó la Magistra del Sol haciendo una reverencia que llegaba hasta el suelo.

—¡Ahora no! —exclamó Cyinder en voz alta, demandando silencio.

Se hizo un silencio cortante y hasta la propia reina miró a su hija, demasiado asombrada.

—Mamá —dijo ella inspirando profundamente—. La situación es muy grave, tanto aquí como en otros reinos. Además de las Arenas, el Agua de la Vida de Acuarïe ha desaparecido, y la reina Maeve se ha hecho cargo del Arpa de los Vientos. Lunarïe está bajo el control de Tirennon. No es el momento de estar de vacaciones ni ir de tiendas. ¡Nosotras no podemos descansar! ¡Tenemos responsabilidades!

—Cyinder, tú no sabes lo que está ocurriendo en verdad…

—Mamá, he estado en Airïe hace poco —siguió cada vez más enfadada—. ¿Sabías que en el palacio de Silveria hay una biblioteca enorme? Libros, mamá, cultura, sabiduría… no ropa ni pintalabios —inspiró aire—. Zephira se reúne con su corte de astrónomos para decidir cuestiones importantes que afectan al reino entero. ¿Tenemos asesores en Solandis? ¿O sólo diseñadores de moda? Si ocurriese algo malo, mamá, ¿cómo ayudaría Solarïe? ¿Con un desfile otoño-invierno, o se te ocurre algo mejor?

Todos los ojos la miraban sin parpadear. Laila contenía el aliento sintiendo que el corazón le latía muy deprisa. Las tres magistras habían emprendido una disimulada huida y ahora sólo quedaban allí la reina Hellia, Violeta, y ellas cuatro. Incluso las hadas de Solarïe se habían retirado a «visitar» la ciudad de Sïdhe al momento.

Hellia miró a su alrededor. Sus manos de anciana jugueteaban nerviosamente.

—Tienes razón, hija —dijo por fin—. No soy más que un desastre. Todo Solarïe ha sufrido por mi culpa, casi destruyo el reino y tú me salvaste. Nunca he servido para nada. Mi madre siempre lo decía y me regañaba por todo. Y ahora tú…

—No te estaba regañando… —empezó Cyinder, sabiendo que se había pasado.

—Solarïe no se merece a alguien como yo —seguía la reina—. Ya lo dijo Tritia en su momento, y también Titania. Y tenían razón.

—No tenían razón —trató de decir su hija, de repente muy asustada.

—Tú serás mejor reina que yo, Cyinder, lo sabe todo el mundo —concluyó Hellia sin escucharla, desabrochándose la tiara de oro trenzado que llevaba en la cabeza.

Se la quitó de los cabellos, y con gesto lento y grandilocuente la puso alrededor de la frente de su hija. Todo el paisaje se había oscurecido y Cyinder miraba aquel movimiento de las manos de su madre con ojos espantados. Abrió la boca sin poder articular palabra.

—Que los soles te bendigan, hija mía, y Solandis te conduzca a la gloria —entonó la fórmula real intentando sonreír sin conseguirlo—. Salve, Cyinder, reina de Solarïe.

18. Los Señores de los Vientos

Si alguna vez en su vida Laila soñó con asistir a una coronación de hadas, jamás habría imaginado que pudiese ser algo así. Según los cuentos, cuando un hada se convertía en reina, debía ser una ceremonia maravillosa: un trono de oro y joyas, la muchedumbre aclamando a la nueva reina con cantos y ovaciones, fuegos artificiales brillando en el cielo, fiestas y regalos increíbles, un príncipe encantador que sería el futuro prometido de la joven reina…

Pero allí en Sïdhe, en el reino de las estrellas, no ocurrió nada de eso. Al revés. Fue lo más triste y deprimente que había visto en su vida. Ni coros de ninfas cantando, ni fiestas, ni banquetes. Sólo Cyinder, ellas tres y una shilaya vieja.

El sol de la mañana se volvió frío y desagradable. La hojarasca caía sobre la hierba dorada y la música se convirtió en el eco del viento de otoño, silbando en aquel silencio de muerte que se había apoderado de la ciudad.

Cyinder parecía una estatua congelada y su madre le dio cinco besos, uno por cada sol. Luego se arrodilló ante ella en señal de respeto, y tras unos instantes en silencio se levantó con la cabeza muy alta. Entonces se dirigió hacia la carroza real sin pronunciar palabra, con un porte y una dignidad que Laila jamás había visto antes. Parecía que se había quitado un peso de mil toneladas de encima, y ahora caminaba ligera, libre de preocupaciones. Quizás feliz por primera vez en su vida.

Los unicornios blancos se pusieron en movimiento y la carroza de Hellia siguió hacia adelante, alejándose por el camino de oro hasta perderse en la multitud de torres.

Las caras de todas reflejaban lo mismo: incredulidad, asombro, incertidumbre... Miraban a Cyinder sin poder decir nada, y la rubia se dejó caer de rodillas sobre el reguero de flores blancas, que ahora se dispersaba arrastrado por el viento hacia el arroyuelo cercano. Muy despacio se quitó la tiara de oro trenzado y la contempló largamente. Algunas lágrimas comenzaron a nacer de sus ojos.

—Supongo que hay que felicitarte —dijo Nimphia tragando saliva.

Ella no contestó de inmediato. Sus dedos jugueteaban nerviosos toqueteando la singular corona.

—Sí —respondió por fin—. Felicitadme por ser tan cruel. Felicitadme por haber hecho desgraciada a mi madre.

—No digas eso —contestó Nimphia arrodillándose a su lado.

—Es la verdad.

—No es la verdad —intervino Laila, intentando consolarla—. Ni mucho menos. Ella sabe lo que vales. Tú puedes demostrarle ahora de lo que eres capaz. Dijiste una vez que harías todo lo que estuviese en tu mano para que Solarïe fuese un gran reino. Haz que se sienta orgullosa de ti...

—¡Claro que sí! —añadió Nimphia contagiándose de aquella aura de exaltación—. Tú puedes conseguirlo. Tu madre acaba de darte el poder y confía en ti. Sabe que harás lo que ella no ha conseguido. Es tu oportunidad para demostrárselo.

Cyinder seguía con la cabeza baja. Las lágrimas brotaban sin cesar, pero poco a poco levantó la mirada. En sus ojos había un pequeño brillo de esperanza.

—¿De verdad lo creéis? —dijo temblando.

—¡Por supuesto! —confirmó Laila con rotundidad.

La rubia miró a su alrededor como si viese el paisaje por primera vez, con nuevos ojos. Lentamente se puso en pie y volvió a colocarse la corona de oro sobre sus cabellos.

—Lo haré —dijo secándose las lágrimas—. Lo conseguiré, aunque me cueste la propia vida.

—Tampoco seas tan tremenda, mujer —rió Nimphia—. Basta con ser como eres.

—Acabaré las reparaciones de Solandis —siguió ella sin escucharla—, y entonces comenzaré un proyecto de reformas sobre la cultura, la educación y la política exterior. Enviaré emisarios a todos los reinos y creo que sería una gran idea la creación de una universidad independiente...

—¡Eh, para el carro! —exclamó Aurige, agobiada por tanto parloteo—. Ahora mismo tenemos muchas cosas pendientes. El tesoro de los ithirïes es una, y además hay que volver a Lunarïe. Estoy deseando ver la cara de mi madre cuando le cuente lo que su hermana piensa de ella.

—Pero yo tengo que irme a Solandis —parpadeó Cyinder, atónita—. Me necesitan allí de inmediato. Ni siquiera saben que soy la reina...

—Ya irás más tarde —replicó la otra sin pensar sus palabras—. Por un par de días que faltes a tus obligaciones, nadie se va a dar cuenta.

—Nadie se va a dar cuenta —repitió ella con la cara tirante—. En Solarïe no importa nada. Nadie se da cuenta de nada.

—Vamos a tranquilizarnos —dijo Laila, conciliadora—. Lo que Aurige quiere decir es que tenemos que estar juntas en esto. Si terminamos de una vez con el asunto del tesoro y de los Ojos de la Muerte, quizás averigüemos qué ocurrió con las Arenas de Solarïe. Eso sería genial para ti, cuando llegues a Solandis y te presentes ante el pueblo con las Arenas...

—Laila tiene toda la razón —apoyó Nimphia de inmediato.

Cyinder apretó los labios pero al final, al ver las caras de ansiedad de sus amigas, no tuvo más remedio que reírse.

—De acuerdo —dijo con una sonrisa radiante—, pero luego tendré que marcharme. Se acabaron las aventuras, al menos hasta que me sienta orgullosa de mí misma.

—Ya veremos —contestó Aurige sin dar su brazo a torcer.

En ese momento escucharon la tosecilla nerviosa de Violeta.

—Me tengo que marchar, queridas niñas —dijo con suavidad—. Me temo que el consejo de Magistras va a ser un volcán en erupción estos días.

Y se acercó para besarlas una a una.

—Violeta —dijo Nimphia—, Cyinder es la reina de Solarïe, tal y como predijo Miranda. ¿El resto de sus profecías se van a cumplir también?

La antigua magistra guardó silencio un segundo. Sus ojos estaban llenos de tristeza.

—Sí —dijo por fin—. Todas y cada una de ellas. Es inevitable.

Las cuatro guardaron silencio. El viento a su alrededor era cada vez más frío y desapacible, y la ciudad de Sïdhe no brillaba ahora como cuando llegaron el día anterior. Al contrario, las torres parecían largos dedos amenazantes y los susurros entre las ramas de los árboles parecían ocultar ominosos secretos.

Violeta agitó su varita en el aire y una caja de madera apareció flotando delante de sus narices.

—¿Qué es? —preguntó Nimphia con curiosidad—. ¿Un regalo de despedida?

Destapó la caja y volvió a cerrarla arrugando la nariz con asco.

—¡Huele a pescado podrido! —exclamó horrorizada.

—Buen olfato, si señor —se carcajeó la otra—. Es para el troll. Así os dejará cruzar el puente sin problemas.

Laila tragó saliva. Ya se había olvidado del horrible ser que habitaba en las cuevas, con su hambre desquiciada y sus palabras guturales. Después de contemplar las torres de Sïdhe por última vez, Aurige tomó la iniciativa, y encaminó la marcha hacia las lejanas murallas de roca en busca de la caverna. La caja de madera flotó tras ella.

—Que los soles te guarden, joven reina —se despidió Violeta de Cyinder en un susurro, inclinándose ante ella—. Recuerda que la luz de Solarïe brillará cuando la oscuridad se apodere de todo Ïalanthilïan. Acuérdate de Sïdhe cuando llegue el momento.

Cyinder no supo qué responder, pero ya sus amigas se alejaban y no tuvo más remedio que darse prisa. Después de cruzar el puente de oro y nácar se volvió una vez. En la distancia, Violeta levantó una mano para despedirse de ella.

El ghül, la bestia hiena, estaba terriblemente furioso. Su hambre le hacía rugir de dolor, y la carne del troll no había sido suficiente. En cuanto llegó a la cueva advirtió su figura escondida bajo el puente. Aquel insecto despreciable no tuvo opciones, ni él misericordia. De un zarpazo le había abierto en dos, y su sangre pestilente inundaba cada recoveco de la caverna. Luego buscó a sus víctimas. Recorrió el camino lleno de cristales violetas olfateando el aire, hasta llegar a una gruta inundada por un halo resplandeciente.

Al fondo había una salida. De inmediato se abalanzó sobre ella, a cuatro patas, y se estrelló brutalmente, rebotando contra algo que era como una pared de piedra. Lanzó un rugido, con su mente confusa ante la sorpresa y volvió a intentarlo. Golpes bestiales se sucedían sin parar, hasta que saboreó su propia sangre manando de una herida en la frente. Se irguió sobre sus patas traseras y arañó con las zarpas aquella especie de cascada de estrellas violetas. Nada. No se le permitía pasar. Allí había magia antigua y poderosa, el ghül podía sentirla. Lamiéndose las uñas se sentó frente a la puerta de Sïdhe, dispuesto a esperar.

Pasaba el tiempo y le dolían los ojos. Mirar aquella cortina de luces brillantes le estaba volviendo loco y el olor de las tripas del troll le estaba desquiciando. Llevaba horas esperando y ya había roído los huesos del guardián del puente en su hambre desesperada, pero ella seguía sin aparecer.

Sus pensamientos, apenas luces en un cerebro de bestia, vagaron por los recovecos negros de su memoria. Había sido invocado y era su obligación acudir. Le había costado horas rastrear la pista correcta, pero al fin había dado con ella. Las Montañas Shilayas. Allí se había encontrado un carruaje extraño con un insecto silfo dentro. El ghül se había divertido viendo el terror en la cara de aquella mosca mientras él arañaba el metal y le enseñaba sus hileras de dientes de sierra. Luego se adentró en las grutas. Era absurdo perder más tiempo. Los silfos no sabían a nada. Era como masticar aire, en caso de que pudiese atraparlo, claro. La bestia hiena tenía experiencia en perseguir y comer todo tipo de cosas.

Y ahora estaba allí, esperando, sintiendo la furia y las ansias, sin nada a su alcance más que restos de huesos y entrañas desperdigadas. Lanzó un aullido que rebotó en mil ecos. La negrura le fue carcomiendo por dentro. Las odiaba a todas. Por encerrarlo a él y a sus hermanos durante milenios. Por privarle de la exquisita comida y convertirle en una bestia asesina. Por someterlo a las cadenas del hambre y la humillación. Pero su mente casi animal ya no podía recordar nada más. Apenas un destello vago de cuando él y sus hermanos vivían libres en otro sitio, en un lugar de sombras donde eran los amos y señores.

Algo en su cabeza se rebeló. Dejó que el hambre se impusiese a la obediencia y después de observar con odio la cortina de estrellas, se dio media vuelta caminando a dos patas por donde había venido. Solarïe estaba lleno de comida.

—Lo que menos me gusta es que Monique se haya querido quedar con tu tía —susurraba Nimphia en el momento en que las cuatro cruzaban la cortina de estrellas.

Se tuvo que callar y de inmediato olisqueó el aire con ojos de miedo, pero no fue necesario que explicase nada. A todas les llegaba el olor de algo podrido, algo nauseabundo que daba ganas de vomitar.

—Pero qué…

—Shhhh —chistó ella escudriñando en la oscuridad.

Laila sintió el viejo terror nacer. Sus ojos parecían salirse de las órbitas, y tenía todo el cuerpo en tensión mientras avanzaba despacio tras su amiga de Airïe, que no paraba de vigilar por todos lados antes de dar un solo paso. Cuando llegaron al puente parecía que habían pasado mil horas.

—Creo que el troll está muerto —musitó Nimphia por fin, ante el horror de las otras—. Huele a sangre y a podrido, y es muy intenso aquí.

—¿Pero quién le ha matado? —tembló Cyinder agarrada a un brazo de Laila.

—Todas lo sabemos —contestó Aurige haciendo que su voz rebotase en mil ecos, y Nimphia le chistó de inmediato.

—¿Y ahora qué hacemos? —susurró Laila pensando que volver a Sïdhe a toda velocidad era sin duda la mejor opción.

—El monstruo no está, se ha marchado —informó Nimphia intentando contener el aliento—. Deberíamos salir de aquí a toda prisa.

—¿Y el silfo? —se acordó Cyinder de repente.

Aurige dio un respingo.

—¡Mi coche! —exclamó echando a correr sin esperar más.

Nimphia intentó gritarle pero todas fueron tras ella movidas por un impulso de conservación. Al salir, la luz de Solandis y Luthus las cegó un segundo, pero los gritos de la lunarïe ya les pusieron sobre aviso que se avecinaba tormenta.

La carrocería del Mustang estaba llena de arañazos salvajes y abolladuras y Laila corrió hacia los cristales. Una figura temblorosa se acurrucaba bajo el asiento trasero, y al intentar abrir la portezuela, la manilla se resistió.

—¡Shamal! —gritó mirando a su alrededor en busca de cualquier rastro de peligro.

Aurige apretaba los puños con rabia, pero entonces sacó su varita mágica y tocó la puerta, que se abrió de momento. El silfo trató de salir huyendo, pero Nimphia y Laila le cortaron el paso entrando de golpe en el Mustang.

—¡Ghül! —gritó con espanto desquiciado.

Sus dedos parecieron querer alargarse y volverse finos hasta desaparecer, y todo su cuerpo tembló cuando el brazalete que llevaba en la muñeca le impidió esfumarse. Su cara se volvió delgada como un cuchillo, dispuesto a escapar a cualquier precio, y se abalanzó hacia la portezuela del coche arañando el aire, enloquecido por el miedo y la claustrofobia. Sus garras se ensañaron con Nimphia como un gato salvaje, y la muchacha le apartó en un acto reflejo intentando defenderse de su ataque. La cabeza de Shamal rebotó contra el asiento, y se quedó encogido, temblando. En su mirada había un destello de puro odio.

—¡Arranca ya, lunarïe! —gritó ella, de repente muy cansada de tanta violencia sin sentido—. ¡Nos vamos a Airïe, y no quiero escuchar ni una queja! ¡Y haz todo lo posible por caer en Silveria!

Aurige obedeció sin chistar. Cuando Nimphia se enfadaba, era como un látigo restallando. El Mustang se puso en marcha y durante un buen rato ninguna habló. Sólo se escuchaban los jadeos entrecortados del silfo y Laila pensó que estaría bien largarlo de una patada. No les había servido más que como una molestia. De hecho, ¿qué hacía el silfo allí? Lord Vardarac se había empeñado en que viajase con ellas para protegerlas, pero al contrario, no había sido otra cosa que una fuente de problemas.

El coche aceleró. Las Montañas Shilayas habían quedado atrás hacía un buen rato y en el cielo amanecía Qentris. Aurige se apartó del camino aplastando los corpúsculos dorados, en pos de una vereda empinada, hacia una cadena de montículos que ganaba en altura según se acercaban. Tras recorrer la pendiente a gran velocidad, Laila volvió a sentir el vértigo subiendo desde el estómago a la boca, y luchó desesperadamente por no chillar cuando las ruedas del Mustang dejaron de tocar el suelo.

Todo a su alrededor comenzó a desdibujarse mientras caían en picado. Los soles se fundieron y el cielo radiante se ensombreció. El atardecer venía hacia ellas y el suelo dorado, tan cerca ya que casi podía contar los tallos de oro, se volvió verdoso, violáceo, y por fin azul. La muchacha consiguió respirar y sus manos, blancas y agarrotadas sobre las gasas de su vestido de shilaya, se relajaron recuperando el color.

Nimphia musitó unas palabras y el coche planeó suavemente hacia abajo. En la distancia un punto brillante fue creciendo hasta convertirse en la gran montaña invertida que era Silveria, con sus tres islas ancladas y el Reina Katrina balanceándose como un globo. Toda la isla refulgía encendida y el palacio se agrandaba por segundos, pero había algo más…

—¿Qué es eso? —exclamó Cyinder mirando por la ventanilla, hacia lo que parecía un enjambre de abejas furiosas rodeando la Torre de los Vientos.

Cientos de pequeñas barcazas flotaban alrededor de las cúpulas de cristal, sitiando el palacio por todos lados; pequeños botes con sus velas desplegadas, amarrados entre sí formando una gran maraña. En cada uno de ellos, dos o tres nemhiries soplaban sobre los cristales azules para mantener el vuelo y cuando pasaron cerca, algunos de ellos levantaron sus manos en actitud agresiva.

—¿Pero qué está pasando? —consiguió decir Laila después de aclararse la garganta seca.

—Lo que me temía —musitó Nimphia con voz lúgubre—. Mi hermana es incapaz de solucionar los problemas que ella misma ha causado.

Abajo, en el rellano del palacio, la cosa era aún peor. Una muchedumbre de manifestantes furiosos se agolpaba ante las murallas, alzando gritos y pancartas ofensivas contra las hadas, exigiendo derechos y reclamado la libertad; y los numerosos guardianes que defendían la entrada, permanecían acobardados levantando unas lanzas que parecían de juguete, y que de nada iban a servir si estallaba la revuelta.

El Mustang sobrevoló la alameda de las esfinges, colapsada por la multitud enardecida, y por todos lados seguían llegando nemhiries en largas colas. Los puentes de las islas estaban abarrotados de manifestantes, y en la calma chicha que dominaba Silveria sólo se escuchaban insultos y gritos en contra de la tiranía. Sin embargo aún no se había producido ningún altercado violento. A pesar de la algarabía, los manifestantes no se atrevían a abalanzarse sobre el palacio. Se diría que todo guardaba un equilibrio peligroso pero expectante. Exigían sus reivindicaciones sin llegar a las armas, aunque una sola chispa bastaría para desencadenar una tragedia que llevaba siglos gestándose en silencio.

—Vamos al puerto —dijo Nimphia después de sopesar las posibilidades y guardar el antídoto de Violeta con gran pena—. Tal y como están las cosas, mi tío estará más seguro siendo una estatua que siendo el hermano de la reina en carne y hueso. Lord Vardarac y el Pimpollo no han podido abandonar Silveria con este panorama. Quizás ellos puedan aconsejarnos.

Laila se mordió los labios para no decir lo que pensaba. Si ella fuese pirata, elegiría precisamente aquel momento de caos para hacerse con el control de Airïe. Se mordió las uñas de manera inconsciente mientras Aurige maniobraba hacia las dársenas de piedra, sobrevolando la maraña de mástiles, hasta que el coche se posó en tierra firme.

El griterío de la muchedumbre había quedado atrás, y en la lejanía sólo resonaba un murmullo confuso acompañado de algunos petardos y bengalas. La luz del sol se apagaba a gran velocidad, y las sombras crecían en las dársenas, tan solitarias que parecía que un ciclón hubiese arrastrado a la gente para hacerlas desaparecer.

Los pequeños tenderetes, los cobertizos y los almacenes estaban cerrados, con las puertas y las ventanas atrancadas con tablones, y el suelo lleno de desperdicios y cristales rotos. Bajo la noche creciente, los tinglados llenos de cajas y telas colgantes tenían un aspecto siniestro.

—Lo que más me sorprende es haber visto tantas barcas nemhiries volando —susurró Nimphia, pensando en el bloqueo al palacio—. Las esferas de viento están prohibidas y muy pocos nemhiries tienen privilegios para usar una. Podría contar con los dedos de una mano los permisos de vuelo que se otorgan cada año.

—Pues parece que os están engañando —replicó Laila, sonriendo a pesar de la rabia que sentía por aquel maltrato a los humanos—. Bien por ellos.

—Dejadlo ya —chistó Cyinder, nerviosa, y ambas cerraron la boca.

Después de mucho dar vueltas por entre los pantalanes, creyeron reconocer los mástiles de los drakkars del Norte, sin embargo, al llegar, comprobaron con desasosiego que los navíos permanecían a oscuras y en silencio, con el crujido de las jarcias y las maderas como únicos susurros entrecortados. Inspeccionaron el Quebrantahuesos y después el Narval, sin hallar ninguna pista del paradero de Lord Vardarac o de su tripulación.

—¿Y ahora qué? —susurró Cyinder, impaciente, asomada a la baranda del navío de Äüstru.

El cielo negro estaba lleno de estrellas, pero desde allí, el panorama del puerto desolado, y el sonido de las maderas les ponía los pelos de punta. No había ni un alma y en cada rincón parecía acechar un peligro escondido. Además, el recuerdo reciente del troll asesinado pesaba en el ánimo de todas como una roca de mil toneladas.

De pronto un siseo agudo les crispó los nervios y Laila dio un respingo notando que el corazón estaba a punto de salírsele por la boca. Subido a la barandilla, Shamal hacía rechinar sus dientes con la vista clavada en los muelles.

—¡Cállate! —le chistó Nimphia, asustada.

El silfo no le hizo caso y silbaba enseñando sus colmillos triangulares en una mueca terrorífica. Lejos, entre las sombras de las casuchas, dos figuras oscuras caminaban tratando de pasar desapercibidas. Una de ellas, aún desde lejos, era inconfundible.

—El hombre de negro —susurró Laila para sí misma, notando un cosquilleo en el estómago.

—¿Dónde? —inquirió Aurige estirando el cuello.

—Va por allí —señaló ella hacia un cúmulo de comercios cerrados que se avistaba por entre el enjambre de mástiles—. Vamos a seguirle.

—¿Por qué? —protestó Cyinder, que encontraba más lógico permanecer a salvo en la seguridad del Narval.

—Porque no tenemos nada mejor que hacer —gruñó la lunarïe bajando a toda prisa por la pasarela.

—Pues al menos cámbianos los vestidos, por los dioses —siseó la solarïe con el mismo tono que el silfo—. Parecemos cuatro bolas de algodón de azúcar.

Aurige frunció el ceño, pero agitó su condenada varita mágica en el aire y de inmediato las gasas y las joyas desaparecieron, cambiándose por los viejos y cómodos trajes de ladronas. Al sentir los pantalones y las mangas largas, Laila no pudo evitar lanzar un suspiro de alivio.

Recorrieron en silencio los muelles solitarios siguiendo a las dos figuras esquivas, a punto de perderlas por entre las casas destartaladas y los tenderetes que días atrás habían sido brillantes y populosos. El hombre de negro avanzaba decidido, pero su acompañante, oculto bajo una gruesa capucha, miraba nerviosamente a todos lados.

—Juraría que ese es el hombre que me puso el anillo de amatistas en el bolsillo —siseó Nimphia, tan bajo que apenas la escucharon.

Al poco tiempo abandonaban las dársenas de Londres, bordeando toda la isla por las callejas menos transitadas, como si las dos misteriosas figuras evitasen cualquier contacto inoportuno. Algunos nemhiries pasaban a lo lejos portando carteles en dirección al puente de Dover, pero nadie se fijó en ellas, pues el espectáculo de las barcazas colapsando los torreones era tan impresionante que si en ese momento, una horda de elefantes alados hubiese decidido invadir Airïe, nadie se habría dado cuenta.

Jack Crow y su acompañante atravesaron plazas poco iluminadas. Al momento Laila se dio cuenta de que se dirigían invariablemente a la misma zona residencial donde habían visto por primera vez a Lady Notos.

Poco después los grandes palacetes nemhiries las rodeaban, con sus jardines bien cuidados brillando bajo la luna y las estrellas. El Big Ben daba la hora justo cuando Jack Crow y la otra figura subían las escalinatas de la mansión que ya conocían, y después de mirar a todos lados, el hombre de negro golpeó la puerta con sus nudillos. De inmediato se abrió dejando entrever una rendija de luz cenicienta que se volvió a cerrar tras ellos.

Las cuatro avanzaron con gran cuidado hasta esconderse tras los setos al lado del muro. La gran casona parecía estar a oscuras, pero una inspección más exhaustiva permitía adivinar luz bajo los gruesos cortinajes que bloqueaban los ventanales.

—Si tuviese mi ganzúa electrónica —se lamentó Nimphia, que se había acercado imprudentemente hasta la puerta e inspeccionaba la cerradura.

—Entraremos por la ventana del ático —dijo Aurige después de observar minuciosamente la fachada y las ventanas ciegas—. Esto es pan comido. Es una vulgar casa nemhirie.

Cyinder y Nimphia se miraron y en sus rostros apareció una sonrisa luminosa. Después de tanto tiempo, el club de las Coleccionistas se ponía de nuevo en marcha. Laila, sin embargo, puso cara de fastidio.

—¿Y yo, cómo llego hasta ahí arriba? —refunfuñó.

—Puedes quedarte aquí con el enano —contestó la lunarïe, y Shamal le enseñó una sonrisa espantosa.

—De eso nada. Yo también voy —replicó ella.

—Vamos a ver —suspiró Nimphia, paciente—, esto es muy sencillo. Aurige, tú subes hasta la ventana y la abres sin hacer ningún ruido. Después nos haces una señal y Cyinder y yo ayudamos a Laila y a Shamal. Si todo sale bien, estaremos dentro en menos de cinco minutos.

—Está bien —consintió la otra por fin—, pero como el bicho este haga el más mínimo ruido le hago callar para siempre.

Hizo aparecer en sus manos la daga plateada y Shamal pareció que iba a echarse a reír. Cyinder le tapó la boca a tiempo, apretando la mano firmemente contra sus labios gelatinosos, y el silfo intentó morderla.

Aurige se impulsó dando un pequeño saltito, y sus alas se desplegaron rápidamente. Voló silenciosa hacia arriba y al llegar al ventanal más alto miró hacia abajo. El silfo y Cyinder aún forcejeaban y ella con gusto lo hubiese mandado bien lejos al abismo. Al momento se olvidó de ellos y tanteó el fino cristal. Al final se decidió a usar su varita de nuevo. La encontraba tremendamente útil, y le molestaban esos comentarios sin sentido de sus amigas. ¿Shilaya? ¿Ella? Qué estupidez más grande. La agitó en el aire de la noche y después de un chasquido, el cerrojo se movió por dentro.

Empujó el ventanal y la madera crujió con el sonido de las maderas que llevaban mucho tiempo sin moverse. Miró al interior con precaución. Todo estaba en silencio, pero no quiso arriesgarse. Entraría y exploraría un poco el lugar antes de llamar a las otras. No quería dejar ningún cabo suelto.

La buhardilla estaba llena de polvo y cajas apiladas, y las maderas del suelo protestaban bajo sus pasos. El ambiente parecía cargado con electricidad estática y después de sopesar los pros y los contras, se decidió a abrir la puerta para un reconocimiento general. Cuando su mano tocó el pomo, todos sus sentidos se pusieron en alerta.

Abrió despacio dejando que entrase una luz escasa, danzante como la de las velas, y después de otear el pasillo lleno de sombras se decidió a salir. Desde abajo llegaban voces confusas que parecían estar enfrascadas en una discusión. Dio un par de pasos vacilantes, pero antes de asomarse al hueco de la escalera, ya sabía que había alguien detrás de ella.

Se dio media vuelta a toda velocidad haciendo destellar su varita mágica. Al momento sintió algo frío en el cuello, el filo de un puñal clavándose en su piel, y se encontró de golpe, cara a cara, con aquel nemhirie que se hacía llamar Jack Crow.

El hombre parecía muy sorprendido y la miraba sin pestañear. Tampoco había quedado en muy buena situación, pues la varita mágica se le hundía en el pómulo, con la estrella brillando a escasos centímetros del ojo. Después de unos segundos de desconcierto, el hombre de negro se permitió una sonrisa ambigua.

—Parece muy peligrosa esta varita —susurró con voz acariciadora.

—Ni te lo imaginas —le contestó ella, demasiado tirante, demasiado orgullosa.

El hombre hizo un gesto apaciguador y separó lentamente su daga del cuello, sin dejar de sonreír. Aún así, no se retiró ni un milímetro de su lado y Aurige notó, muy molesta, que su corazón latía más deprisa de lo habitual.

—Es verdad que te pareces a la ailorïa —dijo después de un segundo eterno, bajando la varita un poco.

—No tengo ni idea de lo que hablas —susurró él, confuso—, pero en verdad me temo que eres tú la que tiene que explicar cosas, no yo.

—No creo que tenga que dar explicaciones a un nemhirie. Tú eres el invasor. Yo vivo aquí, este es mi mundo.

—De eso nada, querida —sonrió Jack otra vez—. Esta isla es territorio humano. Ahora mismo podría considerarte una prisionera política. Podría torturarte si quisiera, como una vez me amenazaste a mí.

Aurige levantó una ceja, divertida, y compuso una mueca de desprecio.

—¿Con que esas tenemos? —siguió el otro, socarrón—. De acuerdo. Vamos abajo a ver qué opinan los otros de tu visita. Y claro, tus amigas deben estar por aquí también. En seguida las encontraré.

—Vengo sola —contestó ella de inmediato—. Busca en el infierno si quieres, me da igual.

Jack Crow la miró intensamente, pero la cara de Aurige era una máscara de hielo.

—¿Y entonces? —ronroneó—. ¿Qué explicación hay para que un hada de la luna, en el reino del viento, esté asaltando una casa humana?

Aurige permaneció en silencio. Maldito nemhirie. Bajo aquel punto de vista la situación era absurda.

—Es un encargo —dijo por fin, pensando deprisa.

—¿Qué encargo? —preguntó Jack, divertido—. ¿Igual que en el reino de los soles?

La muchacha le miró un segundo con un destello en los ojos. En Solarïe se habían encontrado por primera vez cuando planeaban asaltar la Torre de Cálime en busca del Grano que había ofrecido Hellia. Laila siempre había sostenido que él había robado el resto de las Arenas. Y ahora estaba allí, en Airïe…

—Sé que Lady Notos está aquí —contestó sin embargo—. Me han pedido algo personal de ella, y lo conseguiré cueste lo que cueste. Ningún nemhirie me lo va a impedir.

Jack Crow permaneció en silencio, observándola, viendo las estrellas heladas de sus ojos. Sabía que mentía de alguna manera, pero por otro lado era incapaz de concentrarse. Si él había conseguido seducir a cientos de mujeres, incluso a la Señora de los Vientos, ¿por qué ella se le resistía?

—¿Qué es lo que tienes que conseguir de Notos? —preguntó por fin, muerto de curiosidad.

—¿Y a ti qué te importa?

—Podría ayudarte —dijo él, levantando los hombros con indiferencia—. O puede que no. Pero podría facilitarte el camino. Me tiene en muy alta estima y me dará lo que le pida, oro, joyas… hasta su ropa interior si yo quisiera —insinuó.

Aurige compuso una mueca de absoluto desprecio.

—Sólo quiero un estúpido mechón de sus cabellos, nada más. Guárdate tu oro, tus joyas y tus groserías, no los necesito para nada.

—¿Un mechón de su pelo? —se carcajeó el otro en voz alta, y de inmediato se tapó la boca—. ¿Y qué me darás a cambio si te lo consigo?

—¿Darte a cambio? —se asombró ella—. ¿Por qué tengo que darte nada si lo puedo conseguir yo misma?

—Oh, lo dudo. El cabello de Notos es algo muy complicado. No está al alcance de la gente. Pero si me das un beso, te conseguiré todo el pelo que quieras.

Aurige retrocedió un paso con cara de horror. Sus labios se

crisparon llenos de orgullo, y por un momento un aspa de luz negra titiló en su mano.

—¡Por mis besos se pelean príncipes de Ïalanthilïan, no gusanos! —logró exclamar con la voz tan fría como un diamante.

—¿Gusanos, eh? —repitió el otro, acercándose más—. Tras tanta frialdad tiene que haber un...

Nunca se supo qué habría tras tanta frialdad, porque en ese momento Aurige le cruzó la cara de una bofetada y su varita mágica se le incrustó en la barbilla, con la estrella refulgiendo como si fuese lava incandescente. Jack Crow, asombrado, intentó acariciarse la piel, dolorida y roja como un tomate.

—Ningún nemhirie se dirige a mí en ese tono —dijo ella, con una voz tan peligrosa que el otro tragó saliva.

Chasqueó los dedos y el hombre de negro se desplomó en el suelo en un sueño profundo. Lo miró sin asomo de piedad pero entonces sintió un ruido a sus espaldas y se giró sobresaltada con la varita en alto. Cyinder, Laila y Nimphia acababan de aparecer en el quicio de la puerta, y Aurige se sorprendió al darse cuenta de que ni se había acordado de ellas.

—¿Pero qué ocurre? —susurró la solarïe mirando con sorpresa al hombre de negro en el suelo—. Llevábamos horas ahí abajo esperando...

—Nada que interese —cortó ella, sin dejar traslucir el más mínimo rastro de emoción—. Se interpuso en mi camino y hasta ahora no he podido librarme de él.

Las otras se miraron en silencio.

—Shamal se ha escapado —siguió Cyinder, sintiendo que tenía que dar explicaciones—. Me mordió muy fuerte y lo tuve que soltar. Huyó tan rápido que no pudimos ir tras él...

—Mejor —repuso ella—. Una molestia menos. Ahora ayudadme a encerrar al nemhirie en la buhardilla.

Ninguna protestó. La voz de Aurige era demasiado helada, y todas sabían que había ocurrido algo, pero estaba claro que jamás lo averiguarían. Arrastraron al hombre de negro hasta apoyarlo contra la pared y luego cerraron la puerta con cuidado. Bajaron el primer tramo de peldaños hasta un rellano lleno de habitaciones cerradas. Abajo seguían sonando voces como de una reunión importante, pero entonces un tono femenino se interpuso sobre todos los demás.

—¿Jack? —resonó aquella voz rebotando por el hueco de la escalera—. ¡Jack!...

Y pasos. Todas se apretaron contra la pared mirando a todos lados, buscando un sitio donde esconderse. Nimphia manipuló los pomos de las puertas a toda velocidad hasta que uno de ellos cedió, y todas entraron a la carrera cerrando la puerta a trompicones.

La habitación estaba llena de baúles y percheros de ropa, bolsas de viaje y adornos exóticos por todos lados: collares, cintas, camisas de brocados, todo en un desorden caótico. Sobre un tocador, maquillajes y pelucas se ordenaban cuidadosamente. Parecía el camerino de un artista de circo.

—¡Jack, ladronzuelo mío! —la voz les llegaba más cerca y todas comprendieron con terror que aquella mujer se dirigía precisamente a los aposentos donde estaban escondidas.

Laila abrió un gran armario y todas se metieron dentro, apretujándose las unas con las otras por entre las pilas de casacas, camisolas y abrigos que colgaban de las perchas, dejando una rendija abierta. Segundos después, y como si se hubiesen leído el pensamiento, todas se hicieron invisibles.

La mujer abrió la puerta en silencio. Era Lady Notos en persona. Bajo la luz de las lámparas sus largos cabellos violáceos relumbraban enmarcando un rostro afinado. Una cicatriz le cruzaba el pómulo derecho deformando su belleza, dándole un toque de crueldad.

—¿Jack? —repitió paseando la mirada por toda la habitación.

Iba a marcharse cuando sus ojos toparon con el tocador lleno de abalorios y entonces, vigilando que no hubiese nadie cerca, cerró la puerta tras de sí y se sentó frente al espejo. Durante unos segundos se miró y se tocó la cara como cualquier mujer nemhirie en busca de sus primeras arrugas; se pintó los labios y entonces ocurrió algo sorprendente. Se llevó la mano a la pañoleta de su tocado y de golpe se lo arrancó, llevándose con ella toda la larga y fantástica cabellera de rizos que poblaban los sueños del Barón de Tramontana.

Ante los ojos de las cuatro apareció un cráneo calvo, con alguna pelusilla grisácea revuelta, y Cyinder dio un respingo a la vez que intentaba contener una carcajada. Lady Notos se sobresaltó, aunque el ruido que había hecho la solarïe era el de una mosca volando, pero todas contuvieron el aliento al ver que la Señora de los Vientos se reajustaba la peluca a toda prisa, mirando a su alrededor mientras sacaba un cuchillo del cinto.

—¿Jack? —susurró con desconfianza.

Inspeccionó todos los rincones de su aposento y abrió el gran armario donde se escondían. Observó sus abrigos y casacas con los ojos convertidos en rendijas, tan cerca que el más mínimo susurro las delataría sin remedio. Parecía que el armario iba a estallar cargado de electricidad estática, pero entonces Lady Notos lo cerró con cuidado y las cuatro escucharon sus pasos saliendo de la habitación. Laila se permitió un suspiro de alivio en el momento en que su cuerpo volvía a aparecer.

—Ha estado cerca —susurró Cyinder aguantando la risa—. Vaya con el secreto de la «Perla del Sur». Seguro que daría su trozo de mapa antes de permitir que se descubriese.

—Chantajista —rió Laila saliendo del escondrijo.

—Pues es buena idea —asintió Aurige cogiendo una de las pelucas expuestas en el tocador. Acto seguido la guardó como pudo en uno de los bolsillos de su traje.

—Venga, salgamos de aquí —dijo Nimphia, nerviosa—. Esto

no me gusta nada, y todavía no sabemos qué hace aquí toda esta gente ni si tienen algo que ver con la revuelta nemhirie. Tengo miedo de que a mi hermana le pueda pasar algo.

Aurige levantó los hombros en un gesto que no dejaba lugar a dudas, pero caminó hacia la puerta y la abrió con gran sigilo. Nadie. Salieron despacio y de nuevo llegó hasta ellas el murmullo de conversaciones animadas en la planta baja. Anduvieron por el rellano como sombras esquivas. Las voces se volvían más fuertes, protestando y discutiendo. Una de ellas, inconfundible, era la de Lord Vardarac.

—¡Debería cortarte ese cuello nemhirie de una vez! —exclamaba lleno de rabia a alguien.

Se escuchó una risa grave y provocadora y de nuevo se alzaron voces enfrentadas, algunas pidiendo calma y otras de furia contenida. Bajaron los últimos peldaños de la escalinata hacia el hall. Las puertas de un salón estaban entreabiertas, y a la luz de las lámparas, un grupo numeroso de personas discutía acaloradamente. Laila reconoció de inmediato a Vardarac y al Pimpollo, y se sorprendió al descubrir a Mrs. Peabody sentada en un sillón junto al Señor del Norte. No parecía asustada, al revés, disfrutaba de una copa de licor y vestía con abrigos blancos. La muchacha iba a darle un codazo a una de sus amigas cuando de nuevo Lord Vardarac alzó su voz por encima de las otras.

—¡Pero dónde está esa maldita Notos! —gruñó, y todas sintieron un escalofrío al darse cuenta de que la mujer no se encontraba en el salón con el resto.

Se dieron media vuelta pero ya fue demasiado tarde.

—¿Vais a algún sitio? —preguntó una voz femenina, risueña, que justo a sus espaldas las amenazaba con un espadón afilado.

Las empujaron hacia la sala iluminada en medio de la confusión y el asombro general. Muchas caras desconocidas se habían quedado con la boca abierta y el silencio se podía cortar con un cuchillo. Mrs. Peabody estaba paralizada y Laila notó que la cara se le ponía roja como un tomate.

—¡Pero qué demonios...! —tronó Lord Vardarac farfullando las palabras.

—¿Quiénes son estas? —interrumpió a la vez otro hombre sentado en un sillón majestuoso, un nemhirie de barbas negras que Laila jamás había visto.

—Parece que la seguridad de vuestra mansión brilla por su ausencia, Lord Drake —rió Lady Notos—. Las he encontrado arriba, escondidas, creyendo que podían engañarme, pero apestaban como una piara de shilayas en una bodega.

—¡Eh! ¡De eso nada! —exclamó Cyinder sin poder contenerse.

—Tú calla, preciosa —dijo Notos tirándole del pelo hasta que el cuello de la solarïe quedó expuesto bajo su cuchillo—. Una palabra más y te corto la lengua.

Todas tragaron saliva. Muchas voces se alzaron pidiendo explicaciones.

—Son espías de Zephira, está claro —concluyó un nemhirie de rasgos orientales que vestía una toga negra con una flor de loto bordada en el cuello—. El idiota de Shaka ha cantado. Deberíamos salir de aquí cuanto antes.

—De acuerdo —dijo el tal Lord Drake después de reflexionar—. Se las enviaremos a Zephira en pedazos, pero nadie va a moverse de aquí. Podría ser una maldita trampa. Les demostraremos que con Londres no se juega.

—¿Con Londres? —exclamó el otro entrecerrando sus ojos rasgados—. Con Catay tampoco se juega, Drake, no lo olvides. ¿O es que ya estás sugiriendo que los ingleses vais a tener el dominio de Silveria?

—¿El dominio de Silveria? —susurró Nimphia sin querer.

—¡Londres, Catay, o lo que sea! —exclamó Lady Notos, contrariada—. Ahora mismo voy a cortarles la lengua a estas shilayas.

Laila temblaba aferrada al brazo de Cyinder, perdida en una situación que la abrumaba. Nemhiries enfadados los unos con los otros, un hada histérica dispuesta a cortarlas en pedacitos, y una especie de disputa sin sentido que parecía provocada por la falta de viento. Sí, todos aquellos locos necesitaban el viento para estar cuerdos.

—Mucha pinta de espías no tienen —tronó Lord Vardarac en ese momento—. Más bien parece la travesura de unas chiquillas.

Y haciendo como que se acercaba a inspeccionarlas, se colocó frente a ellas como un escudo gigantesco.

—¿Niñas dices? —chilló Notos con la daga temblando en su mano—. Tienes el cerebro tan pequeño como las alas, gordo estúpido.

—Al menos tengo alas —le contestó el otro, con la cara púrpura—. No me las corto para pretender ser lo que no soy.

Laila miró a Lady Notos con sorpresa, pero ya el Pimpollo le ofrecía a su gran amigo una copa para intentar serenar los nervios. Vardarac se la bebió de un trago, chorreándole por la barba azulada.

—Zafio —dijo Notos, rabiosa.

Con Vardarac apostado frente a ellas como parapeto, Laila pudo inspeccionar la sala con más atención. La gente que estaba allí reunida sin duda era gente importante. Nemhiries con poder y Señores de los Vientos. Nimphia había contado una vez que los grandes dirigentes de los humanos eran los maddins de las islas. Y ahora estaban allí.

Un vistazo más agudo le hizo observar que los humanos estaban a un lado de la mesa, y al otro, Vardarac, Tramontana, Notos, y un cuarto que debía ser el Señor del Viento del Oeste, el Conde de Libis. Entonces parpadeó asombrada. Vestido con casaca púrpura, camisa de brocados, pistolones y cuchillos de cristal, parecía más pirata que cualquier pirata, pero era, sin lugar a dudas, un nemhirie. En su hombro descansaba un halcón con caperuza. Reía con aires de suficiencia en medio de aquella situación caótica, y las múltiples cicatrices de su cara se le juntaban formando pequeñas arrugas. Sentado en una silla, cruzó las piernas con desdén encima de la mesa.

Y al frente, callado y misterioso como un juez imparcial de toda la escena, el encapuchado que le había dado el anillo de amatistas a Nimphia. No decía ni una palabra, y lo observaba todo desde la oscuridad de su embozo. En aquella partida de ajedrez, el tablero era...

Los ojos se le abrieron como platos. Sobre la superficie de madera negra, cuidadosamente desplegados, estaban tres de los cuatro papiros del tesoro de los ithiriës.

—Si me dais permiso para aplicar mis «métodos», nos contarán todo lo que queramos saber —decía en ese momento el que debía ser el maddin de Catay.

La muchacha tembló. Por su cabeza pasaron mil imágenes de torturas chinas, con palillos bajo las uñas y tenazas afiladas. Sin querer, se agarró a los abrigos del Señor del Norte.

—Infiero que estamos extraviando el rumbo en las brumas de esta singular visita... —tartamudeó el Pimpollo.

—Tú calla —le espetó Lady Notos, como un jarro de agua fría tirado a la cara.

—Madame —inclinó él la cabeza, incapaz de decir ni una sola palabra más a la dama que poblaba sus sueños.

—Terminemos con esto —dijo Vardarac con su torrente de voz, poniendo los brazos en jarras—. Me río y escupo en la cara del que piense que cuatro niñas son espías de Zephira. No digo más.

—¿Entonces qué son, Vardarac? —siseó Lord Drake—. Las defiendes demasiado.

—Quizás ladronzuelas —contestó él—. Todos sabemos que hay una panda que se dedica a asaltar nuestras posesiones como un juego, hasta tienen un gremio y todo...

—Pues son muy fastidiosas —susurró el maddin de Catay con una sonrisa torcida—. Me alegro mucho de tenerlas frente a mí. Así explicarán la desaparición del jarrón Ming de mi palacete hace cuatro lunas. En mi país se les cortan las manos a los ladrones.

—Voto por eso —se incluyó Notos de inmediato—. Tengo ganas de tener un collar de dedos.

Cyinder no pudo evitar poner cara de horror.

—Nos encargaremos después —siguió Vardarac, tajante—. Ahora lo más importante es resolver este lío —dijo dando golpecitos en la mesa donde estaban los papiros.

—Este no es el momento de hablar —intervino el maddin de Londres mirando a las cuatro desconocidas—. Atadlas y encerradlas en el sótano.

—¿Crees que no se van a escapar si las dejamos a solas? —se carcajeó Vardarac, bamboleándose como un alud de una montaña—. Aquí estarán más vigiladas, y tú, Libis, entrega de una vez tu mapa. Estamos perdiendo el tiempo, el tesoro de los ithirïes es muy poderoso. Es capaz de destruir mundos...

—¡Calla ya, borracho charlatán! —gritó Notos, enfadada—. Sigue haciendo el tonto y acabaré contigo también.

—¡Mujerzuela deslenguada!

—¡Avast, hermano! ¡No mancillaréis ni uno de sus azúreos cabellos! —intervino el Pimpollo enfrentándose a su compadre del Norte con uno de sus floretes laberínticos.

—¡No necesito que un loro perfumado me defienda! —gritó ella, presa de la rabia.

En medio de todo el alboroto, la risa claramente nemhirie del Conde de Libis crispaba los nervios. Unos segundos después, los tres Señores de los Vientos estaban enzarzados en una lucha grotesca de estocadas y cuchilladas que cortaban el aire. Por todos lados llovían insultos y acusaciones de siglos atrás.

—Bueno, ya está bien —sonó una voz grave y sosegada por encima de la algarabía.

Laila miró al encapuchado con enorme sorpresa. Conocía aquella voz, aunque no sabía exactamente de qué. Cuando el desconocido se quitó la caperuza, soltó una exclamación sin querer.

—¡El capitán Etesian! —susurró Nimphia con la misma cara de asombro que las otras.

—¡Ohagär, no te metas en esto! —exclamó Lady Notos esquivando una última cuchillada de Vardarac, antes de que la batalla fuese perdiendo fuego.

—La princesa Nimphia y sus amigas están bajo mi protección —sonrió Etesian dejando a la vista unos dientes perfectos donde brillaban dos amatistas.

—¿La princesa Nimphia? —exclamó Lord Drake levantándose de su sillón—. ¿La hija de Zephira? Al final eran espías, no ladronas.

—No son espías ni ladronas —dijo el otro con un tono que no dejaba lugar a dudas—. Y no se les hará ningún daño mientras yo esté aquí.

—¿Y desde cuándo das órdenes, Ohagär? —siseó el maddin de Catay con ojos de codicia—. ¿Desde cuándo te importa tu gente? ¿Acaso tengo que recordarte que fue el pueblo bello el que te dejó por muerto, abandonado para que los buitres te devorasen?

—Conozco perfectamente mi pasado —respondió el otro con voz neutra—, y he pagado con creces aquel favor. Te recuerdo, Lord Ho, que fui yo quien te liberó de la esclavitud, a ti, a Drake y a Shaka —respiró hondo—. Soy yo quien os proporciona esferas de viento de contrabando para que podáis navegar. Ahora sois los todopoderosos maddins, pero soy yo el libertador de los nemhiries. Si queréis que esta revuelta llegue a buen término, ninguno de vosotros tocará un solo cabello de estas jóvenes.

Laila suspiró aliviada, y en las caras de Cyinder y de Nimphia brillaba la admiración sin límites.

—Pues son una carga —insistió Lady Notos guardando su cuchillo en el cinto.

—Llevaremos a cabo nuestros planes tal y como están previstos —siguió Etesian sin escucharla—. Tomaremos el control de Airïe sin violencia, tal y como me habéis prometido. Depondremos a la reina sin derramamiento de sangre.

—¡¿Qué?! —exclamó Nimphia, atónita, perdiendo de golpe toda aquella admiración.

Por un momento, todas las caras se fijaron en ella.

—Ya no vamos a ser tan clementes, Ohagär —dijo Lord Ho entrecruzando sus dedos—. No puede haber negociación cuando el maddin Shaka ha sido retenido en contra de su voluntad y sus lugartenientes encarcelados. Parece que la reina Zephira se ha vuelto loca, y olvida que el pueblo nemhirie forma parte de su reino. Somos una comunidad gigantesca que no puede seguir viviendo en la esclavitud.

—Mi madre está reunida con la corte de astrónomos —dijo Nimphia con la voz rota—. No es ella, sino mi hermana Eriel la que está tomando esas decisiones descabelladas.

Todos guardaron silencio sopesando sus palabras. Parecía un salón lleno de estatuas. Las velas de las lámparas creaban sombras danzantes en las paredes y al mirar las pequeñas llamas de fuego, Laila tuvo otra vez la sensación de estar a punto de alcanzar una idea asombrosa que se le escapaba. Algo en la punta de la lengua que no podía alcanzar.

—¿Por qué habíamos de creerte? —decía en esos momentos Lord Drake, suspicaz—. Intentas defender a tu madre de algo que va a ser inevitable.

—Sólo protejo a mi madre de las locuras de mi hermana —contestó ella—. Yo siempre he estado de acuerdo con vosotros. Vivo en un mundo de... de hadas —terminó con esfuerzo—, soy un hada, pero estoy de vuestra parte. Nadie mejor que yo es capaz de tratar con Eriel. Yo podría ser vuestra intermediaria. Quizás no necesitéis deponer a nadie. Conseguiré grandes mejoras para los nemhiries y la esclavitud será abolida...

—No necesitamos intermediarios —cortó el maddin de Catay con los ojos brillantes. Se acercó a la mesa y unió los tres fragmentos de mapa—. Tenemos al alcance de la mano un tesoro capaz de destruir mundos. Si la princesa Eriel no atiende a razones, lo hará por las malas.

—Ese tesoro pertenece a mi gente, no es vuestro —dijo Laila por fin, horrorizada de tantas amenazas—. No tenéis derecho a usarlo para destruir nada.

Lord Ho la miró con sorpresa.

—¿Y quién eres tú, nemhirie, para decirnos los derechos que tenemos en nuestro mundo? —le soltó.

La muchacha se quedó muda sin saber qué decir. Lord Ho la había llamado «nemhirie» como si fuese un insulto. Airïe estaba resultando demasiado complicado para ella. Sólo quería coger los trozos del plano y salir de allí. Olvidarse de hadas, de esclavos, de shilayas y de todo. Encontrar a su madre y exigirle explicaciones por toda una vida de misterios y vacíos. ¿Acaso era mucho pedir? Su mirada estaba fija en los planos del tesoro y el maddin de Catay se dio cuenta.

—En cuanto nuestro apreciado Libis considere entregar el último trozo, todos los problemas se solucionarán.

Laila miró al humano que era el Señor del Oeste. Se desperezaba, insolente y provocador, con el halcón en su hombro.

—No me interesan vuestras guerras de cuentos, ya lo sabéis —dijo con una mueca de burla—, ni Silveria, ni Airïe. Sólo quiero marcharme de aquí.

—No eres más que un perro traidor —le espetó Notos agitando su falsa cabellera.

—Traidor no. Harto. Harto de esta vida sin emociones. Las hadas no tienen pasión, son descoloridas. El vino no tiene sabor de vino, el pan sabe a azúcar, y las batallas navales son de risa. Quiero volver a casa.

—¡Avast! ¡Sois el gran Señor del Oeste! —le dijo Tramontana, algo alterado—. El dueño de los vientos de poniente, el amo de occidente. ¡Blasfemáis!

—Paparruchas —contestó el otro agitando la mano con desdén—. Lo cambio todo por una mujer de verdad y una buena pata de cerdo con manteca salada a la parrilla. Sin eso, no hay trozo de mapa.

Volvieron a alzarse voces de protesta y otra vez se enfrascaron en discusiones acaloradas donde cada uno defendía sus propios intereses. Libis parecía tajante, y Notos se ponía cada vez más histérica. Laila miraba al humano cada vez más confusa. Su mundo interior volvía a agitarse. ¿Seguir allí, o marcharse a casa? Sólo tenía que abrir su libro y volver a Lomondcastle en segundos, olvidándose de todo. De repente se dio cuenta de algo y se mordió los labios, demasiado nerviosa.

—Si yo le devuelvo a usted a casa —dijo casi tartamudeando—, ¿me dará usted su mapa, señor Libis?

Todos volvieron la cara hacia ella de inmediato. Los ojos del Señor del Oeste brillaban de sorpresa y se puso en pie haciendo que el halcón cegado agitase las alas, inquieto. Lord Ho apretó los puños y Drake se acarició la barbilla, pensativo. Libis se arrancó el cordón del cuello y lo enseñó como el anzuelo colgando del sedal.

Lentamente la chica sacó un libro de Hirïa del bolsillo. En la portada había sólo dos gemas relucientes.

—¡El libro de mi tío! —exclamó Nimphia.

Laila no le hizo caso. Abrió por el capítulo escrito de Airïe y se lo tendió al Conde de Libis señalándole el último párrafo. El otro lo observó con la duda en los ojos. Demasiados siglos esperando algo como aquello para que ahora fuese tan fácil. No podía ser cierto.

Ella leyó la frase en medio del salón y el punto de luz azul surgió de la nada, y se elevó a las alturas, abriéndose una puerta brillante. El silencio era horrible, con todas las caras de los Señores de los Vientos congeladas en muecas de espanto.

—Señorita Peabody —dijo Laila tragando saliva—, usted puede marcharse también y llegará sana y salva a Lomondcastle…

—¡Rose Mary no va a ningún sitio! —tronó Lord Vardarac mirando a la profesora.

Ella pareció pensárselo un segundo y se puso en pie. Los abrigos blancos le cubrían los zapatos.

—Me quedo aquí, señorita Winter —dijo por fin.

—¿Cómo? —exclamó ella sin dar crédito.

—No tengo que darle explicaciones a una alumna —contestó altanera y odiosa como antiguamente, pero sin darse cuenta había pasado su mano alrededor del brazo del Señor del Norte.

Laila la miraba con los ojos abiertos, anonadada. Cyinder le dio un codazo para que quitase la cara de tonta que se le había quedado.

El Conde de Libis se acercó a la puerta de luz y metió una mano en ella. Luego se miró los dedos con aprobación.

—Creo que no echaré de menos esto —dijo con una sonrisa.

—No lo hagas, André —susurró Notos, casi gimoteando.

Muy despacio, el Señor del Oeste acercó el colgante a la mano de Laila, y ella le entregó el libro. Todo pareció transcurrir a cámara lenta. El nemhirie más poderoso de todo Airïe se giró a sus compañeros, se inclinó con verdadero respeto, y con su halcón en el hombro caminó hacia la luz hasta que su figura se disolvió en la neblina brillante.

19. La Señora del Sur

La puerta resplandeciente se fue estrechando hasta que desapareció. La figura del Conde de Libis quedó suspendida un momento y luego se borró como un fantasma difuso. El silencio se podía cortar con una navaja, y caras largas y sombrías miraban a Laila fijamente.

—¿Y ahora qué, nemhirie? —susurró Lord Ho cruzando las manos bajo las mangas, como si escondiese pequeñas cuchillas que iba a lanzarle de un momento a otro.

—Pues ahora tenéis que negociar conmigo —respondió ella con descaro, guardando el plano en un bolsillo de su traje de cuero.

—O te cortamos el cuello y solucionamos el problema —propuso Lord Drake.

Ella ni se inmutó. Y entonces se dio cuenta de algo horrible. Poco a poco se estaba volviendo igual de fría y despiadada que la Bella Gente. Ya lo había presentido, pero ¿cuándo había empezado aquel cambio? Antes, una amenaza así le hubiese hecho temblar de miedo, y nunca en su vida habría alzado la voz o se habría enfrentado a temibles piratas y asesinos. Todo lo más un balbuceo nervioso esperando lo peor. ¿Y ahora? Si alguien se acercaba a ella solo tenía que agarrarle de las manos para convertirlo en un árbol agusanado, o en una bolsa de arena como las pirañas de Acuarïe... Y lo peor era que apenas le importaba.

Una parte de ella quería saber si volvería a recuperar su humanidad, pero todos aquellos pensamientos se esfumaron cuando se dio cuenta de que sus amigas se habían puesto en actitud de defensa.

—También podríamos irnos todos al infierno —decía Aurige en ese momento.

En la punta de sus dedos giraban tres aspas de luz negra y Cyinder había conjurado una bola de luz que chirriaba en el aire.

—¡A mí no me asustan estas niñatas y sus brujerías! —gritó Lady Notos de pronto, abalanzándose sobre los tres planos en la mesa de caoba.

Lord Vardarac le cortó el paso de inmediato, clavando un sable en la madera, justo a un centímetro de sus dedos.

—¡Aquí nadie toca nada! —exclamó resoplando como un toro.

Lady Notos se contuvo temblando de rabia y todos supieron que, de nuevo, iba a estallar una trifulca sin sentido.

—¡Por la Vieja Boreus! —exclamó Tramontana—. Cesad al unísono aquesta, la contienda, y partamos todos hacia el remoto confín en pos de dichas y caudales. Olvidemos este proceloso recuerdo de enemistades, y hermanemos...

Pero ya nadie le escuchaba. Nadie quería hermanarse. Todo el mundo se había puesto en movimiento a la vez tratando de alcanzar los fragmentos del mapa. Ellas cuatro, piratas y maddins, empujándose y apartándose a golpes y a gritos. Etesian y Mrs. Peabody eran los únicos que no movieron un músculo. El capitán, sumido en la tristeza y la decepción, y la profesora quieta como una estatua llena de terror.

—¡Tengo uno! —gritó Aurige por encima del alboroto, enseñando el trozo de tela en el aire y poniéndolo a salvo de las zarpas de Lady Notos, que trataba de arrancárselo.

Lord Ho arrancó otro pedazo de las manos de Nimphia y lo guardó bajo su manga con una sonrisa astuta. Vardarac se abrió paso a puñetazos y aplastó la mesa poniendo su mano sobre el último pergamino, dejando bien claro que su gran brazo era como un bloque de granito inamovible.

Y en ese momento, en medio de los «¡Avast!», de los tortazos y de la algarabía de insultos, sonó un ruido de cristales rotos y dos bolas blancas atravesaron la ventana y rodaron por el suelo hasta quedarse quietas debajo de la mesa. Todos volvieron la vista hacia el ventanal hecho añicos, desde donde entraba el aire frío de la noche. Lord Drake se agachó despacio y se retiró al instante tropezando contra una silla.

—¡Bombas! —gritó en el momento en que se producía un siseo agudo.

El gran salón comenzó a llenarse de humo denso, una neblina blanca que se tragó el suelo en segundos y todos corrieron hacia la salida justo cuando se producían dos explosiones apagadas. Mrs. Peabody chilló de terror y Lady Notos le lanzó una mirada de desagrado sin límites.

El maddin abrió la puerta y se quedó un momento petrificado mirando al exterior. En los jardines, multitud de albanthïos aguardaban impasibles, quietos como estatuas, y el cielo nocturno estaba lleno de barcos blancos, flotando como grandes aves de presa.

—¡Emboscada! —gritó cerrando de golpe al ver que una oleada de guardianes blancos se dirigía hacia ellos. Luego buscó por todos lados con ojos desquiciados y por fin se puso a arrastrar una pesada mesa de mármol hasta bloquear la puerta.

—¡Alguien nos ha traicionado! —exclamó Lord Ho, con los ojos convertidos en rendijas, mirando a todos los concurrentes.

—Déjate de historias ahora, Ho. Hay que salir de aquí —le espetó el otro apartándolo a un lado para valorar la situación.

La mansión se estaba convirtiendo en un caos. La neblina se había transformado en un chisporroteo crepitante y poco después, lenguas de fuego blanco comenzaban a devorar las cortinas y las maderas del suelo. Drake intentó sofocar las primeras llamas con su propia casaca, pero el fuego mágico se apoderó de la prenda al instante hasta reducirla a cenizas.

—¡Estamos atrapados! —gritó Lady Notos armándose con varios cuchillos que había sacado de quién sabe dónde—. ¡No me rendiré sin luchar! Cortaré gargantas antes de que pongan una sola mano sobre mí…

—Ego os salvará —dijo Tramontana de inmediato, poniéndose a su lado como un príncipe temerario y ella le lanzó una mirada de muy pocos amigos.

—¡Van a echar la puerta abajo en segundos —exclamó Lord Drake—, pero aún podemos escapar!

—¡Por dónde! —tronó Lord Vardarac, que había cogido a Mrs. Peabody del brazo y la obligaba a seguirle casi a rastras. La profesora chillaba presa de la histeria, y Laila, con gusto, le hubiese dado un par de buenas bofetadas para tranquilizarla.

El salón era ya un muro de fuego y las llamas corrían hacia las alturas. La pintura burbujeaba en las paredes y los cristales de las ventanas empezaban a estallar. El maddin de Londres avanzó valientemente hacia aquel horror, tapándose la boca con la mano, y entre jadeos y toses llegó hasta su chimenea apagada y movió un jarrón de sitio.

La piedra tembló con un ruido siniestro y toda la estructura comenzó a desplazarse dejando a la vista un hueco excavado del que salía una corriente fría que dispersó la humareda en volutas.

—¡Por aquí! —exclamó—. Esto lleva a los muelles de Londres a través de una galería de túneles. Si tenemos suerte, pasará tiempo antes de que esos bastardos se den cuenta de lo ocurrido.

Acto seguido dio un salto y desapareció por el agujero negro. Lord Ho y Cyinder se precipitaron a la vez y ambos chocaron cayendo al suelo.

—Hada estúpida —siseó el maddin de Catay con ojos de odio.

Luego se sacudió su kimono negro con aires de suficiencia y saltó al pasadizo con los labios apretados. Cyinder le siguió sin decir una palabra.

—Yo no quepo ahí —dijo Vardarac con los ojos inyectados en sangre, inspeccionando el estrecho pasaje con la duda pintada en la cara.

—¡Entra de una vez, imbécil! —gritó Notos dándole un fuerte empujón.

Si Vardarac iba a revolverse con algún insulto, no le dio tiempo, y cayó de bruces encajándose en el pozo como un enorme oso atascado.

—¡No puedo! —farfulló rojo de vergüenza, con las barbas tirantes.

—¡Haberte quitado los abrigos, animal! —le empujó ella de los hombros.

—Con ese lenguaje tan fino y esos modales tan educados —jadeó él, colapsado por el esfuerzo de esconder la barriga—, estoy seguro de que encontraréis marido dentro de dos o trescientos siglos…

Notos apretó los puños y cargó contra Vardarac de manera feroz. El golpe fue brutal y el cuerpo del Señor del Norte cedió, cayendo hacia abajo de bruces.

—¡Vamos, no perdáis el tiempo! —gritó ella con un cuchillo en la mano.

El fuego arreciaba y en las afueras se escuchaban gritos y órdenes imperiosas. En cualquier momento las puertas de la mansión saltarían en miles de astillas y los albanthïos invadirían el edificio como una marabunta de hormigas blancas.

Nimphia y Etesian ayudaron a Mrs. Peabody mientras los de abajo alzaban sus manos con impaciencia para agarrarla de los pies. Luego ambos desaparecieron en la negrura.

—Vamos —dijo Laila sin dejar de escudriñar entre el fuego y la niebla blanca.

Aurige se sentó al filo pero de repente pareció sobresaltarse por algo y se puso en pie como un resorte.

—¡Vete tú! —le espetó tosiendo y jadeando.

Y sin esperar más salió pitando escaleras arriba. Laila se quedó temblando, sin saber qué hacer. Las maderas estallaban y todo a su alrededor se había convertido en un infierno. En medio del calor sofocante la escalera se derrumbó en una nube de escombros y cenizas, y en ese momento, los portones de la mansión volaron en pedazos lanzando la mesa de mármol hacia atrás como una gran explosión.

Venían ya. Entraban a borbotones sin importarles quemarse vivos. La muchacha cayó al suelo casi asfixiada y sus manos temblaron al tocar la madera. Iba a perder el sentido pero no podía permitirlo. No, cuando la salvación estaba tan cerca. Extendió los dedos sin darse cuenta de lo que hacía y un aura verdosa le recorrió la espalda de arriba abajo, embotándole la mente.

Cuando ya las sombras blancas se le echaban encima, el suelo de madera crujió y de repente estalló hacia arriba, volando astillas por todos lados. Sus ojos no lo vieron, pero cientos de brotes y plantas comenzaron a manar y a crecer como una oleada salvaje, surgiendo de la nada con una velocidad monstruosa, invadiendo el salón en segundos, arrasando con todo lo que encontraban a su paso. Troncos, raíces que reptaban hacia los albanthïos desde sus manos, enredaderas y árboles enteros que al momento se envolvían en fuego para volver a renacer. Una jungla de pesadilla con el hambre de la venganza guardada durante siglos.

Los guardianes blancos retrocedieron ante aquella marea verde que se les venía encima y corrieron atropelladamente hacia la salida. Aquellos que caían al suelo entre sus compañeros eran aplastados de inmediato, sepultados bajo las raíces, y la riada siguió manando hacia fuera, hacia el exterior, como si los persiguiera con furia asesina.

De repente la chica sintió un estremecimiento. Alguien que la llamaba desde lejos, desde un lugar casi perdido de su consciencia. Se encontró brutalmente zarandeada y parpadeó sin saber dónde estaba ni lo que ocurría a su alrededor.

—¡Laila! —escuchó la voz de Aurige, frenética, llamándola una y otra vez, agitándole los hombros—. ¡Laila! ¡Para, por los dioses!

Ella la miró un momento sin reconocerla y entonces un destello de realidad brilló en sus pupilas y se puso en pie de un salto, asustada, temblando sin saber qué sucedía.

En el momento en que sus manos dejaron de tocar el suelo, la selva ardiente pareció marchitarse a la misma velocidad a la que había crecido, y los grandes brotes se convirtieron en cenizas ante sus ojos, esparciendo una neblina grisácea que apestaba a azufre.

—Tía, te pasas mucho —le dijo la otra arrastrando un cuerpo desvanecido hacia el agujero de la chimenea.

—No… no sé qué ha ocurrido —balbuceó ella con los ojos muy abiertos, mirando el desastre a su alrededor.

Aurige permaneció en silencio empujando la figura de Jack Crow hasta que sintió que desde abajo lo asían con seguridad. Poco después se ponían a salvo mientras la techumbre se desplomaba y toda la casa caía envuelta en ruinas.

—¡Pero qué demonios estabais haciendo! —les llegó la voz furiosa de Notos, llegando desde las sombras del corredor.

—¡Salvar a tu Jack! —le contestó Aurige señalando la figura del hombre de negro en el suelo.

La Señora del Sur se quedó sin habla. No se había acordado de él en ningún momento, pero en seguida se recompuso y le acarició la cara llena de feas quemaduras, llamándole una y otra vez intentando despertarlo.

—Partamos prestos —susurró Tramontana, a quien no agradaban semejantes mimos.

Laila observó, todavía mareada, la galería que se abría ante ellos. Todo un corredor excavado en la roca de la isla, apuntalado con vigas, hacia el interior de la tierra. Olía a moho seco y a cosas viejas, y pequeñas velitas danzaban nerviosas en las paredes.

—Los túneles se bifurcan en cientos de caminos que recorren el suelo de todo Londres —explicó Lord Drake—. Si seguís esta galería sin desviaros, llegareis al puerto, y de allí a las dársenas de piedra.

—Huiremos a Benthu —propuso Vardarac de inmediato.

—Ni hablar —gruñó Notos—. No soporto el frío, y menos el olor. Nos ocultaremos en los manglares de las islas Tihorïas. No darán con nosotros ni en un millón de años.

—Sí —confirmó el Pimpollo, soñador—, deleitémonos con albas playas de radiante belleza, donde la calma solazará nuestros corazones…

—¡Iremos a Benthu y no hay discusión! —gruñó el otro—. Si las mujeres no son capaces de aguantar un poco de fresco, imaginad una panda de bastardos blancos que nunca han salido de la paz de Tirennon. Serán témpanos antes de avistar las puertas de hielo.

Lady Notos entrecerró los ojos y agitó su larga melena.

—¿Van a sufrir? —sonrió.

—¡Asaz! —se animó Tramontana, rendido a sus pies—. Quiero decir… ¡Mucho!

A ella le brillaron los ojos a la luz de las velas y por primera vez todos se dieron cuenta de su extraña belleza. Vardarac sonrió contento e inició la marcha con nuevos ánimos.

—Nosotros no iremos —susurró entonces Etesian, sin moverse del lado de los maddins.

Los demás se volvieron hacia ellos con caras amargas.

—Rescataremos a Shaka de las garras de esa bruja llamada Eriel —dijo Drake, y Nimphia se sintió palidecer—. Organizaremos la resistencia nemhirie desde Silveria, y plantaremos cara la tiranía del Reino Blanco.

—No le haréis daño a mi hermana, ¿verdad? —preguntó la chica con un hilo de voz.

—No puedo asegurar nada, princesa Nimphia —negó él haciendo una reverencia respetuosa—, pero intentaremos llevar a cabo la revolución de la forma más pacífica posible. Evacuaremos Londres, pues está claro que será el primer objetivo de la flota blanca, pero si todo sale bien, nadie, ni hadas ni humanos saldremos heridos.

—Catay es un laberinto inquebrantable —añadió Lord Ho con su sonrisa torcida—. Dicen que los albanthïos no sueñan. Si intentan entrar en mi isla, descubrirán por fin lo que son las pesadillas.

Nimphia tenía la cara demasiado seria. Incluso unas lágrimas asomaban en sus ojos, y Cyinder le pasó un brazo por los hombros. Hubiese querido buscar una manera de solucionar las cosas, pero parecía que todo estaba decidido sin más que hablar, y no le quedaba más remedio que esperar acontecimientos. Notos y Tramontana parecían impacientes por salir y Laila se dio cuenta de que Mrs. Peabody se agarraba al brazo de Lord Vardarac como si fuese el último salvavidas del mundo. Entonces se alegró al saber que sentía compasión por ella en lugar de desprecio.

—Mary Rose —le decía el Señor del Norte en ese momento, acariciándole la cara con una delicadeza desconocida—, quiero que vayas a Catay y te pongas a salvo.

Ella negó lloriqueando con sus ojillos miopes tras las gafas de culo de vaso.

—Señorita Winter, no me deje sola —balbuceó temblando una súplica que jamás hubiese imaginado que saliese de sus labios.

—Volveré a por ti —siguió Vardarac con calma—. Hay un nemhirie malherido y tienes que cuidar de él. El frío de Benthu lo mataría, no podemos llevarle con nosotros en ese estado.

La profesora siguió negando pero miró a la figura de Jack Crow tirado en el suelo y cerrando los ojos asintió por fin. Laila apenas se lo creía. Aquella no podía ser la mujer más odiada de la faz de la Tierra, su peor enemiga. Pero allí estaba, perdida en un mundo cruel sin nadie que la amparase, tratando de ser fuerte y demostrar que podía ser útil quizás por primera vez en su vida.

Apartó mentalmente aquellas ideas, porque de nuevo se le llenaba la cabeza con imágenes de su casa, de su padre y de Daniel Kerry, y no quería que la nostalgia la invadiese. Su mundo estaba cambiando definitivamente, y además se acercaba algo importante, algo que le ponía los pelos de punta.

—Cuando lleguéis al embarcadero, buscad un velero de dos palos —les dijo Etesian—. Es mío. Se llama Everest y es muy rápido y manejable. Estaréis lejos de Silveria antes de que se den cuenta de lo que ocurre.

El Pimpollo asintió. Vardarac empujó suavemente a la profesora hacia los maddins y luego se dio la vuelta sin mirar atrás.

—No comprendo qué ve en ese horror nemhirie —le susurró Lady Notos a Tramontana refiriéndose a Mrs. Peabody, cuando por fin se pusieron en marcha.

El Barón se atragantó. Que la bella del Sur se hubiese dirigido a él con esa intimidad le había dejado sin resuello.

Caminaron por las galerías oscuras lo que pareció una eternidad, sorteando tuberías de cloacas y entramados de red eléctrica que en momentos más alegres, Nimphia se hubiese detenido estudiando y recopilando datos absorta. Ahora avanzaba deprisa y en silencio, y Laila estuvo segura de que por su cabeza sólo bullía la idea de saber que su madre y su hermana estuviesen a salvo, que todo había sido una pesadilla, y que podía volver atrás en el tiempo y arreglarlo todo. Que el verano nunca hubiese dado paso al otoño, y que aquellos días cálidos y brillantes seguían allí, lejos de la tristeza y la amargura.

Por fin llegaron al final del camino. Una escalera de piedra excavada en la roca conducía a una puertecita siniestra cerrada a cal y canto. Vardarac embistió contra ella hasta que las bisagras saltaron y las maderas se vinieron abajo.

—Siempre violencia extrema —susurró Notos negando con la cabeza.

El Señor del Norte la ignoró y todos pasaron al interior de una casucha destartalada. Era una especie de almacén abandonado lleno de cajas envueltas en telones, que tenía como misión pasar desapercibido. Olía a moho rancio y las ventanas estaban tapiadas con tablones de madera. Tramontana recorrió el recinto y después abrió la puerta del exterior con gran cuidado. Una señal de su mano les indicó que podían salir sin peligro.

La casa daba directamente al pequeño embarcadero de Londres. Una perfecta vía de escape en caso de fuga, y Laila volvió a sentir orgullo por sus hermanos nemhiries. Lo tenían todo calculado, y engañaban a las hadas como querían. Se reían de ellas en sus narices.

Solo que ahora la situación era más peligrosa. Los albanthïos no eran hadas comunes. Eran soldados entrenados para cumplir órdenes a rajatabla, sin detenerse ante el más mínimo obstáculo, sin piedad. Además, en el cielo, recortados contra las estrellas, los grandes navíos blancos sobrevolaban Londres como zepelines de la guerra.

Riadas de nemhiries volvían a la isla a través del puente de Dover. La llegada de la flota de Tirennon a Silveria había hecho desistir a muchos, pero todavía quedaban redes de barcazas bloqueando el palacio, desafiantes, sin dejarse asustar. Ella se sentía orgullosa, pero estaba segura de que pronto comenzarían las detenciones y los castigos en masa y aquello provocaría disturbios violentos. Si las propias hadas de Airïe no entendían a los humanos, el choque con el Reino Blanco sería brutal.

A su alrededor, los muelles estaban atestados de pequeños barcos pegados unos a otros, flotando y cabeceando en medio de aquella calma chicha infernal que hacía que Airïe se hubiese vuelto patas arriba. Flotas enteras amarradas y abandonadas a su suerte, sin comercio, sin expectativas.

Recorrieron los pantalanes como fantasmas silenciosos entre el crujir de maderas y el vaivén de los paquebotes. El aire parecía cargado de electricidad estática a punto de saltar en pedazos, y la sensación de peligro era inminente.

Un poco más apartado de los demás, había un buque estilizado y ligero como una pluma, con las velas cremosas pulcramente recogidas, escondido en las sombras del resto de mástiles.

—¡Ese es! —exclamó Nimphia leyendo el nombre Everest desde lejos, con su vista prodigiosa.

Su sonrisa se truncó de golpe. Dos figuras blancas venían a lo lejos, patrullando las dársenas, con pasos iguales y calculados como autómatas. Ya no había tiempo de esconderse. Los albanthïos dieron unos pasos y de repente se quedaron rígidos.

—¡Alto en nombre de su majestad, la reina Maeve! —exclamó uno de ellos extendiendo la mano.

—¡Cargad! —exclamó Vardarac embistiéndolos como una tromba, sacando dos pequeñas hachas que lanzó a bocajarro.

Las hachas se desviaron de su trayectoria justo en el último segundo y volaron en círculos hasta el suelo. Aún así, la sorpresa del ataque dejó a los albanthïos aturdidos apenas un instante, justo lo suficiente para que Tramontana desenfundara sus floretes legendarios y arremetiese contra las figuras blancas gritando «¡Avast!» y «¡Bellacos!» sin descanso.

Ellas y Lady Notos corrieron con toda su alma hacia el velero, pero ya uno de los albanthïos comenzaba a tomar el control de la situación y hacía surgir una luz brillante en sus manos que voló hacia las alturas. Lord Vardarac le asestó dos puñetazos en el estómago dejándole sin resuello y luego corrió hacia la pasarela.

—¡Soltad amarras! —gritó al borde del colapso—. ¡A las esferas de vientos!

Nimphia no se hizo de rogar y voló rauda hacia el poste de cristales azules. A lo lejos llegaba todo un escuadrón de guardianes blancos, y el Pimpollo, con un pie en la pasarela, hacía fintas y daba sablazos desesperados para cortar el avance del otro albanthïo, que parecía haberse vuelto inmune a sus estocadas, y avanzaba implacable, igual que una máquina ciega. Con cada golpe, Tramontana recibía heridas como si se apuñalase a sí mismo.

—¡Permitid que extraiga sus entrañas! —gritó sudoroso, con la sangre manchando los bordados de su camisa.

—¡No hay tiempo, Barón! —gritó Vardarac—. ¡Van a abordarnos!

El barco se puso en movimiento de golpe en cuanto los cristales se encendieron bajo el aliento desesperado de Nimphia. Las otras corrieron a ayudarla, y toda la nave tembló con un crujido cuando Vardarac giró el timón obligándola a zarpar.

—¡Cobardes! —chilló Tramontana asestando una patada bestial entre las piernas del guardián, haciendo que el otro se doblara en redondo. Luego trastabilló aguantando el equilibrio casi sin fuerzas, subiendo los últimos tramos hacia el barco, y la pasarela cayó hacia la noche—. No hay albo alguno que posea el honor y la gallardía de luchar sin magia…

Se arrodilló exhausto sobre la cubierta, con la sangre manando a borbotones, y Notos corrió hacia él arrancándose trozos de su camisa para detener las hemorragias.

—¡Estás loco! —le gritó ella, pero con una luz de admiración que hizo que el Pimpollo sonriera antes de desmayarse.

El Everest partió limpiamente, atravesando el fondeadero de Londres como una navaja afilada y pronto, toda la isla quedó atrás.

—No os confiéis —dijo Vardarac viendo que Laila y las otras comenzaban a relajarse—. Van a perseguirnos y será una carrera infernal. Cuanta más distancia pongamos de por medio, mejor.

Como si le hubiesen leído el pensamiento, las grandes naves que sobrevolaban Londres comenzaron a cambiar el rumbo, como gigantescos pájaros blancos en pos de una flecha diminuta. En el horizonte comenzaba a clarear y las últimas estrellas se volvían pálidas bajo la luz del sol naciente.

Notos le limpiaba la cara a Tramontana sosteniéndole la cabeza contra su regazo, y el Barón volvió en sí tratando de abrazarse a ella. La bella del Sur se apartó de inmediato y la cabeza del Pimpollo rebotó contra el suelo.

—¡Pardiez! —gimió frotándose la nuca.

—¡Déjate de florituras y sopla! —gritó Vardarac sin perder de vista ni un segundo a sus perseguidores.

—¡Condúcelos a los Aulios, compadre! —exclamó el Barón echando un vistazo a las naves blancas a la vez que subía al castillo de proa—. Que la Vieja Boreus obceque mis pupilas si son capaces de henderlos sin sufrir atroz muerte.

—Tienes razón, Pimpollo —asintió el otro, sonriente, dando un giro brusco al timón—. ¡No podrán pasar por los Matanusks!

—¡Nos ganan terreno! —avisó Notos desde la baranda—. Estas crías no tienen pulso suficiente para dejarlos atrás...

—¡Estas crías están hasta las narices! —exclamó Aurige cruzándose de brazos, dejando muy claro que aquella situación se iba a terminar en breve.

Lady Notos la miró con cara de pocos amigos.

—Ponte a soplar ahora mismo, lunarïe, o…

—¿O qué? —dijo ella sacando de un bolsillo la peluca de bucles azules aplastados—. Me gusta el color —agregó escudriñando la cabellera—, aunque… mmm… quizás muy mayor para mí…

La Señora del Sur palideció cuando Aurige hizo ademán de ponérsela en la cabeza y corrió rauda hacia ella. La otra la guardó de inmediato y le sacó la lengua con descaro. Apretando los puños, Notos se dirigió al poste de los cristales no sin antes comprobar que el Barón de Tramontana no había visto la escena. Expulsó una bocanada sobre la esfera de viento y el barco ganó velocidad de inmediato.

—La pena es que no podamos ir en busca del tesoro —jadeó Laila sintiendo que las fuerzas empezaban a cobrarse un precio muy alto—. Lord Ho se quedó con el último pedazo del mapa.

—Bueno, a lo mejor ese nemhirie escurridizo se lleva una sorpresa —rió Cyinder deteniéndose un segundo y sacando de su bolsillo un trozo de tela arrugado.

—¡Qué! —gritó Aurige, igual de atónita que sus amigas—. ¿Lo tenías todo el tiempo y te lo has callado? Te mato, solarïe.

—Tropecé con él queriendo —se rió moviendo la cabeza—. Me llamó hada estúpida, y las solarïes no somos estúpidas. Nunca más lo seremos.

Sus ojos brillaban de satisfacción y Laila le dio un abrazo.

—No tenemos tiempo para mapas —les contrarió Notos—. No podemos dejar el barco a la deriva mientras lo inspeccionamos, a no ser que…

Pareció pensativa, con la mirada perdida un segundo.

—¡Di lo que sea de una vez, mujer! —tronó Vardarac, viendo cómo la flota blanca se les venía encima en cuanto la velocidad disminuyó.

Ella no contestó. Parecía calcular una jugada muy arriesgada en su cabeza.

—Puedo invocar al Viento del Sur —susurró por fin—. Es caprichoso y más ahora que el Arpa de los Vientos no está, pero a mí me obedecerá.

—¡Lo dudo! —exclamó Vardarac, contrariándola—. No hay poder suficiente para hacer que los vientos se arrodillen.

—¡Me obedecerá! —repitió ella—. Aunque el precio será muy alto.

—¿Qué precio? —quiso saber el Pimpollo de inmediato.

Notos apretó los labios. Entonces hizo algo sorprendente. Subió junto a Tramontana y le cogió de la mano. El otro sintió que estaba a punto de desmayarse.

—Prométeme que irás a buscarme, Leste —le dijo mirándole a los ojos.

El Pimpollo notó la cara ardiendo. ¡Ella le había llamado por su nombre! Y el roce de su piel perfumada le hacía latir el corazón a tal velocidad que se le enturbiaba la vista.

—Por vos, doquiera que me lleven los hados —tartamudeó temblando.

Ella le soltó la mano de inmediato y bajó a la cubierta.

—¡Desplegad las velas, grumetes de solana! —gritó con la vista clavada en las naves blancas—. ¡Esos bastardos no conocen el poder de los huracanes del Sur!

El Pimpollo estaba impresionado. Corrió hacia las jarcias y él mismo trepó hasta la botavara. Nimphia voló de inmediato en su ayuda. En la cubierta, Lady Notos besó uno de los anillos que llevaba y levantó los brazos al cielo susurrando extrañas palabras siseantes.

—¡Por el Gran Barbacoa —rugió Vardarac—, soplad, shilayas, o caerán sobre nosotros…!

Ya no le dio tiempo a más. Una ola ensordecedora pareció abalanzarse sobre el Everest y la nave dio un bandazo aterrador. Laila, Cyinder y Aurige fueron despedidas contra el suelo, y ráfagas de ventisca silbaron alrededor de la Señora de los

Vientos, formando imágenes confusas que cambiaban de inmediato, como un rostro en movimiento que no pudiese definirse. Las corrientes formaron labios y ojos furibundos mientras el barco quedaba prisionero dentro de un tifón. El torbellino desprendió las maromas y las velas se hincharon a punto de reventar. La nave salió despedida sin control, pero Lady Notos seguía musitando sus sonidos, como una canción extraña que salía de su interior. Entonces se arrodilló y agachó la cabeza en señal de respeto.

La cara de la ventisca permaneció en suspenso frente a ella un instante y luego, en un momento de confusión, la rodeó en un vendaval que la azotó salvajemente, llenándolo todo de neblina gris. El viento aulló algo, como un grito victorioso, y de repente se hizo la calma absoluta. Cuando Laila pudo abrir los ojos, la Señora del Sur había desaparecido.

Parpadeó atónita y la buscó por todos lados pero no había ni rastro. Tramontana pareció volverse loco y por un momento quiso saltar por la borda pensando quizás que el Viento del Sur la había despedido fuera del barco.

—¡Pimpollo, ven aquí! —tronó la voz del Señor del Norte, que a pesar de su tono violento, parecía extrañamente calmada. Tramontana le miró sin verlo—. Sabes perfectamente a dónde se la ha llevado. Tienes que resignarte, hermano.

—¿Qué es lo que pasa? —chismorreó Cyinder mientras las velas caían muertas un instante, un segundo de calma horrible.

—Decían las leyendas que el Viento del Sur estaba enamorado de Lady Notos —susurró Nimphia, intentando que el Barón no la oyese—. Ella siempre esquivó cualquier intento de matrimonio, e incluso se dice que se cortó sus alas para que el Viento dejase de amarla.

—¡Qué historia tan romántica! —exclamó la solarïe con los ojos encendidos.

—Pues ya ves el resultado de tanto amor —gruño Aurige torciendo la boca—: el Pimpollo a punto de saltar al vacío y nosotras tiradas en medio de la nada con la flota blanca pisándonos los talones…

Ya no pudo decir nada más. Un silbido ronco cortó el aire y de repente todo estalló a su alrededor. Una gigantesca ola de viento surgió de la nada barriendo la cubierta, y se lanzó en tromba hacia las naves blancas. El rugido fue ensordecedor y por un instante, todos creyeron volverse locos. Vardarac se abrazó al timón como si fuese un salvavidas, riendo a punto de perder la cordura, y ellas rodaron por el suelo de madera tratando de asirse a cualquier cosa que impidiese que saliesen despedidas por la borda. Laila creyó morir de terror cuando el barco cabeceó hasta ponerse vertical, en un instante angustioso en el que las manos ya se le soltaban de una bita a la que estaba agarrada milagrosamente.

Por un instante la nave quedó en suspenso y entonces todo cesó. El velero recuperó el equilibrio lentamente, movido por una corriente suave y cálida, como si lo meciese una madre cariñosa, y el sonido de millones de abejas furiosas en una masa de nubes enloquecidas, se abalanzó directamente sobre la flota de Tirennon. Apenas dio tiempo a ver lo que ocurría. El Everest avanzaba suavemente sin nadie que lo guiase, mientras ya en la distancia, el Viento del Sur se ensañaba contra los barcos de los albanthïos, despedazándolos salvajemente hasta convertirlos en migajas.

No sintió pena por ellos, y aquella sensación inhumana volvió a darle miedo. En la cubierta, Tramontana se secaba las lágrimas con un pañuelo bordado, y Lord Vardarac se acercó a él.

—Vamos, hermano —le dijo dándole unas palmaditas con su mano de oso.

—Iré en pos de ella —gimió el otro apretando su puño con

firmeza—. Domeñaré a las silbantes huestes del Mediodía y la rescataré de tan fatídicas nupcias.

—Estás como una cabra, Pimpollo —musitó Vardarac un segundo, luego sus ojos relampaguearon y sonrió enseñando los dientes—. Pero te ayudaré.

El Barón lo miró sin dar crédito y de repente se abrazó a él tan fuertemente que Vardarac perdió el resuello y se puso colorado. Las exclamaciones de «Voto a bríos» y «Avast» se sucedieron sin parar.

—¡Bueno, ya basta de tanto rollo! —exclamó Aurige cortando la escena de exaltación de la amistad—. Lo primero es lo primero. La amenaza de Tirennon ha desaparecido y podemos buscar el tesoro sin peligro.

—¡Tenemos el mapa! —exclamó Cyinder sacando su pergamino de un bolsillo—. ¡Sólo tenemos que reunir los pedazos y es nuestro!

Aurige buscó en sus pantalones pero lo que sacó fue su varita mágica y en un segundo se recompuso los pelos greñosos. Después hizo aparecer su coronita de diamantes y su amiga solarïe cerró los ojos con desesperación.

—Veamos ese mapa —gruñó Vardarac vigilando el timón, que se movía como si lo dirigiese una mano invisible.

Luego levantó los hombros con desdén y, después de comprobar que el Pimpollo estaba ya más animado, se reunió con ellas en la cubierta. El sol brillaba con fuerza y no parecía haber peligro inmediato. Se sentó junto al trinquete y sacó su papiro. Laila sentía el corazón a punto de estallar. Con gusto le hubiese quitado la tela de las manos, pero Lord Vardarac pidió todos los fragmentos y los extendió en el suelo uno al lado del otro.

Al principio solo parecían cuatro retales borrosos, sucios y deshilachados, y apenas unos trazos de tinta seca se ocultaban por entre las hebras destrozadas. Y entonces los bordes comenzaron a tejerse entre ellos ante la mirada atónita de todos.

Nimphia se llevó una mano a la boca mientras los hilos se cruzaban. La tela perdió la suciedad y los trazos de tinta se escribieron solos como en el libro de Hirïa. Aparecieron unas cifras y un dibujo extraño, como un pájaro borroso. Lord Vardarac entrecerró los ojos para ver mejor.

—Es una cifra —dijo inclinándose sobre el papiro—. No sé... «A-108-λ»... Es la coordenada que escribió su alteza y nos llevó a una trampa. Ahí no hay nada, es un lugar inquietante, más solitario que el desierto helado de Sunwanda. Ni los vientos se acercan y siempre reina la calma chicha. No quiero tener que volver allí.

Todas miraron el pergamino con inquietud.

—A lo mejor se os pasó algo —inquirió Laila sin dar su brazo a torcer.

—¿Sugieres, shilaya, que no sé navegar? —se enfureció Vardarac apartando el mapa de su lado. Luego se puso en pie—. Podemos echar un vistazo antes de poner rumbo a Benthu, pero te aseguro que no encontraremos nada.

Se marchó hacia el timón con la cabeza muy alta. La corriente que empujaba el velero había cesado, y el barco navegaba a la deriva. Tramontana estaba soplando en la esfera del viento y los ánimos habían decaído hacía rato.

Laila cogió el mapa y se lo acercó a la cara. A-108-λ. No le decía nada. Al lado había una figurita dibujada con trazos imprecisos. Una especie de león con alas. Aquello le recordaba algo.

—Hay algo escrito por detrás —la sacó Cyinder de sus pensamientos.

Le dio la vuelta al papiro y sintió un cosquilleo con los vellos de punta. Palabras escritas en un lenguaje antiguo, casi incomprensible. El mismo idioma que el diario de la joven ithirïe. El del viaje hacia las mesetas de Tir-Nan-Og que Zërh les había enseñado. Leyó una y otra vez las frases, esforzándose por traducirlas. Sus amigas la observaban sin pestañear.

Cuatro son las estrellas, amor, Viento, Tierra, Luna y Sol.
A una le di la llave, y nos librará del dolor.
Cuando brille el sol de Firïe, se abrirá el abismo del viento.
Yo aguardaré en las sombras hasta el fin de los tiempos.

Laila tragó saliva. Releyó las frases una a una intentando encontrarles algún sentido y miró a cada una de sus amigas adivinando el mismo interrogante en sus caras. ¿Qué diablos era todo eso? ¿Un acertijo? Más bien, parecía un poema de despedida.

—La rima es horrible —se quejó Aurige—. Yo podría haberlo hecho mejor.

—Déjame ver de nuevo el mapa —dijo Nimphia cogiéndolo de las manos de Laila.

Le dio la vuelta e inspeccionó minuciosamente las coordenadas hasta que de pronto, los ojos se le abrieron como platos.

—¿Sabéis qué es esto? —exclamó dando un pequeño gritito mientras su dedo se posaba en el dibujo del león con alas.

Laila lo tenía en la punta de la lengua, pero ella se le adelantó.

—¡Una esfinge! —gritó con los ojos encendidos.

—Vale, ¿y qué? —protestó Aurige—. No hay esfinges en todo Ïalanthilïan…

—¡No es una esfinge cualquiera! —la interrumpió Nimphia—. Es un símbolo. El símbolo de una reina de Airïe.

—¿De cuál? —preguntó Cyinder, llena de interés.

Laila se mordió una uña con nerviosismo. Por fin se había acordado. Era el mismo dibujo que había visto en el suelo de la biblioteca del palacio de Silveria. Aquella imagen de teselas borrosas que le había maravillado.

—Una de mis tatarabuelas —seguía explicando Nimphia con emoción—. Su historia está perdida en el tiempo y ni siquiera sabemos su nombre. Es alucinante, todavía no me lo creo.

—Pues ya sólo tenemos que llegar a esas coordenadas y buscar algo que se parezca a una esfinge —sonrió Cyinder—. Lo que sea, un rastro de nubes, una brizna de tierra…

—Eso no es así —cortó Aurige con voz seria arrancándole el pergamino a Nimphia—. Soy experta en tesoros y la esfinge no es una pista ni un rastro. Es otra coordenada.

—¿Qué quieres decir? —preguntó Cyinder de inmediato.

—¡Naves blancas a popa! —les sobresaltó de repente el grito de Lord Vardarac y todas se pusieron en pie de un salto.

Nimphia oteó en la distancia. Formas oscuras y borrosas se acercaban rápido y ya no había Viento del Sur que pudiese detenerlos. El Pimpollo seguía respirando en la esfera del viento, y parecía a punto de desfallecer.

—¡Soplad, malditas shilayas! —gritó Lord Vardarac—. Esos bastardos quieren nuestros cuellos, pero venderé cara mi piel. ¡Maldito Ohagär! Seguro que no tiene ni un cañón decente en este cascarón.

—Nos hallamos muy remotos de los Aulios —jadeó Tramontana al borde del colapso—. Los viles albos se alzarán victoriosos sobre nuestro pundonor…

«Es otra coordenada» —seguía pensando Laila, con los ojos fijos en los cristales parpadeantes frente a ella, brillando como diamantes azules.

Su mano se deslizó sin querer hacia el bolsillo de su pantalón y sus dedos tocaron unas bolitas pequeñas. Las sacó y las contempló sorprendida. Eran las dos lágrimas que Miranda le había regalado en Sïdhe, parecía que un millón de años atrás.

«Una es para ir, y otra para volver» —le había dicho—. «No las pierdas, pues ya no voy a llorar nunca más».

Se volvió hacia Lord Vardarac con el rostro encendido.

—¡Vamos a A-108-λ! —gritó sintiendo que el corazón se le salía de la boca.

—¡Ni por todo el ron de Benthu, muchacha! —negó él desde

el timón—. Tenemos que llegar a los Aulios cueste lo que cueste o será el fin.

—No nos atraparán —rió Laila—. Iremos a por el tesoro de los ithirïes.

—¡Allí no hay nada, maldita shilaya! ¡Deja de decir sandeces o te cortaré la lengua!

—¡Sí que está allí! —gritó ella mientras los barcos blancos se acercaban a velocidad endemoniada—. ¡Está allí, lo que ocurre es que no está ahora!

20. El sol de Firïe

—*Explica* eso, shilaya —exigió Vardarac tras un momento en el que ambos Señores de los Vientos la habían mirado como si fuese una loca.

—Es la esfinge —contestó ella con los ojos muy abiertos—. El tesoro se escondió en los tiempos de la reina de Airïe que usaba este símbolo. Es una coordenada de tiempo.

Nimphia la miró llena de admiración.

—De acuerdo, maldita sea —aceptó Vardarac—. Pero si no sigue allí en este momento, es porque alguien lo encontró, no hay otra explicación.

Laila se quedó dudosa un segundo.

—Pero si consiguiésemos volver al instante en que lo estaban escondiendo, sería nuestro antes de que otros lo encontrasen —ayudó Aurige, explicando con paciencia una cosa tan lógica.

—Eso nos conduce a otro problema —aseveró él rascándose las barbas violetas—. No hay viento ni diablo que nos lleve de vuelta al pasado.

—Viento no, pero tengo esto —dijo Laila mostrando los diamantes en la palma de la mano—. Miranda me los dio. Uno es para ir, y el otro para volver. Y estoy segura de que ella sabía lo que iba a ocurrir.

—¡Es cierto! —exclamó Cyinder—. Ella conoce el pasado y el futuro muy bien.

—¿Y cómo funciona? —gruñó Vardarac sin dejar de vigilar la llegada de la nueva oleada de barcos blancos—. Si no os dais prisa, en lugar de tesoro vamos a tener nuestros cuellos balanceándose de una soga.

—Ni idea, pero ya no queda tiempo —gritó Aurige soltando una bocanada en los cristales azules—. ¡Poned rumbo a la maldita coordenada, por todos los demonios!

—Vaya lengua, pardiez —musitó Tramontana, asombrado.

—¡Pimpollo y shilayas! —exclamó Vardarac, virando el timón—. ¡Quiero ver que echáis los hígados por la boca sobre esa maldita esfera! ¡Volamos a A-108-λ, y que el diablo nos condene si no lo conseguimos!

—¡Avast!

Vardarac conjuró en sus manos la esfera roja de la batalla naval, y la hizo estallar formándose una cuadrícula tridimensional de hilos luminosos que se entrecruzaban creando una gran maraña. El Everest avanzó ganando velocidad, y un pequeño signo surcó la red como una diminuta flecha blanca en medio de un mundo de cristal rojo, con las velas desplegadas a todo trapo, separándose de una jauría de puntos que les perseguían implacables. Por un momento pareció que lo iban a conseguir.

—¡Es inútil! —gritó Vardarac al rato, comprendiendo por fin que los barcos de alas blancas iban a caer sobre ellos.

Sin duda, cientos de albanthïos unían sus alientos a la vez sobre las esferas de sus barcos, y en pocos segundos los abordarían sin piedad. Laila sintió el terror creciendo en sus entrañas y apretó uno de los diamantes en su mano, tratando de desmenuzarlo como el grano de las Arenas de Solarïe.

—¡No funciona! —gritó desesperada, clavándose las aristas de la piedra en la carne.

—¡Písalo! —gritó Aurige, frenética—. ¡Haz lo que sea!

La muchacha obedeció automáticamente, aplastando la gema con el tacón de sus zapatos.

—Desde luego que tu tía es una sádica —exclamó machacando el diamante una y otra vez—. Ya sé a quién has salido...

De repente se escuchó un crujidito seco y la pequeña piedra se partió en miles de fragmentos astillados.

—¡Y ahora, qué! —demandaba Lord Vardarac desde el timón, con las manos agarrotadas sobre la madera y los ojos fijos en la avalancha de naves enemigas.

Decenas de garfios volaron por los aires clavándose en la baranda de popa, y el Everest se zarandeó bruscamente, con todas las maderas crujiendo de dolor. Tramontana corrió hacia las sogas enarbolando sus sables y fue cercenando las maromas tirantes mientras volaban nuevas salvas de garras aceradas. El Pimpollo siguió cortando a diestro y siniestro como si ya no tuviese control sobre sus brazos.

Laila sintió que iba a llorar. Las esquirlas diminutas parecían reírse de ella y el mundo se volvió borroso. Había destrozado uno de los diamantes y no servía para nada. Llena de rabia dio un puntapié a los restos desmenuzados y todo se oscureció a su alrededor. Cuando ya iba a desplomarse sobre el suelo esperando el ataque imparable, Nimphia ahogó una exclamación llevándose la mano a los labios.

La arenilla y las trizas resplandecientes estaban flotando en el aire delante de sus narices, y parecían ordenarse en un puzle misterioso a su alrededor, volando aquí y allá, hasta que por fin se quedaron quietas. Y entonces, de repente, salieron disparadas hacia arriba dejando pequeñas estelas centelleantes, y volaron hacia el cielo oscuro. Laila se dio cuenta, maravillada, que no había notado cuándo se había hecho de noche. En el firmamento negro brillaban los trozos del diamante, convertidos ahora en estrellas y constelaciones, y el Everest, sólo en medio de aquel manto estrellado, se dirigía suavemente hacia adelante.

—Retiro lo de sádica —dijo Laila con la boca abierta de admiración.

—Las lunarïes somos las mejores —contestó Aurige, llena de orgullo, comprobando con una sonrisa que todo el paisaje a su alrededor había cambiado en segundos.

Nimphia y Cyinder se abrazaron y el Pimpollo se derrumbó sobre el suelo, exhausto.

—Por primera vez en mi vida, puedo decir ¡Avast! —exclamó Vardarac asombrado.

Delante de él, en la cuadrícula luminosa, su nave recorría el entramado rojo en solitario, y no había señales ni restos de los albanthïos. De repente notó algo peculiar y sonrió lleno de satisfacción.

—¡Tenemos buen viento, señores! —exclamó llenándose el pecho de aire—. ¡Fijad las velas!

Nimphia giró sobre sí misma observando el cielo que las rodeaba. Era cierto. Las corrientes de aire vagaban a sus anchas, como antiguamente, y se enseñoreaban con el velero jugueteando entre los mástiles. Ella y Tramontana volaron de inmediato hacia los palos y poco después todo el velamen estaba firmemente asegurado de los caprichos de los vientos.

—Entonces, estamos en el pasado —insistió Cyinder acercándose a la baranda—. ¿Pero cuándo?

—Creo que en el momento en que empezó la maldición de los ithirïes —contestó Laila con la voz muy oscura, notando que el corazón le latía demasiado fuerte.

Cogió el mapa para no ver las caras serias de sus amigas y volvió a leer las frases antiguas… Cuatro estrellas. Pero el cielo estaba lleno de estrellas ahora, y una tenía la llave. Debía ser un simbolismo. Cuando llegasen a su destino, una estrella más brillante o algo les daría una señal. ¿Y qué era eso de que cuando brillase el sol de Firïe? Por supuesto, el reino de Firïe existía ahora… y también Ithirïe. Le dolió el corazón al pensarlo. Ellos estaban allí, ¿pero dónde? Por un momento ya no quiso buscar el tesoro. Sólo viajar a la ciudad de las pirámides. Verles. Saber lo que ocurrió… lo que estaba ocurriendo en aquel preciso instante.

De repente volvió a su cabeza el poema de los dragones de Acuarïe. Sobre el viento de los siglos… Sobre el fuego de la codicia… Agitó la cabeza para librarse de unas voces reptilianas que se estaban volviendo demasiado reales. Si cerraba los ojos, era capaz de ver a Udronsanthïl riendo con aquel rostro taimado.

Algo iba a ocurrir. Algo que le hacía sentir un cosquilleo en la espalda, como cuando abrieron la puerta final de la Torre de Cálime. No le gustaba nada, pero no quiso decirlo en voz alta. Aquello que fuese lo que le deparaba el destino, estaba escrito de antemano. El mismo Vardarac había dicho una vez que no se podía cambiar.

—¡Nos estamos acercando! —anunció el Señor del Norte con voz potente.

Estaba mirando al frente con su catalejo, pero desde la cubierta donde estaban ellas, no se veía más que el cielo negro repleto de estrellas, brillando como diamantes.

El Everest navegaba cada vez más rápido, de una forma casi descontrolada. Riadas de vientos les llevaban hacia adelante, y si entrecerraban los ojos, podían ver sus formas cambiantes y sus colores oscuros, como los Matanusks. Cientos de pequeños riachuelos gaseosos les rodeaban y seguían su camino hacia algún sitio desconocido, uniéndose y separándose igual que los hilos de una tela de araña colosal. Y allá a lo lejos…

—¡Qué es eso! —exclamó Cyinder señalando con el dedo hacia el horizonte.

Al principio parecía una nebulosa gris, un punto borroso que parecía moverse y cambiar constantemente, pero aquello se agrandaba a velocidad vertiginosa, y los ríos de viento les empujaban en aquella misma dirección sin poder escapar.

Desde la distancia, una torre colosal se erigía hacia las alturas, más grande que cualquier faro de Airïe, más alta que un rascacielos. Una extraña estructura, enorme, que los ojos no eran capaces de definir. Parecían entramados de columnas y arcos de mármol, unos sobre otros, hasta más allá de donde alcanzaba la vista. Cuando se aproximaron impulsados por las corrientes, el Everest era un minúsculo grano de arena acercándose a un palacio de dioses.

—¿Quién ha podido hacer algo así? —susurró Laila con la boca abierta y el cuello estirado hacia arriba.

—Si las leyendas son ciertas, esta es una de las Torres de los Vientos de la antigüedad —murmuró Nimphia extasiada—, donde ellos se reunían para hablar con las gentes de Ïalanthilïan.

—Es maravillosa —exclamó ella, incapaz de pronunciar otra palabra.

La torre parecía moverse continuamente, girando sobre sí misma en una espiral de finas columnas blancas, retorciéndose en un remolino. Sin embargo, si la miraban fijamente, entonces daba la sensación de ser una estructura firme y sólida, como un engaño óptico que hacía doler la cabeza. No había muros que detuvieran el avance de aquellos ríos turbulentos. Entraban y salían a placer por entre las columnas grandiosas, tan altas como catedrales, y luego se alejaban otra vez hacia lugares remotos.

Y allí era donde Fahon había escondido el tesoro. O lo estaba escondiendo en aquel momento. Laila notaba el corazón a mil por hora mientras veía acercarse aquella mole colosal. Si sus sospechas eran ciertas, Fahon, el renombrado general ithirïe que robó las piedras de Firïe en la meseta de Nan-Og, era el gran espectro encerrado en la Torre de Cálime. Todavía recordaba nítidamente su brazo descarnado, extendido hacia la fuente de sal, y sus ojos vacíos, mirándola sin rastro de piedad.

El vello se le había puesto de punta y se aferró a su medallón de manera inconsciente.

—Las galernas nos conducen a un singular fondeadero —anunció Tramontana cuando la Torre estaba tan cerca que parecía que iba a devorarles.

La base de la estructura se apoyaba en tierra firme; un pedazo rocoso flotante, irrisorio en comparación con el peso que debía soportar. Una corona de pequeños pilones de piedra rodeaba por completo a la torre, muy parecidos a los salientes de las dársenas de Silveria.

—Pues será mejor que nos demos prisa —dijo Lord Vardarac con voz amarga—. Tenemos compañía.

Todas dieron un respingo, buscando barcos blancos que, por alguna magia misteriosa, les pudiesen haber seguido en su viaje al pasado, pero a su alrededor sólo brillaban las distantes estrellas bordadas en el cielo negro.

—Hay una nave amarrada al abrigo de las columnas —les indicó él—. Vamos a tener que ocultarnos, y rápido.

De inmediato cinco pares de ojos se asomaron por la baranda. Al frente, entre los grandes pilares de la base de la torre, un barco se balanceaba cabeceando a merced de la ventisca. Tenía un aspecto raro, alargado como una góndola veneciana con la proa curvada y dos mástiles de madera tosca, adornados con velas y estandartes rojos. Vardarac lo rodeó con cuidado.

—No tenemos muchas opciones de escondite —gruñó sin quitarse el catalejo del ojo—. Este velero no va a pasar desapercibido así como así, y eso tiene pinta de nave de asalto, veinte o treinta hombres, quizás. Mirad sus troneras. No me gustan y el Everest está desarmado.

Ellas le miraron con una sombra de inquietud.

—¿Y por qué iban a asaltar la torre? —dijo Aurige pensativa.

—¡Quieren el tesoro! —exclamó Cyinder—. Han venido a

por él, y es nuestra oportunidad de arrancárselo de las manos antes de que desaparezca para siempre.

—¿Ah, sí? ¿Y cómo saben que el tesoro está aquí? —contestó ella—. Nunca tuvieron el mapa, porque estuvo dividido en cuatro partes durante milenios, así que no podían saber su ubicación.

Laila miró a Aurige sin entenderla del todo. La lógica fría de la lunarïe era demasiado afilada. Para ella, los misteriosos asaltantes cogerían el tesoro y por eso ya en el futuro no existiría, pero si Aurige tenía razón, entonces…

—No quieren el tesoro —dijo despacio, cavilando—. Vienen a por Fahon.

—Exacto —afirmó la lunarïe, sonriendo como una maestra ante una alumna aventajada.

—¡Son firïes! —exclamó Nimphia con ojos brillantes, mirando los estandartes rojizos con más atención, maravillada de poder observar cosas que habían desaparecido miles de años atrás.

—Sean quienes sean, no va a ser fácil esquivarles si nos descubren —dijo Lord Vardarac plegando el catalejo de golpe.

—Tenemos que impedir que le capturen —dijo Laila con los ojos fijos en las maderas curvas del barco misterioso, sintiendo de pronto unas extrañas nauseas—. Si le atrapan, le van a llevar a la Torre de Cálime y le dejarán allí hasta que muera. Lo sabemos perfectamente.

Vardarac se rascó las barbas, pensativo.

—Podríamos destrozar ese cascarón si quisiéramos. Nos puede desarbolar de un solo cañonazo, pero el armazón es tan primitivo que no tiene nada que hacer frente a este navío si les embestimos.

—Ni frente a mis luengos aceros —sonrió Tramontana acariciando la empuñadura de uno de sus sables—. Embosquemos prestos a esos viles bellacos, que si alguno ha de protestar, será desangrado hasta indigna muerte.

—Nosotras les daremos una cálida sorpresa —dijo Aurige a Laila agitando su varita mágica—. La confusión nos dará tiempo para rescatar a tu espectro.

—Todavía no está muerto —dijo ella frunciendo el ceño.

—Sí, pero me pregunto…

Ya no hubo tiempo para más. De repente, las penumbras del interior de la torre se llenaron de destellos y explosiones, y los vientos que paseaban tranquilos comentaron a agitarse. Las riadas formaron remolinos y Vardarac tuvo que maniobrar a toda prisa para no salir despedidos por la furia de una tempestad que se empezaba a formar sobre ellos.

—¡Pimpollo, lanza las amarras! Pondré el barco al pairo y tendréis que saltar todos a tierra.

—Creo que no podemos esperar más —dijo Laila observado que los estallidos de luz mágica aumentaban de intensidad.

El barco se zarandeó de golpe con una embestida de los vientos, que parecían tremendamente furiosos, y el cielo relampagueó. Comenzó a llover de manera torrencial, y por un momento, ambos Señores de los Vientos parecieron preocupados.

—Vamos —dijo Cyinder cogiendo a Laila de la cintura.

Se elevó un momento en el aire y voló a tierra. Laila se atragantó llena de miedo. Las corrientes en contra eran muy fuertes y ver el aguacero cayendo hacia el espacio negro sin fondo era peor que mil montañas rusas. Cerró los ojos con fuerza creyendo que se resbalaba hacia abajo, mientras su amiga solarïe luchaba contra la ventisca, y cuando sus pies tocaron el pulido suelo, ya no sabía si el agua de su cara eran lágrimas o la lluvia despiadada.

Tras ellas llegaron Aurige y Nimphia, seguidas de inmediato por el Barón de Tramontana, muy furioso porque sus cabellos se estaban encrespando con la lluvia. Soltó varias imprecaciones atusándose las ropas, pero de inmediato se puso en guardia cuando una nueva salva de destellos surgió de las profundidades de la torre.

—¿Y Lord Vardarac? —susurró Cyinder mirando al Everest allá arriba, balanceándose a merced de los relámpagos.

—Mi excelso compadre permanecerá en el navío nemhirie, y dispondrá la honrosa huida en caso tal que aconteciese un imprevisto oneroso —contestó el Pimpollo.

—Y porque sus alitas no le dejan volar contra viento —chismorreó Nimphia intentando arrancarles una sonrisa.

—Vamos ya —interrumpió Laila, nerviosa.

Sentía la piel como si le pinchasen con miles de agujas, y se estaba mordisqueando las uñas con los ojos fijos en los destellos que surgían de la penumbra. A su alrededor aullaban los vientos furiosos y la lluvia le pegaba el cabello a la cara. Pero ni siquiera se daba cuenta. La necesidad imperiosa de rescatar a Fahon la estaba devorando, y tan sólo no echaba a correr hacia el interior porque su mente racional la contenía con preguntas lógicas. ¿Por qué tenía aquella necesidad de salvarle? ¿Tanto le importaba? Sólo lo había conocido unos segundos aterradores en medio de una situación caótica: cuando él estaba a punto de matar a Atlantia mientras todo se derrumbaba a su alrededor.

Pero por otra parte, era un ithirïe. El único que ella conocía. El que le podría revelar todos los misterios y tal vez, llevarle junto a... junto a su madre. Sí, ese era el motivo. Esa era la necesidad. Tenía que rescatarlo a toda costa.

Apretó el paso sin darse cuenta. Al cruzar bajo los pilares la lluvia cesó de golpe y ella miró hacia arriba. Las columnas se elevaban tan altas que apenas veía su fin, y en el cielo negro brillaban cuatro estrellas lejanas. «Cuatro son las estrellas, amor...» decía el poema del mapa, pero, ¿viento, tierra, luna y sol?

Negó con la cabeza siguiendo hacia adelante y de repente sintió vértigo. El suelo era un cristal suave, pulido por miles de vientos a través de los siglos, tan fino y delicado que parecía a punto de resquebrajarse, y por un momento tuvo la sensación de pisar las estrellas. Los vientos silbaban y parecían reírse a su alrededor. Para ellos, no eran más que vulgares insectos luchando contra el destino. De repente creyó oír voces extrañas y se detuvo inquieta, mirando a sus amigas.

—Mirad allí —susurró Nimphia señalando con el dedo hacia lo alto.

Colgando de la nada, hileras de cristales crepitaban con los vientos formando sonidos misteriosos, tubos de órganos como los de las catedrales, cuerdas brillantes y senderos enteros de abalorios y plaquitas metálicas. El aire las hacía vibrar y a veces sonaban como risas y otras como cristales rotos. Laila hizo caso omiso.

—No corras —le susurró Nimphia—. Déjame oír a los vientos. Dicen cosas muy importantes.

—Suenan como campanas —agregó Cyinder, maravillada—. Nunca había oído nada igual.

—No tengo tiempo para esto, Nimphia…

Desde la profundidad de la torre llegaban nuevas salvas de explosiones brillantes, resplandores rojos y verdes, y en la distancia, algo parecido a una burbuja parpadeaba en las sombras.

—Están hablando de nosotras —siguió su amiga—. Quieren saber por qué hemos venido y que si queremos jugar con ellos un rato.

—Sólo me faltaba esto —dijo Laila, sintiendo la rabia crecer—. Perder el tiempo jugando. Diles a tus vientos que por qué no ayudan a Fahon…

Los remolinos parecieron crecer de tamaño, y todos aquellos instrumentos sonoros rieron a la vez. No hacía falta traducción.

—No les interesa —dijo Nimphia, roja como un tomate por aquella descortesía.

—Ni ellos a mí —soltó la muchacha con soberbia mientras las hileras de cristales repiqueteaban.

Los vientos ulularon, pero ella siguió adelante, decidida. Estaba muy enfadada porque le parecía que sus amigas tenían más interés en perder el tiempo con aquellos vientos estúpidos que en salvar al ithirïe y encontrar el tesoro. Caminó con la cabeza muy alta a pesar de que los cabellos se le arremolinaban y las corrientes parecían ensañarse con ella en su contra, haciéndola rabiar.

De repente, donde brillaban los destellos, una columna de fuego surgió de la nada y voló hacia el cielo, como un geiser incandescente, hasta que se perdió en el firmamento. Laila sintió que algo horrible estaba pasando y echó a correr.

—Laila, espera —insistió Nimphia—. Los vientos dicen…

—¡No quiero saberlo! —exclamó ella.

—Impetuosa milady —le dijo Tramontana—, respetad los consejos de estas sabias galernas.

Ella se dio media vuelta, poniendo los brazos en jarras. Le parecía demasiado absurdo ponerse a discutir ahora, justo en ese momento.

—¿Pero es que no os importa Fahon? No os importa ni mi gente ni yo, ¿verdad?

—Nos importas demasiado, Laila —corrió Cyinder hacia ella pasándole el brazo por los hombros—. Tanto que no vamos a permitir que arriesgues tu vida por un desconocido que robó las piedras de Firïe, y que provocó ese castigo horrible de masacre.

—No es seguro que robase las piedras —insistió ella sin dar su brazo a torcer—. Nunca aparecieron.

—¡Porque están aquí! —exclamó Aurige, triunfante.

Laila meneó la cabeza sin querer escuchar más.

—Laila, los vientos dicen que va a amanecer —le dijo Nimphia—. Que esos que atacan a Fahon han llamado al sol de Firïe para que venga.

—¿Y eso qué significa?

—No lo sé, pero están muy nerviosos. Se están marchando, ¿no lo notas? Dicen que los alisios han desobedecido la neutralidad de este lugar sagrado y que están ayudando al ithirïe.

Ella se quedó sin saber qué decir. Todo aquello le sonaba a chino, pero sí que pudo percibir que ya no reían los cristalitos ni los tubos de órgano. El ambiente se estaba quedando demasiado calmado. Momentos después, la tensión se volvió horrible.

—Esto no me agrada en demasía —dijo Tramontana, tan nervioso que le temblaban las manos.

Laila volvió a mirar hacia arriba. Las cuatro estrellas brillaban en la noche cerrada. No estaba amaneciendo ni nada. Los vientos no eran más que unos mentirosos y los odiaba a todos.

—Voy a rescatarle con o sin vuestra ayuda —anunció por fin. Sin saber por qué, su propia voz le sonó extraña, muy antigua y grave, y sus cabellos parecían estar creciendo salvajes, como una marea de serpientes con vida propia—. Nadie va a impedírmelo.

Se dio media vuelta y echó a andar. La espalda le volvía a doler como antiguamente y a medida que se acercaba, notaba crecer un poder extraño. Voces de venganza y de odio le llenaban la cabeza y por un momento se le nubló la vista. Al frente, la burbuja verdosa se hacía más visible, y los ataques desencadenados contra su superficie estallaban como bombas y llamaradas de fuego.

Sin ningún cuidado caminó hacia el corazón de la Torre de los Vientos, sin importarle que la descubriesen. Aquellas hadas habían exterminado a su gente, les habían castigado con torturas atroces y habían arrasado todo un reino hasta hacerlo desaparecer. Las llamas brillaban en sus pupilas cuando vio toda la escena.

Grupos de sacerdotes vestidos con túnicas de color púrpura trataban sin éxito de derribar aquella especie de muro defensivo, y en el interior, una figura sentada en un trono de piedra, un ithirïe de cabellos verdosos recogidos en una cola larga, hundía la cabeza entre los hombros, débil, quizás a punto de claudicar. Tenía los brazos extendidos conjurando su escudo protector y los otros atacaban con saña, sin ninguna clemencia. Las manos de Laila parecieron arder con un fuego verdoso y entonces, quizás notando su presencia, el ithirïe levantó la cabeza y la vio.

Ella y el que sería el gran espectro de Cálime se quedaron mirándose un segundo, y algo alrededor del cuello del guerrero llamó su atención. Parecía un medallón de plata. La mente volvió a llenarse de odio y tinieblas y lo olvidó todo. Sus amigas llegaron junto a ella en ese momento, y Aurige la sacudió con fuerza.

—¡Déjame en paz! —le gritó dándole un manotazo.

—No voy a permitir que hagas nada, nemhirie —le dijo Aurige arrastrándola hacia atrás—, incluso te dormiré si te pones burra. ¡Cuando tu poder se despierta lo destruyes todo, no tienes control!

Laila la empujó al suelo. Por un momento no la reconoció, ni a ella ni a ninguna de sus amigas, pero daba igual. Nadie iba a interferir en su camino. Sus ojos brillaban con un destello infernal que hizo que el propio Tramontana sacase una daga para protegerse.

—Avast —susurró sobrecogido.

—¡Maldita sea, Pelomoco! —gritó Aurige incorporándose. Sobre su mano flotaba un aspa de luz negra.

Laila la miró. Durante un segundo pareció que el tiempo se quedaba congelado. Ni siquiera las explosiones de fuego perturbaron aquel instante aterrador. Luego parpadeó un segundo y las llamas de sus manos menguaron hasta desaparecer.

—¿Cómo me has llamado? —preguntó. Su voz volvía a ser normal.

—Laila, piensa, por los dioses —exclamó Cyinder—. Si salvas a Fahon vas a alterar el futuro.

—Puede ser un futuro mejor —susurró ella, bajando la cabeza.

—O puede que no existamos ninguna de nosotras —contestó Aurige—. Si salvamos al espectro, nunca lo encontraremos en la Torre de Cálime... Puede ser que ni te conozcamos a ti.

—¡No importa! ¡No ves que van a exterminarlos a todos!

—Laila, piensa con lógica —demandó la otra—. Fahon está aquí por algún motivo. No sabemos cuál, y no hay tiempo para filosofar sobre el pasado o el futuro, pero tú tienes la clave. No la destruyas.

A una le di la llave —recordó el poema en aquel momento—, y nos librará del dolor. Miró a sus amigas una a una. Cuatro son las estrellas, amor; viento, tierra, luna y sol. A una le di la llave...

Eran ellas, no luces en el cielo. Ellas cuatro. La profecía se estaba cumpliendo en aquel momento. Sintió que se le ponía la carne de gallina. Fahon sabía que iban a venir. Se agarró al medallón con fuerza. Todo formaba parte de un puzle gigantesco, y ella no era capaz de ver ni una pieza.

Respiró hondo, con la mente clara de nuevo. En sus ojos asomaban lágrimas de rabia y frustración.

—¡Mirad! —exclamó Nimphia señalando hacia los sacerdotes de Firïe.

Todas se giraron sobresaltadas. No se habían dado cuenta de que las explosiones de hechizos habían cesado hacía rato. La burbuja protectora de Fahon había desaparecido y el ithirïe estaba arrodillado delante de sus captores.

—¡No! —gritó Laila extendiendo su mano hacia él.

Nimphia la arrastró hacia atrás, y se alejaron rápidamente hasta que todos estuvieron ocultos en las sombras distantes.

—Esos sacerdotes están cazando ithirïes, Laila —susurró Nimphia mirando la escena con precaución—. Como te vean, te van a apresar a ti también. No saben de qué época vienes ni les importa. Sólo el color de tu pelo.

La muchacha asintió en silencio. Conteniendo el aliento, contemplaron desde lejos cómo los firïes se ensañaban con el general caído, atándolo y amordazándolo de forma salvaje. Luego le arrastraron a empujones hacia el exterior de la torre. Fahon no miró en su dirección ni un solo segundo. Ninguna señal. Nada. El medallón alrededor de su cuello, si alguna vez hubo uno, había desaparecido de su vista.

—Al final se ha rendido —comentó Cyinder con tristeza cuando ya el eco de sus pasos se perdía en la distancia.

—No, no es eso —dijo Aurige con los ojos entrecerrados—. Cuando ha visto a Laila, es cuando ha dejado de luchar.

—¿Por qué? —preguntó Cyinder con los ojos muy abiertos.

—Porque nos estaba esperando —contestó Laila, tratando inútilmente de encajar piezas.

—Es imposible.

—Una persona sabía lo que iba a ocurrir —dijo ella—. De hecho, nos mandó aquí, a este lugar y en este momento exacto.

—Miranda —comprendió la rubia al punto.

—Sí —asintió Laila—. Y ella quería que le diese a Fahon un último mensaje de despedida. No he podido cumplir su deseo y ya no volverán a verse jamás.

—No podías hacer nada —la consoló Nimphia, tragando saliva—. Al revés, has estado a punto de cometer una locura por ese hombre.

—Y él se va a sacrificar por algo que todavía no entiendo. Le van a encerrar en Solarïe para siempre. ¿Y todo para qué? ¿Para que viésemos cómo se lo llevan?

—No, para asegurarse de que llegabas a tiempo para encontrar lo que él estaba protegiendo —dijo Aurige con los ojos muy abiertos.

—El tesoro de los ithirïes, sí —dijo ella—, ¿pero dónde está?

Miró a su alrededor. La Torre de los Vientos permanecía vacía. Nada más que columnas frías, cambiantes, y las hileras de cristales flotando en el aire.

—Fahon se sentaba ahí —dijo Cyinder señalando el trono de piedra—. Quizás haya un escondite secreto.

Inspeccionaron la piedra pulida cuidadosamente, tocando la suave superficie, intentando moverlo, pero aquello era un peso de toneladas sin más señales que las de la erosión de los vientos durante siglos. En las alturas sonó un repiqueteo de cristales y Nimphia los miró asustada.

—Quizás lo que protegía era el trono en sí —susurró dudosa—. Las leyendas dicen que los vientos construyeron las torres para que las gentes de Ïalanthilïan pudiésemos hablar con ellos —suspiró—. De hecho, mi madre ordenó la construcción de la torre de Silveria para intentar rescatar esa tradición.

—Pero los vientos se han marchado —dudó Laila acariciando uno de los reposabrazos. El contacto era frío y suave como la seda.

—Todos no —dijo Nimphia escudriñando en las alturas—. Hay sonidos allá arriba, y antes dijeron que los alisios habían desobedecido y traicionado la neutralidad de este lugar… Están aquí.

Por un segundo, Laila no supo qué hacer. Quizás era Nimphia quién debía sentarse en aquel trono y no ella. De hecho, no sabía escuchar a los vientos, y mucho menos hablar con ellos. Solo era aire molesto que le hacía desesperarse. Aurige le indicó con la mirada que se sentase de una vez.

El tacto de la silla de roca era extraño, demasiado confortable a pesar de su apariencia tosca, y desde allí, el respaldo casi reclinado obligaba a mirar hacia arriba. Ya no había estrellas en el cielo, ¿quizás las cubrían las nubes, o era que de verdad estaba amaneciendo? El sol de Firïe… Cuando brille el sol de Firïe, se abrirá el abismo del viento… El sonido de los cristales vibrando creaba ecos que se multiplicaban entre las columnas con una resonancia perfecta. Era como un cántico agudo, como el sonido de un riachuelo entre las piedras. Casi podía dormirse allí escuchando las palabras «ithirïe, ithirïe…»

Abrió los ojos sobresaltada. ¡Había entendido lo que decían los vientos! Abrió la boca y miles de preguntas pugnaron por salir a la vez. Los alisios parecieron reírse de ella, pero Nimphia le agarró de la mano con fuerza y habló en un lenguaje incomprensible, lleno de susurros que sonaban como las ventiscas de nieve en invierno. Los vientos se agitaron y una escala musical sonó por algún sitio.

—Preguntan que por qué no les dices nada —tradujo Nimphia sin dejar de soltarle la mano.

—Diles algo agradable de mi parte —musitó ella, avergonzada—. Diles que siento mucho ser tan torpe.

—Y pregúntales por el tesoro —chistó Aurige de inmediato, recibiendo un codazo de Cyinder.

Nimphia torció la boca y volvió a susurrar al aire. Los alisios dieron vueltas alrededor del trono enmarañándoles los cabellos, y luego todos los cristalitos repiquetearon a la vez.

—Te están oliendo —dijo Nimphia—. No te reconocen como ithirïe. Dicen que no eres de un sitio… de Eirdain —dijo después de unos segundos de traducir con esfuerzo—, y por tanto no pueden confiar en ti para darte el legado del gran general Fahon.

—¡Claro que lo soy…! —exclamó ella intentando convencerse a sí misma.

Pero, ¿lo era? Y lo más importante: ¿quería serlo? Aurige había dicho algo muy cierto: cada vez que sus poderes surgían, lo destruía todo a su alrededor. ¿Ese fue el verdadero motivo del castigo aterrador que sufrió su gente? Si era verdad, no quería saberlo. No podía aceptarlo.

—¡Yo soy ithirïe! —gritó a las alturas levantándose del trono de repente, y como si la idea le hubiese llegado desde algún lugar recóndito de su cabeza, se arrancó el medallón de plata y lo mostró en sus manos con orgullo.

Los vientos aullaron por entre los tubos de órgano y dieron

vueltas alrededor de ella agitándole los cabellos, ensañándose contra su figura, pero Laila no bajó la cabeza ni sus piernas temblaron. Y entonces se produjo un silencio abrumador.

—¿Y ahora qué? —susurró Cyinder, asustada, mirado a todos lados.

De repente los vientos parecieron explotar entre ellos, y se formó un torbellino de tierra delante del trono. Laila se cubrió la cara para protegerse de los violentos latigazos de arena y entonces todo cesó. La calma súbita fue tan brutal que le martilleó los oídos provocándole mareos y por un momento, todo le dio vueltas.

Cuando abrió los ojos, delante de ella, sobre un túmulo de arenisca había una pequeña caja de piedra.

—¡El tesoro! —exclamó Aurige con los ojos muy abiertos.

Laila tragó saliva. ¡Lo habían conseguido! Se acercó tambaleante hasta aquel extraño cofre y lo inspeccionó con gran nerviosismo. Toda la superficie estaba llena de runas y símbolos grabados en la piedra, y no parecía tener bisagras ni aberturas. En la parte superior había un círculo labrado con seis muescas formando un hexágono. Miró su medallón con los ojos muy abiertos. ¡Esa era la llave! El corazón pareció que iba a salirle por la boca.

—¡Vamos, ábrelo! —le animó Nimphia con una sonrisa radiante.

Acercó la alhaja a la superficie de piedra y de repente los alisios parecieron estallar en una cacofonía de gritos y sonidos. Todas las piezas metálicas, los cristalitos, los instrumentos... todo pareció chillar a la vez. Los grandes tubos de órgano cayeron al suelo provocando un cataclismo de ruido infernal.

—¿Qué ocurre? —gritó ella aterrada, con la mano a un palmo de la cerradura.

—¡Los vientos dicen que nos marchemos! —exclamó Nimphia observando que las ristras de cristales flotantes vibraban frenéticas. Algunos prismas estallaron—. Están gritando que salgamos de aquí ahora mismo, que viene el sol de Firïe...

Por un momento, todas se quedaron indecisas mirándose las unas a las otras. En realidad sí que parecía que el cielo clareaba allá en lo alto, pero tampoco era para tanto.

—¡Es asombroso! —exclamó Cyinder entonces, escudriñando más allá de las lejanas arcadas de columnas. Luego observó el resto de la torre, despacio—. ¡Está amaneciendo por todos lados a la vez!

Laila la miró un segundo como quien mira a una extraña. De repente se le había puesto la carne de gallina.

—¡Tenemos que salir de aquí! —aulló más fuerte aún que el griterío de los vientos.

—¿Y el tesoro? —susurró Aurige, dudosa a pesar de todo.

—Ego porteará el inclemente arca sobre su recio reverso —anunció Tramontana, que hasta entonces había permanecido en silencio.

Ninguna se molestó en entenderle. Salieron a la carrera mientras la claridad se hacía más intensa por segundos. La torre parecía no tener fin, y las altas columnas se erguían en la distancia como rascacielos inalcanzables. El Pimpollo jadeaba por el esfuerzo de transportar aquella caja que parecía pesar una tonelada a pesar de su tamaño, y aunque Laila temía que en algún momento pudiese deshacerse de ella, no se rindió.

Cuando alcanzaron la salida de la Torre de los Vientos, el amanecer venía hacia ellas. Y era un amanecer de muerte y fuego. Riadas de soles en la distancia, aunque Laila sabía que no eran soles, acercándose implacables, como una marea de pesadilla que parecía no tener fin. Las grandes columnas comenzaron a vibrar y a tambalearse en respuesta a los sonidos que llegaban desde dentro. Lamentos imposibles provocados por los alisios, más allá de cualquier escala auditiva.

Como en un sueño lento y aterrador, escaparon de la torre sin siquiera saber si se dirigían en la dirección correcta. Sin embargo, el Señor del Este las guió sin dudar en ningún momento, a pesar de que sudaba a mares por el esfuerzo. Cuando lograron salir, en las alturas, bajo un cielo ardiente, cabeceaba el Everest como un pájaro blanco en medio de un mundo rojo. El calor se hizo insoportable de golpe, y hasta el aire pareció hervir.

Cyinder agarró a Laila de la cintura y la arrastró hacia arriba con toda la fuerza de sus alas. Nimphia y Aurige ayudaron a Tramontana, que parecía al borde del colapso.

—¡Qué está ocurriendo! —gritó Lord Vardarac cuando pusieron pie sobre cubierta, sin dejar de observar el vuelo de aquellos extraños pájaros de fuego. Sudaba como una fuente, y por primera vez en su vida se había despojado de todos sus abrigos.

El Pimpollo cercenó la amarra de un tajo y el barco se balanceó peligrosamente.

—¡Debemos zafarnos a todo trapo! —jadeó, caminando a trompicones hacia la esfera de cristales azules.

Sin esperar más exhaló su aliento entrecortado y los cristales brillaron. Laila sacó el pequeño diamante de Miranda del bolsillo y lo puso en el suelo dispuesta a destrozarlo.

—¡Es imposible escapar! —gritó Vardarac—. ¡Vamos a arder como una maldita pira funeraria!

—¡Laila, rompe eso de una vez! —le gritó Cyinder mientras ella lo pisoteaba sin parar.

—¡No se parte! —se horrorizó ella contemplando desde arriba la pequeña gema desafiante. La cogió en la palma de la mano, como si estuviese perdida en un sueño.

A sus espaldas, la Torre de los Vientos aullaba en medio de un mar de fuego. Olas de fénix gigantescos caían en picado hacia ella destruyéndola sin piedad, pero los sonidos colosales de los vientos parecían crispar el mundo. Cantaban reverberando en miles de ecos que hacían vibrar hasta la sangre de las venas.

El Everest crujió empezando a desmoronarse mientras el fuego devoraba las velas y calcinaba las maderas.

Los ojos le ardían llenos de lágrimas, pero no podía dejar de mirar el funesto diamante. A su alrededor, el barco entero parecía una bola de fuego y en ese momento notó que alguien, Aurige, corría hacia ella y le quitaba el diamante de las manos. Iba a gritar desesperada, pero entonces, durante un segundo, se produjo un silencio espantoso que le hizo estremecer y de repente, la Torre de los Vientos estalló.

El último sonido, la última nota de la canción de los alisios en su agonía de muerte, fue tan intensa como una estela plateada hundiéndose en el corazón. El dolor agudo les hizo perder el conocimiento, y Laila cayó hacia atrás lentamente, como si flotara, mientras una luz gigantesca venía hacia ellas.

21. La Reina Serpiente

Voces de cristal. Un murmullo suave que la arrastraba hacia una calidez algodonosa. Un sueño dentro de un sueño. Laila se sentía flotar en vacíos de memoria. Aquellas voces eran susurros de sirenas y ella se mecía en un mar blanco en medio de una música dulce, la de un arpa que sonaba como gotas de agua.

El sonido de cristal cambió. Se hacía más agudo y le empezaba a molestar. Las voces chillonas y discordantes hacían doler la cabeza. Poco a poco volvieron los recuerdos, como una ola lenta que se estrella inevitablemente contra las rocas. La Torre de los Vientos, una caja de piedra con inscripciones talladas, el amanecer y Aurige arrancándole la gema de las manos, el fuego devorándolo todo…

Abrió los ojos sobresaltada en medio de las tinieblas. Se sentía mareada y además, aquellas voces de su sueño eran ahora muy afiladas, casi crueles. Sombras por el rabillo del ojo y ruidos agitados en la distancia. Cuando la visión se acomodó y su piel recuperó la sensibilidad, se dio cuenta de que se encontraba recostada sobre un lecho mullido en una habitación en penumbras. Parpadeó un segundo aclarándose la vista y entonces sintió algo. Caras. Ojos mirándola fijamente.

Se incorporó de golpe con un gemido ahogado. De pie frente

a ella, tres figuras altas la observaban implacables, con unos ojos tan azules y claros que parecían ciegos, y sus vestiduras blancas bordadas de runas flotaban bajo armaduras de plata.

—¡No! —exclamó mientras los albanthïos permanecían en silencio, quietos como estatuas de hielo.

Uno de ellos abrió la puerta de aquella habitación y luego le indicó que saliera. Ella se acurrucó contra la esquina de la cama, protegiéndose abrazada a la almohada. El guardián no se contrarió ni sonrió. Sólo movió un dedo y el cuerpo de Laila obedeció automáticamente. Se puso en pie en contra de su voluntad y caminó hacia la salida como un robot.

Se sentía muy asustada. Aquello debía ser una pesadilla de la que no lograba despertar. El suelo se movió un momento y tuvo que apoyarse contra la pared. Estaban en un barco, sin duda. Sus pasos la llevaban tras los albanthïos a través de estrechos pasillos de madera, tapizados en rojo. Conocía ese barco. No era el Everest. Olores de antiguas maderas y barnices inundaron sus sentidos, y antes de llegar a su destino, Laila ya sabía a ciencia cierta que estaba siendo conducida al salón de las maquetas de Zërh, en el Reina Katrina.

¿Pero qué había pasado? ¿Y dónde estaban sus amigas? Los recuerdos regresaban claros a su mente. Aurige quitándole el diamante de las manos mientras la nave se volvía un infierno de fuego y la Torre de los Vientos estallaba en millones de pedazos. Y entonces una luz…

Al fondo, la puerta flanqueada por las antorchas mágicas, y en el aire, el olor de pinturas y barnices. Aquel sueño era demasiado real. De pronto una voz a sus espaldas hizo que girase la cabeza a pesar de que sus piernas seguían hacia adelante.

—¡Ni os atreváis a ponerme la mano encima, malditos bastardos! —gritaba Aurige con aquel lenguaje aprendido de los piratas, seguida de Cyinder y de Nimphia, escoltadas por toda una avalancha de guardianes blancos.

A pesar de comprender que no era un sueño, Laila no pudo evitar un suspiro de alivio inmenso. Con gusto hubiese corrido a abrazarlas, riendo y llorando, celebrando con pasteles que estaban vivas y juntas, pero en realidad, aquello tenía muy mala pinta.

—¿Estáis bien? —susurró cuando las otras llegaron junto a ella.

—¡No! —exclamó la lunarïe con los ojos echando chispas—. Mi pelo se ha chamuscado y creo que mi varita se ha roto...

—Estamos bien —cortó Cyinder, muy seria.

—¿Y Vardarac y Tramontana? No recuerdo nada.

Nimphia negó con la cabeza y abrió la boca dispuesta a decir algo, pero ya la puerta se abría delante de ellas dejando entrar la luz danzante de cientos de velas blancas. Los albanthïos se quedaron atrás, y parecieron evaporarse en las penumbras del corredor.

—Pasad, por favor —dijo una voz pura, límpida y perfecta—. Sois bienvenidas, no tenéis nada que temer.

Volvía a tener el control de sus músculos y de su cuerpo, pero la sorpresa le había dejado totalmente paralizada. Maeve, la mismísima Reina Blanca en persona estaba allí. Fue como un golpe tremendo en el estómago y las caras de pasmo de sus amigas terminaron por asegurarle que aquello no era una pesadilla. Era muy real. Cyinder se había puesto rígida, con las manos crispadas, y apenas pestañeaba, y Aurige y Nimphia parecían haberse vuelto de piedra.

El salón de Zërh había cambiado mucho desde la última vez que estuvieron allí. Todo estaba recogido y ordenado, y las maquetas, perfectamente construidas, pero... todas eras blancas, uniformes, como si hubiesen perdido el color y los detalles que las hacían excepcionales y les daban vida propia. No había reino de Ithirïe de pirámides, o Lunarïe con sus bosques, ni los soles de Solarïe. Todo era... igual, ordenado y monótono.

Aquello le produjo un escalofrío, pero entonces reparó en dos figuras postradas a un lado del gran trono blanco donde se sentaba la reina. De rodillas en el suelo y cargados de cadenas de hierro, Lord Vardarac y el Barón de Tramontana las miraron un segundo con ojos vidriosos. Por sus rictus, los grilletes debían estar causándoles verdadero dolor, pero ambos mantenían los labios firmemente apretados, dispuestos a no soltar ni una queja. Nimphia ahogó una exclamación.

—No debéis preocuparos por ellos —dijo Maeve, siguiendo sus miradas—. No son más que alborotadores, criminales en contra del orden, ladrones. Se les juzgará en Tirennon por sus actos flagrantes, y serán castigados según nuestras más sagradas leyes.

Esbeltos dedos blancos tamborilearon en el reposabrazos mientras aquellos ojos de halcón las miraban sin pestañear. Una sonrisa beatífica cruzaba su cara, pero Laila se dio cuenta de que en realidad, la reina no estaba sonriendo. Es más, aquel gesto era tan frío que cortaba la respiración.

—¿Dónde está mi tío? —susurró Nimphia por fin. Su mirada había recorrido el camarote, y no había rastro de la triste figura dorada.

—No te preocupes por él, princesa Nimphia —contestó la reina—. Pronto será llevado a mi reino, donde me encargaré personalmente de su recuperación. Sin embargo, puesto que os he salvado la vida, creo que merezco algunas explicaciones.

Aurige abrió la boca dispuesta a protestar pero la reina levantó la mano cortándole las palabras.

—Imaginad que una bola de fuego, que aparece de repente en el cielo y que nadie sabe de dónde ha venido, se dirige directamente hacia el palacio de Silveria —explicó como quien cuenta una historia a niños pequeños—. Mi guardia personal actuó rápido, protegiendo la vida de la reina Zephira y de la princesa Eriel, las cuales, por cierto, se encuentran a salvo —le echó una mirada rápida a Nimphia—. De inmediato sofocaron todo rastro de peligro y, ¿qué encontraron? A estos dos criminales con las manos manchadas de sangre, y las pruebas irrefutables de haber secuestrado a las princesas de Ïalanthilïan, quién sabe con qué abominables propósitos.

—¡Eso no es así! —protestó Nimphia de inmediato—. No nos han secuestrado ni son criminales…

—¡Por supuesto que lo son! Os han llenado la cabeza de mentiras con sus artes diabólicas. Han robado, secuestrado y asesinado. Se han enfrentado a las leyes sagradas y soliviantan al pueblo en contra de sus dirigentes. ¿No es así?

—Así es, así es —sonó de repente una voz rasposa desde detrás del enorme trono.

Todas se sobresaltaron al ver aparecer a la figura cojeante del silfo Shamal. Ni siquiera se acordaban de él, y verlo allí, con aquella sonrisa malévola y sus dientes triangulares fue como un mazazo. El ser escupió a Vardarac en la cara y luego se arrastró a los pies de la reina, besándole los zapatos.

—¡Traidor asqueroso! —gritó Aurige, comprendiendo de repente cómo se había producido el sorprendente ataque a la mansión de Lord Drake.

—¡Shamal no ser traidor! —se revolvió el otro, irguiéndose con soberbia—. ¡Shamal ser albanthïo! Jamás traicionar a mi reina.

Aquello les dejó mudas de sorpresa y le miraron sin dar crédito. ¡Un albanthïo! Y ahora que lo confesaba, ahora que veían a aquel gusano repugnante con otra luz, la venda cayó de los ojos. Esa palidez sobrenatural, los cabellos blancos apelmazados y los ojos tan azules que parecían ciegos… Nimphia había dicho mil veces que los silfos eran espíritus libres, sin dueño, pero aquel llevaba un brazalete de runas. Ahora lo comprendían. No era una argolla de esclavo, sino de poder. La airïe le lanzó tal mirada de asco que el propio Shamal se estremeció.

—Cuando fuimos a Sïdhe, un monstruo hiena asesinó al

troll de la caverna —susurró Laila despacio—. Tú lo invocaste, ¿verdad? Igual que los albanthïos en Lunarïe...

Shamal sonrió con malignidad.

—Ghül malo. Quiso comer a gran albanthïo Shamal, pero yo espantar. Muy valiente.

—¿La reina Maeve ha puesto en peligro la vida de las princesas de Ïalanthilïan usando alimañas para asesinarnos? —quiso saber Aurige con una sonrisa enorme.

—Nadie dará crédito a tus palabras —Maeve le devolvió la misma sonrisa—, así que no te esfuerces en chantajearme, lunarïe. Sin embargo, me intriga esa visita vuestra a Sïdhe. Tendré que averiguar el por qué en cuanto libere a Airïe de la amenaza que suponen estos criminales.

Laila tragó saliva. Acababa de meter la pata dando pistas sobre el paradero de los Ojos de la Muerte. La cara de Aurige se volvió de hielo.

—Me has servido bien, Shamal —le dijo la reina, tocándole la cabeza como quien acaricia a un perro—. No necesito a Zephira ni a Eriel para controlar Airïe. Tengo ojos y oídos por todas partes, y nadie puede engañarme. Vete, fiel sirviente, mereces descansar en Tirennon.

Shamal sonrió con gran suficiencia y caminó hacia la puerta pavoneándose, con aquellos pasos desquiciantes y los dientes afilados. Cuando miró a Aurige para insultarla, ella le sonrió de una forma que hizo al silfo guardar silencio y salir de allí a toda prisa.

—Como veis, estoy al tanto de todo el libertinaje que sufre Airïe —dijo la reina—, y ya he decidido ponerle fin. La revuelta será sofocada y a los nemhiries se les mostrará el sitio que les corresponde, de una forma eficaz pero sin daños, por supuesto, no somos bárbaros. Sin embargo, con los agitadores y asesinos no seremos tan clementes. La belleza de Airïe no volverá a ser mancillada.

Todas guardaron silencio, todavía apesadumbradas por la traición del silfo. Además no había forma alguna de contradecir aquellas palabras engañosas disfrazadas de justicia.

—La muerte no será suficiente castigo —anunció sin dejar de sonreír—. Tendré que buscar otra alternativa…

De repente se quedó callada un momento, incluso se levantó de su silla como si algo la hubiese sobresaltado y sus ojos miraron más allá de los ventanales del camarote. Laila sintió un cosquilleo en la espalda. Algo inexplicable. De repente la sensación desapareció y Maeve pareció confusa un segundo. Sus ojos se fijaron en ella, taladrándole el alma. Luego volvió a sentarse y todo rastro de inseguridad desapareció.

—Lo que nos lleva al siguiente misterio —retomó la conversación.

No pronunció ni una palabra ni hizo gesto alguno, pero de repente entraron dos albanthïos portando la caja de piedra llena de runas. Laila ahogó un gemido.

—Otro crimen contra Ïalanthilïan —afirmó—. No sé de dónde lo habéis sacado ni qué es, pero noto un poder malévolo en su interior —observó a Laila con ojos terribles—. Sin duda es algo que perteneció a la raza más depravada, aquellos que no debieron existir jamás, y que tú estás despertando para destruirnos a todos.

—Yo no… —balbuceó Laila con las mejillas ardiendo y lágrimas en los ojos. Sin saber por qué, se sentía terriblemente culpable. Su mente le decía que todas las acusaciones de la reina Maeve, aquellas palabras impregnadas de justicia y rectitud, no eran sino la verdad absoluta.

—Te advertí en una ocasión que no volvieses jamás a Ïalanthilïan —se puso la otra en pie señalándola con el dedo—. Has corrompido la voluntad de estas jóvenes puras y dignas que creen ser tus amigas, y no saben que caminan junto a una serpiente a la que deberían aplastar. Y ahora traes contigo una nueva fuente de maldad.

—¡Laila no es nada de eso! —exclamó Cyinder con su voz llena de dignidad—. ¡Y ahora mismo, yo, la reina de Solarïe, la protejo de todas esas falsas acusaciones!

Maeve la miró con la boca abierta un segundo, pero de inmediato sus ojos fueron dulces y cálidos.

—Reina de Solarïe —le susurró asimilando aquella novedad—, sabes que tengo razón. Confío en tu palabra más que en la de nadie porque siempre has querido lo mejor para tu pueblo, igual que yo para el mío, y eso te conduce por el camino de la verdad y la pureza —su voz se convirtió en un ronroneo—. Si de verdad me aseguras que esta criatura del pueblo maldito no es culpable de los crímenes que se le imputan, la dejaré ir, pero…

Laila, Aurige y Nimphia miraron a Cyinder a la vez. La chica temblaba con las manos crispadas. Parecía que estaba haciendo un gran esfuerzo contra un enorme poder invisible. Sus labios se movieron sin poder decir una palabra.

—Si piensas que estoy equivocada, y no confías en mí —siguió el ronroneo—, ya no podré ayudarte a convertir Solarïe en el reino que debe ser, un reino de poder sin igual, la joya de Ïalanthilïan…

—¡No sois más que una chantajista! —interrumpió Aurige de golpe y pareció que Cyinder se relajaba.

Maeve miró a la lunarïe con una sonrisa divertida, sin embargo, tras aquella superficie en calma, algo parecía a punto de romperse.

—La hija de Titania, cómo no. Muchas veces me he preguntado si los ithirïes no fueron más que marionetas en manos de una ambición superior.

Dejó aquellas palabras en suspenso como si vertiese un veneno lento. Aurige no se dio por aludida.

—Sin embargo —murmuró la Reina Blanca, pensativa—. Tanta amistad y lealtad me conmueven, y no quiero ser culpable de condenar a una joven inocente si es verdad lo que decís —aquellos ojos transparentes observaron a Laila de arriba abajo—. Abrid la caja y veamos su contenido. Es un cofre del reino maldito, así que ella sabe cómo abrirla y no me engañéis, porque leo vuestras mentes y sé que tenéis la llave. Si no es más que un juguete, una baratija, yo misma repararé el daño cometido por mis palabras.

Todas se miraron entre ellas. Aurige hizo una señal imperceptible diciendo que no.

—Hay mucho en juego, princesa de Lunarïe —dijo la reina, atenta a su gesto—. Debes saber que la reina Titania, tu madre, se halla bajo graves acusaciones de traición. Se niega a entregarme el Ojo de la Muerte y esto de aquí...

Caminó hacia el arca de piedra y acarició su superficie lentamente. De repente Laila comprendió el juego de Maeve. De una forma o de otra iba a encontrar un culpable para sus propósitos, si no era ella, sería Aurige, y Aurige sería la moneda para someter a Titania.

—No es el Ojo de la Muerte —se sorprendió a sí misma hablando en voz alta—. Es sólo un tesoro de piratas.

La reina se volvió hacia ella con aquella sonrisa de hielo.

—Entonces no puede haber ningún problema en abrirlo, ¿verdad, ithirïe? Todavía tu presencia es un misterio imperdonable para mí, pero te aseguro que lo descubriré.

Laila notó de nuevo aquella sensación en la espalda. Como una corriente eléctrica. Como en la Torre de Cálime frente a la puerta cerrada. Los ojos de la reina se habían crispado un momento, pero de nuevo todo desapareció en un segundo. Las llamas de las velas se agitaron un instante y al momento se quedaron quietas.

—Abre la caja —dijo con la dureza de un cuchillo afilado—. Abre la caja y les perdonaré la vida —señaló a ambos Señores de los Vientos.

—De verdad que no es el Ojo de la Muerte —tembló ella, sintiendo de repente que el medallón escondido en su bolsillo pesaba como el plomo.

Maeve estaba tan cerca que daba miedo. El aura que desprendía era sofocante, como una ola empujándola sin remedio, quitándole toda su voluntad. Estaba a punto de arrodillarse.

—¡Creemos que son las Piedras de Firïe! —gritó Nimphia, desesperada.

Aquello tuvo un efecto arrollador. La reina Mab abrió la boca con una sorpresa tan grande que por un momento todas creyeron que se había convertido en una estatua. Las miró una a una y entonces leyó en sus ojos que no había rastro de mentira. Luego contempló el cofre tanto tiempo que pareció que pasaban milenios.

—Nemaïn… —susurró pareciendo que iba a desplomarse.

Se arrastró hacia el trono envejeciendo por segundos. De repente ya no era una reina fría y terrible. Parecía tremendamente cansada, como si soportase una carga imposible.

—Abre el cofre, por favor —pidió por primera vez en su vida—. Si las piedras de fuego están ahí, y me las entregas por tu propia voluntad, yo, en nombre de todo Ïalanthilïan, perdono a los ithirïes por todo lo que ocurrió.

Laila se quedó sin habla. De repente la situación era abrumadora. En sus manos tenía el destino de todo y no sabía qué hacer. El perdón. Así, sin más explicaciones. Sin detalles ni motivos. Se giró a sus amigas, pero estaban tan sorprendidas por las palabras de Maeve que no pudieron decir nada.

—¿Y ellos? —señaló a Vardarac y a Tramontana intentando ganar tiempo.

—Todos perdonados —asintió Maeve—, tienes mi palabra. Nunca más habrá ningún castigo en Ïalanthilïan. La guerra se terminó.

Ella respiró hondo. No iba a pensarlo más. Sacó el medallón

y lo contempló tragando saliva. La guerra se terminó. Colocó la alhaja sobre el grabado de piedra, encajando las seis medias esferas en las muescas. La cara de la medalla que quedaba frente a ella era la de los cinco soles sobre una serpiente de dos cabezas. De la piedra surgió un destello y Laila notó el corazón latiendo a toda velocidad. Entonces giró la medalla como si fuera una llave y supo que algo no era correcto. No. Las dos cabezas de la serpiente parecían reírse de ella, y además, ahora que lo había girado, veía aquella imagen como si nunca se hubiese dado cuenta de lo que significaba. Los cinco soles estaban bajo la serpiente ondulada, no arriba.

La piedra hizo un ruido seco y apareció una línea de luz que partía la superficie en dos, pero Laila no se daba cuenta de nada. Su cabeza era un torbellino de ideas y de repente un viento seco abrió las ventanas de golpe, entrando a raudales como un pequeño huracán. Las velas blancas se apagaron a la vez.

—¡Los vientos han regresado! —exclamó Nimphia, maravillada.

—¡No! —musitó ella, ahora con el medallón en la palma de la mano.

Luego observó las velas. El humo subía hacia arriba en finas columnas como en su sueño. En su mente apareció la imagen de la misteriosa figura que apagaba las velitas una a una, y aquella persona, un anciano con una máscara de oro, sonrió.

—¡No, no son las Piedras de Firïe! —gritó en medio de la ventisca que invadía la estancia.

La línea de luz se multiplicó en miles de secciones, rompiendo la caja en fragmentos centelleantes, y entonces comenzó a desmoronarse. Por entre los restos brillantes de arenilla y polvo había una gema de color verde. Laila la cogió asombrada. Parecía una esmeralda pulida. Sin darse cuenta de lo que hacía, sacó su libro del bolsillo y la colocó en la cubierta.

La esmeralda brilló con una luz intensa. Laila se irguió en

medio de la confusión, con miles de agujas pinchándole en la espalda, pero entonces se dio cuenta con un asomo de miedo, que ni sus amigas, ni siquiera la reina Maeve miraban los restos del cofre de piedra. Estaban viendo a alguien detrás de ella. Alguien que estaba en la puerta del camarote.

Se giró lentamente, como en un sueño, con el libro en una mano y el medallón de plata en la otra. Allí, frente a ella, dos figuras desconocidas las miraban a todas. Ambas tenían largos cabellos verdosos, y se cogían de la mano como si pretendiesen infundirse confianza la una a la otra. Parecían madre e hija, y aquella sensación hizo que el corazón le doliese.

—¡Tú! —escuchó a Maeve a sus espaldas, con un tinte frenético de miedo.

Laila vio que una de las hadas sonreía, y cuando dio un paso hacia ella, el mundo pareció volverse borroso. Un manto de neblina le cerraba los ojos. Tenía mucho sueño, y aunque no podía perderse aquel momento, no podía evitarlo. Iba a dormir sin remedio y en la lejanía blanca escuchó voces gritando su nombre. Apretó el medallón contra su pecho. Una luz blanca destelló en su cabeza y ya no supo más.

—¡Laila! —chillaba Aurige, que había corrido a su lado y le agitaba los hombros con desesperación.

—¡No te atrevas a tocarnos! —decía la reina Maeve en ese momento, casi histérica—. Tu hija es mía ahora. No despertará jamás si me matas.

—¿Mi hija? —dijo la recién llegada sus primeras palabras. Caminó hacia la figura tendida y la miró desde las alturas sin rastro de compasión—. ¿Esta triste nemhirie es mi hija?

—Volved al exilio, o al infierno del que habéis salido y no sufrirá ningún daño, te lo prometo —la voz de Maeve temblaba de terror.

Ella analizó el rostro de Laila.

—No sé quién es esta criatura —dijo por fin—. Llévatela y

haz con ella lo que quieras. Mátala o conviértela en uno de tus perros albanthïos, no me preocupa.

Dio un paso más y la reina se escudó en su trono blanco. Cyinder se había abrazado a Laila, intentando protegerla de cualquier cosa, y su cara había pasado de la estupefacción al terror.

—Ethera, no hagas esto —suplicó Maeve, con sus manos blancas agarrotadas en el respaldo de la silla de mármol.

Ethera, la reina Serpiente, se soltó de la mano de la otra chica y se acercó a Laila. Cyinder la apretó aún más contra su pecho, pero ella alargó la mano y le arrancó el libro de las piedras sin mostrar ningún otro gesto de ternura ni aprecio.

—Esta vez sólo he venido a buscar lo que es mío —susurró con una sonrisa victoriosa—. La próxima vez, vendré a por todo.

Se dio media vuelta en busca de la mano de la chica joven. Cyinder notó que se parecía muchísimo a Laila, solo que de otra forma. Con una dureza en los labios y en el rostro como si estuviese tallada en piedra. La chica miraba a su amiga dormida sin ocultar su curiosidad.

—Estaré preparada contra ti y tus demonios —chillaba Maeve en ese momento.

—Ni te imaginas lo poco preparada que estás, vieja amiga —le contestó la otra sin siquiera girarse.

Apretó la mano de la joven con firmeza y ambas desaparecieron en las sombras. La reina Mab se quedó mirando hacia la puerta incluso mucho después de haber desaparecido. Sus pensamientos vagaban a enorme velocidad y todo su cuerpo temblaba.

—Al final ha ocurrido —susurró para sí misma, con la mirada perdida.

—¡Qué ha ocurrido! —exigió Nimphia en voz alta—. ¿Qué le habéis hecho a Laila?

Maeve no contestó. Un grupo de albanthïos se acercó con intenciones de llevársela. Las tres se pusieron en guardia.

—Estará a salvo en Tirennon —dijo Maeve, como si así lo explicase todo.

—¡No estáis haciendo nada por ella! —le espetó Aurige apretando los puños—. Sólo queréis salvar vuestro pellejo usándola de rehén.

—No es así, ya has visto lo poco que le importa —se defendió la reina.

—Pues entonces no hay motivos para que no la saquéis del hechizo y la dejéis libre —añadió Nimphia, demasiado enfadada.

—No puedo permitirme ese lujo —la contradijo Maeve—. La reina Serpiente tiene dos caras y es engañosa como las víboras. No puedo dejar a vuestra amiga libre. Quiera Ethera o no quiera, ella es su hija.

Los albanthïos recogieron el cuerpo de Laila sin que ellas pudiesen impedirlo. Dos de ellos formaron un portal de luz cegadora y poco después desaparecían en él con la figura de su amiga. Después de un silencio que parecía cargado de electricidad estática, la reina las observó una a una.

—Todas vais a venir conmigo a Tirennon —les anunció—. Esto ya no es un juego. Ayudaréis a proteger a vuestras madres y defenderéis vuestros reinos bajo mi ayuda y mi tutela. Yo no quería esto, ha sido la reina Serpiente quién lo ha decidido, tenedlo claro.

—Yo no voy —negó Aurige sacudiendo la cabeza—. Ni ninguna de nosotras.

—No es una pregunta ni una opción. Es mi mandato y nadie se opone a mí.

Para confirmarlo, numerosos guardianes blancos invadieron el camarote dispuestos a cumplir las órdenes a cualquier precio.

—Yo creo que esto no es necesario… —empezó Cyinder.

Y en ese momento una tremenda explosión sacudió los cimientos del barco, saltando fuego y astillas por todas partes. La onda expansiva las tiró a todas al suelo, y el Reina Katrina crujió en medio de humo negro y estallidos de maderas que se sucedían sin parar. Las maquetas se hicieron añicos y los muebles volaron por los aires hechos pedazos. La pared del barco estaba destrozada dejando al descubierto el aire libre. Desde fuera llegaban voces, gritos, y ráfagas de disparos, y en mitad del caos, varios garfios atravesaron la humareda clavándose en el suelo.

Aurige se puso en pie entre jadeos y toses, intentando mantener el equilibrio, y buscó a Cyinder y a Nimphia por entre los escombros. Varias figuras entraron de golpe a través del hueco abierto, armadas de pistolas y sables hasta los dientes.

—¡Milord! —gritó una voz que la lunarïe reconoció en el acto.

Se acercó a Nimphia, que trataba de incorporarse a duras penas, mientras los asaltantes, Äüstru y Ojo de Toro, inspeccionaban la estancia. Un albanthïo comenzó a invocar un cántico y de repente se escuchó un estallido. El hada blanca cayó al suelo. Por entre los agujeros chamuscados de su toga salía sangre a borbotones. Nimphia chilló pero Aurige le tapó la boca de inmediato.

—¡Aquí, señores! —exclamó otra voz, también conocida, solo que ella no lograba situarla.

Cuando el humo se disipó, el camarote de Zërh estaba lleno de gente que apuntaba a los albanthïos con pistolones y cuchillos, y entre ellos, además de Äüstru y Ojo de Toro, el Conde de Libis con un hacha en las manos. Se acercó a los Señores de los Vientos y de un golpe brutal cercenó las cadenas de hierro que les aprisionaban.

—Este sacrilegio no quedará sin castigo —sonó la voz congelada de la reina Maeve.

Se rodeaba de una aureola de luz, y en medio de aquella refriega, parecía una vela encendida que en vez de iluminar, crispaba el ambiente. El Conde de Libis se acercó a ella apuntándola con un pistolón.

—Silencio, madame —le dijo palpando varios cuchillos de cristal que llevaba sujetos al cinto—, esto son dagas de sal. No solo matan, sino que el dolor es insoportable. Esta pequeña joya —hizo girar la pistola por el gatillo—, dispara ráfagas de sal que vosotras, las hadas, teméis más que a nada en el mundo. ¡Así que no me habléis de castigos! No quisiera manchar de rojo ese precioso vestido que lleváis.

Maeve no contestó. Sin duda la furia de verse atrapada por un simple nemhirie la carcomía por dentro, y además, la insolencia y el ultraje de sus palabras no tenían paragón en la historia. Aurige estuvo a punto de soltar una carcajada.

—¡Avast, amigo mío! —jadeó Tramontana acariciándose las muñecas doloridas—. Jamás mi corazón ha sentido alborozo tal, que al ver vuestra noble faz…

—Calla ya, Pimpollo y trepa al Harmattan —gruñó el otro sin quitar la vista de encima a los albanthïos.

—No habrá sitio en Ïalanthilïan donde estéis a salvo —prometió la reina, sin siquiera arrugar la frente para demostrar su ira—. Mi mano llega a todos lados.

—Vuestra mano, es tan fría que parece un pez muerto —dijo Libis tomándole el brazo.

Y con un gesto de absoluto descaro se la besó y la soltó de golpe. Luego todos recularon hacia la salida sin dejar de encañonar a los guardianes blancos.

—¡Vamos! —exclamó Aurige viendo cómo los otros iban desapareciendo por el agujero en la pared—. Nimphia, tú primero, Cyinder…

—Yo no voy, Aurige —dijo la rubia con una voz casi sobrenatural.

Ella se giró con ojos espantados. Cyinder estaba de pie junto a la figura brillante de la Reina Blanca.

—¡Pero qué estás diciendo!

—Solarïe depende de mí —respondió ella con sus ojos dorados apagados—. No puedo hacer otra cosa.

—La reina de Solarïe es sabia, no una romántica alocada —siseó Maeve—. Hoy habéis conocido al verdadero enemigo. Los ithirïes quieren la guerra, pero esos traidores jamás mancillarán la belleza de Tirennon. Conmigo, también Solandis estará a salvo, será grande, más poderoso y magnífico de lo que nunca habéis soñado. Así mismo podrían ser Lunarïe y Airïe si quisierais…

Les ofreció una mano tentadora. Desde fuera la voz del Conde de Libis daba órdenes para disponerse a zarpar.

—Cyinder —susurró Aurige mirándola a los ojos.

—¡Tomad mi mano! —les exigió la reina.

—¡Ni hablar! —gritó la lunarïe acercándose al hueco de la pared destrozada.

—Yo tampoco —dijo Nimphia—. Aunque Airïe esté en guerra civil, aún somos libres.

—¿Y qué crees que vas a hacer? —se burló ella—. Tu hermana y tu madre están bajo mi poder. ¿Vas a enfrentarte a mí tú sola? ¿Con tus amados nemhiries, quizás?

—Los Señores de los Vientos me escucharán —contestó ella intentando no temblar—. Dominas Silveria, pero Airïe no te pertenece.

Cyinder tembló un segundo al escuchar aquellas palabras, pero en seguida Maeve le tomó de la mano y su rostro volvió a ser pálido y sereno. Parecía incluso que estaba perdiendo su color dorado.

—¡Shilayas!, ¿venís o qué? —sonó la voz crispada de Äüstru.

—Os deseo suerte pues, en vuestras aventuras infantiles,

princesas —les dijo la Reina Blanca con un atisbo de sonrisa—. No hay duda de que nos volveremos a ver muy pronto.

—Puedes estar segura —prometió Nimphia antes de desaparecer.

Aurige miró a Cyinder un momento. Por un segundo, sus ojos se encontraron y a la lunarïe le pareció ver un destello fugaz que en seguida desapareció. Luego echó un vistazo hacia abajo, hacia los edificios de la isla de Londres a sus pies.

Se impulsó un segundo y flotó hasta la pasarela de un navío extraño. Troneras de cañones humeantes todavía amenazaban al Reina Katrina, y toda aquella carcasa parecía un gran calamar metálico. No había mástiles ni velas, pero bajo la cubierta plateada, tres enormes hélices giraban impulsándolo en el aire. Las escotillas se cerraron tras ella, en un ambiente opresivo y claustrofóbico.

—¡Arriba periscopio! —gritaba Libis, vociferando órdenes incomprensibles en medio de gritos y carreras.

El artefacto se puso en movimiento, ganando velocidad hasta que sólo fue una estela plateada atravesando el cielo de Silveria.

—¿Y ahora qué? —gruñó Aurige dando un golpe en la mesa.

Estaban reunidas, ella y Nimphia con los tres Señores de los Vientos en el camarote de Libis. Su amiga, tremendamente emocionada, le había informado de que el artefacto en el que viajaban se llamaba «submarino», pero a ella le daba absolutamente igual.

Al parecer, el Señor del Oeste había encontrado su mundo muy insulso, casi aburrido. La gente no se emborrachaba en tabernas ni buscaba tesoros. Inglaterra y España ya no estaban en guerra por las colonias americanas y los únicos piratas de los que escuchó hablar ahora eran llamados «hackers» y robaban cosas inexistentes en un mundo inexistente.

—¡Virtual, le llaman! —gritó escandalizado. Luego se bebió de golpe un trago de ron de Benthu.

—No entiendo nada de lo que dices —se exasperó Aurige—. Sólo sé que mis dos amigas están prisioneras de Maeve y tenemos que rescatarlas como sea.

—¿Y cómo lo hacemos, shilayita? —dijo Äüstru con cinismo—. ¿Acaso crees que podemos presentarnos en esa corte de bastardos blancos y decir: «¡Hola, venimos a por dos shilayas! ¡Devolvédnoslas o lo destruimos todo!»? Se necesitan recursos, hombres, barcos. Todo un ejército…

—La flota de Silveria es capaz de enfrentarse a Tirennon —dijo Nimphia, pensativa—. Si los maddins nos apoyan, los nemhiries de las tres islas se unirán a nosotros. Tendremos ese ejército que necesitas.

Los otros la contemplaron con sorpresa y admiración.

—Es posible —murmuró Vardarac después de mesarse las barbas un rato—. Podría ser. Los señores del Norte acudirían a mi llamada como lobos fieros con ansias de sangre.

—La Casa del Este añadirá su sagacidad y bravura —añadió Tramontana—, pero antes…

—Que sí, hombre —le dijo Libis dándole unas palmaditas en la espalda—. Rescataremos a la histérica esa de Notos. Si yo fuese el Viento del Sur me lo pensaría dos veces antes de casarme con ella. Antes de que se dé cuenta, va a estar fregando platos y limpiando la casa con plumero y delantal.

El Barón de Tramontana se puso rojo como un tomate, dispuesto a iniciar una pelea para defender el honor de la Bella del Sur.

—Yo no voy —dijo Aurige, pensativa.

—¿Por qué? —exclamó Nimphia—. ¿Te parece mala idea?

—En absoluto. Es muy buena. Yo intentaré salvar a Laila y a Cyinder por mis propios medios.

—¿Acaso no somos suficientes para ti, shilaya? —se enojó Äüstru sacando un cuchillo.

—Laila está dormida en un hechizo —explicó Aurige con paciencia—. Por muchos cañones que llevéis ante Tirennon no se va a despertar. Se necesita otra cosa.

—¡Cuál! ¡Dímelo! —exigió Nimphia.

Aurige dudó.

—Es mejor que no diga nada —susurró por fin—. La vieja Mab es capaz de leer las mentes y controlarlas. Si yo soy la única que sabe mi plan, más probabilidades hay de que funcione.

—No quiero que nos separemos —dijo Nimphia notando lágrimas en los ojos—. Tengo miedo y no quiero estar sola. Dime al menos dónde vas a ir.

—Volveré a Lunarïe —contestó ella—. De una forma o de otra conseguiré hablar con mi madre. Luego seré sumisa y diré que quiero ir a la Universidad Blanca, pero antes…

—¡Qué! —exclamó Nimphia muerta de curiosidad mientras la noche caía y en el cielo brillaban las estrellas heladas. El frío se hacía sentir en los corazones y ni el ron más caliente de Benthu podía calentarlos. El invierno estaba llegando.

—Antes tengo que hablar con un nemhirie.

Epílogo

Aurige sacudió su varita otra vez. Lanzaba algún destello mágico en el aire, pero sin duda tenía que estar rota porque los resultados eran catastróficos. Volvió a mirarse en el espejo. Ahora tenía demasiado colorete y parecía un payaso. La agitó de nuevo y el exceso de maquillaje desapareció de sus mejillas, pero ahora tenía los labios demasiado rojos. Parecería una maldita ailorïa humana.

Sus pensamientos volvían una y otra vez al momento en que le había arrebatado el diamante a Laila de las manos. Cuando todo estaba perdido, le había venido una idea a la cabeza. Su tía les había mandado a un momento único y exacto del pasado. Y para el regreso, sin duda también deberían volver en un momento concreto. Y si ese momento no era de noche, debía ser de día.

Aquello se le ocurrió en una décima de segundo, y arriesgando el todo por el todo cogió el diamante y lo arrojó por la borda. En lugar de vaporizarse, la gema se volvió incandescente al contacto con el fuego, y creció enorme, como un sol gigantesco que lo inundaba todo.

Y después ya nada. Maeve llevándose a su amiga dormida. Aurige no iba a permitirlo.

Movió la varita mil veces probando distintas combinaciones y al final desistió. En su mente surgió la idea de volver a Sïdhe algún día. Allí encontraría una varita perfecta, y además, iba a necesitar vestidos de gasas, sombreros picudos... Volvió a contemplar su imagen en el espejo y suspiró. Ya habría tiempo de regresar a Sïdhe. Primero tenía algo que hacer.

Bajó las escaleras de aquella mansión laberíntica. Las casas nemhiries le parecían absurdas, pero aquella era aún peor. Adentrarse en Catay había sido difícil. Los nemhiries no contestaban a sus preguntas, pero después de fabricar mucho oro y joyas había dado por fin con el palacete de Lord Ho.

Al principio el maddin de Catay se había negado en rotundo a ayudarla, pero después de una amable técnica persuasiva, consistente en varias aspas de luz negra danzando alrededor del cuello de aquel hombre, Lord Ho había accedido gustoso, casi suplicante, a alojarla allí.

Caminó por el rellano lleno de cuadros de batallas medievales y esculturas intrincadas. El suelo estaba cubierto por una alfombra roja, y a pesar de todo, aquella estética oriental le encantaba. Todo suave, pero complicado a la vez. Exactamente como Lunarïe. Avanzó hasta una puerta y la abrió.

El hombre de negro estaba allí tumbado en el lecho. Ella llevaba varios días ya cuidando de sus quemaduras, aplicándole ungüentos lunarïes que las habían mejorado milagrosamente. Aún así, Jack Crow permanecía inconsciente.

Se acercó a una distancia prudencial e inspeccionó las heridas queriendo parecer indiferente. Con gran alivio descubrió que ya estaban casi curadas. En poco tiempo estaría completamente restablecido.

La respiración del hombre era lenta y tranquila, y ella se maldijo por observarlo tan detenidamente. Sus labios, el perfil de su nariz. Se acercó para comprobar una marca que había dejado el fuego en su pómulo, y entonces el hombre de negro le agarró una mano tan rápido que no se lo esperaba. Ella apenas tuvo tiempo de reaccionar.

Apenas. Pero suficiente.

La daga de plata centelleaba ya bajo la barbilla de Jack. Justo donde latía una arteria. Las estrellas brillaban en los ojos burlones del hombre.

—¿Una tregua? —pidió, con una sonrisa que pretendía ser embelesadora.

—¿Por qué habría de hacerlo? —susurró ella con la cara tirante y el filo de la daga hundiéndose en la carne.

—Porque me estás curando —contestó Jack con seguridad—. Te gusto. No lo puedes evitar.

Aurige apretó aún más el reluciente cuchillo. Tanto que el hombre de negro soltó una exclamación de dolor.

—Te equivocas —se acercó a él con la misma sonrisa de burla y cinismo—. No eres más que un nemhirie, y podría matarte ahora mismo sin sentir nada.

—¿Entonces? —siguió el otro sin dejar de sonreír, acomodándose las manos tras la cabeza.

—Te necesito, por ahora, para salvar a Laila.

—¿Laila? —Jack pareció hacer memoria—. ¡Ah, sí! La chica escurridiza. Un trabajo difícil. Nunca he visto un hada más dura de atrapar.

Los ojos de Aurige relampaguearon y él se dio cuenta tarde de su error. Durante un segundo se hizo un silencio de hielo, y Jack Crow carraspeó, nervioso.

—¿Por qué habría de ayudarte? —preguntó por fin, intrigado a su pesar.

—Es sencillo —dijo ella levantando los hombros con desdén. Sin darse cuenta, había apartado la daga de su cuello—. Me vas a entregar las Arenas de Solarïe.

El hombre de negro se quedó mudo, sin saber qué hacer ni qué decir por la sorpresa.

—No sé de qué me hablas —murmuró con aplomo.

Aurige sonrió despectiva.

—Tengo medios para hacerte hablar —dijo con ojos brillantes—. Medios que mis amigas no saben que soy capaz de hacer. Vas a conseguir un Grano de las Arenas para mí o si no…

—O si no, ¿qué?

Ella volvió a acercar el cuchillo a la piel de su pómulo. Justo donde había quedado la cicatriz de fuego.

—Si no, el dolor más insoportable será sólo una dulce pesadilla en comparación con lo que haré contigo.

Sus ojos estaban llenos de estrellas, tan cerca que parecían pequeños diamantes. De repente Jack Crow se impulsó hacia arriba, tan bruscamente que fue imposible evitarlo. Sus labios se unieron como el choque de dos trenes a alta velocidad y por un momento saltaron chispas que le abrasaron la piel.

Aurige se apartó de un salto, horrorizada, y la mano que sostenía la daga tembló. Abrió la boca, pero antes de decir una sola palabra se escuchó un sonido metálico. El suave plink de la runa de oro, que cayó al suelo y salió rodando sin parar escaleras abajo, hasta que desapareció.